Goudvalk

KATHARINE KERR

Goudvalk

LUITINGH FANTASY

© 2006 Katharine Kerr
All rights reserved
© 2007 Nederlandse vertaling
Uitgeverij Luitingh ~ Sijthoff B.V., Amsterdam
Alle rechten voorbehouden
Oorspronkelijke titel: *The Gold Falcon*
Vertaling: Carla Benink
Omslagontwerp: Karel van Laar
Omslagillustratie: © Geoff Taylor

ISBN 978 90 245 4942 9
NUR 334

www.boekenwereld.com

Voor dr. Peg Strub,
wier scherpe ogen mij
het leven hebben gered.

Aantekening van de auteur

Blijkbaar heb ik door mijn systeem van ondertitels voor de verschillende delen verwarring gesticht bij de lezers van deze reeks. Alle Deverry-boeken maken deel uit van één lang verhaal, dat ik heb verdeeld in vier 'bedrijven'. Hier komt de juiste volgorde:

Eerste bedrijf: *Zilverdolk, Maanduister, Sperenwoud, Lotsverbond.*

Tweede bedrijf, de Westland-serie: *Banneling, Onheilsbode, Vuurgeest, Wisselvrouw.*

Derde bedrijf, de Drakenmagiër-serie: *Drakengloed, Ravenzwart, Elfenkracht, Goudvalk.*

Binnenkort zullen er nog twee delen verschijnen: *The Spirit Stone* en *The Shadow Isle.*

DE VERGIFTIGDE WORTEL DIE ALLES
HEEFT VOORTGEBRACHT

In het jaar 643, diep in de donkere eeuwen van het koninkrijk Deverry, zette een los verband van clans samen met de weinige kooplieden en handwerkersgilden in die tijd een nieuwe, onstabiele dy-
nastie op de troon van de Eerste Koning. Tijdens die oorlogen leed
de clan van de Valk grote verliezen, onder zowel de edelen als de
burgers. Uit dankbaarheid huwde de koning zijn derde zoon, Galrion, uit aan de laatste dochter van de Valken, Brangwen. Maar haar
broer, heer Gerraent, hield meer van haar dan een broer hoort te
doen, en prins Galrion hield meer van de magische dweomerkracht
dan van zijn aanstaande bruid. Toen Galrion de verloving verbrak,
werd hij door zijn vader uit de koninklijke familie verstoten. De prins
noemde zich voortaan Nevyn, wat in het Deverriaans 'niemand' betekent, en ging dweomer studeren bij de meester die had gehoopt
zijn kennis aan Galrion en Brangwen samen te kunnen doorgeven.
Brangwen bleef bedroefd en beschaamd achter, en zocht haar toevlucht in de armen en het bed van haar broer. Weldra was ze zwanger. Toen pas besefte Nevyn hoeveel hij van haar hield en hoe hij
haar in de steek had gelaten. Hoewel hij zijn best deed om haar bij
haar broer weg te halen, kon hij een tragische afloop niet voorkomen. Toen Brangwen zich van schaamte verdronken had, legde hij

bij haar graf onnadenkend een belofte af. Wanneer ze op het wiel van leven en dood zou zijn herboren, zou hij niet rusten voordat hij het kwaad dat hij haar had gedaan, had hersteld door haar de dweomerkracht te geven die haar toekwam. Hij kon niet weten dat hij voor het nakomen van die belofte de magische levensduur van vierhonderd jaar zou moeten volbrengen, terwijl zijn medespelers in de tragedie verschillende malen zouden sterven en reïncarneren.

Gedurende zijn lange leven werden ook andere zielen meegesleept door de ketens van zijn en Brangwens *wyrd* (lot of karma): degenen die hij wilde helpen en degenen die zijn vijanden werden. Nevyn nam leerlingen aan, zoals Aderyn en Lilli, en hij kwam in contact met andere dweomermeesters, zoals Dallandra. Zij behoorde tot het Westvolk, dat bestond uit nomadische elfen die de vlakten ten westen van Deverry bevolkten.

Uiteindelijk werd Brangwen herboren als Jill, de dochter van Cullyn van Cerrmor, een huursoldaat, en Seryan, een serveerster in een herberg. Na vele avonturen zag ze eindelijk in wat haar bestemming was en ging ze met Nevyn mee om dweomer te leren, wat ze al zo lang geleden had moeten doen. Toen pas kon Nevyn sterven.

Jill leefde nog jaren verder. Geholpen door de dweomermeester Dallandra en haar bizarre minnaar Evandar, een machtige ziel die nooit was geïncarneerd, leidde ze de eerste oorlog tegen het woeste Paardenvolk en hun zogenaamde godin Alshandra. Maar Alshandra was, al had ze grote magische macht, een sterfelijke geest en ten slotte slaagde Jill erin haar te doden, wat haarzelf ook het leven kostte. De man van wie ze in haar jeugd had gehouden bleef achter: de halfwaanzinnige woesteling Rhodry Maelwaedd, wiens wyrd nog vreemder was dan zelfs een groot dweomermeester zich zou kunnen voorstellen.

Al ruim vijftig jaar zijn Dallandra en het Westvolk op hun hoede voor het Paardenvolk en de cultus van hun onechte godin. Hoewel Alshandra dood is, leeft die cultus voort. Dallandra doet haar best om de zielen die door het wyrd met haar verbonden zijn te begeleiden, terwijl ze doorgaat met haar dweomerwerk ten dienste van haar volk. Maar op de grens van Deverry en het land van het Westvolk hangt iets in de lucht, en het ziet er onheilspellend uit...

DE PROVINCIE ARCODD

ZOMER 1159

De oude wijsgeer uit Greggyn, Heraclidd, vertelt ons dat niemand tweemaal in dezelfde rivier kan stappen. De tijd zelf is een rivier. Wanneer een mens sterft, laat hij de rivier achter zich om die bij zijn volgende geboorte opnieuw over te steken. Maar intussen is de rivier blijven stromen.

Het Geheime Boek van Cadwallon de Druïde

Neb liep de keuken door en bleef staan bij het raam, dat bestond uit een slordig uitgehakt gat in de muur. De stank van modder en koeien kwam erdoor naar binnen, maar dat was frissere lucht dan die in huis, vond hij. Midden op de vloer brandde het haardvuur, en de rook kringelde door het halfronde vertrek voordat hij door de gaten en spleten in de muren naar buiten verdween. Tante Mauva zat geknield voor de haard en legde platte, ronde stukken deeg op de bakplaat. De haverkoeken begonnen dampend op te zwellen. Neb hoorde zijn maag rammelen en Clae, zijn jongere broer, liep alvast naar hun tante toe.

'Op je beurt wachten!' snauwde Mauva, en ze kneep haar blauwe ogen in het magere gezicht tot spleetjes. Pieken vuil rood haar kleefden zweterig aan haar wangen. 'Je oom en ik eten het eerst.'

'Ach, geef die koeken maar aan de jongens.' Oom Brwn zat met een kroes bier in zijn hand aan de houten tafel. 'Ze hebben de hele dag stenen geraapt in het westelijke veld en je was vanmorgen nogal karig met die waterige pap.'

'Karig? Karig?' Mauva draaide zich om en kwam tegelijkertijd overeind. 'Hoe durf je zoiets tegen me te zeggen! Je scheept me op met twee extra monden om te voeden en...'

Brwn zette de kroes met een klap op tafel en stond op. 'Hou je mond, gierige, onvruchtbare slet! Je hoort de goden te danken omdat ze mijn neefjes naar je toe hebben gestuurd!'

Mauva stormde gillend en met haar vuisten zwaaiend op hem af. Oom Brwn pakte haar bij haar polsen en hield haar stevig vast tot ze zich niet langer probeerde los te rukken. Toen duwde hij haar van zich af en zette zijn dikke, eeltige handen in zijn zij. Maar voordat hij weer iets kon zeggen, bracht ze haar gezicht vlak voor het zijne en begon opnieuw te schreeuwen. Zo vochten ze door, scheldend en vloekend, maar vooral met veel gegrom en gegil.

Neb knielde bij het vuur, pakte een houtsplinter en draaide de haverkoeken om voordat ze verbrandden. 'Geef me iets om ze op te leggen,' siste hij tegen Clae.

Clae keek om zich heen. Op het aanrecht stond een oude, platte mand, die hij pakte en omhooghield. Neb knikte, Clae gaf hem de mand en Neb wipte de gare koeken erin – ieder drie, wat niet veel was, maar ze moesten het ermee doen. Hun snerpende tante zou misschien weer bij zinnen zijn voordat hij nog een portie kon bakken. Hij stond op, nam de mand van Clae over en glipte de achterdeur uit. Clae liep achter hem aan en samen ploeterden ze door de blubber op het erf en verdwenen achter de mestvaalt. Magere kippen draafden kakelend mee, met hoopvol opgeheven kopjes.

'Neem me niet kwalijk,' zei Neb, 'maar er is nauwelijks genoeg voor óns.'

Om het huis, de schuur en het erf stond een lemen muur. Ze renden het hek uit naar de appelboom vlak buiten de muur, die schaduw bood. Daar gingen ze zitten en schrokten de nog warme koeken op voordat Mauva ze van hen kon afpakken. Boven hun hoofden deinden appeltjes tussen de bladeren, nog te groen, al hadden ze nog zo'n honger.

Clae slikte het laatste stuk koek door en veegde zijn mond af met zijn mouw. 'Ik wou dat ma niet dood was gegaan, Neb,' zei hij.

'Ik ook, maar ze komt niet terug omdat wij dat willen.'

'Dat weet ik. Waarom stuurt oom Brwn Mauva niet weg?'

'Omdat hij van haar net zo veel bier mag drinken als hij wil. Heb je nog honger?'

'Nog steeds.' Clae klonk huilerig.

'We kunnen bessen gaan zoeken bij de rivier.'

'Als ze merkt dat we weg zijn, zegt ze tegen oom dat hij ons moet slaan.'

'Ik bedenk wel iets om ervoor te zorgen dat dat niet gebeurt. Als we pas laat terugkomen, zijn ze allebei dronken.'

De boerderij van Brwn, de laatste hofstee aan de grote weg naar het westen, lag anderhalve kilometer buiten het laatste dorp. Niemand zag de jongens door de westelijke akker rennen en over de half afgebouwde stenen muur in het veld springen. Het was een heerlijk warme middag. Het schuine licht viel als een dikke stroom honing over de glooiende weiden. Geel van de klei ruiste en kolkte de rivier de Melyn over grote stenen. Langs de hele, met gras begroeide oever stonden rodebessenstruiken vol bessen, zoet van de zon. De jongens propten zich ermee vol, dronken water uit de rivier en namen voor alle zekerheid nog een paar handjes bessen. Clae wist niet van ophouden, tot Neb zei dat het genoeg was.

'Je wilt toch geen spuitpoep?'

'Nee, natuurlijk niet. Maar het is zo fijn om geen honger te hebben.'

Ze gingen in het warme gras zitten en keken naar de rivier, die in het licht van de namiddagzon glinsterde als goud. Hij stroomde naar het zuiden om zich bij de grote rivier in het koninkrijk Deverry te voegen, was hun verteld. Ze woonden al hun hele leven in de provincie Arcodd. Naar het oosten lagen hier en daar boerderijen, naar het westen en noorden was het land nog onontgonnen. Ver ten zuiden van hun primitieve grensgebied lagen de vruchtbare akkers van het middelste deel van het koninkrijk en de beroemde stad Dun Deverry, waar de Eerste Koning in een prachtig paleis zou wonen.

Als Neb naar het noorden keek, zag hij nog geen kilometer verder de lichtbruine, steile rotswand die de grens vormde tussen de vallei en de hoogvlakte. Daar stortte de rivier zich als een met regenbogen versierd wit kanten lint in de diepte. Langs de hoge rand stond een ongerept woud, dat bestond uit dicht opeen staande naaldbomen en kaal struikgewas, als een groene vloed klaar om ook omlaag te tuimelen.

'Neb,' zei Clae, 'zullen we naar de waterval gaan? Zullen we naar boven klimmen?'

'Het lijkt me beter van niet. Ik wil niet dat het donker ons daar overvalt.'

'Ik ook niet. Nou ja, tante Mauva zal zo meteen wel dronken zijn.'

Net zo stil en onverwachts als altijd kwamen de Natuurvolkers tevoorschijn. De kniehoge grijze aardmannetjes met magere, wrattige ledematen gingen om de jongens heen staan. In de lucht vlogen blauwe elfjes heen en weer, terwijl ze hun minuscule handjes wrongen en hun mondjes openden om hun naaldscherpe slagtandjes te laten zien. Langs de oever rezen watergeesten uit het water op, zo glad als otters en met een zilveren vacht. De dwergen trokken aan de mouwen van Nebs gescheurde hemd, terwijl de elfjes om hen heen fladder-

den. Ze vlogen een eindje de kant van de waterval op, kwamen terug en cirkelden zoemend als vliegen om de hoofden van de jongens
heen. Een grote gele dwerg, op wie Neb erg gesteld was, pakte zijn
hand om hem mee te trekken.

Clae merkte er niets van, want hij zocht iets in het gras. Eindelijk
vond hij een stokje en begon erop te kauwen.

'Haal dat stokje uit je mond,' zei Neb, 'en kom mee, dan gaan we
toch naar de waterval.'

Clae grinnikte en gooide het stokje in de rivier. Een watergeest ving
het op, maakte een buiging en verdween in het schuim.

Te midden van een groep Natuurvolkers liepen de jongens stroomopwaarts, over een met gras begroeid pad langs de rumoerige rivier.
Zo nu en dan leek Clae de aanwezigheid van de dwergen te voelen.
Wanneer een van hen tegen hem aan botste, keek hij omlaag en haalde dan zijn schouders op, alsof hij tot de conclusie kwam dat hij zich
het gevoel had verbeeld. Al zolang hij het zich kon herinneren, had
Neb de Natuurvolkers kunnen zien, maar hij was de enige van zijn
familie die helderziend was en hij had al jong geleerd die gave te verzwijgen. Wanneer hij heel vroeger over de Natuurvolkers was begonnen, was zijn praktische moeder daar meteen boos om geworden en de andere kinderen van het dorp hadden hem uitgelachen en
geplaagd.

De twee jongens volgden de rivier tot waar het water wit schuimend
om gevallen rotsblokken kolkte. Hijgend beklommen ze het steile
pad dat zigzaggend langs de rotswand omhoogliep. Toen ze zich boven omdraaiden, zagen ze dat er in de verte een grote rookwolk boven het dorp hing. Het dorp stond in brand! Neb staarde ernaar en
kon het niet bevatten. Met stomheid geslagen zag hij hoe fel oranje
tongen zwarte rook de lucht in spuwden. Mensen, vanaf hun hoogte piepklein als rode mieren, renden met hun armen zwaaiend in het
rond, achternagezeten door grotere mieren, die zwaaiden met dingen die glinsterden in het zonlicht. Aan de overkant van de brug naar
het dorp stond een groepje paarden zo groot als vliegen. De boerderij van oom Brwn brandde ook, als een dodelijke gouden bloem
in het groene veld. Twee ruiters te paard reden om de lemen muur.
'Plunderaars!' snikte Clae buiten adem. 'O, Neb! Het Paardenvolk!'
In de lucht kraste een raaf, als een soort antwoord. De twee ruiters
draaiden hun paarden abrupt om en galoppeerden stroomopwaarts
naar de waterval.

'Het bos in!' zei Neb. 'We moeten ons verstoppen!'
Ze renden over de met gras begroeide strook langs de afgrond naar
het dennenwoud en baanden zich hijgend een weg door het struik-

gewas. Twijgen en dorens bleven in hun hemden en brigga's haken en scheurden ze aan flarden, maar Neb dreef zijn broer als een bang schaap voor zich uit tot ze van uitputting niet verder konden. Ze doken onder een dichte struik en klampten zich aan elkaar vast. Als de slavenhouders hen vingen, zouden ze Clae als een stier castreren. En ze zouden mij vermoorden, dacht Neb. Want ik ben oud genoeg om hun een hoop last te bezorgen.

Het was zo donker onder de bomen dat hij nauwelijks iets kon zien. Waren ze diep genoeg het bos ingerend? Hij hoorde de waterval op de rotsen klateren en meende stemmen te horen. Diepe, boze stemmen, en gekletter en gerinkel, heel zwak, alsof iemand een ijzeren voorwerp op een steen had laten vallen. Toen hoorde hij een schreeuw die overging in een gil. Clae verstijfde en opende zijn mond. Voordat hij iets kon zeggen, legde Neb zijn hand eroverheen.

Of het stemmen waren geweest of niet, de geluiden stierven weg en toen werd de stilte alleen nog verbroken door het vallende water. Langzaam kwamen de normale bosgeluiden terug: het geschuifel van diertjes, het getjilp van vogels. De gele dwerg verscheen op een tak van een naburige struik en grinnikte. Hij gaf een paar klapjes op zijn buik alsof hij zijn tevredenheid wilde uiten en verdween weer. Langzaam ging de grijze schemering over in de fluweelzwarte nacht. Voorlopig waren ze veilig, maar morgen na zonsopgang zou het Paardenvolk misschien terugkomen om het bos te doorzoeken. Neb besefte dat hij en Clae verder moesten zodra het licht genoeg was om te kunnen zien.

Na een poosje ging Clae als een klein kind tegen zijn broer aan liggen en viel in slaap. Neb dommelde in, maar bij elk gekraak van een tak, gekras van een uil of geruis van de wind schrok hij angstig wakker. Toen eindelijk het grijze ochtendlicht door de bomen drong, was hij zo stijf en koud als een oude man. Clae werd wakker en zodra hij zich herinnerde wat er was gebeurd, begon hij te huilen.

'Stil nou maar,' suste Neb, maar hij kon zelf ook wel huilen. 'We moeten nadenken. We hebben geen hap te eten, dus moeten we daar eerst naar zoeken.'

'We kunnen niet terug naar de rivier. Als het Paardenvolk daar nog is, zullen ze ons ruiken.'

'Hè?'

'Ruiken. Dat kunnen ze.'

'Hoe weet je dat?'

Clae wilde antwoord geven, maar in plaats daarvan wendde hij verward zijn hoofd af. 'Dat moet iemand me hebben verteld,' zei hij ten slotte.

'Nou ja, we hebben genoeg verhalen over het Paardenvolk gehoord. Over neuzen gesproken, wil je even een mouw langs die van jou halen?'

Clae deed wat hem was gevraagd. 'Ik had nooit gedacht dat ik oom Brwn zou missen,' zei hij, en stille tranen gleden over zijn wangen. Onze oom is dood, dacht Neb. De laatste die bereid was om voor ons te zorgen, ook al was hij een dronkenlap. 'We gaan naar het oosten,' zei hij. 'We lopen in de richting van de opgaande zon om niet te verdwalen en dan komen we aan de andere kant van het bos vast wel ergens bij een dorp. Het is een heel eind, dus moet je flink zijn.'

'Maar wat eten we dan, Neb?' vroeg Clae.

'O, bessen en vogeleieren en kruiden,' antwoordde Neb zo ferm en opgewekt mogelijk. ''s Zomers vind je overal wel iets te eten.'

Natuurlijk was dat belachelijk optimistisch. De vogels hadden hun eieren allang uitgebroed en onder donkere bomen groeiden weinig bessen. Bij elke stap versperde het bos hen met kluwens van varens of struiken de weg. Ze moesten zich erdoorheen worstelen, zwoegend de heuvels op en haastig de heuvels af, terwijl ze tegelijkertijd zochten naar kruiden die hen zouden voeden en niet vergiftigen. Gelukkig hadden ze genoeg te drinken, dankzij de vele beken die op weg waren naar de rivier de Melyn. Tegen zonsondergang kon Clae alleen nog maar huilen. Ze bouwden een soort nest tussen lage struiken en Neb wiegde hem als een boreling in slaap.

Toen Neb het woud om hen heen weer donker zag worden, kwam het bij hem op dat ze het misschien niet zouden overleven. Hij had geen flauw idee hoe groot het bos was, en gingen ze nog wel naar het oosten? Als ze tussen de bomen door in de richting van de zon bleven lopen, kon dat ook betekenen dat ze in een kring ronddoolden. Je mag het niet opgeven, maande hij zichzelf. Hij had zijn moeder op haar sterfbed beloofd dat hij goed voor Clae zou zorgen. Zijn grootste zorg op dit ogenblik was dat ze het allebei zouden overleven. Met het beeld voor ogen van zijn moeder die aan tafel een grote stapel gesneden brood en vlees op de eetplank legde om tussen hem en Clae te verdelen, viel hij in slaap.

De volgende morgen werd hij abrupt wakker. Om hen heen stond een groepje dwergen alsof ze de wacht hielden, terwijl elfjes boven hun hoofden zweefden. De gele dwerg kwam naar voren en wees naar zijn maag.

'Weet jij waar we iets te eten kunnen vinden?' fluisterde Neb.

De dwerg knikte en wees ergens het bos in.

'Wil je me laten zien waar dat is?'

Weer knikte de dwerg. Neb schudde Clae zacht heen en weer, en zijn broertje werd met een kreet en betraande wangen wakker. Hij ging rechtop zitten en wreef met zijn vuisten in zijn ogen.

'Tijd om verder te gaan,' zei Neb, zo opgewekt mogelijk. 'Ik heb het gevoel dat we vandaag geluk zullen hebben.'

'Mijn voeten doen pijn, ik kan niet meer lopen.' Clae liet zijn handen zakken. 'Ik kan net zo goed op deze plek doodgaan.'

'Daar komt niks van in. Geef hier die voeten. Een voor een! Dan zal ik ze goed inpakken.'

Met de vodden weer stevig om zijn voeten gebonden kon Clae toch weer lopen. Opnieuw baanden ze zich moeizaam een weg door groene varens en langs doornige struiken, terwijl de Natuurvolkers hen tussen de zwarte stammen van de naaldbomen door voorgingen dieper het bos in. Net toen Neb zich begon af te vragen of de dwergen zelf wel wisten waar ze naartoe gingen, zag hij dat het langzamerhand lichter werd in het bos. De bomen stonden verder uiteen en het struikgewas werd minder dicht. Een paar meter verder kwamen ze bij een open plek met een heleboel bessenstruiken. Clae rende ernaartoe en was al bezig zijn mond vol te proppen toen Neb nog moest beginnen. Eerst mompelde hij een dankgebed aan de goden en toen begon hij vlug mee te plukken.

Met rode vlekken om hun mond en op hun handen dwongen ze zich ten slotte te stoppen. Neb keek om zich heen op zoek naar een beek om zich in te wassen en opeens stond de gele dwerg weer voor hem. Met zijn ene handje pakte hij zijn eigen hemd vast en met zijn andere handje wees hij naar de rand van de open plek. Toen Neb een paar stappen die kant op liep, hoorde hij water stromen.

'Daarginds stroomt een beekje of zo,' zei hij tegen Clae. 'Laten we gaan kijken.'

De dwerg knikte met een glimlach. Omringd door nog meer Natuurvolkers staken ze de open plek over. Ze moesten nog ongeveer honderd meter door het bos lopen voordat ze bij het beekje kwamen en wat ze aan de overkant zagen, leek een wonder: daar slingerde een zandweg tussen de bomen door. Neb keek om zich heen en vermoedde dat de weg ongeveer naar het oosten liep.

'Ik wist niet dat hier ook nog een weg was,' zei Clae.

'Ik ook niet,' zei Neb.

'Waar zou hij naartoe gaan? En waarom zou die weg daar zijn?'

'Dat doet er niet toe. Nu kunnen we vlugger opschieten, en die weg moet door mensen zijn aangelegd.'

'Maar de plunderaars dan?' Clae keek angstig om zich heen. 'Die zullen die weg ook nemen en dan krijgen ze ons toch nog te pakken.'

'Nee hoor,' zei Neb beslist. 'Ze rijden op reusachtige paarden en die kunnen nooit door dit bos. Zo ver komen ze niet.'

Neb stond erop dat ze eerst hun handen afspoelden voordat ze die gebruikten om water mee op te scheppen om te drinken. Daarna plukte hij een bosje gras, maakte dat nat en veegde er het snot en het bessensap mee van Claes gezicht.

De hele dag deden ze hun best om hun honger te vergeten en een zo groot mogelijke afstand af te leggen. Zo nu en dan liep de weg door een ondiepe geul of in een ruime bocht om een heuvel of een kale uitloper van een rotsachtige berg, en dan was het zwaar. Maar voor zover Neb kon zien, bleven ze in oostelijke richting gaan, waar het veilig zou zijn. Omstreeks het middaguur kwamen ze opnieuw bij een lichter stuk bos en een beek, waar ook weer een paar bessenstruiken stonden en waar klaverzuring groeide, die ze als herten konden afgrazen. Daarna moesten ze weer snel verder, al waren ze nog zo moe. Neb begon langzamerhand te wanhopen, maar de elfjes fladderden voor hen uit en de gele dwerg wenkte dat ze verder moesten.

Tegen zonsondergang zag Neb in de verte dunne lichtblauwe rookslierten omhoogkringelen. Hij bleef stokstijf staan en pakte Clae bij zijn arm.

'Achteruit het bos weer in,' fluisterde hij.

Clae haalde diep adem en probeerde niet weer te huilen. 'Moeten we echt weer terug naar het bos? Ik zit onder de schrammen van stekels en zo.'

De gele dwerg sprong met zijn hoofd schuddend op en neer.

'We kunnen niet op de weg blijven lopen,' zei Neb.

'Alsjeblieft?'

De dwerg knikte heftig.

Neb gaf hen allebei hun zin. 'Vooruit dan maar. Voorlopig blijven we de weg volgen.'

'Dankjewel,' zei Clae. 'Ik ben verschrikkelijk moe.'

De dwerg glimlachte, draaide zich om en liep dansend voor hen uit. Een halve kilometer verder lag links van de weg opnieuw een open plek. In het hoge gras stonden twee getuide paarden te grazen: een slanke schimmel, zoiets als de hakkenei van een vrouwe, en een stevig bruin lastpaard. Achter de paarden kronkelde de rook de lucht in. Neb bleef staan om te bedenken of ze moesten wegrennen of erheen lopen. Een windvlaag bracht de geur van gebakken sodabrood mee. Clae kreunde.

'Goed, we gaan ernaartoe,' zei Neb. 'Maar heel voorzichtig. Als ik zeg dat je moet wegrennen, duik je meteen het bos weer in.'

Een paar meter verder hoorden ze een man zingen, met een prettige heldere stem. Hij zong telkens een paar regels van een liedje en hield er dan weer onbekommerd mee op.

'Een Paardenvolker zou nooit op die manier zingen,' zei Neb.

De gele dwerg knikte grinnikend dat hij het ermee eens was.

Na weer een bocht in de weg kwamen ze bij het kampvuur en degene die het had aangestoken. Hij zat er op zijn hurken naast en bakte brood op een ijzeren plaat. Hij moest vrij lang zijn, maar hij was zo slank als een jongen. Zijn haar was zo licht als het schijnsel van de maan en zijn gezicht was bijna meisjesachtig knap. Hij droeg een hemd dat ooit heel mooi was geweest, maar nu waren de randen met rood en paars borduursel versleten en had het rugpand de gele kleur van oud linnen. Zijn blauwe brigga was van een fijne kwaliteit wol, maar de kleur was verbleekt, er zaten vlekken op en hij was meerdere keren opgelapt. Het moest een ruwe kerel zijn, maar de dwergen renden zonder enige angst naar hem toe. Hij stond op, keek om zich heen en toen hij Neb en Clae zag, riep hij verbaasd: 'Hé, wat doen jullie hier? Kom gauw dichterbij! Jullie zien er hongerig en doodsbang uit. Wat is er met jullie gebeurd?'

'Plunderaars,' stamelde Neb. 'Paardenvolkers hebben de boerderij van mijn oom en het hele dorp in brand gestoken. Mijn broertje en ik zijn ontsnapt.'

'Alle goden! Maar hier zijn jullie veilig, dat zweer ik. Van mij hebben jullie niets te vrezen.'

De gele dwerg grinnikte, sprong in de lucht en verdween. Terwijl de twee jongens naar de vreemdeling toe liepen, knielde hij opnieuw bij het vuur. De ijzeren bakplaat steunde op twee stenen. Clae liet zich kreunend van vermoeidheid op de grond vallen, met zijn blik op het sodabrood gericht, maar Neb bleef nog even staan en keek om zich heen. In de buurt van het vuur lagen zadeltassen en manden vol spullen en voorraden.

'Ik ben Neb,' zei hij, 'en dat is Clae. Wie ben jij? Wat doe jij hier?'

'Je mag me Salamander noemen,' zei de vreemdeling. 'Mijn echte naam is zo lang dat niemand hem fatsoenlijk kan uitspreken. Wat ik hier doe, is mijn avondeten klaarmaken. Kom erbij zitten.'

Schaamteloos aten Neb en Clae grote brokken van het warme brood. Salamander rommelde in zijn mooie zadeltassen van lichtbruin leer en haalde er een in een schone doek gewikkeld stuk kaas uit, waarvan hij met zijn dolk een paar plakken voor hen afsneed. Terwijl ze de kaas opaten, pakte hij ook een zakje meel, een zilveren lepel, een houten kistje met de kostbare soda en een waterzak. Op zijn knieën mengde hij nog een portie deeg, kneedde het in een ijzeren pot, vormde er een platte koek van en legde die met zijn ongewoon lange, magere vingers op de bakplaat.

'Jullie kunnen je maag nu maar beter een poosje tot rust laten komen voordat jullie weer wat eten,' zei hij. 'Als je nadat je honger hebt geleden meteen te veel eet, word je ziek.'

'Dat is waar,' zei Neb. 'Ach goden, dank je wel. Mogen de goden je hiervoor alle geluk van de wereld schenken.'

'Een mooie wens, jongen.' Salamander keek Neb even aan. Zijn ogen waren grijs, een heel normale kleur in dit deel van het land, en ze hadden ook een heel normale vorm. Toch kon Neb zijn blik niet afwenden. Ik ken die man, dacht hij. Ik heb hem ooit eerder ontmoet. Welnee, dat bestaat niet... Salamander hield zijn hoofd schuin en bleef Neb aankijken, terwijl zijn glimlach verdween en hij op zijn hielen ging zitten. Neb had kunnen zweren dat Salamander hem ook herkende. Het bleef stil tot Salamander zijn blik afwendde. 'Vertel me nog eens wat meer over die overval,' beval hij. 'Waar komen jullie vandaan?'

'Van de laatste boerderij aan de grote weg naar het westen,' antwoordde Neb. 'Maar daar woonden we nog niet zo lang. Na de dood van onze moeder moesten we bij onze oom gaan wonen. Daarvoor woonden we in Trev Hael. Mijn vader was schrijver, maar hij is ook gestorven. Vóór onze moeder, bedoel ik.'

'Was dat vorig jaar? Ik heb gehoord dat er toen in jullie stad een erge ziekte heerste. Een ontsteking van de darmen, heb ik gehoord, die gepaard ging met koorts.'

'Dat was inderdaad vorig jaar en de koorts was heel hoog. Ik ben ook ziek geweest, maar mijn vader is eraan gestorven, net als mijn zusje. Ik denk dat mijn moeder uitgeput was geraakt toen ze hen moest verzorgen, en toen het dit voorjaar zo koud en nat was...' Neb voelde tranen opwellen in zijn keel.

'Je hoeft het niet verder uit te leggen,' zei Salamander. 'Het is een droevig verhaal. Hoe oud ben je, jongen? Weet je dat?'

'Dat weet ik, want dat hield mijn vader bij. Ik ben zestien en mijn broertje is acht.'

'Zestien? Hm.' Het leek of Salamander in gedachten iets uitrekende. 'Het verbaast me dat je vader niet jaren geleden een huwelijk voor je heeft geregeld.'

'Dat heeft hij wel geprobeerd, maar hij en de koppelaarster in onze stad konden geen geschikt meisje voor me vinden.'

'O, zit dat zo.' Salamander wees glimlachend naar Clae. 'Kijk, je broertje is al in slaap gevallen.'

Clae lag met opgetrokken knieën op de grond te slapen, ontspannen en met zijn mond open.

'Dat is maar goed ook,' zei Neb, 'want dan hoeft hij het verhaal niet nog een keer te horen.' Vervolgens deed hij zo goed mogelijk verslag van hun laatste dag op de boerderij en hun ontsnapping. Toen hij uitgepraat was, bleef Salamander een hele poos stil. Hij keek bedroefd en zag er opeens zo moe uit dat Neb niet begreep dat hij eerst had gedacht dat Salamander een jonge man was.

'Hoe kwam het dat je toch naar de waterval ging?' vroeg Salamander opeens.

'O, zomaar.'

De gele dwerg kwam tevoorschijn, keek Neb nors aan en sprong als een kat bij hem op schoot. Salamander wees met zijn lepel naar de dwerg.

'Ik denk dat hij je gewaarschuwd heeft,' zei hij. 'Want hij heeft je hiernaartoe gebracht.'

Neb was sprakeloos. Iemand anders die helderziend was! Hij had altijd gehoopt dat hij zo iemand zou tegenkomen. Maar met een schok besefte hij dat hem wel eerst iets heel ergs had moeten overkomen voordat zijn hoop was vervuld.

'Heeft iemand jullie op het klif boven de waterval zien verdwijnen?' vroeg Salamander.

'Ik denk het wel. Er kwamen twee Paardenvolkers onze kant op, maar ze waren nog te ver weg om te zien of ze naar ons wezen of zoiets. We zijn het bos ingerend en hebben ons daar verstopt.' Neb zweeg en haalde zich hun vlucht voor de geest. 'Ik dacht dat ik stemmen hoorde, maar de waterval maakte zo veel lawaai dat ik het niet zeker wist. Er klonk ook een schreeuw, bijna alsof iemand van het klif naar beneden viel.'

De gele dwerg klapte in zijn handjes en maakte een rondedans.

'Hé,' vroeg Salamander aan de dwerg, 'jij en je vrienden hebben die Paardenvolker toch geen duw gegeven?'

De dwerg stond stil en knikte grinnikend, maar Salamander keek hem ernstig aan.

'Is hij dood?' vroeg hij.

De dwerg knikte nogmaals en verdween.

'O goden!' Neb hoorde hoe zwak zijn stem klonk. 'Ik beschouwde hen altijd als vogeltjes of jonge hondjes. Lieve, onschuldige schepsels.'

'Maak die fout dan nooit weer. Het Natuurvolk leeft in het wild en kent geen regels of wetten.'

'Dat zal ik niet doen, dat beloof ik.' Nebs gezicht lichtte op. 'Maar ze hebben wel ons leven gered. Als die Paardenvolker al boven op het klif stond...' Zijn stem begaf het.

'... Dan had hij jullie beslist gevonden. Ze kunnen net zo goed ruiken als een hond.'

'O, dan had Clae toch gelijk, want dat zei hij ook. Maar wat zijn het eigenlijk voor wezens, meneer? Het Natuurvolk, bedoel ik.'

'Meneer?' Salamander lachte. 'Laat dat soort beleefdheden maar achterwege, jongen. Je hebt tenslotte dezelfde vreemde gave als ik. Wat het voor wezens zijn? Weet je wat een elementaire geest is?'

'Dat weet ik niet. Iedereen weet natuurlijk wat geesten zijn, maar het woord elementair heb ik nog nooit gehoord.'

'O, nou ja, het is een nogal ingewikkelde uitleg, maar...' Salamander zweeg abrupt.

Clae werd met een kreetje wakker en rekte zich uit. De uitleg over het Natuurvolk moest worden uitgesteld. Salamander draaide de koek op de bakplaat met het handvat van zijn lepel om voordat hij vervolgde: 'Mogen de harige ballen van de Paardenvolkers eraf vriezen terwijl ze afdalen naar de diepste hel. Maar zo lang wil ik niet op gerechtigheid wachten. Sta me toe dat ik jullie onder mijn hoede neem, voor zover ik daartoe in staat ben. Ik ga met jullie mee naar het oosten, waar we veilig zullen zijn en wraak kunnen nemen.'

'Dank je wel! Ik ben je erg dankbaar.'

Salamander glimlachte en toen leek hij weer een jongeman, alsof hij nog maar nauwelijks twintig jaar had geleefd.

'Meneer?' vroeg Clae, en hij gaapte. 'Wie bent u eigenlijk? Wat bent u echt?'

'Echt?' Salamander trok een lichte wenkbrauw op. 'Ach, jongen, wat mij betreft, is er geen sprake van echt. Ik ben een gladakker, een rondreizende minstreel en verhalenverteller, en ik dis alleen leugens, grappen en de brutaalste illusies op. Ik ben, kortom, een gerthddyn, die rondtrekt om eerlijke mensen hun geld af te troggelen in ruil voor enkele uren in een land dat nooit heeft bestaan en nooit zal bestaan. Ik kan ook jongleren en sjaals uit het niets trekken, en ooit heb ik als beste prestatie een mus tevoorschijn getoverd uit de hoed van een dikke koopman.'

Clae giechelde en ging rechtop zitten.

'Straks,' ging Salamander verder, 'als ik gegeten heb, zal ik je een verhaal vertellen dat alle gedachten aan die vervloekte plunderaars zal verdrijven, zodat je weer gaat slapen wanneer je geachte oudere broer je dat opdraagt. Ik ben erg goed in het verdrijven van kwade gedachten.'

'Dank je,' zei Neb. 'Ik weet werkelijk niet hoe ik je voor al deze dingen terug zal moeten betalen.'

'Dat hoef je niet.' Salamander maakte een buiginkje. 'Waarom zou ik betaling verlangen terwijl ik nooit fatsoenlijk werk doe?'

Toen de schemering overging in de nacht stookte Salamander het vuur op en ging gemakkelijk zitten om het beloofde verhaal te vertellen. Neb luisterde er net zo geboeid naar als Clae. Salamander nam hen mee naar een verafgelegen land waar machtige tovenaars vochten met hebberige draken om een schat, en vertelde vervolgens over een prins die op zoek was naar een edelsteen met toverkracht of dweomer, zoals hij het noemde. Hij speelde alle rollen, met de melodieuze stem van de prinses, de snauwende stem van de boze tovenaar en de bromstem van de machtige koning. Af en toe zong hij een liedje dat bij het verhaal hoorde, en dan klonk zijn mooie stem in harmonie met de wind die door de bomen ruiste. Toen de steen uiteindelijk was gevonden en de prins en prinses veilig getrouwd waren, had Clae een glimlach op zijn gezicht.

'Ik wou dat dweomerstenen echt bestonden,' zei Clae. 'En echte dweomermeesters ook.'

'Werkelijk?' Salamander lachte ondeugend tegen hem. 'Nou ja, je weet maar nooit, jongen. Denk erover na terwijl je in slaap valt.'

Neb vond een zachte plek in het gras waar zijn broertje kon gaan liggen. Hij wikkelde Clae in een van de dekens van de troubadour en bleef naast hem zitten tot hij in slaap was gevallen. Toen ging hij terug naar Salamander bij het vuur.

'Duizendmaal dank voor het mooie verhaal voor mijn broer,' zei hij. 'Ik zou je er graag handenvol goudstukken voor geven, als ik die had.'

'Ik wou dat het net zo gemakkelijk was jouw hart te troosten,' zei Salamander.

'Ach meneer, daar is meer voor nodig. Eerst verloren we het gezin waar we thuishoorden en toen raakten we onze oom ook nog kwijt. Na wat ons deze keer is overkomen waren we er zo erg aan toe dat ik dacht dat we alleen aan die plunderaars waren ontsnapt om als bedelaars op straat te moeten zwerven.'

'De mensen in dit deel van de wereld zijn heus niet zo hardvochtig dat ze jullie zouden laten omkomen van de honger, hoor. En we vinden vast wel ergens een plaats voor jou en je broer.'

'Als ik terug zou kunnen naar Trev Hael, zou ik daar mijn eigen plaats kunnen vinden. Ik kan tenslotte lezen en schrijven. In elk geval kan ik stadsschrijver worden en daarmee de kost voor ons verdienen.'

'Nou, kijk eens aan! Dat is een heel belangrijke vaardigheid.' Op Salamanders gezicht verscheen een aarzelend glimlachje. 'Mits je daarmee je leven wilt vullen.'

'Het is het enige wat ik kan. Ik ben niet sterk genoeg om krijger te worden en ik wil niet weven of zoiets, dus zou ik niet weten wat ik anders zou kunnen doen dan schrijven.'

'Aha, ik begrijp het. Nou ja, schrijver is een eerbaar beroep en hier in Arcodd zijn schrijvers dun gezaaid.'

Neb keek Salamander onderzoekend aan. Bij het licht van de dansende vlammen kon hij er niet zeker van zijn, maar het leek alsof de troubadour zijn lachen nauwelijks kon inhouden.

'Wat vind je van kruidengeneeskunde?' vervolgde Salamander. 'Heb je er ooit over gedacht je daarin te verdiepen?'

'Inderdaad! Wat toevallig dat dat bij je opkomt! Toen mijn pa nog leefde, hielp ik de kruidenvrouw in Trev Hael. Ik schreef etiketten voor haar en zij leerde me dingen over de vier lichaamssappen en ziekten en zo. O ja, en over de vier elementen. Bedoelde je dat toen je het over elementaire geesten had?'

'Dat bedoelde ik. De verschillende soorten Natuurvolkers komen overeen met de verschillende elementen. Hm, die kruidenvrouw moet wel verbaasd zijn geweest omdat je zo'n vlugge leerling was.'

'Dat was ze ook. Ze zei een keer dat het leek alsof ik me de dingen herinnerde in plaats van ze te leren. Hoe weet je...'

'Ik raadde ernaar. Ik merk dat je een intelligente jongen bent.'

Salamander hield iets voor hem verborgen, dat wist Neb zeker. Maar hij wilde zijn weldoener niet beledigen door ernaar te vragen.

'Ze heette Govylla,' vertelde hij verder. 'Zij heeft de pest overleefd. Goden, ik vraag me af of zij ons niet in huis zou willen nemen als haar leerlingen. Als ik daar tenminste ooit terugkom. Enkele priesters van Bel hebben ons meegenomen en naar onze oom gebracht, zie je.'

'Misschien gaan er ooit weer een paar priesters van Bel die kant op. Maar voorlopig moeten we de mensen in deze streek waarschuwen dat de plunderaars op strooptocht zijn. Ik weet precies bij wie we moeten zijn. Ik ben uit oostelijke richting gekomen en de laatste plek waar ik mijn nederige kunsten heb vertoond was de dun van een zekere tieryn, Cadryc. Hij is een nobele afstammeling van de oeroude, verenigde clan van de Rode Wolf, die zich heeft gevestigd op een nieuw grondgebied hier in de buurt. Bij mijn vertrek smeekte iedereen me gauw terug te komen, dus kunnen we gaan kijken of ze dat meenden of alleen beleefd wilden zijn. Ik wil de achtbare tieryn graag op de hoogte brengen van de komst van de plunderaars. O, zo graag.'

Salamander staarde in het vuur en zijn glimlach vervaagde. Zijn ogen versomberden en zijn smalle mond werd zo grimmig als van een krijger. Plotseling zag Neb een heel andere man zitten: een kille, wrede, angstaanjagende man. Maar met een lach schudde de troubadour zijn zwaarmoedigheid van zich af en begon een lied te zingen over deernen en voorjaarsbloemen.

Aan de voet van de heuvel achter de pas gebouwde dun van tieryn Cadryc lag een langwerpig veld. Op een warme namiddag vermaakte de uit dertig mannen bestaande krijgsbende van de tieryn zich daar met schijngevechten. Om de beurt pakten twee mannen een houten zwaard en een schild van gevlochten riet en bestreden ze elkaar in het vertrapte gras. De rest van de groep zat rommelig verspreid aan beide kanten en schreeuwde opmerkingen en beledigingen. Gerran, de hoofdman van de krijgsbende van de Rode Wolf, zat naast heer Mirryn, de zoon van tieryn Cadryc. Mirryn had bruin haar, blauwe ogen en een wolk sproeten op zijn brede jukbeenderen. Hij lag languit in het gras, leunend op een elleboog, en kauwde als een boer op een grasspriet.

'Onze gierige gwerbret moet toch ooit eens een echt toernooi organiseren,' zei Mirryn. 'Hoewel iedereen weet dat jij dat zou winnen, dus betwijfel ik of ik iemand zou kunnen vinden die op een ander zou willen wedden.'

'Ach, zo zeker is dat nou ook weer niet,' zei Gerran.

'Natuurlijk wel.' Mirryn grinnikte tegen hem. 'Valse bescheidenheid staat je niet, man.'

Gerran dwong zich even te glimlachen. Midden op het veld begon een nieuw gevecht. De andere krijgers maakten luidkeels grappen en plaagde Daumyr met de pech van zo'n tegenstander. Daumyr, die bijna twee meter lang was, de langste van de hele groep, zwaaide grijnzend met zijn houten zwaard in het rond om zijn arm los te maken. Warryc, zijn tegenstander, was een kleine, magere man, maar hij was razendsnel.

'Goden, wat heeft Daumyr toch een groot bereik,' zei Mirryn. 'Het verbaast me steeds weer dat Warryc hem kan verslaan. Hm, we moeten een manier bedenken om daar bij het volgende toernooi gebruik van te maken.'

'Gebruik waarvoor?' vroeg Gerran.

'Om geld te verdienen, natuurlijk. Door een weddenschap af te sluiten met de een of andere sukkel die hoog inzet op Daumyr.'

'Wat ben je toch een eerbaar mens.' Gerran wilde nog meer zeggen, maar hij hoorde dravende paardenhoeven en geschreeuw. Dwars over het veld kwam een jonge schildknaap op een bruine pony aan galopperen.

'Heer Mirryn! Hoofdman Gerran!' riep de jongen. 'De tieryn wil jullie onmiddellijk spreken! Er zijn rovers op pad langs de grote weg naar het westen!'

Mirryn rende met de groep mannen achter zich aan de heuvel op. Om de vesting op de top was van een bleke steensoort een nieuwe muur gebouwd, op kosten van de Eerste Koning, om de hoge stenen broch en de bijgebouwen te beschermen. De mannen stormden door de enorme, met ijzer beslagen poort naar binnen, stonden op het plein even stil om op adem te komen en liepen snel door naar de grote zaal. Het zonlicht viel in stoffige bundels door de smalle gleuven die in de stenen muren waren gehakt en trok schaduwstrepen door de enorme, ronde ruimte. Gerran wachtte in de deuropening tot zijn ogen aan de schemering waren gewend en baande zich vervolgens een weg tussen de rommelige verzameling tafels, banken, honden en bedienden door. De krijgsbende liep achter hem aan, terwijl Mirryn rechtstreeks naar zijn vader liep. Toen hij zag dat Gerran bleef staan, wenkte hij ongeduldig met zijn arm.

Cadryc liep heen en weer voor de haard van de edelen. Hij was een lange man, fors gebouwd, met een smalle rand grijs haar om zijn schedel en een slordige snor. Op de punt van een tafel zat de troubadour, Salamander. Mirryn en Gerran wisselden een misprijzende blik toen ze hem zagen, die wauwelaar met zijn kunstjes en verhalen. Toen Gerran voor de tieryn wilde neerknielen, gebaarde Cadryc ongeduldig dat hij moest blijven staan.

'Plunderaars,' zei Cadryc. 'Heeft de schildknaap dat niet gezegd? We gaan er morgen bij zonsopgang op af, dus zorg ervoor dat jullie klaarstaan.'

'Komt in orde, edele heer,' zei Gerran. 'Hoe ver zijn ze hier nog vandaan?'

'Wie weet?' Cadryc schudde in hulpeloze woede zijn hoofd. 'Laten we hopen dat ze nog genoeg te roven hebben in het dorp.'

'De ellendelingen,' zei Mirryn. 'Ik smeek alle goden om hen daar voorlopig vast te houden, dan zullen we ze morgen laten boeten.'

'Jij blijft hier, jongen,' beval Cadryc. 'Ik zet mijn leven en dat van mijn erfgenaam niet tegelijkertijd op het spel.'

Mirryn werd rood, deed een stap naar voren en stak toen zijn handen in de zakken van zijn brigga.

'Het kan best zijn dat de plunderaars een valstrik voor ons hebben gezet,' vervolgde Cadryc. 'Ik laat tien mannen achter om het fort te bewaken. Je pleegbroer kan de anderen onder zijn hoede nemen.'

'Ik zou het niet wagen u tegen te spreken, edele heer,' zei Mirryn.

'Precies, doe dat dus ook maar niet,' snauwde Cadryc. 'En ga nou niet zitten mokken.'

Mirryn draaide zich om en liep weg, weer naar buiten. Cadryc mompelde een paar verwensingen. Het leek Gerran een goed idee om de tieryn af te leiden en hij keek de troubadour aan. 'Ik had niet verwacht dat onze wegen elkaar alweer zo gauw zouden kruisen.'

Salamander veinsde een stompzinnig lachje. 'Het is een eer u weer te zien, hoofdman.'

'Bespaar me die onzin, alsjeblieft,' zei Gerran. 'Heb je die overval zelf gezien of kwam je toevallig langs het afgebrande dorp?'

'Ach heden, wat ben je toch een beleefde kerel.' Salamander sloeg zijn ogen ten hemel. 'Ik heb vluchtelingen gevonden die door puur geluk konden ontsnappen.'

Toen Salamander wees, zag Gerran een bemodderde jongeman in gescheurde kleren en een even armoedig uitziende jongen op hun knieën voor de grote stenen haard zitten. Hun waarschijnlijk vaalbruine haar was plakkerig van het vuil en hun diepliggende blauwe ogen deden vermoeden dat ze familie van elkaar waren. De oudste jongen was broodmager en had mooie kleine handen. De jongste had, hoewel hij er net zo uitgehongerd uitzag als de oudste, brede schouders en handen die voorspelden dat hij ooit een grote, sterke vent zou worden.

'Ze hebben alles verloren,' legde Salamander uit. 'Hun familie, hun huis, alles.' Hij wees nog een keer: 'Dat is Neb en dat is Clae.'

'Ze mogen hier blijven.' Tieryn Cadryc wenkte een schildknaap. 'Ga mijn vrouw zoeken en vraag of ze hier wil komen.'

De schildknaap draafde weg en Neb keek hem met doffe ogen na.

'Hoeveel heb je er geteld?' vroeg Gerran hem. 'Plunderaars, bedoel ik.'

'Ik heb ze niet kunnen tellen, heer,' antwoordde Neb. 'We waren een heel eind weg, boven de waterval, en keken neer op het dal. We zagen het dorp branden en onze boerderij ook, en we zagen een heleboel mensen door elkaar rennen.'

'Je hebt verdomd veel geluk gehad dat jullie er al vandoor waren.'

De jongeman knikte met grote ogen, waarschijnlijk te moe om nog iets te zeggen.

'De plunderaars zullen niet ver komen, niet als ze gevangenen meenemen,' zei Cadryc. 'Ik heb heer Pedrys een boodschap gestuurd en gezegd dat hij met zo veel mogelijk mannen op ons moet wachten. Ik had graag nog meer vazallen te hulp geroepen, maar de anderen wonen te ver naar het oosten en we mogen geen tijd verliezen.'

'Woont er ook niet een heer in de buurt van dat dorp, edele heer?' vroeg Gerran.

'Die woonde er wel, maar de vraag is of we hem daar nog zullen vinden.'

Neb keek de hoofdman en de tieryn na toen ze druk overleggend samen wegliepen. Ze waren allebei lang, maar de roodharige Gerran was mager en de kalende tieryn was dik. Je moest geen van beiden als vijand hebben, bedacht Neb, en heer Mirryn ook niet. Salamander sprong van de rand van de tafel en kwam bij de jongens staan. 'Jullie hebben het gehoord,' zei hij. 'Jullie oom wordt gewroken en misschien slagen ze erin je tante te redden.'

'Als dat zo is,' vroeg Clae, 'dan hoeven we toch niet naar haar terug?'

'In geen geval. Te oordelen naar wat jullie me onderweg over haar hebben verteld, is ze geen toonbeeld van vrouwelijke deugdzaamheid, in tegenstelling tot de brave echtgenote van de tieryn.' Salamander wierp een blik over zijn schouder. 'Die er toevallig net aankomt.'

Hij draaide zich om en maakte een buiging voor de vrouwe die haastig kwam aanlopen. Ze was een kleine, dikke vrouw met grijze strepen in haar haren, en ze was gekleed in een over- en onderkleed van fijngeweven blauw linnen met daaroverheen een iets kortere geruite rok in de kleuren geel, wit en groen. Twee schildknapen draafden achter haar aan: een magere bleke jongen met goudblonde krullen en een iets oudere jongen met donkerblond haar.

'Vrouwe, dit zijn Neb en Clae,' zei Salamander. 'Jongens, dit is de edele vrouwe Galla, de vrouw van tieryn Cadryc.'

Omdat Neb al op zijn knieën zat, boog hij beleefd zijn hoofd en gaf Clae een por om hem aan te sporen zijn voorbeeld te volgen.

'Jullie mogen opstaan, jongens,' zei vrouwe Galla. 'Ik heb jullie vreselijke geschiedenis al van Coryn gehoord.' Ze gebaarde naar de oudere schildknaap met het donkerblonde haar. 'Wees maar niet bang meer, want we vinden hier in de dun wel een plaatsje voor jullie. De kokkin en de staljongens kunnen altijd hulp gebruiken.'

'Dank u wel, vrouwe,' zei Neb. 'We willen graag werken om voor onze kost en inwoning te betalen, maar misschien blijven we niet...'

'Vrouwe?' onderbrak Salamander hem. 'Het gelukkige toeval wil dat u aan Neb meer zult hebben dan aan een keukenhulp. Hij kan lezen en schrijven.'

'Aha, dat komt goed uit!' Vrouwe Galla glimlachte stralend. 'Mijn man heeft al heel lang een schrijver nodig. De helft van alle andere edelen in Arcodd natuurlijk ook, maar welke schrijver wil helemaal hierheen komen als hij in Deverry een veel beter onderkomen kan vinden? Goed, Neb, dan zullen we zien hoe mooi je kunt schrijven. Maar zo te zien moeten jullie eerst iets eten en een bad kan ook geen kwaad.'

'Dank u, vrouwe.' Clae keek haar met dankbare ogen aan. 'We hebben al heel lang verschrikkelijke honger.'

'Ga dan eerst maar eten. Coryn, neem hen mee naar de keuken en zeg tegen de kokkin dat ik heb gezegd dat ze mogen eten tot ze genoeg hebben. Daarna moet je ervoor zorgen dat ze schoon worden. Kleren... Nou ja, ik zal zien wat ik kan vinden.'

De maaltijd bestond uit grote stukken geroosterd varkensvlees, brood met boter, en gedroogde appels toe. Ze mochten in het stro bij de deur zitten terwijl de kokkin aan de hoge tafel doorging met haar werk: het met een stenen graanmolen fijnmalen van gedroogde haverkorrels. Coryn pakte ook een handje gedroogde appelstukjes en ging bij hen zitten. Vriendelijk praatte hij tegen de broers terwijl zij gulzig hun maal aten.

'Ik vind onze vrouwe erg aardig,' zei Coryn. 'Ze is heel goedhartig en vrolijk. En onze heer is een rechtschapen man. Maar pas op voor Gerran. Hij is lichtgeraakt, de Valk, en hij slaat je om je oren als je iets doet wat hem niet zint.'

'De Valk?' vroeg Neb met volle mond. 'Wat...'

'O, zo noemen ze hem. Hij heeft het embleem van een valk op zijn uitrusting staan.'

'Is dat het teken van zijn clan?'

'Dat niet, want hij is geen edelman.' Coryn fronste zijn wenkbrauwen terwijl hij nadacht. 'Ik weet niet hoe het komt dat hij dat embleem voert en hij mag het waarschijnlijk niet eens doen, want hij is een gewone burger.'

De kokkin draaide zich naar hen om en streek met een kromme pink haar bezwete donkere haar uit haar gezicht. 'Dat embleem is iets wat hij zelf heeft bedacht,' zei ze. 'Hij is een wees en waarschijnlijk schenkt het hem troost te doen alsof hij familie heeft.'

'Maar het is wel erg arrogant van hem,' zei Coryn.

'Ach, dat valt best mee.' De kokkin haalde haar schouders op. 'Het past bij hem. Hij is hier tenslotte grootgebracht alsof hij een broer van heer Mirryn is. Dat weet je toch wel?'

'Waarom?' vroeg Clae, al kauwend.

De kokkin keek hem vermanend aan.

'Je moet "alstublieft" zeggen,' mompelde Neb.

'Alstublieft, vrouw kokkin, waarom?' zei Clae gehoorzaam.

'Dat is beter.' De kokkin glimlachte tegen hem. 'Toen Gerran nog heel klein was, is zijn vader omgekomen bij een gevecht nadat hij de tieryn het leven had gered. Zijn arme moeder werd krankzinnig van verdriet en heeft zich niet lang daarna verdronken. Toen heeft onze Cadryc de jongen mee naar huis genomen om hem samen met zijn eigen zoon groot te brengen, omdat hij zo edelmoedig is als een heer hoort te zijn en bovendien een rechtschapen man.'

'Dat was inderdaad erg goed van hem,' beaamde Neb. 'Nu begrijp ik waarom Gerran een beetje lichtgeraakt is.' Hij veegde zijn vette mond af aan zijn mouw. 'Ik zal proberen hem niet voor de voeten te lopen.'

'Nu zit je vuile gezicht ook nog onder het vet,' zei Coryn grinnikend. 'Kom mee, dan geven we je een bad.'

In plaats van water naar binnen te dragen en in de haard te verwarmen, vulden ze een drinkbak van de paarden en lieten het water warm worden in de zon, terwijl Coryn hun een rondleiding gaf door de vesting. Een tijdje later trokken Neb en Clae hun kleren uit en klommen in de bak. Neb knielde op de bodem en dompelde zijn hoofd in het water om het ergste vuil en de bladeren uit zijn haar te spoelen. Ze zaten zich nog druk te wassen toen Salamander uit de broch kwam met een aantal kledingstukken over zijn arm.

'Aha, jullie zien er een stuk fatsoenlijker uit,' zei de troubadour lachend. 'Het kamermeisje van vrouwe Galla heeft dit voor jullie gevonden.' Hij hield twee eenvoudige linnen hemden omhoog, weliswaar gedragen maar nog redelijk schoon, en twee vaalgrijze brigga's. 'Ze zei dat jullie haar je oude kleren moeten geven, dan kookt ze die uit om als poetsdoeken te gebruiken.'

'Dank je,' zei Neb. 'De vrouwe is zo gul als een adellijk persoon hoort te zijn, maar eerlijk gezegd ga ik liever terug naar Trev Hael.'

'Ah, maar je wyrd heeft je hierheen gevoerd, en wie kan zich tegen zijn wyrd verzetten?'

'Maar...'

'Of eigenlijk heeft het wyrd jullie naar mij gevoerd en heb ik jullie hierheen gebracht, maar dat is eigenlijk hetzelfde.' Salamander keek hem vrolijk aan. 'Alsjeblieft, jongen, blijf hier een poosje. Laten we zeggen een jaar en een dag, niet langer. Als je dan nog weg wilt, kun je gaan.'

'Vooruit dan maar. Je hebt ons het leven gered en daar zal ik je altijd dankbaar voor zijn.'

'Ik heb geen behoefte aan eeuwige dank. Blijf alleen maar een poosje hier. Je zult weten wanneer het tijd is om te gaan.'

'O ja?' Neb aarzelde en vroeg zich af of zijn redder niet al te snugger was. 'Er schoot me net iets te binnen. De vrouwe wil zien hoe ik schrijf, maar ik heb geen inkt en ook geen pennen. Ik heb bij de

stallen wel een paar ganzen gezien, maar het duurt een poosje voordat veren droog genoeg zijn om mee te schrijven.'
'Dat is waar, maar ik heb wel een paar rietpennen en ook een inktblokje voor je.'
'Geweldig! Dus jij kunt ook schrijven?'
'Een beetje, maar dat mag je tegen niemand zeggen. Ik wil niet dat de een of andere heer van me eist dat ik blijf en zijn schrijver word. Ik heb mijn vrijheid lief.'
'Ik wil je al een tijdje iets vragen. Waarom ben je helemaal naar Arcodd gereisd? Er wonen hier niet veel mensen en de meesten zijn te arm om je voor je verhalen te betalen.'
'Je bent lang niet dom, hè?' zei Salamander lachend. 'Ik zoek mijn broer. Hij is verdwaald, denk ik.'
'Verdwaald?'
'Verdwaald. Hij was namelijk een zilverdolk.'
'Wat was hij?' vroeg Clae. 'Wat is dat?'
'Een soort huursoldaat,' antwoordde Salamander. 'Ze trekken door het land op zoek naar een heer die zo'n behoefte aan extra krijgers heeft dat hij bereid is hen voor elk gevecht te betalen.'
Clae trok minachtend zijn neus op, maar Neb leunde naar voren en greep zijn broer bij de arm voordat hij een onbeleefde opmerking kon maken. 'Je haar is nog steeds vuil,' zei hij streng. 'Je moet het beter wassen.' Hij keek Salamander weer aan. 'Ik zal erom bidden dat je broer nog door dit land rijdt en niet naar de andere wereld is vertrokken.'
'Dank je, maar ik ben ervan overtuigd dat hij nog leeft. Iemand heeft me namelijk verteld dat hij hem hier ergens heeft gezien.'
Neb vroeg zich af of Salamander loog, want hij staarde iets te aandachtig en met een te strak glimlachje in de verte. Maar hij wilde de man die hem het leven had gered niet tegenspreken. Bovendien was het zo beschamend een broer te hebben die zilverdolk was dat hij Salamander zijn ongemak niet kwalijk kon nemen.
'Ik stap uit bad,' zei Neb. 'Vooruit, jij ook, Clae. We moeten de stalknecht helpen de bak weer te legen, want de paarden mogen geen vuil water drinken.'
Neb klom over de rand van de bak en sprong op de grond. Hij schudde het meeste water van zich af en trok de kleren aan die Salamander hem aangaf. De wijde wollen brigga paste min of meer, maar toen hij het hemd over zijn hoofd had getrokken, bolde het om hem heen en hingen de mouwen over zijn handen. Hij rolde ze op.
'We vinden wel een stuk touw of zo om om je middel te binden,' zei Salamander. 'En vast ook wel een hemd dat beter past.'

Later die middag ging Neb met een pen en inkt naar de grote zaal, waar vrouwe Galla alleen aan de tafel van de edelen op hem zat te wachten. Voor haar lag een stapeltje afgescheurde perkamentvellen, waarvan de doorzichtige lagen loslieten omdat ze al zo vaak waren gebruikt. De boodschappen die erop waren geschreven, waren eraf geschraapt om de vellen opnieuw te kunnen gebruiken.

'Zijn deze nog goed genoeg?' Galla bekeek ze met een twijfelachtige blik. 'Ik heb overal gezocht naar de zak waarin ik de boekhouding van ons vorig domein had opgeborgen, maar ik kon hem niet vinden. Deze vellen dienden als bekleding van een houten kist.'

'Ze zijn goed genoeg, vrouwe.' Neb bladerde erdoorheen en vond een vel dat nog redelijk glad was. 'Wat wilt u dat ik schrijf?'

'O, een paar eenvoudige dingen. Om te beginnen onze namen.'

Neb koos voor het schrift dat zijn vader altijd voor belangrijke documenten had gebruikt. Het werd 'koninklijk halve-inch' genoemd, omdat schrijvers aan het hof van de Eerste Koning het hadden bedacht. Hoewel Galla niet kon lezen, herkende ze de letters en kon ze haar naam en die van tieryn Cadryc herkennen.

'Heel mooi,' prees ze. 'Dan regelen we het zo, Neb. Jij en je broer krijgen een eigen kamer, jullie eten je maaltijden in de grote zaal en jullie krijgen elk jaar een stel nieuwe kleren. Is dat naar je zin?'

Neb moest zich ertoe zetten om met een edelvrouwe te onderhandelen, maar hij hield zich voor dat hij zonder gereedschap zijn vak niet kon uitoefenen. 'Ik heb ook geld nodig, voor inkt en zo. Ik kan ook roet en eikengal mengen, maar een belangrijke heer als uw man hoort betere inkt te gebruiken. Een zilveren penny per jaar is genoeg. Ik hoop dat ik hier goede inktblokjes en een mengsteen kan krijgen.'

'Dat geld kunnen we wel missen, dankzij de gulheid van de Eerste Koning.' Galla dacht even na. 'En ik denk dat je wat je nodig hebt in Cengarn kunt vinden. Mijn echtgenoot heeft gezegd dat hij binnenkort naar de gwerbret moet, dan kun je met hem meegaan.'

'Dat zal ik graag doen, vrouwe. Dank u wel. Maar ik heb ook iets nodig om óp te schrijven. Goed perkament is vreselijk duur om te kopen en ik weet niet hoe ik het zelf moet maken. Maar al kon ik dat, zou u dan de huiden kunnen missen? Een kalfshuid levert maar twee mooie vellen op en verder alleen stukjes zoals deze.'

'O.' Galla knaagde op haar onderlip en dacht na. 'Eerlijk gezegd had ik daar niet aan gedacht. Maar als je ergens perkament kunt vinden, weet ik zeker dat we ook daarvoor het geld hebben om het te kopen. In elk geval genoeg voor rechterlijke uitspraken en zo.'

'Als u genoeg kaarsenwas hebt, kunnen we voor gewone berichten houten plankjes met een waslaag erop gebruiken. Want ik kan zo-

wel met een schrijfpriem als met een veer schrijven.'
'Was kun je krijgen, en ook een scherp mes om je pennen mee te snijden.' Galla glimlachte opgelucht. 'Je moet een heel belangrijke brief voor me schrijven, Neb. Mijn broer heeft een dochter bij zijn eerste vrouw, die jaren geleden is gestorven. Hij is hertrouwd en nu hebben hij en zijn tweede vrouw zelf zoons en dochters. Zijn vrouw... Nou ja, laten we alleen maar zeggen dat ze niet van haar stiefdochter is gaan houden. En ze wil het geld dat mijn broer kan missen alleen aan haar eigen dochters besteden. Niet aan Branna, dat is de dochter van mijn broer. Vrouwe Branna, mijn nichtje. Daarom wil ik aanbieden het meisje in huis te nemen, en als we geen man voor haar kunnen vinden, mag ze hier blijven als mijn gezelschapsdame.' Vrouwe Galla zweeg en dacht met gefronste wenkbrauwen na. 'Ze is een beetje vreemd, zie je, daarom zal het niet meevallen een huwelijkskandidaat voor haar uit te zoeken. Maar ze kan prachtig naaien en borduren, dus zal ik erg blij met haar zijn. Het is wonderbaarlijk hoe ze met een stukje houtskool patronen kan tekenen. Je zou zweren dat ze die al op de stof ziet staan en de lijnen alleen hoeft na te trekken, zo netjes doet ze het. En... Ach, moet je mij horen! Zo'n jongen als jij heeft geen enkele belangstelling voor naaiwerk. Ga maar gauw weg om schrijftabletten te maken. Ik zal Coryn opdragen je was en messen en zo te brengen.'
'Dat zal ik doen, vrouwe. Dank u wel. Ik ga eerst geschikt hout uitzoeken.'
Neb nam Clae mee naar het grote binnenplein. Omdat het een vrij nieuwe dun was, was het daar minder vol en rommelig dan in oudere forten. Achter de hoge broch lagen een rond, met riet bedekt keukengebouw, een bron en een aantal voorraadschuren. Aan de overkant van het erf lagen de smederij, enkele varkensstallen en kippenhokken, en daarachter lag de mestvaalt. Een derde van de hoge muur om de dun heen was tegelijk de buitenmuur van de paardenstallen, met daarboven de slaapzalen voor de krijgers en de bedienden.
'We hebben een fijne plek gevonden, vind je niet, Neb?' zei Clae.
'Dat hebben we.' Neb zag dat Clae hem verheugd aankeek. 'Ik denk dat we het hier best zullen uithouden.'
'Gelukkig. Ik wil leren rijden.'
'Wat?'
'Ik wil ook leren zwaardvechten, en lid worden van de krijgsbende van de tieryn.'
Neb stond stil en keek Clae met zijn handen in de zij aan. Clae keek uitdagend terug.

'Waarom wil je dat?' vroeg Neb.

'Daarom.'

'Maar waarom dan?'

'Dat weet je best.' Clae haalde zijn schouders op en schopte met zijn blote tenen tegen een steentje. 'Omdat ze iedereen hebben vermoord.'

'Aha. Omdat plunderaars ons dorp hebben verwoest.'

Clae knikte, maar hij bleef naar de grond kijken.

Alle goden, dacht Neb, wat zou onze moeder hiervan hebben gevonden? 'Nu begrijp ik het,' zei hij. 'Ik zal erover nadenken.'

'Ik doe het in elk geval.'

'Hoor eens, ík ben nu het hoofd van onze clan en je haalt het niet in je hoofd om ook maar iets te doen waar ik het niet mee eens ben.'

Claes ogen vulden zich met tranen.

'Ach goden!' zei Neb kribbig. 'Ga alsjeblieft niet huilen. De hoofdman zal het ook goed moeten vinden, de valk, of hoe hij dan ook mag heten.'

'Gerran.' Clae veegde met een mouw zijn ogen droog. 'Hij heeft het nu te druk, maar ik zal het hem vragen zodra ze terug zijn.'

'Dat is goed. Maar als hij nee zegt, kan ik er niets aan doen.'

'Dat weet ik. Maar hij heeft toch ook zijn ma en pa verloren? Ik wil wedden dat hij het zal begrijpen.'

'We zullen wel zien. Ga nu maar mee op zoek naar de houtstapel en een bijl.'

Ze vonden de houtschuur achter de keuken en aan de binnenkant van de deur hing een bijl. Neb pakte de bijl en zwaaide ermee om te voelen hoe zwaar hij was. In een hoek lagen een paar ruwe planken. Ze waren allemaal te breed en de meeste waren te dik, maar Neb zag nergens een zaag. Hij zag wel een blok vurenhout liggen met een doorsnee van ongeveer vijfentwintig centimeter en een inkeping bovenin.

'Hé, wat doen jullie daar?' riep een mannenstem.

Neb draaide zich om en zag een magere man met een kaal hoofd haastig naar hen toe komen. Hij had een dikke grijze baard en hij keek Neb met samengeknepen lichtblauwe ogen bars aan.

'Neem me niet kwalijk, heer,' zei Neb, 'maar vrouwe Galla heeft me opgedragen iets voor haar te doen.'

'Als ze het vuur wilde aansteken,' zei de man, 'had ze een knecht kunnen sturen om het aan mij te vragen. Ik ben trouwens Horza, de houthakker van deze dun.'

'Goedemorgen, heer. Ik heet Neb en dit is mijn broer Clae. Ik ben de nieuwe schrijver en ik heb hout nodig om schrijftabletten van te maken. De plankjes moeten ongeveer zo lang zijn en...'

36

'Ik weet heus wel hoe een schrijftablet eruitziet, beste jongen. Geef me mijn bijl en blijf er voortaan van af, begrepen?'
'Begrepen. Het spijt me.'
Horza gromde iets en nam de bijl van Neb over. Hij liet zijn blik over de stapel hout glijden en pakte met zijn ene hand een eikenhouten wig. Hij zette de wig in de inkeping van het blok hout en begon er met de botte kant van de bijl op te tikken tot het droge vurenhout in tweeën spleet. Hij liet de ene helft liggen en hakte met de scherpe kant van de bijl de andere helft in plankjes van precies de juiste lengte en breedte.
'Ik zal nog een stel maken, jongen.' Horza pakte de andere helft van het blok en maakte er op dezelfde manier plankjes van, terwijl Neb vol bewondering toekeek.
'Ze moeten alleen nog glad geschaafd worden en dan met zand geschuurd,' zei Horza. 'Dat is jouw taak.'
'Dat weet ik. Duizendmaal dank!' Neb nam de plankjes met een buiginkje aan. 'U hanteert die bijl als geen ander.'
'Hm.' Horza hield zijn hoofd schuin en nam de jongens aandachtig op. 'Dus jij bent schrijver, zeg je? En je heet Neb? Hoe kom je aan die vreemde naam? Nooit eerder gehoord.'
'Het is een afkorting. Mijn vader was een man met wonderbaarlijke ideeën. Hij heeft me Nerrobrantos genoemd, naar de een of andere held uit de Begintijd. Mijn broer heet eigenlijk Caliomagos.'
'Neb en Clae. Hoe korter, hoe beter, vind ik. Maak nu maar dat je wegkomt, jongens, want ik moet aan het werk.'
'Nogmaals dank. Ik neem de plankjes mee naar de grote zaal en schuur ze daar glad.'
Zodra Horza hen niet meer kon horen, zei Clae tegen Neb: 'Wat een lef heeft die man om zo over onze namen te praten terwijl hij zelf Horza heet! Wat is dat nou voor een naam?'
'Een heel oude,' antwoordde Neb met een glimlach. 'Waarschijnlijk behoorden zijn voorouders tot de Ouden, degenen die hier al woonden toen onze voorouders aankwamen.'
'Nou, ik vind het net een meisjesnaam.'
'Ik denk dat hun taal heel anders was dan de onze.'
'O.' Clae dacht even na en haalde zijn schouders op. 'Mag ik nu met de schildknapen Witte Kraai gaan spelen? Coryn heeft gevraagd of ik meedoe.'
'Natuurlijk, ga maar. Ik heb verder geen hulp nodig.'
Neb nam zijn plankjes mee naar de haard van de bedienden. Ernaast stond een emmer zand om de vonken te doven die op de met stro bedekte vloer vielen. Hij haalde water in een aardewerken beker,

pakte een handje zand uit de emmer en een bosje stro van de vloer, en ging aan het werk. Hij strooide zand op een plankje, maakte het stro nat en schuurde er de splinters mee weg.

Terwijl hij daar druk mee bezig was, dacht hij aan het meisje, Branna, wier leven zou worden bepaald door de brief die hij op een van de plankjes zou schrijven. Zou iemand haar vragen hoe ze het vond om naar zo'n woest, afgelegen gebied te worden gestuurd? Ongetwijfeld zou ze net zo weinig keus hebben als hijzelf en Clae hadden toen ze werden meegenomen om bij de boerderij van oom Brwn te worden afgeleverd. Tot zijn verbazing voelde hij medeleven voor het onbekende meisje, en hij vroeg zich af of ze mooi was.

Die avond deelden Neb en Clae een behaaglijk bed in een wigvormige kamer hoog in de broch. Er stonden ook een wankele tafel en twee krukjes, een bewerkte houten kist om eigendommen in te bewaren die ze misschien ooit zouden hebben, en een koperen vuurpot voor als het winter werd. In de ronde stenen buitenmuur zat een smal raam met een houten luik ervoor. In Arcodd was dat in die tijd een comfortabel gemeubileerde kamer, geschikt voor de geëerde gasten van een edelman.

Hoewel Clae meteen in slaap viel, lag Neb nog een tijdje na te denken over de nieuwe verandering in zijn leven. Opeens was hij in dienst van een tieryn, het hoofd van wat er van hun familie over was en een man die de kost voor zijn familie kon verdienen. Het enige wat hij betreurde, was dat oom Brwn hier met zijn leven voor had moeten betalen. Als ze Mauva kunnen redden, dacht hij, zal ik vragen of ze in de keuken mag werken. Brwn zou het prettig vinden als hij wist dat ik voor haar had gezorgd.

Toen hij in slaap viel, droomde hij van vrouwe Branna, of liever, van een mooi meisje dat in zijn droom vrouwe Branna heette. Hij kon haar duidelijk zien, in de grote zaal van een primitieve, armzalige dun. Ze zat op een bewerkte houten stoel bij een rokende haard, met haar voeten op een krukje om ze droog te houden op de met vochtig stro bedekte vloer. Naast haar stoel stond een grijze dwerg. Een man die hij niet kon zien, kondigde aan: 'Het mooiste meisje van heel Deverry.' Neb liep glimlachend naar haar toe. Ze keek op, zag hem komen en glimlachte terug. 'Mijn prins, bent u het?'

Haar stem klonk zo echt dat hij half overeind wakker werd. In het donker mompelde Clae iets en draaide zich met een zucht om. Neb ging weer liggen en toen hij weer insliep, droomde hij niet meer.

Gerran werd lang voor de dageraad wakker. Omdat hij de vorige avond zijn kleren had klaargelegd, kon hij zich aankleden bij het zwakke sterrenschijnsel dat door het raam viel. Hoewel hij er de voorkeur aan zou hebben gegeven met de andere krijgers boven de stallen te slapen, had tieryn Cadryc erop gestaan hem een torenkamer in de broch te geven. Net toen hij zijn gordel omgespte, zag hij een streep licht onder zijn deur en werd er geklopt.

'Gerro?' zei Mirryn.

'Ik ben wakker.' Gerran deed de deur wijd open. 'Ik vroeg me al af of jij ook op was.'

Mirryn glimlachte wrang. Hij had een kaars bij zich, in een lantaarn die bestond uit een tinnen omhulsel met gaatjes, en zette die op de houten kist waarin Gerran zijn weinige spullen bewaarde. Ze zwegen allebei tot Gerran de deur weer dicht had gedaan.

'Ik weet dat je je gekrenkt voelt,' zei Gerran, 'maar ik begrijp waarom je vader wil dat jij hier blijft.'

'O, ik ook, maar dat maakt het niet minder pijnlijk.' Mirryn leunde tegen de gebogen muur. 'Voor je het weet, denken de mannen dat ik een lafaard ben.'

'Ach, natuurlijk niet! Ze hebben toch gehoord dat je vader je dat opdroeg?'

Mirryn keek Gerran met schuingehouden hoofd onderzoekend aan. 'Wat vreemd dat je dat op die manier zegt. Je vader. Hij is ook jouw vader, weliswaar je pleegvader, maar...'

'Ik ben niet van adel, dat is een groot verschil. Het strekt de tieryn tot eer dat hij me toen ik nog een jongen was heeft behandeld als een lid van zijn gezin, maar ik ben nu volwassen.'

'Voor mij ben je nog steeds mijn broer.'

'Voor mij ben jij dat ook.' Gerran aarzelde, haalde zijn schouders op en vervolgde: 'Daar ben ik heel blij om, maar...'

'... maar in de ogen van anderen ben je dat niet?'

'Inderdaad. En daarom is je vader wel bereid mijn leven op het spel te zetten, maar niet het jouwe.'

'Dat besef ik heus en de anderen ook, maar alle goden, Gerro! Wat zal er gebeuren als ik het rhan erf? Wie zal me, als ik nooit een gevecht heb geleverd, hoogachten?'

'Het is vervloekt jammer dat de goden je alleen zusters hebben gegeven.'

Mirryn schudde lachend zijn hoofd. 'Ik ken niemand die zo goed vragen kan afwimpelen als jij.' Hij keek uit het raam. 'De lucht wordt grijs.'

'Dan moet ik vlug naar de stallen. Het is eigenlijk niet aan mij, maar als ik de gelegenheid krijg, zal ik proberen met onze tieryn te praten.'

'Probeer hem aan zijn verstand te brengen dat hij me een kans moet geven.' Mirryn wendde met een zucht zijn hoofd af. 'Als hij me blijft opsluiten in de dun, kan ik net zo goed een van zijn waardeloze dochters zijn.'

Terwijl Gerran bezig was zijn paard te zadelen, verzamelden zich twintig krijgers op het met toortsen verlichte binnenplein. Gerran liep tussen de groep ruiters door, bepaalde hun volgorde en besloot wie de lastpaarden met de voorraden onder zijn hoede zou nemen. Ze zouden worden gevolgd door ossenwagens met nog meer benodigdheden, maar die reden zo langzaam dat ze waarschijnlijk pas zouden aankomen als de krijgsbende op het punt stond weer naar huis te gaan. Net toen Gerran de hoofdvoerman vertelde welke weg ze zouden nemen, zag hij dat de troubadour opsteeg en zich bij de krijgers voegde. Gerran wees hem zijn plaats aan het eind van de rij, wat Salamander met een buiginkje vanuit het zadel opgewekt accepteerde. Daarna reed Gerran terug naar het hoofd van de stoet en vroeg aan Cadryc: 'Wat doet die zingende zaag hier, edele heer?'

'Geen idee,' antwoordde Cadryc. 'Hij smeekte me of hij mee mocht om wraak te nemen. Hij heeft zijn hart op de juiste plaats, al ziet hij eruit als een stinkende hoveling uit Deverry.'

'Wraak? Waarvoor?'

'Aha, dat is een goede vraag.' Cadryc beet op zijn snor en dacht na. 'Waarschijnlijk hebben die plunderaars ook familie van hem vermoord.' Hij zette het probleem schouderophalend van zich af. 'Ik zie je pleegbroer nergens. Ik dacht dat hij op z'n minst zo beleefd zou zijn om ons uit te zwaaien.'

'Stel dat hij het prettig zou vinden achter te blijven, edele heer,' zei Gerran, 'zou u dat niet veel erger hebben gevonden?'

Cadryc draaide zich in het zadel naar Gerran om, keek hem even verbaasd aan en begon toen zachtjes te lachen, een beetje beschaamd. 'Je hebt gelijk, Gerro,' zei hij. 'Laten we gaan. De zon komt op.'

Hijgend en vloekend trokken de tien mannen die moesten achterblijven om het fort te bewaken aan de kettingen om de zware dubbele poort te openen. Met een laatste vloek was de opening groot genoeg, en toen lieten ze de kettingen los en renden opzij om de stoet door te laten. Cadryc brulde een bevel en gebaarde dat zijn mannen hem in draf moesten volgen.

De krijgsbende reed in zuidelijke richting door het rhan van de tieryn. Het was een uitgestrekt, gedeeltelijk nog heel woest gebied, dat onder zijn gezag viel. Als beloning voor trouwe dienst en het betalen van diverse belastingen mocht hij anderen stukken land toewijzen. Rondom de dun hadden de akkers van de vrije boeren de licht-groene kleur van tarwe, maar verderop waren het door rivieren on-derbroken tafelland van de provincie Arcodd en het land daarach-ter bedekt met naaldbossen. Het grootste plateau was ruim driehonderd kilometer in doorsnee en liep naar het westen af naar een gebied dat op geen enkele landkaart van Deverry voorkwam. Naar het noorden rees het langzaam omhoog naar de uitlopers van het Dak van de Wereld.

In het zuiden lag het vruchtbare dal van de Melyn, het domein van veel boeren. Maar toen de krijgers de rand van het bos bereikten, namen ze de zandweg naar het westen, de weg waarover Neb zich zo had verbaasd. Cadryc had zijn boeren belasting laten betalen in de vorm van arbeid om de bomen te kappen en de weg aan te leg-gen. Niemand had er bezwaar tegen gemaakt, want iedereen had be-grepen dat het voor hun eigen veiligheid was.

Een paar uur voor zonsondergang reed de krijgsbende naar een open veld. Cadryc liet halt houden en leunde over de punt van zijn zadel naar voren om naar het vertrapte gras te kijken.

'Er is hier onlangs iemand langsgekomen,' zei hij. 'Grote goden, als de plunderaars deze weg gevonden hebben...'

'Edele heer?' Salamander draafde naar hem toe. 'Ik kan u gerust-stellen. Ik ben hier geweest. Hier, precies op deze plek, hebben Neb en Clae me gevonden.'

'Ah, wat een opluchting!' Cadryc draaide zich om. 'Gerran, laat de mannen hier het kamp opslaan.'

Ze hadden zich nog maar net geïnstalleerd toen heer Pedrys, een van Cadrycs vazallen, eraan kwam. Hij bracht tien mannen en allerlei voorraden mee, en zoals gewoonlijk wilde hij graag meedoen aan het ophanden zijnde gevecht. Toen Cadryc, Pedrys en Gerran om het vuur van de tieryn gingen zitten om een plan te bedenken, had de blonde Pedrys een niet bepaald gepaste grijns op zijn bleke, niets-zeggende gezicht.

'Ik vraag me af of we ze zullen inhalen,' zei hij. 'Maar als ze risico's nemen, hebben we een kans.'

'Inderdaad,' beaamde Cadryc. 'In elk geval kunnen we gaan kijken of heer Samyc nog leeft. Weliswaar heeft hij maar vijf krijgers tot zijn beschikking, maar ik kan me niet voorstellen dat hij rustig in zijn dun blijft zitten terwijl die schurken op strooptocht zijn door zijn land.'

'Ik ook niet,' zei Pedrys. 'Maar vijf krijgers! U hebt er alles bij el-kaar dertig en ik heb er vijftien, maar we kunnen het ons niet ver-oorloven die voor een tocht zoals deze allemaal mee te nemen. Hoe denkt onze gwerbret, bij de zwarte harige kont van de duivel, eigenlijk dat we deze vallei kunnen verdedigen?'

Cadryc haalde zijn schouders op en begon op de uiteinden van zijn snor te kauwen. 'Dat zullen we hem moeten vragen. We hebben hulp nodig, anders redden we het niet.'

'Ik ben het helemaal met u eens, edele heer, maar hij heeft geen leger, dus wat kan hij eraan doen?'

'Hij zal verdomme een paar boodschappers naar Dun Deverry moeten sturen om de Eerste Koning te vragen meer krijgers te sturen.'

Cadryc sloeg met een vuist in de palm van zijn andere hand. 'Het kan me geen varkensscheet schelen of hij dat nodig vindt of niet.'

'Ik zou niet weten waarom hij dat niet nodig zou vinden,' zei Pedrys geërgerd. 'Alle goden, zijn eigen vader is door het Paardenvolk vermoord!'

'Dat is waar. Maar de gwerbrets van Cengarn heersten vroeger als koningen over Arcodd, nietwaar? Ze stuurden natuurlijk wel hun belastingen naar de kamerheer van de Eerste Koning en ze brachten eens per jaar een ritueel bezoek aan het hof, maar' – Cadryc haalde zijn schouders op – 'de koning bemoeide zich nooit met wat ze hier deden. En nu... Nou ja, nu is alles anders.'

Pedrys en Gerran knikten instemmend.

Een jaar of dertig geleden was de Eerste Koning ermee begonnen zijn onderdanen aan te moedigen om zich te vestigen in het vruchtbare zuidwesten van Arcodd. Daartoe had hij een groot aantal nieuwe heren moeten aanstellen en gebieden moeten afbakenen om hun als rhan te schenken. Weliswaar waren die nieuwe heren trouw verschuldigd aan de gwerbrets van Cengarn, maar het geld en de mankracht om de nieuwe rhans meer te laten zijn dan lijnen op een landkaart waren afkomstig van de Eerste Koning, niet van de gwerbrets. Herauten van de koning waren door heel Deverry gereisd om boeren en ambachtslieden land aan te bieden als ze bereid waren om naar Arcodd te gaan. Heel wat jongere zoons, die niet in aanmerking kwamen om het land of de werkplaats van hun vader te erven, hadden die uitdaging maar al te graag aangenomen. En heel wat jongere dochters, die niet op een grote bruidsschat konden rekenen, waren bereid geweest met hen te trouwen en mee te gaan.

Mannen die lid wilden worden van een krijgsbende waren moeilijker te vinden, maar de heren deden hun best om hun leger zo groot mogelijk te maken. Iedereen herinnerde zich het Paardenvolk, dat jaren geleden als uit het niets was opgedoken om Cengarn te belegeren. De beginperiode van de vestiging in de Melynvallei was zo voorspoedig geweest dat het leek alsof het Paardenvolk Deverry was vergeten. Er waren steeds meer boerderijen bij gekomen en hier en daar waren dorpen gebouwd. De maagdelijke akkers hadden grote oogsten voortgebracht en de boeren grote kinderscharen. Het leek alsof de goden een bijzondere zegen over de vallei en de nieuwe bewoners hadden uitgesproken.

Maar een jaar of vijftien voordat Neb en zijn broer uitgeput uit het woud tevoorschijn waren gekomen, vond in een dorp in de omgeving van Cengarn de eerste van een reeks plunderingen plaats. Elke keer dat de rovers aanvielen, vermoordden ze de mannen, namen ze de vrouwen en de kinderen als slaven en verder alles wat van hun gading was mee, en staken ze in brand wat ze moesten achterlaten. Uiteindelijk slaagden de gwerbret van Cengarn en zijn trouwe vazallen erin hen te betrappen en te verslaan. De vader van Gerran was in een deken gewikkeld en als een zak graan over zijn zadel hangend van die veldslag thuisgebracht. Gerran kon zich nog duidelijk voor de geest halen hoe hij het binnenplein was opgerend en had gezien dat twee mannen het lijk van het paard tilden, en hij kon de gil van zijn moeder toen ze haar man zag, nog horen.

'Wat is er, hoofdman?' vroeg Pedrys plotseling. 'Je kijkt even grimmig als de heer van de hel!'

'Neem me niet kwalijk, heer,' zei Gerran. 'Ik dacht aan de plunderaars.'

'Daar gaat iedereen grimmig van kijken,' zei Cadryc, en hij geeuwde. 'Laten we nu maar gaan slapen. Ik wil bij zonsopgang opstaan en zo gauw mogelijk doorrijden.'

'Goed, heer,' zei Gerran. Hij stond op. 'Ik doe nog even de ronde door het kamp.'

Verspreid over het veld lag het merendeel van de mannen in dekens gewikkeld bij smeulende vuren te slapen. Het was een van die goddelijk mooie, heldere nachten waarin de sterrenhemel als een zilveren koepel boven het land stond. In een hoek stonden de paarden, vastgebonden en bewaakt door een paar schildwachten, met hangende hoofden te doezelen. Net toen Gerran een praatje met de mannen wilde gaan maken, zag hij iemand naar zich toe komen. Hij legde zijn hand op het gevest van zijn zwaard, maar het bleek de troubadour te zijn, wiens lichtblonde haar oplichtte in het donker.

'Prachtige nacht, nietwaar?' zei Salamander.

Hoewel Gerran dat net zelf ook had gedacht, ergerde hij zich aan zo'n sentimentele opmerking van een andere man.

'Lekker warm,' beaamde hij. 'Maar vertel me eens waarom je met ons mee wilde.'

'Dat weet ik eigenlijk niet,' antwoordde Salamander.

'Je zei tegen onze heer dat je je wilde wreken.'

'Dat is waar. Een goede vriend van me is een paar jaar geleden door het Paardenvolk vermoord. En ik ben natuurlijk op zoek naar mijn broer. Dat weet je misschien nog, want dat heb ik je verteld toen ik de vorige keer...'

'Je broer, de zilverdolk. Maar denk je nou echt dat je hem op een dag zomaar ergens tegen het lijf zult lopen?'

'Ach, je weet nooit waar hij de volgende keer weer zal opduiken.'

Gerran wachtte even, maar toen besefte hij dat Salamander hem uit zichzelf niet meer zou vertellen en dat hij ernaar zou moeten vragen. 'Nu je hier eenmaal bent, sta je onder mijn bevel,' zei hij in plaats daarvan. 'Als we moeten vechten, wil ik dat je helemaal achteraan blijft en niemand in de weg rijdt.'

'Komt in orde.' Salamander maakte een buiging, liep een eindje weg, bukte zich en raapte iets op uit het gras. 'Iemand is slordig geweest. Ik vraag me af van welk hoofdstel deze afkomstig is.'

Toen hij een koperen gesp omhooghield, kon Gerran die nauwelijks zien. Salamander overhandigde hem het voorwerp en liep met een opgewekt welterusten weg. Gerran wreef over de gesp terwijl hij de troubadour nakeek. Aha, dacht hij, daarom is het zo'n verduiveld rare kerel! Het bloed van het Westvolk stroomt door zijn aderen.

De volgende dag rond het middaguur bereikten de gezamenlijke krijgsbendes een stenen baken aan de kant van de weg. De tieryn liet halt houden om de paarden te laten uitrusten en de mannen iets te laten eten van wat ze in hun zadeltas hadden meegebracht. Hoewel er op het baken, een berg grijze stenen, geen enkele aanwijzing stond, wisten sommige ingewijden dat er vanaf dat punt een ondiepe kloof rechtstreeks naar het zuiden liep. De weg zelf eindigde bij het baken, om te voorkomen dat de vijand op een al te gemakkelijke manier door het gebied van de tieryn naar het zuiden kon trekken.

Het begin van de kloof bestond uit een smalle waterval die over ruwe platen van donkere steen omlaag tuimelde, aan weerskanten omzoomd door hoge varens. De mannen stegen af en leidden hun paarden over een smal pad naar de min of meer vlakke bodem van de kloof. Een vaag spoor liep langs het beekje naar een dennenbos. Nadat de mannen het spoor een paar kilometer moeizaam hadden gevolgd, werd de kloof ondieper en weken de wanden verder uiteen. Ten slotte werd het pad breed genoeg om weer op te stijgen en achter elkaar aan te rijden. In de verte, waar het pad nog breder werd, zagen de mannen helder zonlicht waar het bos eindigde. Gerran brulde dat ze op de normale manier in het gelid moesten gaan rijden: met twee man naast elkaar en voorbereid op een gevecht, zoals hij tegen heer Pedrys zei.

'Denk je dat de Paardenvolkers ons in een hinderlaag zullen lokken?' vroeg Pedrys.

'Dat weet ik niet, heer, maar ze zijn ertoe in staat.'

In gevlekt zonlicht reden ze door het laatste stuk van het dennenbos. Er werd niet meer gesproken; iedereen had zijn rechterhand op het gevest van zijn zwaard gelegd en hield de teugels in de linkerhand. Tussen het verwilderde gras stonden hier en daar afgezaagde stammen. Na de laatste bocht in het pad bereikten ze een lang, breed dal, groen van rijpend graan en grazige weiden. Een paar kilometer westwaarts stroomde de Melyn, een glinsterend lint in de verte. Aan de oever zag Gerran een zwarte vlek. De boerderij waar Neb vandaan was gekomen, vermoedde hij.

'Geen Paardenvolker te zien,' zei Cadryc. 'Behalve gras is er helemaal niets te zien.'

'Inderdaad, edele heer,' beaamde Gerran. 'De schurken hebben zich waarschijnlijk allang uit de voeten gemaakt.'

'We moeten ervoor zorgen dat er hier meer krijgers komen. Er zit niets anders op.'

'Of we moeten voor eens en altijd een eind aan die vervloekte overvallen maken, edele heer,' opperde Gerran. 'Als de koning ons een leger zou willen lenen...'

'Dat laten we aan de goden over,' zei Cadryc. 'Later zullen we ons met grotere plannen bezighouden, maar eerst moeten we dit probleem oplossen.'

Met een armzwaai beval hij de stoet in beweging te komen. Ze reden naar de rokende berg hout en as op de plek waar kortgeleden de boerderij van Brwn had gestaan. Het vuur was overgesprongen op de appelboom buiten de lemen muur, die nu zwart en kaal was en iets weg had van een dode schildwacht. Het vochtige gras eromheen was nog groen. Vlakbij lag het lijk van een lange, forse man, met zijn hoofd half van zijn schouders gehakt. Opgezwollen en stinkend lag hij in de hete zon. Vogels en vossen hadden zich al aan hem te goed gedaan.

Salamander reed naar voren en voegde zich bij Gerran en de heren. 'De oom van Neb,' zei hij. 'Wat er nog van hem over is, klopt met de beschrijving.'

'We zullen hem begraven,' zei Cadryc. 'Dat is het enige wat we nog voor hem kunnen doen.'

'Misschien kunnen we beter even wachten en dan een lange geul gra-

45

ven,' stelde Pedrys voor. 'Want ik wil wedden dat we nog meer doden zullen vinden.'

Helaas had Pedrys gelijk. Toen ze doorreden naar het verwoeste dorp, lagen de eerste lijken ongeveer driehonderd meter voorbij de brug. Vier mannen lagen slordig achter elkaar, blijkbaar neergeslagen terwijl ze probeerden te vluchten. Op het dorpsplein lagen er twaalf, rottend en sponsachtig of half verbrand. De laatste mannen waren waarschijnlijk thuis vermoord en daar blijven liggen toen hun huis afbrandde.

'Maar wie heeft deze mannen naar het dorpsplein gesleept?' vroeg Pedrys. 'Hoe kan dat? Wilden de plunderaars de doden tellen?'

'Ik denk dat ze zeker wilden weten dat ze niemand waren vergeten,' zei Gerran.

'Nou, dan zijn ze niet erg zorgvuldig geweest,' zei Salamander. 'Neb heeft me verteld hoeveel mannen en jongens dit dorp telde. De vrouwen en kinderen zijn natuurlijk allang weg, allemaal meegenomen als waardevolle buit. Maar er horen hier twintig doden te zijn achtergelaten, en dan tel ik Nebs oom niet mee.'

'Dat betekent dat er vier ontbreken,' zei Pedrys. 'Misschien zijn zij erin geslaagd op tijd weg te komen.'

Maar drie van hen bleken bij de bron te liggen, waar ze nog hadden geprobeerd zich te verdedigen. Een van hen had een hooivork in zijn knuist.

'Waarom hebben de plunderaars deze drie niet bij de rest gelegd?' vroeg Salamander zich hardop af. 'Zouden ze zijn gestoord?' Hij keek omhoog alsof hij het antwoord zocht in de lucht.

'Ik betwijfel of de goden hen te hulp zijn gekomen,' zei Gerran. 'Kom mee, er ontbreekt nog één man.'

Hoewel ze het dorp grondig doorzochten, konden ze het laatste lichaam niet vinden. Tegen de tijd dat ze hun zoektocht opgaven, stonden de jongere krijgers met bleke gezichten te trillen op hun benen en waren enkelen van hen weggerend om over te geven. Gerran vond de verspilling van levens erger dan de stank en de rottende lijken. Vredelievende boeren waren als varkens afgeslacht toen ze zichzelf en hun gezin met stokken en bijlen tegen zwaarden en speren probeerden te verdedigen.

Maar hoewel de boeren het gevecht uiteindelijk hadden verloren, hadden ze een kleine overwinning behaald. Onder een half verbrande dakspant lag het verkoolde lichaam van een Paardenvolker. Gerran vond hem toen hij de verwoeste smederij doorzocht. Toen hij een schreeuw gaf, kwam Daumyr haastig naar hem toe, met Warryc op een drafje achter zich aan. Zwijgend staarden ze naar het lijk.

Zoals de meesten van zijn ras was de man bijna twee meter lang, met brede schouders en lange armen. Wat er nog van zijn huid over was, was spierwit en bijna helemaal versierd met blauwe en zwarte tatoeages. Sommige stelden dieren voor, andere een soort letters. Hij had een enorme bos donker haar met een heleboel vlechten erin, die met amuletten waren vastgebonden en met gelukspoppetjes waren versierd. Maar de magische voorwerpen hadden hem niet gered. Daumyr pakte een plank en gebruikte die om hem om te draaien. Hij was gedood door drie scherpe priemen – een hooivork, dacht Gerran – in het midden van zijn rug.

'Sleep hem naar buiten,' beval Gerran. 'Dan mogen de raven hun gang gaan.'

'Goed idee.' Daumyr liet de plank vallen. 'Mogen zijn botten tot in het merg bevriezen in de diepste hel.'

Warryc bukte zich en veegde wat as weg. Toen raapte hij iets op en kwam met een voorwerp in zijn hand overeind. 'Dit moet van het wambuis van die schurk zijn gevallen.' Hij opende zijn vuist en liet een gouden pijl zien, ongeveer tien centimeter lang en met een stevige speld eraan. 'Ik heb zoiets al eens eerder gezien.'

'Het teken van zijn clan?' opperde Gerran. 'Of van zijn troep?'

Warryc schudde zijn hoofd terwijl hij de speld bestudeerde. Zijn smalle donkere ogen werden nog smaller, bijna spleetjes. 'Het heeft iets met zijn religie te maken,' zei hij ten slotte. 'Van dat vervloekte Paardenvolk, bedoel ik.'

'Geef hier,' zei Gerran. 'Misschien weet de tieryn wat het is.'

Hij gaf de krijgers opdracht om vlak buiten de muur om het dorp een lang massagraf te graven en liep door naar de tieryn, die bij de rij lijken met Salamander stond te praten. Het verbaasde Gerran dat de troubadour zo kalm bleef tussen zo veel doden, en zijn respect voor de man nam toe.

'We hebben de laatste man niet gevonden,' zei Cadryc. 'Straks rijden we stroomafwaarts naar de dun van heer Samyc. Als hij zich nog ergens schuilhoudt, hoort hij ons misschien aankomen en komt hij tevoorschijn.'

'Laten we het hopen, edele heer,' zei Salamander. 'Maar ik ben bang dat er onderweg ergere dingen tevoorschijn zullen komen.'

'Inderdaad niets goeds, denk ik.' Gerran haalde de gouden pijl uit zijn zak en liet hem zien. 'Een van de mannen heeft dit gevonden. Hij denkt dat het misschien iets met hun vervloekte goden te maken heeft.'

Cadryc spreidde zijn handen ten teken dat hij het niet wist, maar de troubadour pakte de speld aan, legde hem op zijn handpalm en bekeek hem aandachtig.

'Dat heeft het inderdaad,' zei hij. 'Het is het symbool van een godin, om precies te zijn. Van Alshandra, de zielenjager, de boogschieter die voorbij de sterren woont. De verborgene.'

'Ik heb wel eens van haar gehoord,' zei Cadryc. 'Het is jammer dat ze zich niet nog beter verbergt dan ze al doet.'

'Dat vind ik ook. Want haar aanbidders zijn helaas veel te nadrukkelijk aanwezig en te dichtbij.' Salamander keek Gerran aan. 'Wil de man die deze speld heeft gevonden hem terug hebben?'

'Ik denk het wel. Waarschijnlijk vanwege het goud.'

'Dan zal ik hem vragen of hij de speld aan mij wil verkopen. Ik heb het gevoel dat ik hem moet bewaren, dat hij me van nut zal zijn.'

'Van nut waarvoor?' vroeg Cadryc ongelovig.

'Dat weet ik nog niet. Maar ik heb het gevoel, een sterk vermoeden, een aanwijzing of een voorgevoel, dat ik dit kleinood bij me moet houden. Wie is de man die het heeft gevonden, hoofdman, als ik dat mag weten?'

'Natuurlijk.' Gerran wees naar de mannen die de geul stonden te graven. 'Het is Warryc, die magere, kleine man met bruin haar helemaal aan het eind van de rij. Naast die lange blonde man, Daumyr.'

Salamander draafde naar Warryc toe, en Gerran en de tieryn liepen langzaam achter hem aan. De krijgers wierpen de overblijfselen van de dorpelingen in de geul en bedekten ze met aarde – een bruin litteken in het groene veld. Precies voor zonsondergang waren ze klaar. In het lichtbewolkte westen gloeide de zon zo rood als een vuurstapel. Bij gebrek aan een priester deed de tieryn zijn best om een paar respectvolle woorden te zeggen. Een hele tijd stond hij aan een uiteinde van de geul te bedenken hoe hij de ongewone taak zou vervullen, terwijl de mannen zwijgend naar hem keken.

'Ach, paardenstront,' zei Cadryc ten slotte. 'Ik kan maar één ding zeggen en dat is: wraak!'

De krijgers brulden hem het woord na: 'Wraak!' Het rolde over de velden en weerkaatste tegen de rotswanden in de verte.

Toen ze terugliepen naar de paarden, kwamen ze langs het lijk van de Paardenvolker. Als laatste belediging lag het breeduit in de openlucht: voer voor de raven. Salamander bleef er even naar staan kijken en Gerran stond stil om te zien wat de troubadour zou doen.

'Vind je dit eigenlijk niet vreemd, hoofdman?' vroeg Salamander. 'Het Paardenvolk laat nooit zijn doden achter.'

'Dat heb ik inderdaad gehoord,' antwoordde Gerran. 'Maar hij is gedood door een boer, misschien beschouwen ze dat als oneervol.'

'Dat zou kunnen, maar ik betwijfel het. En ze hebben niet het hele dorp doorzocht. Ik vind het werkelijk verdacht.'

'Doorzocht?'

'Waarom zouden ze de doden anders op een rij hebben gelegd? Wilden ze zeker weten dat ze iedereen hadden gedood of alleen maar dat ze een bepaalde persoon hadden gedood? Niet dat ik het weet, hoor. Ik overweeg de mogelijkheden, dat is alles.'

Die avond sloeg de krijgsbende nog geen kilometer stroomafwaarts van het verwoeste dorp zijn kamp op, net ver genoeg weg om de stank van de moordpartij niet meer te ruiken. De ontbrekende dorpeling kwam niet opdagen, hoewel ze diverse vuren aanstaken om zijn aandacht te trekken voor het geval dat hij zich in de omgeving had verstopt. Voor alle zekerheid verdubbelde Gerran het aantal schildwachten, mochten de plunderaars zich nog ergens ten westen van hen ophouden. Bovendien liet hij de paarden niet alleen vastbinden, maar ook hun achterpoten bijeenbinden – een veiligheidsmaatregel die de volgende morgen van nut bleek te zijn.

Tegen zonsopgang werd Gerran plotseling wakker. Hij was ervan overtuigd dat hij iemand zijn naam had horen roepen. Met zijn dekens om zijn schouders ging hij rechtop zitten en keek om zich heen, maar in de kille, grijze ochtendschemering zag hij niets wat de rust in het kamp verstoorde. Hij trok zijn laarzen aan, stond op en gespte zijn riem om, waaraan zijn zwaard hing. Hij was van plan de schildwachten bij de paarden te gaan aflossen, maar toen hij naar de rivier keek, zag hij Salamander op de oever staan. Behoedzaam liep hij tussen de slapende mannen door naar de troubadour.

'Je bent vroeg op,' zei hij.

'Inderdaad, en jij ook.' Salamander keek hem met een glimlach van opzij aan en tuurde toen weer voor zich uit naar de overkant van de rivier.

'Zie je daar iemand?'

'Er is geen Paardenvolker te bekennen, maar ik zie iets vreemds in de lucht. Kijk, daar. Misschien is het een zwerm raven die het ons kwalijk neemt dat we ze van een bloederige maaltijd hebben beroofd.'

Gerran keek in de richting die Salamander aanwees en zag vaag dat er heel ver in het westen een zwerm vogels kwam aanvliegen. Maar was het wel een zwerm? Ook hoorde hij een klappend geluid, alsof een hand op een trommel sloeg waarvan het leer niet strak genoeg gespannen was. Eerder dan een zwerm leek het slechts één vogel te zijn, een reusachtige vogel, die met enorme zilverkleurige vleugels gestaag naderde. Het klappende geluid zwol aan tot een soort donderslagen terwijl het schepsel recht op hen afkwam. Hij zag een lange hals, een grote kop met opengesperde neusgaten en diepliggende ogen, en de zilveren schubben om de kop en op de puntige staart glinsterden met blauwe tinten in de opgaande zon.

'Het kan niet waar zijn,' mompelde Gerran. 'Alle goden, het is wél waar! Het is een draak!'

Achter hen werd het kamp luidruchtig wakker. De mannen schreeuwden en vloekten, de paarden hinnikten van angst. Gerran wist dat hij moest omkeren en teruggaan naar het kamp, dat hij de mannen tot kalmte moest manen of in elk geval de paarden moest bewaken, maar hij bleef als aan de grond genageld staan om de reusachtige zilveren wyrm steeds dichterbij te zien komen. Het schepsel was het toonbeeld van kracht, en met de zon die zijn gladde huid, die soepel om dikke spieren spande, deed glanzen, was het ook prachtig om te zien, oordeelde hij met de ogen van een krijger. Toen de draak de rivier bereikte, liet hij even één vleugel zakken en zette vervolgens koers naar het noorden. Op zijn zij, vlak onder de vleugel, zag Gerran een donkerrode veeg. Opgedroogd bloed, vermoedde hij.

'Rhodry!' brulde Salamander opeens. 'Hé, verdomme, Rori! Ik ben het, Ebañy! Rori, kom terug! Rhod... Ik bedoel, Rori! Wacht even!'

Als een waanzinnige schreeuwend en met zijn armen zwaaiend rende Salamander langs de oever, maar de draak klapwiekte in een oorverdovend ritme en steeg weer op terwijl hij een draai maakte en omkeerde naar het westen.

Met zijn handen in de zij wachtte Gerran tot de troubadour terug kwam draven en vroeg fel: 'Hoe weet je zijn naam?'

Salamander trok een schuldbewust gezicht, probeerde te glimlachen en wendde zijn blik af. 'Hij eh... nou ja, hij is mijn broer. Vroeger was hij een zilverdolk en heette hij Rhodry, maar nu hij een draak is, heet hij Rori. Ik vergeet steeds de juiste naam te gebruiken.'

Gerran wilde iets zeggen, maar de woorden verstrengelden zich tot een soort gegrom.

'Ik ben geen draak,' legde Salamander vlug uit. 'Dat was hij vroeger ook niet.'

'Wat? Ik heb nog nooit zo'n onzin gehoord.'

'Je hoeft het niet te geloven, maar hij is door dweomer in een draak veranderd.'

'Het wordt verdomme steeds gekker! Je kletst als een kwijlende idioot! Dweomer bestaat niet en een heks zou trouwens nooit zoiets voor elkaar kunnen krijgen.'

'Ik had moeten weten dat je zo zou reageren.' Salamander keek Gerran treurig aan. 'Maar ik heb je de waarheid verteld, of je me gelooft of niet. Ik wilde hem alleen maar vinden om te zien hoe het met hem gaat. Per slot van rekening is hij mijn broer.'

'Allemaal onzin.' Gerran kon er blijkbaar geen ander woord voor bedenken. Woedend haalde hij zijn schouders op, draaide zich om en rende terug naar het kamp.

Pas tegen het middaguur waren Gerran en de twee heren erin geslaagd de angstige mannen en geschrokken paarden te kalmeren en in het gelid op te stellen. Maar zelfs toen ze langs de oever naar het zuiden reden, bleven de mannen steeds naar de lucht kijken. Ook begonnen de paarden af en toe zonder enige aanleiding te briesen, wierpen hun kop omhoog en dreigden te steigeren tot hun berijders ze opnieuw gerust hadden gesteld. Om het goede voorbeeld te geven, dwong Gerran zich om niet omhoog te kijken, maar wel bleef hij luisteren of hij die als tromgeroffel klapwiekende vleugels weer hoorde aankomen.

Halverwege de middag hielden ze halt om de paarden uit de rivier te laten drinken. Toen zijn paard zijn dorst had gelest, gaf Salamander de teugels aan iemand anders en rende in oostelijke richting het veld in.

'Wat, bij de hellevorst, gaat hij nu weer doen?' zei Gerran. Hij wierp zijn teugel naar Warryc en rende achter de troubadour aan.

Een eind verderop vloog plotseling een kleine zwerm raven op, luid krassend van verontwaardiging. Omdat Salamander het zicht van een Westvolker had, besefte Gerran, moest hij ze al vanaf de oever hebben gezien. En ja hoor, daar stond de troubadour bij de verspreide overblijfselen van de ravenmaaltijd: een dood paard. Om precies te zijn, de versplinterde botten, de staart en hier en daar nog een restje vlees. In het hoge gras eromheen lagen kapotte delen van het tuig. Salamander duwde met een voet tegen een bont beschilderde leren riem, wellicht een stuk van de hulpteugel.

'Van een Paardenvolker,' zei hij. 'Zij beschilderen hun tuig. Ik denk dat we nu weten waardoor de plunderaars in hun smerige, verachtelijke bezigheden zijn gestoord.'

'De draak?' opperde Gerran.

'Juist. Hun paarden zijn ongetwijfeld net zo geschrokken als de onze bij de gedachte dat ze wel eens in de maag van een grote wyrm terecht zouden kunnen komen. Ik vraag me trouwens af of het Paardenvolk altijd door draken achterna wordt gezeten, want waar vinden die anders zulke dikke paarden?'

'Hm, een lekkernij, bedoel je. Wie weet. Maar kom nu mee, want we moeten nog een heel eind rijden.'

Toen de zon naar de westelijke horizon zakte, kwam de krijgsbende aan bij een ander afgebrand dorp: een grote puinhoop in een verkoold veld. Opnieuw begonnen de paarden te briesen en te trillen. Zacht vloekend stegen Cadryc, Pedrys en Gerran een eindje bij het verwoeste dorp vandaan af en liepen ernaartoe. Ze verwachtten het ergste, maar tussen de rondwervelende lichtgrijze as zagen ze geen lijken liggen, zelfs geen dode hond.

'Mooi zo,' zei Cadryc. 'Dan konden de inwoners waarschijnlijk net op tijd vluchten naar heer Samycs dun.'

'En dan zijn ze daar waarschijnlijk nog steeds, edele heer,' zei Gerran. 'Al of niet veilig.'

'Inderdaad. Laten we doorrijden.'

De dun van heer Samyc lag op een lage, kunstmatige heuvel. Op de vlakke grond eromheen werd hij beschermd door een doolhof van lemen wallen en op de helling door een stenen muur. Niet ver ervandaan lag een klein bos. Toen de krijgsbende de wallen naderde, zag Gerran een groepje boeren met een kar brandhout uit het bos komen, begeleid door twee ruiters. Tieryn Cadryc ging in de stijgbeugels staan en riep een groet. De ruiters juichten van blijdschap en kwamen in volle vaart naar de krijgsbende toe, die onder aan de dun stond te wachten. Een van de ruiters steeg af en pakte als teken van trouw een van Cadrycs stijgbeugels vast. Het was een donkerharige jongeman en hij lachte breed.

'Ah, alle goden zij dank, edele heer,' zei hij. 'Hoe weet u wat er is gebeurd?'

'Er zijn een paar mensen uit een dorp verderop ontsnapt,' antwoordde Cadryc. 'Hoe gaat het met je heer?'

'Dat is een heel verhaal, heer. De boeren uit het dorp konden op tijd wegkomen en de dun bereiken. Een jongen was op zoek naar een afgedwaalde koe en toen zag hij het Paardenvolk aankomen. Hij heeft het dorp gewaarschuwd.'

'Ik ben blij het te horen.'

'Inderdaad, edele heer. Wij hoorden ervan toen het hele dorp voor de poort stond en schreeuwde dat er plunderaars in aantocht waren. We lieten ze binnen en heer Samyc wilde gaan kijken, maar zijn vrouwe smeekte hem dat niet te doen. Dat is natuurlijk echt iets voor een vrouw, maar het hele vervloekte dorp viel haar bij.' De jongeman keek boos toen hij eraan dacht. 'De mensen versperden de poort en hoewel onze heer begon te schreeuwen en te schelden, verroerden ze zich niet, want ze wilden de vrouwe helpen. Uiteindelijk heeft heer Samyc ze hun zin gegeven en is thuisgebleven.'

'Gelukkig maar,' zei Cadryc. 'Want die rovers waren met velen, denk ik.'

'Dat is zo, edele heer. Wel dertig van die vermaledijde Paardenvolkers hebben hier voor de doolhof gestaan.' De jongeman wees naar de wallen. 'We konden ze over de muur heen zien en we hoorden ze naar elkaar schreeuwen in die vervloekte, afschuwelijke taal van hen. Ze zijn voor de duvel niet bang, die lui.'

Cadryc wierp Gerran een bezorgde blik toe.

'We hebben er al heel lang niet zo veel bij elkaar gezien, edele heer,' zei Gerran.

'Inderdaad.' Cadryc stak een hand op ten teken dat hij iets wilde zeggen wat ze allemaal moesten horen: 'Laten we eerst meehelpen al dat hout naar boven te brengen, mannen.'

De dorpelingen hadden zich geïnstalleerd op het kleine binnenplein van de dun van heer Samyc. Het was er een drukte van jewelste: koeien, kinderen, kippen en honden scharrelden door elkaar en overal lagen gebruiksvoorwerpen. Toen Cadrycs krijgsbende ook nog door de poort naar binnen was gereden, was het plein stampvol. Gerran steeg af en meteen hoorde hij twee hysterische bedienden naar elkaar schreeuwen dat ze niet wisten hoe ze zo veel gasten te eten moesten geven. Heer Samyc, die rood haar en sproeten had en een stuk jonger was dan Gerran, kwam uit de broch naar buiten rennen en knielde voor de tieryn neer.

'Ik ben blij dat ik u zie, edele heer,' zei hij. 'Hoewel u volkomen het recht hebt me te minachten om mijn oneervolle gedrag.'

'Zelfmoord is niet bepaald eervol, heer,' antwoordde Cadryc. 'Sta op en denk er niet langer over na.'

Met een verbaasd gezicht krabbelde Samyc overeind en toen keek hij om. In de deuropening van de broch stond een jonge vrouw. Haar zwangerschap was zo ver gevorderd dat ze haar overrok over een schouder had gehangen in plaats van die om haar middel te knopen. Ze staarde naar de drukte op het binnenplein. Het verbaasde Gerran dat de vrouwe van heer Samyc door de spanning van de afgelopen dagen haar kind nog niet ter wereld had gebracht. Een dienstmeisje moest haar ondersteunen terwijl ze een kniebuiginkje maakte voor de tieryn.

'Heb ik verkeerd gehandeld, edele heer?' vroeg ze. 'Heb ik inderdaad het leven van mijn man verpest door te weigeren hem te laten sterven?'

'Ach welnee, paardenstr... onzin,' zei Cadryc. 'Let maar niet op zijn gemok, dat gaat vanzelf wel over.'

Omdat heer Samyc niet genoeg ruimte had om iedereen onderdak te geven, bleven heer Pedrys en tieryn Cadryc in de dun en reed Gerran met de krijgers terug naar de rivier om op de oever hun kamp op te slaan. Voor het geval dat de plunderaars die nacht zouden aanvallen, zette Gerran schildwachten neer. Toen de troubadour aanbood ook een paar uur op wacht te staan, wilde Gerran dat eerst weigeren, tot het hem te binnen schoot dat Salamander uitstekende ogen had. Hij nam het aanbod dan ook aan en besloot dat hij de laatste wacht met Salamander zou delen.

Geruime tijd voor zonsopgang liepen ze samen naar de rivier. Het brede water, met lichtvlekken waar sterren zich weerspiegelden, stroomde kalm voorbij. In het westen lagen de glooiende weiden in het donker. Daar ergens moest het Paardenvolk met zijn betreurenswaardige buit zich ophouden.

'Rijden we morgen achter de plunderaars aan, hoofdman?' vroeg Salamander.

'Ik hoop het,' antwoordde Gerran. 'Ongetwijfeld hebben we nog minder kans op succes dan als we de hel zouden willen opwarmen met een kaars, maar het zou me plezier doen als we de vrouwen en kinderen uit dat dorp konden bevrijden. Je kunt beter een vrije weduwe zijn dan een slavin.'

'Dat vind ik ook. Toch is er met die plunderaars iets vreemds aan de hand, besef je dat? Minstens dertig krijgers en hun enorme paarden... Het valt niet mee om zo'n groep op een lange reis te eten te geven. En zijn ze echt helemaal hierheen gekomen om uit een paar armoedige dorpen alleen een stelletje slaven te halen?'

'Hm, daar had ik nog niet aan gedacht. Ik neem aan dat ze met zo'n grote groep zijn gekomen omdat ze weten dat we ons best doen om ze tegen te houden.'

'Misschien. Maar waarom zouden ze het risico nemen? Ver naar het zuiden, aan de zeekust, wonen gewetenloze kooplieden die slaven voor een redelijk bedrag kopen, in het geheim vervoeren en in Bardek verkopen. Maar dat is een heel eind hiervandaan, en hoe zou het Paardenvolk die slaven daar onopgemerkt helemaal naartoe kunnen brengen? Dan zouden ze door Pyrdon en Eldidd moeten rijden, waar elke heer alles op alles zet om ze tegen te houden, of anders door het land van het Westvolk. En de boogschutters van het Westvolk zouden de hele groep onmiddellijk doodschieten. Het Westvolk heeft net zo'n afkeer van slavernij als van het Paardenvolk.'

'Dat is waar. Ik heb grote bewondering voor die boogschutters. Stamt je vader van het Westvolk af of je moeder?'

Salamander legde zijn hoofd in zijn nek en bulderde van het lachen. 'Mijn vader,' bekende hij uiteindelijk. 'Je hebt scherpe ogen, hoofdman.'

'Jij ook, en daarom wist ik het. Maar eh...' Gerran dacht even na. 'Ik heb gehoord dat het Paardenvolk al meer dan genoeg menselijke slaven heeft en dat ze ermee fokken om de voorraad op peil te houden. Ze hebben geen nieuwe nodig. Je hebt gelijk. Waarom riskeren ze zo veel om zo weinig profijt?'

'Een duistere vraag, maar wel een beslissende, veelbetekenende, gewichtige en bijzonder belangrijke, dunkt me. Ik wil graag iets weten. De overvallen zijn begonnen toen allerlei boeren zich in het dal van de Melyn gingen vestigen, nietwaar?'

'Iets later. Toen de boeren ook het land dat aan de rivier grensde in gebruik gingen nemen.'

'Aha, dat brengt me op een idee, hoofdman! Maar laat me er eerst nog een poosje over nadenken, want misschien heb ik het bij het verkeerde eind.'

Na zonsopgang voegde Gerran zich bij de edelen in de grote zaal van Samycs broch om bij het ontbijt krijgsberaad te houden. De drie edelen wilden de plunderaars volgen, maar er was één beletsel: ze hadden niet genoeg voorraden om de krijgsbende en de paarden onderweg te voeden. De wintertarwe kon pas over twee weken worden geoogst. Nadat ze een beetje ongeduldig over de kwestie hadden geharreward, kwam een van hen ten slotte op de gedachte dat de oogst van het verafgelegen dorp binnenkort ook rijp zou zijn en dat de arme zielen die de gewassen daar hadden gezaaid, ze zelf niet meer nodig hadden.

'Ik heb een voorstel,' zei heer Samyc. 'Ik geef jullie alles wat ik nog van de wintervoorraad overheb en dan kunnen mijn boeren na mijn terugkeer de nu nog melkrijpe oogst van dat dorp ophalen om mijn dun daarna te voeden.'

Cadryc keek naar Gerran. In de loop der jaren hadden ze, eerst als vader en stiefzoon en later als tieryn en hoofdman, elkaar zo goed leren kennen dat ze al aan een blik of een gebaar genoeg hadden om elkaar te begrijpen. Omdat Gerran een burger was, had hij niets te verliezen als hij tot voorzichtigheid maande, en omdat hij de beste zwaardvechter van de hele provincie was, zou niemand hem een lafaard durven te noemen. Gerran besefte dat de twee andere heren ook wachtten tot hij iets zou zeggen, hoewel ze dat zouden ontkennen als iemand daar een opmerking over zou maken.

'Zei die jonge ruiter gisteren niet dat er hier wel dertig Paardenvolkers voor de dun hebben gestaan, edele heer?' zei Gerran.

'Dat zei hij,' beaamde Cadryc.

'Dan wil ik wedden dat hun krijgsbende veel groter is. Want iemand moest de gevangenen uit het eerste dorp bewaken gedurende de tijd dat die groep naar het tweede dorp reed. Terwijl wij hooguit dertig krijgers hebben en heer Samyc daar maar enkele aan kan toevoegen.'

Heer Samyc onderbrak hem door een hand op te steken. 'Maar een aantal dorpelingen heeft geoefend in het boogschieten.'

'Dat is geweldig, heer,' zei Gerran. 'Hoeveel zijn dat er?'

'Eh... Twee.'

'O.'

'We zijn dus dik in de minderheid.' Pedrys leunde naar voren. 'Dat is toch zo, hoofdman?'

'Dat is zo, heer, al vreet het aan mijn ziel dat ik het moet toegeven. Maar we hebben allemaal al eerder tegenover het Paardenvolk gestaan, en we weten dat ze goed met hun zwaarden overweg kunnen. Als we meer dan twee boogschutters hadden, zou de situatie heel anders zijn.'

De drie edelen knikten instemmend.

'Daarom lijkt het me niet verstandig ze achterna te gaan, edele heer,' zei Gerran. 'Want stel dat ze een eind naar het westen nog meer versterking hebben?'

Cadryc prikte een homp brood aan zijn tafeldolk en leunde achterover om het op te eten.

'Het vreet aan mijn ziel dat we ze gewoon met onze mensen moeten laten wegrijden,' zei Pedrys kwaad.

'Ook aan de mijne,' zei Cadryc, nadat hij een hap brood had doorgeslikt. 'Maar wat helpt het die mensen als wij ons in een hinderlaag laten lokken? We moeten ook aan de rest van het rhan denken, mannen. Want als wij er niet meer zouden zijn, wie zou dat dan tegen het Paardenvolk moeten verdedigen?'

'Dat is waar,' zei Samyc. 'Helaas.'

Cadryc wees met de homp brood beurtelings naar de twee andere heren. 'We hebben meer krijgers nodig, dat blijkt weer. Ik weet dat ik dat al vaker heb gezegd, maar het is de waarheid.'

'Inderdaad, edele heer,' beaamde Gerran. 'Het is jammer dat we niet net als die draak kunnen vliegen.'

'Zeg dat wel.' Cadryc keek naar Samyc. 'Weet je dat er een draak boven je domein vliegt?'

'Niet mijn draak,' antwoordde Samyc met een scheef lachje. 'Hij komt en gaat wanneer hij wil.'

'Wanneer hebt u hem voor het eerst gezien, heer?' vroeg Gerran. 'Als ik het vragen mag.'

'Eh, ruim een jaar geleden, toen de sneeuw begon te smelten. Hij kwam heel brutaal recht over mijn dun vliegen. Ik had natuurlijk wel eens van draken gehoord, maar toen ik er voor het eerst een zag... Alle goden!'

'Ik moet toegeven,' zei Cadryc, 'dat de aanblik ervan aan het begin van deze dag voor iets te veel opwinding heeft gezorgd.'

'Laten we hopen dat hij van Paardenvolkvlees houdt,' zei Gerran.

Cadryc lachte bulderend. 'Ik heb inmiddels een schrijver,' zei hij even later met een hoofdknikje naar de twee andere heren. 'Ik zal een brief aan de gwerbret schrijven, dan zullen we zien wat hij ervan vindt. Gerro, wil jij de krijgers het kamp laten opbreken? We gaan naar huis.'

'Ik zal ervoor zorgen, edele heer,' antwoordde Gerran. 'Maar ik wil graag nog iets vragen, over die ontbrekende man uit dat dorp van Neb.' Hij keek Samyc aan. 'Is er hier bij u een man aangekomen uit het eerste verwoeste dorp, heer?'

'Niet dat ik weet. Bedoel je dat er iemand aan de plunderaars is ontsnapt?'

'Dat bedoel ik. Ik zou graag zijn verhaal horen. Alles wat we over die aanval aan de weet kunnen komen, kan ons van nut zijn.' Gerran stond op. 'Ik ga het buiten ook vragen.'

Helaas had niemand, boer noch krijger, iemand gezien die aan de plunderaars was ontkomen. De boeren die in het nabijgelegen bos hout hadden gekapt, waren ook niemand tegengekomen. Maar het zou kunnen, merkte een boer op, dat de man of de jongen zich schuilhield in het dichte woud in westelijke richting aan de overkant van de rivier.

'Dat is niet ver hiervandaan, maar een kilometer of vijf,' zei Gerran tegen Cadryc. 'Denkt u niet dat het de moeite waard is daar even een kijkje te nemen?'

'Dat is zo,' zei Cadryc. 'Ik zou inderdaad graag horen wat die persoon ons kan vertellen.'

Niet veel later reed de krijgsbende kletterend en rammelend de brug van heer Samycs dun over en sloeg de richting in van de velden ten westen van de rivier. Ze vonden de laatste man uit het dorp lang voordat ze bij het dichte woud kwamen, vlak bij een plek waar de plunderaars eerder hun kamp hadden opgeslagen, te oordelen naar het vertrapte gras, de ashopen, de verspreide rommel en dat soort zaken.

Maar de dorpeling kon hun niets meer vertellen. Ongeveer honderd meter ten westen van het verlaten kamp vonden ze een soort heuveltje bedekt met dekens, die in de hoeken met houten pennen aan de grond vast waren geprikt. Ze dachten allemaal dat het een dode Paardenvolker was, die was bedekt om hem tegen aasgieren te beschermen. Met een draak achter zich aan die het op hun paarden hadden voorzien, hadden ze misschien geen tijd gehad voor een begrafenis.

'Laten we die dekens eraf halen,' zei Cadryc. 'Dan kunnen de aasgieren hem aan stukken scheuren.'

Gerran steeg af en Salamander volgde zijn voorbeeld. Samen trokken ze de pennen uit de grond en gooiden de dekens opzij. Een zwerm verontwaardigd zoemende zwarte vliegen steeg op en Gerran dacht dat zijn maaginhoud boven zou komen, terwijl Salamander achteruitdeinsde.

Op de grond lag een dode man. Hij lag op zijn rug en hij was met dikke ijzeren nagels door zijn handen en voeten aan de grond gespijkerd. Te oordelen naar de hoeveelheid opgedroogd bloed om elke nagel leefde hij nog toen dit gebeurde, en misschien nog een poosje daarna. Zijn baard was ook doordrenkt van het bloed, omdat hij van pijn zijn lippen had opengereten. Waar zijn ogen hadden gezeten, krioelde het van de zwarte mieren. Bovendien hadden de Paardenvolkers die deze gruwelijke daad op hun geweten hadden, hem van zijn kruis tot zijn borstbeen opengesneden en zijn inwendige organen eruit gehaald. Golvend van de mieren lagen ze netjes aan weerskanten naast zijn lichaam: blaas, ingewanden, nieren, lever en longen. Het hart ontbrak.

'Wat... Wie in naam van de hellevorst is in staat om zoiets te doen?' fluisterde Gerran. 'Alle goden, wat een wilden! Want dat zijn ze, meer niet.'

'In naam van Alshandra, bedoel je,' zei Salamander vol walging. 'Ik heb hiervan gehoord, maar het nooit eerder gezien. De ware goden zij dank.'

'Wat heb je dan gehoord?'

'Dat ze dit doen bij speciale gevangenen, altijd mannen en meestal iemand die zo stom was zich over te geven. Zo sturen ze hem met een boodschap naar het land van Alshandra, ergens in de Andere Wereld, neem ik aan.' Salamander zweeg om zijn mond af te vegen aan zijn mouw. Hij slikte moeizaam en wendde zich af van het gruwelijke tafereel. 'Terwijl de gevangene stervende is, zeggen ze tegen hem dat hij boft, omdat hun godin hem een bevoorrechte plek in haar dodenrijk zal geven.'

'Ik hoop bij elke god dat hij heeft gelogen toen hij daar aankwam.'

'Daarom houden ze zijn hart. Als hij liegt, zo waarschuwen ze hem, zullen ze het martelen en zal hij die pijn in de Andere Wereld voelen.'

Gerran wilde vloeken, maar hij kon niets bedenken dat erg genoeg was. Hij draaide zich ook om en zag dat zelfs Cadryc bleek was geworden.

'Laten we hem begraven,' zei de tieryn. 'En dan gaan we naar huis.'

We kunnen niets meer voor hem doen, en ook niet voor de arme zielen die ze meegenomen hebben.'

'Goed idee, edele heer.' Gerran wees naar enkele krijgers. 'Pak de schoppen en graaf een fatsoenlijk graf voor hem.' Hij keek naar de lucht en zag er een grote vogel rondcirkelen. Abnormaal groot, eigenlijk. Met een harde slag van zijn vleugels vloog hij snel weg naar het oosten. Gerran draaide zich om om het tegen Salamander te zeggen, maar de troubadour zat een paar meter verderop geknield op de grond en ontdeed zich lawaaiig, maar begrijpelijk van zijn ontbijt. Ach, nou ja, tenslotte is er niets bijzonders aan een aasvogel die een prooi zoekt, dacht Gerran, en hij vergat wat hij zojuist in de lucht had gezien.

Iedereen was erg vriendelijk. Misschien was dat wel het moeilijkst van alles, die stilzwijgende vriendelijkheid, bedacht Neb. Geen van de andere bedienden leek er moeite mee te hebben dat een nieuwkomer meteen zo'n belangrijke functie had gekregen. Hij kreeg ook allerlei spullen voor zijn kamer, zoals een aardewerken vaas van de kamerheer, een houten bank van de kokkin en een rieten houtskoolmand van de vrouw van de stalmeester. Een van de stalknechten gaf hem een zo goed als nieuw hemd met het blazoen van de tieryn, een klimmende wolf, erop geborduurd. Zijn vrouw gaf Clae een leren bal, die van haar zoon was geweest voordat hij was vertrokken om ergens anders in de leer te gaan. Elk geschenk herinnerde Neb eraan dat hij was gestript van familie zoals hij de baarden van een veer stripte om er een pen van te maken. Maar dit is beter dan verhongeren, dacht hij dan vlug. Het was ook beter dan slaaf worden van het Paardenvolk, maar daar wilde hij liever niet aan denken. In het dorp had hij twee vrienden gehad, jongens van zijn eigen leeftijd. Die waren nu waarschijnlijk dood, terwijl hun moeders en zusters als slaven waren meegenomen. Af en toe kropen herinneringen zijn geest binnen zoals korenwormen in een graankorrel kruipen, maar dan liet hij ze vlug ontsnappen. Zo nu en dan gunde hij zichzelf de hoop dat een van zijn vrienden toch nog had kunnen wegvluchten, maar hij liet die hoop nooit opbloeien tot een wens.

Als afleiding had hij genoeg te doen. Nu het wintergraan bijna kon worden geoogst, waren de vazallen van de tieryn hem binnenkort belastingen verschuldigd. Die bestonden voornamelijk uit voedsel, maar het konden ook andere dingen zijn, zoals talk voor kaarsen of zeep. De oude kamerheer, heer Veddyn, nam Neb mee naar de voorraadschuren, die bestonden uit stenen ruimten die voor een deel in de dikke vestingwal zelf waren gebouwd.

'Ik moet bekennen dat ik blij ben met je komst,' zei Veddyn. 'Vroeger kon ik alle schulden en belastingen onthouden, alle hoeveelheden in mijn hoofd bewaren, maar dat wordt elk jaar moeilijker voor me. De laatste paar maanden wenste ik dat ik ook kon schrijven.'

'Ik begrijp wat u bedoelt,' zei Neb. 'Goed, dan bedenken we een telsysteem, dat is gemakkelijk genoeg. Als u me iets anders kunt geven om op te schrijven, want een houten plank met een waslaag is niet duurzaam genoeg.'

'Ik heb nog wel ergens een stukje perkament liggen, maar het is niet van de beste kwaliteit.'

In een koele, stenen ruimte die naar uien rook, nam Veddyn Neb mee naar een houten kist. Neb schopte er een paar keer tegenaan om muizen en spinnen op de vlucht te jagen en klapte het deksel open. In de kist lag een dikke rol oud velijn, die ooit van goede kwaliteit was geweest, maar nu was versleten tot een veelvuldig afgeschraapte palimpsest.

'Hij is hier en daar een beetje gebarsten, zie ik,' zei Veddyn. 'Neem me niet kwalijk, ik dacht dat ik hem op deze manier goed kon bewaren.'

'We kunnen hem langs de barsten in stukken breken en de vellen apart gebruiken, dat is goed genoeg,' zei Neb.

Buiten in het zonlicht wikkelde hij een stukje van de rol af, waarbij er een wolk stof en oude schimmelpoeder vrijkwam. Hij nieste, veegde zijn neus af aan een mouw en hield de rol omhoog tegen het licht. 'Waarschijnlijk hebben er belastingrekeningen op gestaan,' zei hij. 'Ik kan er hier en daar iets van lezen. Linnen van goede kwaliteit, zes el. Iemand, een naam, vijf *bushels* dadadada gort.'

'Van ons vroegere domein. Wat is dat voor lawaai?'

Neb hield zijn hoofd schuin om beter te luisteren. 'Ruiters die door de poort naar binnen komen,' antwoordde hij. 'Misschien is het zijne hoogwaardigheid.'

'Maar dat kan toch nog niet!'

Haastig liepen ze naar de andere kant van de broch en zagen een korte stoet het binnenplein oprijden. Vier gewapende mannen met een blazoen van eikenbladeren op hun hemd begeleidden een zwaarbeladen wagen achter een paard dat werd gemend door een forse vrouw van middelbare leeftijd. Ze werden gevolgd door een ruiter op een grijze telganger. Belastingen, dacht Neb. Ze zijn vroeg.

Terwijl schildknapen en een stalknecht kwamen toelopen om zich over de paarden te ontfermen, sprong de ruiter met een zwaai van haar lange blonde haar, dat met een zilveren speld bijeen werd gehouden, op de grond. Het was een knap meisje, maar niet de schoonheid die Neb in zijn droom had gezien. Over een oude, versleten brigga droeg ze een verbleekt blauw kleed met daaroverheen een kortere rok. Om haar heen zweefden luchtgeesten, sylfen en elfen, en achter haar zadel zat een grijze dwerg. Hij keek Neb recht aan en wuifde met een mager, gekromd handje. De dwerg leek precies op het schepseltje in Nebs droom.

'Het is vrouwe Branna,' zei Veddyn. 'Ga haar en haar begeleiders maar gauw begroeten. Waar blijft heer Mirryn nu weer? Hij is altijd verdwenen wanneer je hem nodig hebt. En de schildknapen hebben al genoeg te doen. Ik zal vrouwe Galla gaan zeggen dat haar nichtje aangekomen is.'

Toen Neb naar de stoet liep, draaide vrouwe Branna zich om en glimlachte tegen hem. Het was een vriendelijke, maar afstandelijke glimlach, waarmee ze waarschijnlijk elke onbekende begroette, maar Nebs hart begon te bonzen. Meteen wist hij twee heel belangrijke dingen, alsof hij zijn hele leven op dit meisje had gewacht: ten eerste hield hij van haar, en ten tweede kende ze al zijn geheimen, misschien zelfs geheimen waarvan hijzelf zich niet eens bewust was. Hij probeerde iets te zeggen, maar hij had het gevoel dat hij als een vis op het droge naar lucht hapte.

Gelukkig leek Branna net zo te schrikken als hij. Haar glimlach verdween, ze sperde haar ogen open en ze staarde hem sprakeloos aan. Neb nam haar gezicht hongerig in zich op: smalle lippen, een stomp neusje, hoge jukbeenderen besprenkeld met sproeten, donkerblauwe ogen. Hij had nog nooit iets zo graag willen doen als haar hand vastpakken, maar iemand achter hem riep haar naam, op scherpe toon. Branna schrok en wendde vlug haar hoofd af.

'En wie ben jij?' De forse vrouw die op de bok van de wagen had gezeten kwam naar hen toe. Haar grijze haar ging gedeeltelijk schuil onder de zwarte doek van een weduwe en ze droeg een grijs onder- en overkleed, beide vol vlekken. Ze wees met een eeltige vinger naar Neb.

'Ik ben Nerrobrantos, de schrijver van tieryn Cadryc,' antwoordde Neb. 'Wie bent u?'

'De dienstmaagd van de vrouwe.'

'Eerder de draak die me bewaakt,' zei Branna, maar ze lachte erbij en voegde er met haar prettige, zachte stem aan toe: 'Niet zo vinnig zijn, Midda. Een schrijver mag een armlastige vrouwe zoals ik best aanspreken.' Ze keek Neb weer aan. 'Noemt iedereen je echt Nerrobrantos?'

'Dat niet.' Eindelijk kon Neb ook glimlachen. 'Noemt u me alstublieft Neb, vrouwe.'

'Graag, waarde Neb. Ah, daar komt tante Galla aan. Misschien zien we elkaar weer?'

'Ik denk niet dat we elkaar in een dun van deze afmetingen kunnen ontlopen.'

Ze lachte, en hij had nog nooit zo'n lieflijke lach gehoord, zelfs lieflijker dan gouden klokjes of de harp van een troubadour. Nog lang nadat vrouwe Galla Branna mee naar binnen had genomen, stond Neb op het binnenplein voor zich uit te staren. Hij probeerde te begrijpen waarom hij ervan overtuigd was dat hij de wereld op een heel andere manier zou gaan bekijken.

Mirryn verstoorde zijn vreemde dromerij toen hij haastig naar de mannen liep die de vrouwe hadden begeleid en die nog steeds geduldig bij hun paarden stonden te wachten. 'Wat zie ik nu?' zei Mirryn. 'Onze schrijver laat jullie hier maar gewoon staan!'

'Neem me niet kwalijk, heer,' zei Neb, 'maar ik weet niet waar ik hen naartoe moet brengen. Ik heb nooit eerder in een dun gewoond.'

Mirryns mond zakte open. Neb had nog nooit iemand zo oprecht verbaasd zien kijken. De heer verdoezelde zijn verbazing met een lachje en zei gauw: 'Natuurlijk niet. Je bent tenslotte een stedeling, of dat was je.'

Neb maakte glimlachend een buiging en maakte zich uit de voeten. Hij nam de rol perkament mee naar zijn kamer, waar hij hem met zijn nieuwe mes in vellen sneed. Maar zelfs onder het werk dacht hij aan vrouwe Branna.

'Hoor eens, vrouwe,' zei Midda, 'ik weet zeker dat we een betere huwelijkskandidaat voor u kunnen vinden dan een schrijver. Bovendien hebt u die man net ontmoet.'

'Waarom denk je dat ik met hem wil trouwen?' vroeg Branna.

'Om de manier waarop jullie elkaar aankeken, met koeienogen, u weet wel wat ik bedoel.'

Branna haalde haar schouders op en ging op de brede vensterbank van haar nieuwe kamer zitten. Vrouwe Galla had haar ruimhartig onderdak geboden, wat ze als arme dochter die in de dun van haar eigen vader niet meer welkom was, bijzonder waardeerde. De zonnige kamer had een haard, een comfortabel bed en een raam met houten luiken tegen de regen. Ze had haar bruidskist meegebracht, maar die was van kaal hout en van het deksel was hier en daar een stukje afgebroken. Een mooiere kist had haar stiefmoeder haar niet gegund. Midda was hem aan het leeghalen om te zien of de inhoud de reis onbeschadigd had doorstaan. Branna had er honderden uren aan gewerkt: twee wedeblauwe dekens van bovenslagsweefsel, een geborduurde sprei voor haar huwelijksbed, weelderig geborduurde panden van het huwelijkshemd voor haar toekomstige echtgenoot en diverse kleden en onderkleding voor haarzelf. De kleine grijze dwerg zat op het bed aandachtig aan zijn teennagels te plukken.

'Ach, ik wil helemaal niet met Neb trouwen,' verklaarde Branna. 'Hij doet me alleen denken aan iemand anders die ik een keer heb gezien. Ik was gewoon verbaasd.'

'Waar hebt u die ander dan ooit gezien?'

'Als ik dat wist, was ik niet zo verbaasd geweest, denk je niet?'

Midda schudde zuchtend haar hoofd en ging door met uitpakken. Uit een zak haalde ze twee versleten dekens, eveneens een met tegenzin afgestaan geschenk. Toen ze die over het bed spreidde, verdween de dwerg en zat even later bij Branna op schoot. Neb kan het Natuurvolk ook zien, dacht Branna. Ik zag dat hij ze met zijn ogen volgde.

'Ik ga brandhout halen,' kondigde Midda aan. 'Het kan vanavond best koud worden.'

'Doe dat maar. Heeft de kamerheer jou ook een fatsoenlijk onderkomen toegewezen?'

'Dat heeft hij gedaan: een keurige, afgescheiden ruimte voor mezelf in een vertrek dat ik maar met één andere vrouw hoef te delen. We hebben allebei een matras. Veel beter dan wat ik' – ze zweeg even en wees om zich heen – 'dan wat we hadden in de dun van je vader.' Midda snoof verachtelijk en liep haastig de kamer uit.

De dwerg hief verlegen een handje op en raakte even Branna's wang aan.

'Ze heeft gelijk,' zei Branna. 'En ik zou me hier niet ellendiger kunnen voelen dan daar. Als ik echt kon toveren, zou ik mijn stiefmoeder in een kikker veranderen en dat pas weer ongedaan maken als ze me erom zou smeken.'

De dwerg grinnikte en knikte instemmend.

'Had ik maar echt dweomer,' vervolgde Branna. 'Dat zeg ik te vaak, nietwaar? Maar ik kan zulke mooie verhalen vertellen... Eigenlijk moet ik daarmee ophouden. Ik ben nu volwassen en van huwbare leeftijd en zo.'

Dat ze niet meer onbekommerd zou mogen fantaseren maakte haar verdrietig, omdat ze zichzelf al zolang ze het zich herinnerde allerlei verhalen had verteld. Ze waren begonnen als dromen, wonderbaarlijk levendige dromen, zo samenhangend en uitvoerig dat ze zich zo nu en dan had afgevraagd of het herinneringen waren. Terwijl ze haar gedachten de vrije loop liet, had ze een steeds uitgebreider verhaal verzonnen over een ander Toen en een ander Wanneer, zoals ze het noemde – een leven in een andere wereld, dat zij en haar dwerg samen hadden geleefd. In dat leven was ze een machtige tovenares, die door heel Deverry reisde en zelfs naar Bardek en nog verder. Haar lievelingsverhaal ging over een magisch eiland ver op de Zuidelijke Zee, dat werd bewoond door elfentovenaars, die boeken met krachtige toverspreuken bestudeerden. De dwerg had altijd geluisterd en geknikt wanneer hij het ergens mee eens was, of gefronst wanneer ze volgens hem een fout maakte.

'Neb,' zei ze hardop. 'In mijn verhalen kwam een man voor met net zo'n soort naam, weet je nog? Maar hij was oud, het kan niet dezelfde persoon zijn.'

De dwerg keek haar misprijzend aan en zwaaide bestraffend met een lange, wrattige vinger voor haar gezicht heen en weer.

'Wat? Je wilt toch niet beweren dat hij wél dezelfde is?'

De dwerg knikte.

'Ach welnee, dat is te gek. En onmogelijk.'

De dwerg wierp zijn handen in de lucht en verdween. Net toen Branna hem terug wilde roepen, werd er op de deur geklopt. Vrouwe Galla kwam haastig binnen, op de voet gevolgd door een schildknaap met een opgevouwen doek. Branna sprong van de vensterbank en maakte een buiginkje.

'Dag lieve kind,' zei Galla. 'Bevalt deze kamer je? Ik heb iets gevonden om het hier een beetje gezelliger te maken. Nu je er bent, moeten we ook gordijnen naaien voor om je bed. Het zal ons vast wel lukken ze voor de winter af te hebben.'

'Ik ben u erg dankbaar,' zei Branna. 'Ik waardeer dit allemaal heel erg, tante Galla.'

'Ik doe het graag, lieve kind.' Galla pakte de doek van de schildknaap aan. 'Jij mag weer gaan, Coryn.'

De schildknaap maakte dat hij wegkwam. Samen spreidden de twee vrouwen de doek over het bed: een lap linnen die was geborduurd met rode en blauwe spiralen met medaillons en daartussen brede banen kantachtige krullen.

'Wat mooi,' zei Branna.

'En vrolijk. Ik vind het belangrijk dat je vrolijke dingen om je heen hebt.' Galla gaf een paar klapjes op Branna's hand. 'Maak je maar geen zorgen, hoor. We vinden vast wel een geschikte man voor je.'

'Mag ik iets vragen? Zou het heel erg zijn als een meisje zoals ik met een burgerman trouwde? Ik bedoel met een burgerman die wel enig aanzien heeft, bijvoorbeeld iemand die in dienst is van een machtige heer?'

'Helemaal niet, mits hij in staat is om goed voor je te zorgen.'

'Och, ik ben aan een karig leven gewend.'

Galla wendde met een gepijnigd gezicht haar hoofd af. 'Je brave stief-moeder,' zei ze ten slotte. 'Nou ja, ze is vast een deugdzame vrouw.'

'Ze heeft in vier jaar twee zoons voortgebracht, dat is de enige deugd die pa belangrijk vindt.' Branna hoorde het venijn in haar stem en deed haar best om rustig verder te praten. 'Hij is nooit erg op me gesteld geweest.'

'Een echte krijgsheer zoals hij heeft er moeite mee tedere gevoelens te tonen, kind.'

'Ach, u hoeft het niet te vergoelijken. U weet best dat hij mij de schuld geeft van de dood van mijn moeder. Dat is toch zo?'

'Het is voor iedereen een moeilijke situatie.' Galla aarzelde. 'Des-tijds deed hij dat wel, lieve kind, maar ik heb geprobeerd hem tot een ander inzicht te brengen.' Weer aarzelde ze. 'Maar dat is niet ge-lukt. Ach, wat heeft me dat veel verdriet gedaan. Jij bent bijna te-gelijk met haar gestorven, weet je dat? En je arme moeder was nooit een sterke vrouw.' Ze vermande zich met een zucht. 'Maar nu ben je hier en ik ben blij met je.'

'Ik ben ook blij dat ik hier ben, echt waar.' Branna liep naar het raam en keek naar buiten. Ze kon over het binnenplein en de ves-tingmuur heen de groene velden en de rivier zien. 'Ik heb zelfs een mooi uitzicht! Thuis keek ik uit op de keuken, en de rook was ver-schrikkelijk.'

'Die vrouw...' Galla sloeg haar ogen ten hemel.

Branna ging weer op de brede stenen vensterbank zitten en leunde naar buiten, een klein stukje, om naar de lucht te kijken. Een een-zame raaf zweefde op wijd gespreide vleugels boven de dun. Terwijl ze ernaar keek, drong het tot haar door dat hij, hoewel hij de groot-te had van een normale vogel, heel hoog moest vliegen, omdat ze zijn ogen en de puntige uiteinden van zijn vleugels niet kon onder-scheiden. Dat moest betekenen dat hij abnormaal groot was. Hij klapwiekte, cirkelde rond en bleef opnieuw boven de dun hangen, alsof hij die aandachtig wilde bekijken. Ze hield haar ogen op hem gericht terwijl hij de beweging herhaalde, en het viel haar op dat er geen andere raven in zijn buurt waren. Ook gaf hij geen enkel ge-luid. Uiteindelijk maakte hij klapwiekend een bocht en vloog weg, naar het noorden.

'Wat zie je daar, kind?' vroeg Galla.

Branna trok haar hoofd naar binnen. 'Niets, waarschijnlijk. Een een-zame raaf, en het leek erop dat hij naar ons keek.'

'Hij keek waarschijnlijk alleen naar de stallen, in de hoop dat er iets voor hem te halen viel. Ze eten de walgelijkste dingen, raven.'

'Dat is waar, maar deze... Ik weet niet waarom, maar hij gaf me de rillingen. Vooral omdat hij zo groot leek.'

'Misschien was het geen raaf, maar een roek.'

'Dat zou kunnen. Ik doe een beetje dwaas, dat weet ik.' Branna glimlachte opgewekt, maar ze betwijfelde zeer dat de vogel die ze zojuist had gezien een roek of een ander natuurlijk dier was. Maar wat zou het anders kunnen zijn? vroeg ze zich af.

'Ik denk dat we hier voorlopig klaar zijn,' zei Galla. 'Zullen we naar de grote zaal gaan?'

Toen ze naar de eretafel liepen, zag Branna in het deel van de zaal voor de bedienden Neb zitten, bij een raam. Op de plek waar de zon op de tafel viel, lagen vellen perkament, waarop hij met de botte kant van zijn mesje lijnen trok langs een reepje hout. Naast de vellen zat een dikke gele dwerg. Hij keek de zaal in, sprong op zijn klauwvoetjes en begon op de vellen te dansen. Neb legde zijn mesje neer en wapperde met zijn hand om de dwerg weg te jagen, maar die draaide zich om en wees naar Branna. Neb hief zijn hoofd op en keek ook haar kant op. Hij kan de Natuurvolkers inderdaad zien, dacht ze. Hij was jong en mager en leek absoluut niet op de oude man over wie ze zo vaak droomde, maar zijn helderblauwe ogen kwamen haar zo bekend voor dat ze bijna naar hem toe rende terwijl ze de naam riep die ze hem in haar verhaal had gegeven: Nevyn. Neb stak glimlachend een hand op, alsof hij hoopte dat ze bij hem zou komen zitten, maar tante Galla wenkte en haar neef Mirryn zat al aan de eretafel. Branna waagde het terug te lachen en liep toen haastig achter haar tante aan.

Die middag vermaakte ze zich door carnoic te spelen met Mirryn en te babbelen met Galla. Heer Veddyn ging bij Neb aan tafel zitten en somde de lijst belastingen op die de tieryn verschuldigd waren, opdat Neb ze kon opschrijven. Af en toe aarzelde hij wanneer hij zich iets niet goed meer kon herinneren, en dan stond Galla op om hem luidkeels te verbeteren. Zo nu en dan wierp Branna zo achteloos mogelijk een blik op Neb, en vaak keek hij dan ook haar kant op. Dan bloosden ze allebei en wendden vlug hun hoofd af.

Omdat Branna moe was van de reis, ging ze vroeg naar bed. Anders dan haar oude bed in de dun van haar vader was dit matras zacht en comfortabel en roken de donzen kussens fris in plaats van zuur. Ze ging op haar zij liggen en keek naar het stuk sterrenhemel dat ze door het raam kon zien. Eerder die dag had ze zich voorgenomen haar vreemde dromen over dweomer op te geven, maar meteen nadat ze in slaap was gevallen, belandde ze opnieuw in een droom.

Ze stond voor een raam en keek naar de lucht. In een veld vol ster-

ren hing de volle maan. *De maan kromp ineen tot het formaat van*
een edelsteen, een opaal, dacht ze, maar hij glansde nog even helder.
Plotseling stond ze in een vertrek met een oude man. Hij was ge-
kleed in de bruine, versleten kleren van een arme boer, en hij hield
haar de opaal voor.

Branna werd wakker en ging rechtop zitten. Te oordelen naar de hel-
dere sterren buiten het raam zou de zon nog lang niet opkomen.
Haar dwerg kwam tevoorschijn en plofte naast haar op het bed.
'Weer een vreemde droom,' zei ze. 'Dubbel zo vreemd, eigenlijk, want
het was niet het soort droom dat ik voor een verhaal gebruikte. Maar
hij leek wel belangrijker dan een normale droom.'
De dwerg gaapte en liet zijn mond halfopen hangen terwijl hij met
een smalle vingernagel tussen zijn tanden pulkte.
'Het interesseert je blijkbaar geen snars. Hmm.'
Branna ging weer liggen en viel bijna meteen weer in slaap. Die nacht
droomde ze niet meer, of in elk geval kon ze zich, toen ze bij zonsopgang wakker werd, geen droom meer herinneren.

De dag na de komst van Branna keerden de tieryn en zijn krijgsbende terug naar de dun. Voor het raam van zijn torenkamer zag
Neb hen door de poort het binnenplein oprijden – de paarden vermoeid, de mannen vuil van de zanderige wegen. De bevoorradingswagen en enkele ezels met lege pakzadels sloten de rij. Er waren geen
dorpelingen meegekomen, niet één man, vrouw of kind. Nebs ogen
vulden zich met tranen toen zijn laatste vleugje hoop als stof in de
wind vervloog. Alleen hijzelf en Clae waren aan het Paardenvolk
ontsnapt.
Het deed Neb zo veel verdriet dat hij het niet kon opbrengen naar
de drukke, rumoerige grote zaal te gaan. Hij zou later wel horen
welke verwoestingen de krijgsbende had aangetroffen. Maar toen de
zon laag aan de hemel stond, kwam Salamander naar zijn kamer. De
troubadour had zich gewassen en schone kleren aangetrokken, zoals een hemd met zo veel borduursel dat het zo stijf stond als een leren hes.
'Ik wil wedden dat je al wel weet wat ik je kom vertellen,' zei Salamander. 'Er was niemand meer in leven. We hebben je oom begraven, en ik vrees dat het Paardenvolk je tante heeft meegenomen.'
'De andere vrouwen ook?'
'Inderdaad. Het spijt me.'
Neb staarde voor zich uit en deed zijn best om zijn herinneringen te
onderdrukken.
'Laten we nu maar naar de grote zaal gaan,' vervolgde Salamander,

'want het is tijd voor het avondmaal en de tieryn wil dat je een belangrijke brief schrijft.'

Een wenteltrap liep omlaag naar de grote zaal, waar de avondschemering was ingevallen. Bij de ingang zaten de leden van de krijgsbende aan hun tafels bier te drinken in afwachting van hun eten. Aan de andere kant, bij de haard van de edelen, zat tieryn Cadryc aan het hoofd van de eretafel, met rechts van hem zijn vrouw. Branna zat naast vrouwe Galla. Ze droeg schone kleren: een lichtblauw overkleed dat van voren korter was dan van achteren en waarvan de mouwen een lang split hadden, waardoor een grijs onderkleed was te zien. De hals was afgezet met een geborduurde vlecht, en een geborduurde draak lag als een hanger aan een ketting over haar sleutelbeenderen. Neb voelde dat hij bloosde en hij zag dat de troubadour met open mond naar haar keek, alsof hij zich ergens over verbaasde. Of had Branna zijn begeerte opgewekt? Neb voelde aandrang hem een klap in zijn gezicht te geven, maar daar schrok hij zo van dat hij zich met moeite beheerste.

'Heb je vrouwe Branna al eerder ontmoet?' vroeg hij.

'De ijzige kou in je stem zou het bloed van de meeste andere mannen doen bevriezen, jongen.'

Neb keek Salamander met een opgetrokken wenkbrauw aan.

'Alle goden, de blik in je ogen zou hetzelfde doen.'

'Heb je haar eerder ontmoet?'

'Dat niet.'

'Dan zou ik me, als ik jou was, maar gedragen.'

Salamander opende zijn mond en deed hem weer dicht. Neb draaide zich abrupt om en beende naar de eretafel, waar tieryn Cadryc op hem zat te wachten.

Na de avondmaaltijd ging Salamander naar het kamertje in de broch dat vrouwe Galla hem had toegewezen. De ronde verdieping was door rieten schotten verdeeld in wigvormige ruimten die, omdat er tegen de schotten aan weerskanten stapels brandhout lagen te drogen, de bewoners genoeg afzondering boden. Hij spreidde zijn dekens uit over het matras op de grond en liep naar het open raam. Het bood uitzicht over de vestingmuur op de velden in het oosten, waar de maanschijf oprees uit de mist. Nadat hij zich had opgehesen om op de brede stenen vensterbank te gaan zitten, kwam het Natuurvolk hem gezelschap houden: een zwerm sylfen in de lucht en een groepje dwergen op de grond en naast hem op de vensterbank.

'Wat een toestand, vinden jullie ook niet?' zei hij. 'Ik heb eindelijk mijn broer gezien en ik moet zeggen dat ik het geen prettige ervaring vond.'

De Natuurvolkers knikten meelevend. Buiten het raam glansde de mist voor de opgaande maan en leek rond te wervelen. Salamander staarde ernaar en haalde zich het beeld weer voor ogen van de zilveren wyrm met de enorme vleugels hoog boven zijn hoofd. Plotseling veranderde de herinnering in een visioen: de zilveren draak lag opgekruld op een platte rots tussen hoge bergen. Zijn schubben glinsterden in het maanlicht. Het leek alsof hij iets at wat vlak naast hem lag, want Salamander zag zijn reusachtige kop ritmisch bewegen terwijl hij ergens aan likte... Een wond. De draak zwaaide rusteloos met zijn kop en na een poosje kon Salamander een donkere streep op zijn zij onderscheiden, waaruit bloed leek te komen. Even later ging de draak met het enige werktuig waarover hij beschikte, zijn tong, door met het schoonmaken van de wond. Zijn gedrag leek zozeer op dat van een hond dat Salamander er misselijk van werd.

Zijn broer leefde als een dier. Nee, zijn broer wás nu een dier, al was hij een geleerd schepsel dat kon spreken, en nog wel in verschillende talen. Maar hij had geen handen of werktuigen om zijn leven gemakkelijker te maken, niets anders dan wat zijn drakenvorm hem bood. Salamander verbrak het visioen. Alsof ze zijn ontsteltenis aanvoelden, kwamen de Natuurvolkers dichterbij.

'Alle goden, ik word er ziek van, doodziek,' zei Salamander. 'Ik denk dat ik maar eens met mijn dweomermeester moet praten.'

Toen hij opnieuw naar de maanmist staarde, dacht hij aan Dallandra, zijn meesteres en redster. Eerst dacht hij aan haar gezicht, vervolgens meende hij haar gezicht te zien en opeens zag hij het ook. Ze had haar staalgrijze ogen samengeknepen om zich beter te kunnen concentreren en plukjes asblond haar hingen slordig over haar voorhoofd en kleefden aan haar wangen. Maar hoewel het visioen aanzwol, werd de mist die eromheen wervelde steeds dikker en dreigde het beeld te bedekken.

'Dalla,' zei hij in gedachten in de Elfentaal, 'ik ben het, Ebañy. Is er iets mis?'

Hij zag dat ze verrast opkeek en glimlachte. Ze ging op haar hielen zitten en leek hem recht aan te kijken. Door de mist zag hij flakkerend licht. Rook en vuur?

'Waarom vraag je of er iets mis is?' zond ze haar gedachten terug naar hem.

'Door de rook kan ik je nauwelijks zien.'

'Het is geen rook. We zijn nog steeds aan de kust. Het is vloed en de etherische sluier van de oceaan hangt hoog. Ik zal het beeld scherper maken.'

Opeens kon hij haar duidelijk zien. Ze zat geknield voor het flakkerende licht van een kampvuurtje.

'Zo is het beter,' zei hij. 'Dus jullie zijn nog niet vertrokken? Ik dacht dat jullie inmiddels wel op weg zouden zijn naar het noorden.'

'We moesten wachten tot Carra terug was uit Wmmglaedd, waar ze met Meranaldar naartoe is geweest om met de priesters over de geschiedenis te praten. Waarschijnlijk vertrekken we morgen. Waar ben jij?'

'Terug in de dun van tieryn Cadryc. Ik heb bizar nieuws. Ik heb onze Rhodry gezien, maar ik denk niet dat hij mij heeft herkend. Het was in de vallei van de rivier de Melyn.'

'Ziet hij er goed uit?'

'Nee. Ik bedoel, alle duivels, hoe kan hij er in zo'n lichaam goed uitzien? Hij is een draak met een lijf vol schubben!'

'Rustig blijven, anders tuimelen je gedachten door elkaar.'

'Neem me niet kwalijk.' Salamander haalde diep adem. 'Maar hij heeft zichzelf bezeerd. Het lijkt erop dat iemand hem met een dolk in zijn ribben heeft gestoken.'

'Wat vreemd! Het kan niet die oude wond zijn, die ik niet kon stelpen, want bij een schepsel zo groot als een draak had die vanzelf dicht moeten gaan.'

'Niet als er een magische vloek of zoiets over uitgesproken is.'

'Dat is niet het geval. Toen het gebeurde, was ik er niet met mijn gedachten bij, dus kon ik niet precies zien wat er aan de hand was. Maar toen ik ongeveer een maand later de mannen van mijn alar een schaap zag slachten, besefte ik dat die dolk een long had geraakt. Daar zitten een heleboel bloedvaten en het grootste deel van het bloed sijpelde in zijn borstholte. Hij verdronk in zijn eigen bloed.'

Salamander liet zich het visioen bijna ontglippen toen er een golf van zowel medelijden als walging door hem heen ging, maar hij concentreerde zich weer gauw en zei: 'Als het geen dweomerwond is, moet dit een nieuwe wond zijn. Misschien heeft iets wat hij wilde opeten zich hevig verzet.'

'Dat zou kunnen. Maar helaas kan ik er niets aan doen, tenzij hij me komt opzoeken en dat heeft hij nog niet gedaan. Heb je nog meer nieuws?'

'Nou ja, nog wat onbelangrijke dingen.' Salamander wachtte even om de verrassing groter te maken. 'Ik ben Nevyn ook tegengekomen, en Jill, en Cullyn – ik denk tenminste dat het Cullyn is. Ik heb hem maar een paar keer ontmoet en dat was jaren geleden.'

'Wát zeg je? Alle goden! Dus ze zijn allemaal herboren?'
'Inderdaad, ze zijn allemaal herboren. En Neb gromt als een hond met een gestolen schapenbout tegen iedereen die het waagt ook maar één blik op de lieve Branna te werpen. Ik vraag me af of Gerran het meisje al heeft gezien. Als hij zijn oog op haar laat vallen, zou het hier wel eens erg vervelend kunnen worden. Ze zijn allemaal nog vrij jong. Gerran is de oudste, hij is denk ik een jaar of twintig. Ik wou dat ze hier in Deverry beter bijhielden hoe oud iemand is.'
'Daar hebben ze toch geen reden voor? Dus jij denkt dat Gerran de herboren Cullyn is?'
'Ja, het spijt me, dat heb ik niet duidelijk gezegd. De andere namen...'
'... kan ik wel raden. Vertel me eens iets over hen. Hoe heb je hen gevonden?'
'Ze hebben mij gevonden.'
Dallandra luisterde aandachtig naar zijn verhaal en onderbrak haar concentratie alleen om nog wat takken op haar vuurtje te leggen.
'Herinneren Neb en Branna zich wie ze zijn?' vroeg Dalla toen hij was uitgesproken. 'Of liever, wie ze waren?'
'Nee, maar ze kunnen allebei het Natuurvolk zien.'
'Wat vreemd. Ik dacht dat Neb zich in elk geval zou herinneren dat hij ooit de kunst van dweomer beheerste.'
'Dat dacht ik ook. Het kan natuurlijk zijn dat hij dat doet, maar dat hij het niet toegeeft.'
'Dat is waar.' Dallandra dacht even na. 'En dat broertje van Neb?'
'Hem herken ik niet.'
'Aha, dat is op zichzelf ook bijzonder. Als je me nodig hebt, kan ik met een escorte naar je toe komen.'
'Dank je, misschien zal ik je daar later om vragen. Maar er is nog iets, o machtige meesteres van de magie. Het Paardenvolk. Ze zijn aan het plunderen geslagen in de vallei van de rivier de Melyn.'
'Alweer?'
'Alweer, en op een vreemde manier. Ze hebben een vrij grote krijgs-bende gestuurd om twee dorpjes plat te branden, en al die moeite heeft ze alleen ongeveer dertig slavinnen en twee kleine jongens op-geleverd. Ze hebben zich niet eens bekommerd om de oogst op de velden. Begrijp jij daar iets van?'
'Nee, niets.'
'Ik heb ook met de tieryn en zijn hoofdman, dat is Gerran, over die strooptochten gesproken. Het is een vreemd verhaal. Stel je de wes-telijke helft van Deverry voor, en dan een lijn die vanaf Cengarn recht naar het zuiden loopt, naar de zee. Het Paardenvolk valt al-leen dorpen ten westen van die lijn aan.'

'Waarschijnlijk worden de dorpen ten oosten van die lijn te goed bewaakt.'

'Helemaal niet, o prinses van perileuze potenties. Ik vermoed, en het is alleen nog maar een vermoeden, dat het Paardenvolk probeert te voorkomen dat het mensenvolk zich verder verspreidt.'

'Om hun grenzen te beschermen?'

'Hun grenzen liggen te ver naar het noorden. Nee, ik vraag me af of ze iets wat verder naar het westen ligt willen verbergen.'

'Verbergen? Wat bijvoorbeeld?'

'Bijvoorbeeld een vast kampement om de krijgers van de Rhiddaer voor te zijn. Dat is het enige wat ik kan bedenken.'

Salamander ervoer haar schrik alsof die met een vlaag mist naar hem toe was gedreven en toen haar volgende gedachte hem bereikte, ervoer hij eveneens haar venijn.

'Dat zou echt iets voor hen zijn, nietwaar? Ze hebben veertig jaar nodig gehad om hun wonden van de vorige oorlog te likken en nu staan ze klaar om opnieuw ellende te veroorzaken.' Dallandra zweeg en haar beeld vervaagde toen haar aandacht van het scryen afdwaalde. Even later kwam het weer duidelijk door. 'Ze zijn nog niet zo ver dat ze de Rhiddaer rechtstreeks durven aan te vallen, dus denk ik dat ze proberen hen af te snijden van mogelijke hulp uit Deverry.'

'Misschien, en misschien ook van hulp van ons volk. Of ze proberen ons van Deverry te scheiden, of Deverry van ons. Ik weet het niet, maar ik kan allerlei redenen bedenken en geen van die redenen bevalt me. Ik vraag me af of iemand van ons hier iets meer over kan vertellen, wat het dan ook is, als het waar is, of misschien heeft iemand geruchten gehoord of andere aanwijzingen of zo.'

'Ik zal proberen erachter te komen. We zijn op weg naar de alardan voor het zomerfestival. Ik rijd mee met de alar van de prins, en Calonderiel en zijn boogschutters zijn er natuurlijk ook bij.'

'Geweldig! Cal is degene die we nodig hebben. Ik had ook naar het westen willen gaan om het festival bij te wonen, maar nu denk ik dat ik beter hier een oogje in het zeil kan houden.'

'Dat denk ik ook. Hoe gaat het eigenlijk met jou? Ik heb de indruk dat je je sterk genoeg voelt, maar na wat je onlangs hebt meegemaakt...'

'Geen enkel teken van een terugslag, o prinses van perileuze potenties.'

'Mooi zo. Maar als het moeilijk wordt, moet je me dat onmiddellijk laten weten.' Met een glimlach ten afscheid verbrak Dallandra de verbinding.

Salamander bleef voor het raam zitten en naar het uitzicht kijken zonder het te zien. Jill was degene die ik vroeger 'prinses van perileuze potenties' noemde, dacht hij. Voordat ik gek werd, voordat ik alles wat ik liefhad verloor, in Bardek...

Hoezeer hij zich ook inspande om zich zijn terugkeer naar Deverry vanuit de eilanden in het zuiden, een jaar of veertig geleden, te herinneren, het lukte hem niet. Hij was natuurlijk per schip gekomen, want hoe had hij anders de zee tussen Bardek en Deverry moeten oversteken? Maar hoe hij aan boord van dat schip terecht was gekomen en waarom hij zijn vrouw en kinderen had achtergelaten, was uit zijn geheugen gevallen als appels uit een kapotte zak. De waanzin, dacht hij. Mijn geest is volkomen in de war geweest. Daarom is het een wonder dat ik me andere dingen nog wél kan herinneren. Zoals vage beelden van mijn aankomst in Eldidd, waar Dallandra me opwachtte om voor me te zorgen.

Dallandra had er tien jaar lang haar best voor moeten doen om hem van zijn waanzin te genezen. Toen zijn geest zich begon te herstellen, had hij enkele jaren gewijd aan zijn jongste zoon, die raadselachtige problemen had, voordat hij naar Bardek was teruggekeerd. Daar had hij lange tijd alle eilanden afgespeurd voordat hij het rondtrekkende gezelschap acrobaten had gevonden, dat toen werd geleid door zijn oudste zoon, inmiddels een volwassen man met zelf kinderen. Kwinto had de vader die hen in de steek had gelaten niet bepaald hartelijk verwelkomd.

'Te laat,' zei Salamander hardop. 'Te laat om Marka weer te zien, te laat om haar te bewijzen dat ik mijn belofte heb gehouden. Ik ben teruggekomen, mijn lief, echt waar.'

Hij zag haar weer duidelijk voor zich, zoals altijd als slanke, jonge vrouw, lachend, terwijl ze haar krullen naar achteren wierp en hem tegemoet kwam rennen. Zo duidelijk dat het leek alsof hij haar bij de hand kon nemen, maar zijn hand greep lege lucht. Ze is dood, hield hij zich voor de zoveelste keer voor. Ze was al overleden voordat je hen terugvond. Hij leunde met zijn hoofd tegen de koude stenen en begon te huilen.

Dallandra doofde het vuurtje en verliet haar tent, die aan de rand van het kamp stond. Toen ze zich omdraaide naar de zee, zag ze ook de nette, witgepleisterde gebouwen van de nieuwe stad: Linalavenmandra. De naam betekende 'verdriet, maar nieuwe hoop'. De nieuwe bewoners noemden de stad meestal kortweg Mandra, wat 'hoop' betekende. Vanwaar ze stond, staken de vierkante huizen in de avondschemering spookachtig wit af tegen de zee. Hoewel teruggekeerde vluchtelingen van de Zuidereilanden Linalavenmandra al ruim twintig jaar geleden hadden gebouwd, keek ze er steeds opnieuw met verbazing naar. Want het was een echte stad, terwijl de inwoners niet uit Deverry kwamen, maar tot haar eigen volk behoorden. Hij had een plein, rechte straten, bomen en tuinen, een fontein en een heilige bron. Verderop, buiten haar gezichtsveld, lagen boerderijen. Haar hele lange leven had ze op die plek alleen zeegras zien groeien, tussen de rotsen, terwijl winterse golven beukten op het lange, bleke strand. De golven beukten nog steeds, maar nu tegen de natuurstenen wal die de nieuwe haven omarmde, waar de barkassen van de elfen konden afmeren aan een houten aanlegsteiger.

Dalla draaide zich hoofdschuddend om en liep door het kamp. Ondanks de nieuwe stad trok het merendeel van het Volk, zoals de elfen zich noemden, nog steeds in het voorjaar en de zomer in kleine groepen, alarli, door het land, met hun kudden paarden en schapen. De ongeveer vijfentwintig ronde tenten van deze groep stonden verspreid in een veld naast een riviertje. Erachter graasde een kudde van ruim vierhonderd paarden, die stuk voor stuk waren vastgebonden en werden bewaakt door gewapende ruiters.

Tussen de tenten stonden de volwassenen in groepjes van twee of drie met elkaar te praten of zaten rondom vuurtjes hun avondmaaltijd te eten. Kinderen renden in het rond, speelden met leren ballen of joegen elkaar of hun hond achterna. Af en toe verschenen er een paar Natuurvolkers om met een spelletje mee te doen. Wrattige dwergen slenterden tussen de tenten door, doorzichtige sylfen en bleke elfjes fladderden achter de kinderen aan of plaagden de honden, die hen niet konden zien, maar die hun knijpende vingertjes wel konden voelen. Wanneer de honden blaften en hapten, maakten de Natuurvolkers dat ze wegkwamen om even later weer boosaardig giechelend ergens anders tevoorschijn te komen.

Op het eerste gezicht was er geen verschil met elk ander elfenkamp dat Dallandra had meegemaakt. De tenten waren net zo vrolijk beschilderd, de vuren net zo warm. Het Volk leefde net zo rumoerig als altijd in hun maatschappij van voortdurend wisselende onderlinge betrekkingen, wat de mensen in Deverry hun hoofd deed schudden van onbegrip. Maar hier en daar zag Dalla tekenen die verrieden dat de omstandigheden veranderd waren.

Voor elke tent stonden, als gasten bij de maaltijd, bogen en pijlen. Maliënkolders en andere wapens lagen ook voor het grijpen. De meeste mannen en sommige vrouwen droegen een zwaard, zelfs als ze alleen maar een praatje maakten met oude vrienden. Wanneer ze vogels hoorden krassen boven hun hoofd, viel er een stilte en keken sommige mannen met de hand op het gevest omhoog om te zien of die vogels normale schepsels waren of magische spionnen – mazrakir, zoals het Paardenvolk wezens noemde die van vorm konden veranderen. Vroeg of laat, dat wist iedereen, zouden de overvallers van dorpen en boerderijen ook hun kant op komen.

Midden in het kamp vond Dallandra de banadar, ofwel krijgsheer, van de oostgrens – de officiële titel van Calonderiel. Hij zat in zijn eentje op een boomstam voor zijn tent, de op een na grootste van het kamp. In het flakkerende licht van het vuur leek het alsof de herten die op de tent waren geschilderd zo nu en dan hun kop omhoogstaken, klaar om weg te rennen. Calonderiels bijna witte haar lichtte op in het donker, maar zijn violette ogen waren onzichtbaar. 'Ik heb net Ebañy gesproken,' zei Dallandra, 'en ik denk dat we moeilijkheden krijgen.'

Calonderiel keek haar geschrokken aan. 'Wat heeft hij nu weer gedaan?'

'Hij heeft niets gedaan, hij heeft iets gevonden.'

Calonderiel schoof een eindje op om plaats voor haar te maken op de stam, maar na een korte aarzeling knielde ze neer op de grond. Calonderiels gezicht betrok, want hij was opnieuw verliefd op haar geworden en net als de vorige keer wekte zijn toewijding bij haar alleen ergernis op. Voordat hij ook maar iets van zijn gevoelens kon laten blijken, gebruikte ze Salamanders nieuws als een schild: 'Het Paardenvolk pleegt weer roofovervallen in Arcodd.'

'De rotzakken!' Calonderiel spuugde in het vuur. 'Zou Cengarn ons binnenkort op ons bondgenootschap wijzen?'

'Dat weet ik niet, maar misschien kan Ebañy dat uitzoeken. Hij denkt dat het Paardenvolk iets probeert te verbergen, een fort of verdedigingskamp ergens in de buurt van de grens.'

'En dat ze die overvallen plegen om iedereen te misleiden?'

'Dat vermoedt hij. Hij weet het niet zeker. Waarschijnlijk vind jij het een logische gevolgtrekking.'

'Die is inderdaad ook meteen bij mij opgekomen. Als zijn vermoedens juist zijn, zullen we ons op een aanval moeten voorbereiden. Een fort van het Paardenvolk zo dicht in de buurt? Alle goden, dat is hetzelfde als een dolk op onze keel!'

'Dat lijkt mij ook.'

'Dan moeten wij misschien Cengarn op ons bondgenootschap wijzen, niet andersom. Gelukkig hebben we nu Mandra. In geval van nood kunnen we de prins en zijn familie daar in veiligheid brengen en de stad verdedigen. En als het ernaar uitziet dat de stad zich niet langer kán verdedigen, hebben we daar boten.'

'Denk je echt dat het zo erg zal worden?'

'Wie zal het zeggen.' Calonderiel haalde zijn schouders op. 'Maar we moeten ons in elk geval op het ergste voorbereiden. En niet vergeten boodschappers naar Braemel te sturen, want we kunnen alle hulp gebruiken. Hmm.' Cal schudde glimlachend zijn hoofd. 'Ik weet nog goed hoe kwaad ik was toen die vrouw van het Paardenvolk – heette ze niet Zatcheka? – jou kwam opzoeken.'

'Je was nog bozer toen ik naar Braemel ging om haar dochter te bezoeken.'

'Dat is waar. Maar ik had ongelijk, nietwaar?'

'Jij?' Dallandra sloeg een hand tegen haar voorhoofd en veinsde ontsteltenis. 'Ongelijk?'

'Waarschijnlijk verdien ik dat,' gaf Cal met tegenzin toe, 'maar nu ben ik blij dat je de Gel da 'Thae en ook hun lelijke taal kent. Denk je dat Braemel ons te hulp zal komen?'

'Ik denk het wel. Ze zijn net zo bang voor dat woeste Paardenvolk als wij. Dat mag je nooit vergeten. Ook al zien ze er voor ons precies hetzelfde uit, de Gel da 'Thae beschouwen zichzelf als een heel andere stam dan het Paardenvolk.'

'Mooi zo.' Calonderiel staarde in het vuur, met getuite lippen, en dacht na. Ten slotte keek hij Dallandra weer aan. 'Had Ebañy ook nog ander nieuws?'

'Jawel, maar dat was persoonlijk.'

Calonderiel wachtte geduldig op uitleg. Toen die niet kwam, raapte hij een stokje van de grond en begon er de bast met een vingernagel af te schrapen. Dalla wilde niets liever dan hem vertellen dat twee machtige dweomermeesters niet ver bij hen vandaan herboren waren en dat ze misschien binnenkort de kennis en de macht die ze hadden bezeten, terug zouden krijgen, op tijd om het Volk in hun strijd tegen het Paardenvolk bij te staan. Maar Calonderiel was zich niet bewust van het grote geheim dat zielen vele levens leidden, en zij had gezworen dat ze het aan niemand zou onthullen die er niet rechtstreeks naar had gevraagd.

Na een poosje gooide Cal de stok in het vuur en keek Dalla weer aan. 'Herinner jij je Cullyn van Cerrmor?' vroeg hij.

'De vader van Jill? Ik heb hem nooit ontmoet, maar ik weet wel wie hij was. Hoezo?'

'Ik zat net te denken aan lang geleden, toen Cullyn de hoofdman was van de krijgsbende van de een of andere heer en we samen zaten te drinken. Toen zag ik een voorteken, of voelde ik het, of iets dergelijks.'

'Wat was dat dan?'

'Ooit zouden we samen ten strijde trekken in een belangrijke oorlog, de belangrijkste oorlog die we ooit zouden meemaken. Toen hij stierf, besefte ik dat het voorteken niets meer was geweest dan een dom verzinsel.' Hij zweeg en keek naar het vuur alsof het hem beledigd had. 'Dat is wel jammer, want ik zou hem graag weer als strijdgezel hebben. Alle goden, we kunnen dit nieuws nu maar beter aan de prins gaan vertellen!' Calonderiel stond op. 'Echt iets voor Ebañy om boodschapper van slechte berichten te zijn.'

Maar ik wil wedden dat je wat Cullyn betreft gelijk hebt, dacht Dallandra. Helaas mag ik dat niet tegen je zeggen. Opeens had ze het zo koud en voelde ze zich zo zwak dat ze nauwelijks meer kon praten. Ze krabbelde overeind, maar ze wankelde en viel bijna weer op de grond. Calonderiel pakte haar bij haar schouders om haar op de been te houden.

'Ben je ziek?' vroeg hij.

'Nee, het komt door de voortekenen. Ik voel de omens als winterse sneeuw om ons heen dwarrelen. Het gaat zo wel over.'

'O Dalla, je wijdt je hele leven aan ons, nietwaar?'

Ze zag oprechte bezorgdheid in zijn donkerpaarse ogen, een medeleven dat niets te maken had met zijn romantische verlangen. Toen hij zacht de rug van zijn hand tegen haar wang legde, liet ze dat even toe voordat ze zich omdraaide.

'Het gaat wel weer over,' herhaalde ze. 'Laten we het nu aan de prins gaan vertellen.'

Sinds de dood van zijn vader, drie jaar geleden, was Daralanteriel in feite de koning, de opperheer van de legendarische Zeven Steden van het verre westen. Maar omdat die steden al ruim duizend jaar geleden waren verwoest en nooit meer waren herbouwd, noemde iedereen hem de prins. Het leek gepaster de titel van koning te bewaren voor een man die iets had om over te heersen. Toch reisde Daralanteriel tran Aledeldar, prins van de Zeven Steden en de erfgenaam van Ranadar, tegenwoordig met een gevolg. Samen met een keurkorps van zwaardvechters hielden Dallandra met haar dweomer en Calonderiel met zijn groep boogschutters de koninklijke familie voortdurend gezelschap. Als het Paardenvolk hun zou aanvallen, zou het ontdekken dat de prins goed werd bewaakt.

De tent van Daralanteriel, de grootste van het kamp, stond in het midden. De hertenhuiden waarmee het houten raamwerk was bedekt, waren in rechte repen gesneden, aan elkaar genaaid en beschilderd. Op de flap voor de ingang en eromheen waren slingers van roze rozen geschilderd, die er zo echt uitzagen dat je verwachtte dat ze zouden geuren. De binnenkant van de tent was beschilderd met taferelen van Rinbaladelan in zijn glorietijd. Op een van de panelen stond de hoge toren bij de haven, op een ander paneel het observatorium met zijn grote stenen bogen en op weer een ander de zonnetempel – alles zo gedetailleerd dat je het gevoel had dat je er liep. Niet dat iemand die stad ooit met eigen ogen had gezien en de gelijkenis kon beoordelen, natuurlijk. De kunstenaar had moeten uitgaan van de beschrijvingen in een boek van Meranaldar, de schrijver van Daralanteriel. Hoewel dat boek een kopie was van een boek dat twaalfhonderd jaar geleden uit Rinbaladelan was meegenomen en dus voor vernietiging was behoed, stonden er geen tekeningen in. Toen Dallandra en Calonderiel bij de tent van de prins kwamen, zaten de vrouw en de dochter van Dar, ook al behoorden ze tot de koninklijke familie, net als andere families van het Westvolk buiten op de grond hun avondmaal van geroosterd konijn en koeken te eten. Prinses Carramaena van het Westland, in een wijde tuniek over een hertenleren broek, zat geknield bij het vuur en prikte met een groene tak in de as. Een eindje bij haar vandaan zat haar oudste dochter, Elessario, met haar hoofd geleund op haar opgetrokken knieën, waar ze haar armen omheen had geslagen. Op het eerste gezicht leken ze op elkaar: ze waren allebei blond en hadden een mooi, hartvormig gezicht. Maar hun ogen waren heel anders. Elessario's ogen waren donkergeel en hadden de vorm van die van een kat, zoals bij alle elfen. De ogen van haar moeder, een mens, waren blauw, met de ronde pupillen van haar ras. Toen Elessario de banadar zag aankomen, begon ze te lachen.

'Cal!' riep ze. 'Waar is je zoon?'

'Maelaber? Die is aan de beurt om het kamp te bewaken,' antwoordde Calonderiel. 'Waar is je papa?'

'Hij doet hetzelfde.' Elessi giechelde, maar ze sloeg vlug een hand voor haar mond. Ze was een wisselkind, zoals het Volk de primitieve kinderen noemde die in de loop der jaren bij hen geboren werden. Hoewel zij de normaalste van hen was, was haar geest sinds haar twaalfde jaar niet verder ontwikkeld.

'Dan ga ik hem even halen.' Calonderiel keek naar Carra. 'We hebben slecht nieuws.'

'Ik ga mee!' Elessario krabbelde overeind.

'Mág ik mee?' verbeterde Carra.

'Mag ik mee, Cal? Alsjeblieft?'

'Dat mag.' Calonderiel glimlachte tegen haar. 'Maar je moet voorzichtig zijn in de buurt van de paarden.'

Terwijl Elessario druk tegen hem praatte, liepen ze weg. Carra slaakte hoofdschuddend een zucht.

'Mijn arme wisselkind! Terwijl we dachten dat ze op een dag koningin van het Westland zou zijn...' In de loop der jaren had Carra vloeiend de elfentaal leren spreken, hoewel ze de rollende r-ren en de rh's van Deverry nooit was kwijtgeraakt. 'Ik ben dolblij dat we nog meer kinderen hebben gekregen.'

'Ik ook. Je verheugt je er vast op de meisjes binnenkort weer te zien. Ik neem aan dat ze ook op het festival komen.'

'Dat is ze geraden, anders krijgen ze met mij te doen! Ik denk dat Perra's kind nu wel geboren is. Ik kan nauwelijks wachten.'

Dallandra ging glimlachend naast haar zitten. 'Ik wil je iets vertellen. Ik heb Salamander gesproken.'

'Heeft hij Rhodry gevonden?'

'Niet gevonden, maar hij heeft hem over de rivier de Melyn zien vliegen. Hij weet niet zeker of Rhodry hem ook heeft gezien, of misschien gehoord. Draken maken bij het vliegen veel lawaai.'

'Ja, ik weet nog hoe hard Arzosah met haar grote vleugels kon klapwieken.' Carra keek even met een verdrietig gezicht voor zich uit. 'Kan iemand van ons iets voor hem doen, Dalla? Voor Rhodry, bedoel ik. Hem zijn oude gedaante teruggeven? Ik kan de gedachte niet verdragen dat hij eeuwig een draak zou moeten blijven. Per slot van rekening was hij bereid om voor ons te sterven.'

'Dat heeft hij eigenlijk ook gedaan. Helaas is mijn dweomer niet sterk genoeg om hem terug te halen, en eerlijk gezegd weet ik niet of iemand anders dat kan.'

Carra beet hard op haar onderlip.

'Maar misschien is hij zo ook gelukkig,' vervolgde Dalla. 'Hij was eigenlijk al lang voordat Evandar een draak van hem maakte niet menselijk meer. Je hebt gezien hoe hij zich destijds na een gevecht gedroeg, met die lach van een wildeman.'

'Die kan ik, als ik aan hem denk, inderdaad nog steeds horen. Leefde Evandar nog maar! Denk je dat hij Rori terug had kunnen brengen?'

'O, ongetwijfeld, maar hij is er niet meer. En ik weet niet of er ooit weer een dweomermeester met dezelfde grote krachten zal zijn.'

'Waarschijnlijk niet.' Carra legde even haar hand tegen haar wang, die nog net zo glad en rimpelloos was als van een jong meisje. 'Ik heb het aan Evandar te danken dat ik niet ouder ben geworden, nietwaar? Hij heeft ooit tegen me gezegd dat hij me een geschenk zou geven en dit is het toch?'

'Inderdaad, je hebt zijn raadsel opgelost.' Dallandra hoorde dat haar stem trilde. 'Hij was dol op raadsels, en op ingewikkelde grapjes.'

'Je mist hem nog steeds, nietwaar?'

Dallandra knikte en slikte haar tranen weg. In de loop der tijd was het verdriet om zijn gemis minder geworden en soms dacht ze maandenlang niet meer aan hem. Maar zo nu en dan schoot haar iets te binnen wat ze samen hadden beleefd en dan was het verdriet als een steek in haar hart.

Gelukkig werd ze afgeleid door de komst van Carra's jongste kind. Rodiveriel kwam aanrennen met twee grote grijze honden en een stoet Natuurvolkers achter zich aan en liet zich lachend op Carra's schoot vallen. De honden ploften hijgend op de grond en lieten wolfachtige tanden zien. Ze hadden ook net als een wolf een witte kop en een zwarte streep ruwer haar over hun rug, maar toch waren het honden, zo beweerde Carra altijd geruststellend. Ze stamden af van het trouwe huisdier dat haar had bewaakt toen Elessi nog een peuter was.

'Wat heb je uitgevoerd, Rori?' vroeg Carra glimlachend.

'Niets.' Hij gleed van haar schoot en ging naast de honden zitten. 'Ik ben moe, maar ik wil nog niet naar bed. Het is nog niet pikdonker.'

'Blijf dan nog maar even op. Maar als het pikdonker is, moet je gaan slapen.'

Hij trok een gezicht, maar zei niets meer. Hij had het ravenzwarte haar van zijn vader, maar zijn ogen hadden, hoewel ze net als die van Dar lichtgrijs waren, een menselijke vorm. Zijn naam was een verbastering; Carra had Rhodry willen eren, die haar jaren geleden het leven had gered. Toch was hij de kroonprins van de Zeven Steden, voor het geval dat het koninkrijk ooit zou worden hersteld. Maar als die steden de moeite waard zouden blijken om voor te vechten, zou het Volk dan een heerser met mensenbloed erkennen? Dallandra betwijfelde het. Maar er zijn genoeg andere zaken om me zorgen om te maken, dacht ze. En als het Paardenvolk ons hele volk uitroeit, maakt niemand zich zorgen meer om een koninkrijk dat niet langer bestaat.

De mannen praatten tot diep in de nacht over een eventuele oorlog. Dalla vertrok toen de sterren de helft van hun hemelse baan hadden afgelegd om in haar eigen tent te gaan slapen. In de grijze ochtendschemering werd ze wakker na een voorspellende droom. Ze ging rechtop zitten en staarde naar de zakken die aan de tentwanden hingen, maar ze had nog steeds de beelden van de voortekenen voor ogen.

'Een zilveren dolk en een benen fluit,' zei ze hardop, om te onthouden wat ze had gezien. 'Iemand heeft een zilveren dolk en een lange benen fluit. Goden, wat een vreemde combinatie.' Toch had ze beide voorwerpen eerder gezien, wist ze, en even later herinnerde ze zich wanneer. Tijdens het beleg van Cengarn had een van de volgelingen van Alshandra kwade magie willen bedrijven met een fluit van drakenbeen, en de zilveren dolk van Yraen was na zijn dood in bezit gekomen van het Paardenvolk. 'Die oorlog heeft nooit een bevredigende afloop gehad,' fluisterde Dallandra. 'Mogen de sterrengodinnen ons allen bijstaan!'

Neb was erg trots op de brief die hij voor tieryn Cadryc had geschreven. Omdat hij was gericht aan een gwerbret, had hij zijn mooiste stuk perkament gebruikt en het koninklijke lettertype van een halve inch gekozen. Ter verfraaiing had hij een krullerige rand langs de bovenkant getekend en een rode wolf, het blazoen van de tieryn, onder de plaats waar Cadryc zijn merkteken zou zetten.

Neb had een vreemde gave voor tekenen: hij stelde zich het plaatje voor, maakte het in gedachten zo helder mogelijk en duwde het door zijn ogen naar buiten – zo beschreef hij het zelf – en op het vel perkament of waar hij het ook maar wilde hebben. Daarna hoefde hij de lijnen, die hij zo duidelijk kon zien alsof ze er al stonden, alleen nog maar na te trekken. Het was zo'n vanzelfsprekende bezigheid voor hem dat hij er nooit eerder bij had stilgestaan, maar deze keer dacht hij aan Branna's gave voor borduren. Zij kan het ook, dacht hij. We doen allebei hetzelfde. Hij voelde een diep geluk bij de gedachte dat ze hetzelfde waren.

Toen de inkt droog was, nam Neb de brief mee naar de eretafel, waar de edelen hun ontbijt bijna ophadden. Cadryc nam het vel van hem aan, liet er zijn ogen overheen glijden, pakte de pen van Neb aan en zette een kruis boven de Rode Wolf.

'Hij ziet er prachtig uit.' Cadryc gaf Neb het vel terug. 'Als de inkt droog genoeg is, mag je hem oprollen.' Hij overhandigde Neb een zilveren brievenkoker, die vol krassen en deuken zat maar nog steeds goed bruikbaar was. 'Ik heb geen echt zegel, dus gebruik maar een druppel was. Als we zegelwas hebben.'

'Die hebben we niet, edele heer,' zei Neb.

'O, daar was ik al bang voor. Als ik weer naar Cengarn ga, mag je mee en dan zal ik je geld geven om te kopen wat we nodig hebben. We hebben de jaarlijkse betaling van de koning ontvangen. Voordat jij kwam, zijn de boodschappers langs geweest.' Cadryc stond op en riep Gerran, die verderop in de zaal met de andere krijgers zat te eten. 'Gerro! Ik heb een paar mannen nodig om een brief naar Cengarn te brengen!'

De volgende paar dagen draaide het leven in de dun om twee dingen: wachten op antwoord van de gwerbret en het verwerken of opbergen van de belastingen. Het graan moest worden gemalen tot meel of worden gedroogd om in de winter pap van te maken of bier van te brouwen. De varkens, konijnen en kippen moesten in hokken worden gezet tot het tijd was om ze te slachten. Kaas en boter moesten op een koele plaats worden bewaard, fruit moest worden gedroogd en rundvlees moest worden gerookt of ingemaakt. De belastingopbrengst vroeg in het jaar verschafte voedsel voor ruim een halfjaar. Vrouwe Galla en vrouwe Branna trokken oude kleren aan en werkten met de kokkin en de andere bedienden mee. Neb, die was opgegroeid in een vrij grote stad, had nooit eerder beseft dat de edelen die niet in de rijke provincies in het hart van Deverry woonden, eigenlijk ook boeren waren en het landleven veel beter kenden dan handwerkslieden.

Overdag, terwijl Neb zijn werk deed en Branna het hare, zagen ze elkaar vaak. Af en toe konden ze een praatje maken, maar tijdens de maaltijden en 's avonds zaten ze ver uit elkaar in de grote zaal: zij bij de edelen, hij bij de bedienden. Dan deed Neb zo lang mogelijk over zijn kroes bier en keek hij van een afstand naar haar, terwijl zij zedig naast haar tante zat en Salamander zijn brood verdiende. Opdat de hele zaal hem kon zien en horen, klom de troubadour op een tafel om zijn verhalen te vertellen. Hij wisselde ze af met zingen, jongleren en goocheltrucs, zoals sjaals uit de lucht plukken of een ei uit het haar van een voorbijlopende dienstmaagd. Soms, wanneer haar tante aandachtig naar de voorstelling keek, zag Neb dat Branna door de zaal naar hém keek in plaats van naar de troubadour. Maar zodra de voorstelling afgelopen was, trokken de vrouwen en hun dienstmaagden zich terug op de vrouwenafdeling boven, waar behalve de tieryn en de oude kamerheer geen mannen mochten komen.

Op een avond, toen Neb naar boven ging, kwam hij Branna in een bocht van de wenteltrap tegen. Ze had een kaarslantaarn in haar hand en toen ze hem zag, bleef ze glimlachend staan. Neb besefte plotseling dat hij zich haar naam niet meer kon herinneren. Of nog erger, dat hij haar bij een andere naam wilde noemen, die hij zich ook niet meer kon herinneren. Gelukkig kon hij ook alleen haar titel gebruiken.

'Goedenavond, vrouwe,' zei hij.

'Goedenavond, waarde Neb.' Ze zweeg alsof ze wachtte tot hij weer iets zou zeggen en vervolgde toen: 'Ik ga naar de keuken. We zijn garen aan het verven en hebben zout nodig als bijtmiddel.'

'Waar is je dienstmaagd?'

'Ergens. Als ik haar eerst moet zoeken, kan ik het zout net zo goed zelf halen.' Ze aarzelde en liep toen glimlachend langs hem heen. 'Ik kan maar beter opschieten.'

Neb glimlachte terug en maakte een lichte buiging. Terwijl hij haar nakeek, drong het tot hem door dat hij had kunnen vragen of hij haar mocht begeleiden. Maar als hij nu nog achter haar aan rende, zou hij een dwaas figuur slaan. Hij liep zo snel mogelijk naar zijn kamer en gooide de luiken open, en toen hij gevaarlijk ver uit het raam leunde, zag hij in de diepte vaag Branna met haar lantaarn geheven naar de keuken gaan. Het leek alsof het schijnsel van de kaars als een gouden mantel om haar heen lag, vond hij. Even later kwam ze weer naar buiten, met de lantaarn in haar ene en een kom in haar andere hand. Neb bleef uit het raam kijken tot ze in de broch was verdwenen.

Die nacht droomde hij opnieuw van de jonge vrouw die de mooiste in heel Deverry werd genoemd. Weer zat ze in een kale, rokerige grote zaal en weer hoorde hij een mannenstem spreken, terwijl hij niemand anders zag dan het meisje. Deze keer zei de stem: 'Je had haar moeten herkennen. Je had moeten zien wie ze was.'

Neb werd rillend en met een akelig gevoel wakker. Hij bleef liggen en luisterde naar zijn bonzende hart, terwijl hij zich afvroeg of hij koorts had of misschien dezelfde ziekte had opgelopen waaraan zijn moeder was overleden. Hij had het koud, maar zijn handpalmen waren bezweet en hij snakte naar adem. Het duurde een hele poos voordat hij besefte dat hij niet ziek was, maar doodsbang. De droom en de stem bleven als een slecht voorteken in zijn hoofd hangen.

Naast hem lag Clae in roerloze rust te slapen. Neb gleed uit bed en liep naar het raam. Buiten liep het sneeuwachtige sterrenpad helder door de lucht, als het ware vlak boven zijn hoofd. Het mooiste meisje van heel Deverry. Wie is dat? Waarom denk ik dat ik haar ken? dacht hij. En toen kwam er een heel bizarre vraag bij hem op: waarom ben ik er zo zeker van dat ze dood is? Maar hij kon geen van die vragen beantwoorden, en een poosje later was hij moe genoeg om weer naar bed te gaan. Hij viel meteen in slaap.

Toen hij de volgende morgen de trap afliep om te gaan ontbijten, zag hij Branna door de zaal lopen. Meteen hoorde hij de stem weer zeggen: 'Je had haar moeten herkennen.' De angst keerde terug, als de steek van een ijspegel in zijn hart, en verdween meteen weer. Hij begreep er niets van.

Gerran at snel zijn pap, terwijl hij bedacht wat hij die dag allemaal moest doen. Toen hij even later naar buiten ging, kwam hij bij de deur vrouwe Branna tegen. Omdat hij een pleegzoon van de tieryn was, zou hij Branna als zijn nichtje kunnen beschouwen. In de vorige dun op het oude domein van Cadryc ten oosten van dit nieuwe rhan was ze vaak op bezoek geweest, maar toen was ze nog een morsig kind dat door een dienstmaagd werd verzorgd. Ze was hem nauwelijks opgevallen. Elke keer dat hij haar nu zag, als frisse, aantrekkelijke jonge vrouw, was hij verbaasd. Toen hij een buiging voor haar wilde maken, begon ze te lachen.

'Och heden,' zei ze, 'ben ik nu opeens een hoogstaande vrouw? Schei uit, Gerro, na al die jaren.'

'Een zeer hoogstaande vrouw,' beaamde hij, 'en een heel lieftallige vrouw.'

Branna bloosde diep en liep vlug langs hem heen naar binnen. Toen Gerran achteromkeek, zag hij vrouwe Galla met een glimlachje op haar gezicht halverwege de trap staan. In plaats van ook te blozen, liep hij gauw naar buiten om zichzelf bij zijn mannen in veiligheid te brengen. Terwijl hij naar de stallen draafde, bedacht hij dat zijn opmerking tegen Branna de waarheid was. Ze was een lieftallige jonge vrouw geworden.

'Voor een meisje in jouw situatie zou Gerran geen slechte partij zijn, lieve kind,' zei vrouwe Galla tegen Branna. 'Tenslotte is hij onze pleegzoon, en je oom Cadryc is erg op hem gesteld.'

'Dat heb ik gemerkt, vrouwe.'

'Wat vind je van hem?'

Branna stak haar naald in de lap en keek Galla aan. Ze zaten te handwerken in de vrouwenzaal. Het was een halfrond vertrek met een glanzende houten vloer, waarop enkele versleten Bardekse kleden lagen, en glad gehakte stenen muren, waaraan hier en daar een vaal wandkleed hing. Het ochtendlicht viel door het raam op een lap bleek linnen die op een houten raamwerk was gespannen en die het eerste paneel zou vormen van de gordijnen om Branna's bed.

'Gerran is een knappe man,' zei Branna, nadat ze even had nagedacht. 'Maar zijn hart is zo gesloten als de geldkist van een vrek.'

'Dat is waar. Doordat hij zijn vader en moeder zo jong moest verliezen, heeft hij een moeilijk leven gehad.'

'Er is iets wat ik nooit heb begrepen. Zijn moeder... Waarom heeft ze zichzelf verdronken? Hield ze zoveel van haar man?'

'Inderdaad, maar ik denk dat ze wel over haar verdriet heen zou zijn gekomen als er niet nog iets anders was gebeurd. De avond voordat de krijgsbende zou vertrekken, zo heeft ze me verteld, hadden zij en haar man ruzie. Ik weet niet meer waarover, het was iets onbenulligs. Maar toen de krijgsbende vertrok, was ze nog steeds erg boos. Ze heeft nooit de kans gekregen om haar man te vertellen dat ze het hem had vergeven, en om een eind aan die ruzie te maken. Dat heeft de weegschaal doen doorslaan.'

'O, was dat het. Wat vreselijk droevig.'

'Dat was het. Daarom vond ik dat het mijn plicht was voor haar zoontje te zorgen. Maar met Gerran is altijd iets vreemds aan de hand geweest. Hij is er zich altijd van bewust gebleven dat hij een buitenstaander is, hoe ik ook mijn best heb gedaan om lief voor hem te zijn.'

'Een buitenstaander? Bedoelt u omdat hij niet van adel is?'

'Precies. Terwijl je je oom goed genoeg kent om te weten dat hij het belangrijker vindt dat een man een zwaard kan hanteren dan dat hij een titel heeft, en Mirryn heeft Gerro beslist altijd als een broer behandeld.' Galla zuchtte. 'Het is jammer dat jij en Mirryn bloedverwanten zijn, hoewel ik veronderstel dat niemand het hier in deze uithoek zou afkeuren als een neef en een nicht met elkaar zouden trouwen.'

'Maar ik wel. Ik wil niet ongemanierd zijn, maar ik ken Mirryn zo goed dat ik het gevoel zou hebben dat ik met mijn broer trouwde. We lijken zelfs op elkaar.'

'Je bent absoluut niet ongemanierd, kind. Ik moet toegeven dat ik het zelf ook niet prettig had gevonden als ik met een neef had moeten trouwen.'

'Bovendien zou ik geen geschikte vrouw zijn voor een man van adel.' Galla aarzelde, omdat ze Branna's gevoelens wilde sparen, vermoedde Branna.

'Echt niet,' vervolgde ze. 'Ik zou het vreselijk vinden als ik afgezanten van de gwerbret en dat soort mensen zou moeten ontvangen.' Ze glimlachte. 'Iedereen weet dat ik een beetje vreemd ben, lieve tante. Ik ben humeurig en ik kan erg kattig zijn. Dat zeggen ze toch?'

'Nou ja, het is waar dat de vrouw van een hoge heer goed op haar woorden moet letten.'

Branna glimlachte en pakte haar naald weer vast. 'En de vrouw van een hoofdman?'

'Zij moet alleen altijd beleefd en vriendelijk zijn tegen de vrouwen van de andere bedienden, maar verder doet het er niet toe.'

'O, nou ja, ik zal erover nadenken.'

En de vrouw van een schrijver? dacht Branna, maar die vraag sprak ze niet uit. Net als de meeste meisjes in Deverry had ze altijd gehoopt dat ze ooit een goede man zou vinden, maar vanwege haar omstandigheden in de dun van haar vader had ze nooit durven te hopen dat ze ooit uit twéé degelijke mannen zou kunnen kiezen. Neb heeft hier een goede positie, dacht ze, en ik wil wedden dat hij een stuk langer zal leven dan Gerro.

Behalve dat trouwen met een schrijver in plaats van een krijgsman dit praktische voordeel had, gaf Branna ook om andere redenen aan Neb de voorkeur. Zolang ze Gerran al kende, was hij zo gesloten dat hij zelden sprak zonder dat hij aangesproken werd. Toen hij haar eerder die dag een compliment had gemaakt, was ze dan ook stomverbaasd geweest. Maar ze moest er niet aan denken dat ze elke avond stilzwijgend tegenover elkaar zouden zitten en ze zich zou afvragen of haar man nadacht over een groot geheim of alleen maar zat te suffen. Terwijl het haar was opgevallen dat Neb altijd opgewekt een praatje maakte met iedereen die hij tegenkwam en dat hij daar, als hij geen haast had, zelfs uitgebreid de tijd voor nam. Bovendien bewonderde ze de manier waarop hij voor zijn broertje zorgde. Ongetwijfeld zou hij ook zijn eigen kinderen veel aandacht geven, terwijl Gerran kinderen als het terrein van vrouwen beschouwde.

Ook haar dwerg gaf de voorkeur aan Neb. Steeds wanneer ze de jonge schrijver tegenkwam, verscheen hij ten tonele, grinnikte tegen Neb en klapte in zijn benige handjes. Neb keek dan vlug om zich heen om te zien of er anderen in de buurt waren en lachte terug. Maar gek genoeg kon Branna nooit de moed opbrengen om met Neb over het Natuurvolk te praten. Niet alleen bestond dan de kans dat iemand hun gesprek zou horen, maar ze was vooral bang voor de gevolgen, al begreep ze niets van die angst.

Boven in haar eigen kamer kon ze vrijuit praten met de dwerg, die zijn best deed om door middel van gebaren zo goed mogelijk te antwoorden. Als ze Gerrans naam noemde, kon ze erop rekenen dat hij meteen een zuur gezicht trok en boos zijn hoofd schudde. Op een avond was ze zo moe van haar werk dat ze direct na het eten een kaars pakte en vroeg naar bed ging. Toen ze op de vensterbank haar haren zat te kammen, zat de dwerg plotseling op haar bruidskist.

'Vind je dat ik dat hemd in die kist moet afmaken voor Neb?' vroeg ze hem.

Hij knikte bevestigend.

'Wat een vreemde naam heeft hij toch. Ik bedoel dat zijn naam me zo bekend voorkomt. Hij lijkt echt sprekend op die oude tovenaar, vind je niet? Hij heeft net zulke blauwe ogen en zo.'

De dwerg pakte met een misprijzende uitdrukking op zijn gezicht zijn hoofd met beide handen vast.

'Maar hij kan onmogelijk dezelfde zijn. Mijn soort mensen wordt na verloop van tijd niet jonger, dat bestaat niet. Bovendien bestaat dweomer immers niet? Het komt alleen in oude verhalen voor, zoals die van Salamander.'

De dwerg wees eerst naar zichzelf en toen naar haar gezicht.

'Nou ja, ik zie jou natuurlijk wel en Neb ziet je ook, terwijl andere mensen zeggen dat het Natuurvolk niet bestaat. Maar...' Ze maakte de zin niet af. Maar wat? vroeg ze zich af. De dwerg sloeg zijn armen over elkaar en grinnikte triomfantelijk.

Toen Branna de volgende morgen naar beneden ging om te ontbijten, zag ze onder aan de trap Salamander staan, die zijn blik door de grote zaal liet glijden. Hij keek omhoog, zag haar aankomen en boog.

'Goedemorgen, gerthddyn,' zei Branna. 'Heb je goed geslapen?'

'Dat heb ik. En jij?'

'Ik ook, dank je. Ik geniet van je verhalen. In de meeste komt dweomer voor.'

'Er gaat niets boven een wonderbaarlijke gebeurtenis om de aandacht van het publiek vast te houden.'

'Dat is zo. Je hebt door het hele land gereisd, nietwaar?'

'Inderdaad.'

'Ik denk niet dat je ooit iets hebt gezien wat... Ach, laat maar. Ik wil niet dat je me dom vindt.'

Branna wilde doorlopen, maar Salamander pakte haar elleboog vast om haar dat te beletten.

'Wat echt dweomer was?' Hij grinnikte.

Ze trok haar arm los uit zijn lichte greep en liep vlug weg. Sukkel, berispte ze zichzelf, nu heb je jezelf toch voor gek gezet. Toen ze de eretafel bereikte, keek ze om, maar Salamander was aan een tafel gaan zitten en aan zijn ontbijt begonnen. Mirryn was de enige die aan de eretafel zat. Hij maakte een neerslachtige indruk.

'Goedemorgen!' Branna ging tegenover hem zitten en lachte hem toe. Maar Mirryn staarde naar de rand van de tafel en keek niet eens op. Zijn dikke bruine haar, dat meestal glanzend om zijn hoofd lag, stond in doffe pieken alle kanten op, alsof hij er steeds weer een hand doorheen had gehaald. Zijn ogen waren zo opgezwollen dat Branna zich afvroeg of hij de hele nacht niet geslapen had. Een dienstmaagd bracht een mandje warm brood en een schaaltje boter, en draafde weer weg.

'Wat is er, Mirro?' vroeg Branna. 'Je ziet er zorgelijk uit.'

'Vind je?' Hij ontweek haar blik en pakte een stuk brood.

'Dat vind ik. Wat...'

'Het had me waarschijnlijk niet moeten verbazen dat je niet met zo'n lafaard als ik wilt trouwen.'

'Wát zeg je?' Branna legde beide handen op tafel en leunde naar voren. 'Waar heb je het over?'

'Mijn eerbiedwaardige moeder vertelde me dat je niet met me wilt trouwen, en wat kan daar anders de reden voor zijn? Iedereen weet dat ik een verachtelijke lafaard ben, want ik ga nooit met de krijgsbende mee.'

'Ach, doe niet zo dom! Dat is absoluut niet de reden!'

'Je hoeft heus niet aardig te zijn...'

'Hou je mond en luister naar me. Ik heb tegen haar gezegd dat het net zoiets zou zijn als met mijn broer trouwen. Bovendien kan ik me niet voorstellen dat jij met mij zou willen trouwen.'

'Eigenlijk niet.' Eindelijk keek hij haar aan. 'Dan zou ik het gevoel hebben dat ik met mijn zuster trouwde.'

Ze begon hard te lachen en even later lachte hij met haar mee.

'En je bent geen lafaard,' ging Branna verder. 'Iedereen weet dat oom niet toestaat dat je met de krijgsbende meegaat. Dat het niet jouw keus is.'

'Hoe weet je dat?'

'Omdat ik dat, toen ik nog bij pa woonde, al heb horen zeggen. Pa en zijn vrienden vinden dat oom Cadryc wat jou betreft veel te zacht is.'

Daar dacht Mirryn over na, terwijl hij met zijn tafeldolk het stuk brood in tweeën sneed en Branna de helft gaf.

'Echt waar?' vroeg hij. 'Je doet niet je best om mijn gevoelens te sparen?'

'Natuurlijk niet, het is echt waar. Mag ik de boter?'

Mirryn schoof de kom naar haar toe en dacht weer na.

'Dank je,' zei hij ten slotte. 'Ik ben blij dat je me dit hebt verteld.'

Branna wilde hem nog meer vertellen, maar Cadryc kwam naar de tafel lopen met Galla op een drafje achter zich aan. Branna stond op, maakte voor beiden een kniebuiginkje en ging weer zitten nadat Galla haar plaats had ingenomen. Daarna werd er alleen nog over onbelangrijke dingen gepraat.

Later die dag kwam Salamander naar Branna toe. Om even weg te zijn uit de drukte op het stoffige binnenplein, was ze een ladder opgeklommen naar de loopbrug langs de bovenkant van de vestingmuur. Ze leunde tussen twee kantelen naar buiten en keek uit over de groene velden, met hier en daar een lichte streep waar een riviertje westwaarts stroomde om uit te monden in de Melyn. Terwijl ze haar gedachten de vrije loop liet, zag ze vanuit haar ooghoeken iets glinsteren. Toen ze zich omdraaide om te zien wat het was, zag ze een eindje verder op de loopbrug een in vodden geklede oude man staan, met een glanzende opaal in zijn uitgestrekte hand. Haar adem stokte en de man verdween.

Heb ik het me verbeeld? vroeg ze zich af. Of hoort hij ook bij het Natuurvolk? Hoewel hij haar deed denken aan de man die Nevyn heette en die soms in haar dromen verscheen, zag hij er toch iets anders uit. Deze man had ze niet eerder in een droom gezien, noch de edelsteen, die gloeide als een kaarsvlam. Het leek alsof deze oude man haar een geheimzinnige belofte wilde doen, haar een bijzonder geschenk wilde geven, mits ze bereid zou zijn naar hem toe te gaan en met hem te praten. Maar stel dat het een valstrik was en die edelsteen het lokaas? Ze rilde in de zomerzon en sloeg haar handen in elkaar om ze te warmen. Doe niet zo raar, maande ze zichzelf. Waarom zou iemand jou in de val willen laten lopen?

Beneden riep een prettige stem haar naam en ook Salamander klom de gammele houten ladder op, om naar haar toe te komen op de muur. Ze wilde hem vriendelijk begroeten, maar van schrik kon ze geen woord uitbrengen toen ze zag dat er een wolk van Natuurvolkers om hem heen hing: glinsterende sylfen, gevleugelde elfjes en bleke, wrattige dwergen.

'Goedemorgen,' zei Salamander. 'Wat is er?'

'Niets, helemaal niets. Neem me niet kwalijk. Je overvalt me, dat is alles.'

'Dan bied ik je mijn verontschuldigingen aan. Ik wilde je alleen maar even gezelschap komen houden, als je daar geen bezwaar tegen hebt.'

'Helemaal niet, maar eigenlijk moet ik weer aan het werk. Mijn tante zal zich afvragen waar ik blijf.'

'Dan zien we elkaar misschien straks.'

'Misschien.' Ze aarzelde, maar de troubadour was een onderhoudende en bovendien een aantrekkelijke man. 'Ja, straks heb ik wel even tijd.'

Ze liep naar de ladder en klom er iets vlugger dan veilig was af naar de begane grond. Ze had geen idee waarom ze ervan was geschrokken dat het Natuurvolk om Salamander heen hing. Het leek alsof ze opeens in een heel vreemde wereld terecht was gekomen. Vanaf het moment dat ik Neb ontmoette, dacht ze. Toen is het begonnen. Ze had het gevoel dat ze moest ontdekken wat Nebs komst in haar leven betekende, dat ze naar de achterkant van een wandkleed keek en alleen losse eindjes, knopen en vage gekleurde vlekken zag, terwijl het tafereel aan de voorkant duidelijk was. Als ze het kleed zou kunnen omkeren, zou ze het antwoord weten. Als...

Toen ze het binnenplein overstak, kwamen er twee stoffige ruiters door de poort naar binnen rijden. Ze stegen af en Branna zag op hun schilden het blazoen met de zon van Cengarn. Boodschappers, dacht ze. Met een kil gevoel in haar borst liep ze haastig door naar de grote zaal, gevolgd door een aantal bedienden en krijgers die het nieuws net zo graag wilden horen als zij.

Bijna twee weken nadat de tieryn zijn brief had weggestuurd, kwamen boodschappers van de gwerbret eindelijk het antwoord brengen. Neb liep achter hen aan naar binnen en knielde naast de stoel van de tieryn aan het hoofd van de eretafel. Een boodschapper knielde aan de andere kant van de stoel en overhandigde de tieryn de koker. Cadryc pakte hem aan, bekeek het zegel en gaf hem door aan Neb.

'Lees de brief zo luid mogelijk voor,' beval Cadryc. 'Dan kunnen we het nieuws meteen allemaal horen.'

Neb stond op, ging met zijn gezicht naar de zaal staan en las: 'Edele heer, tieryn Cadryc van de Rode Wolf, ik groet u. Ik ben niet van plan om met betrekking tot de kwestie die u me hebt voorgelegd, de Eerste Koning om hulp te vragen. U bent aangesteld om de grens te bewaken, niet de Eerste Koning.' Neb wierp een blik op het gezicht van de tieryn. 'Hij is getekend...'

'We weten heus wel van wie die vervloekte brief afkomstig is!' Cadryc was rood geworden. Hij haalde diep adem en liet zijn blik door de grote zaal gaan, waar zo te zien alle krijgers en bedienden zich intussen hadden verzameld. Heer Mirryn baande zich een weg door de menigte om zich bij zijn vader te voegen. Toen de tieryn hem zag aankomen, glimlachte hij en ontspande zich.

'Ook al wil de gwerbret de koning niet om hulp vragen,' zei hij, 'ik zie er geen kwaad in de gwerbret persoonlijk om hulp te vragen. Ik zal vijftien ruiters meenemen als erewacht en zodra we de belastingen hebben geregeld, rijd ik zelf naar Cengarn.'

Heer Mirryn legde een hand op de arm van zijn vader. 'Dan wil ik graag met u meegaan, vader.'

'En de dun onbewaakt achterlaten?' antwoordde Cadryc verontwaardigd. 'Het Paardenvolk heeft het op ons gemunt, jongen, en...'

'Ze zijn nog nooit zo ver naar het oosten gekomen.'

'We bespreken dit niet ten overstaan van de hele zaal,' gromde Cadryc.

Mirryn hief met een boos gezicht zijn hoofd, maar toen keek hij zijn vader meteen weer uitdrukkingsloos aan. 'Zoals u wilt, vader,' zei hij, 'maar ik wil straks graag even met u onder vier ogen praten.'

'Dat kan. Neb, jij gaat ook mee. Ik zal tegen Gerran zeggen dat hij een paard voor je moet uitzoeken.'

'Dank u, edele heer.' Neb boog. 'Mag ik nu gaan? De kamerheer wacht buiten op me, want er zijn nog meer belastingen aangekomen.'

'Je mag gaan. Wacht even, dan ga ik met je mee.'

Gerran had de boodschappers ook zien aankomen, maar tegen de tijd dat hij de ingang van de grote zaal bereikte, was er binnen geen ruimte meer voor hem. Hij kreeg het nieuws te horen in de vorm van verontwaardigd commentaar toen iedereen naar buiten kwam. Zowel bedienden als krijgers verwensten de gwerbret omdat hij hun heer zo bot afgepoeierd had. Even later kwam Cadryc ook naar buiten.

'Heb je gehoord wat er in die vervloekte brief stond?' vroeg Cadryc Gerran.

'Dat heb ik gehoord, edele heer.'

De tieryn haalde diep adem om weer kalm te worden. 'Zodra ik me ervan verzekerd heb dat alle belastingen binnen zijn, rijden we naar Cengarn. Zoek jij intussen een hakkenei voor de schrijver en zorg dat hij erop kan rijden.'

'Dat komt in orde, edele heer,' antwoordde Gerran. 'Hoe eerder we de gwerbret de zaak kunnen uitleggen, des te liever het me is.'

Samen slenterden ze het binnenplein op, waar het op dat ogenblik wel markt leek. Boeren stonden naast karrenvrachten wintergraan of renden achter kleine kuddes varkens of scharen kippen aan, terwijl de kamerheer zenuwachtig heen en weer liep. Twee mannen in de haveloze kledij van schaapherders duwden een handkar de poort door met een berg afgeschoren schapenvachten erop, die er een stuk schoner uitzagen dan zijzelf. Aan de rand van de drukte stond Neb rustig hoeveelheden te noteren op stukjes gerafeld perkament.

'De schrijver lijkt te weten wat hij doet,' merkte Gerran op.

'Inderdaad. Hij is erg zelfverzekerd voor een jongen van zijn leeftijd. Eerlijk gezegd maakte ik me al zorgen om de oude Veddyn, die de laatste tijd van alles vergeet.' Hij liep een paar passen bij Gerran vandaan en zwaaide naar iemand aan de andere kant van het plein. 'Daar staat burgerman Gwervyl, ik wil hem even spreken. Hij kan goed boogschieten en hij heeft aangeboden nog meer boogschutters op te leiden.'

Gerran vond een rustig plekje om te wachten. Dienstmaagden draafden met lege manden langs hem heen op weg naar een wagen bij de poort. Toen hij vrouwe Branna achter hen aan zag komen, deed hij een stap naar voren om een buiging voor haar te maken. Ze wuifde hem met een lachje toe terwijl ze vlug doorliep. Geen bemoedigend teken, dacht hij. Ze beschouwde hem waarschijnlijk alleen maar als een ruwe kerel, of nog erger, omdat hij een pleegzoon van de tieryn was, als een soort bloedverwant. Het was voor haar allebei genoeg om hem op een afstand te houden. Hij wilde dat hij wist hoe hij een meisje het hof hoorde te maken. Gelukkig kwam de tieryn terug en onderbrak zijn sombere gedachten.

'Ik weet eigenlijk niet precies wat ik tegen die vervloekte gwerbret moet zeggen,' zei Cadryc. 'Heb jij een idee?'

'Ik niet, heer.'

'Dan moeten we daar op weg naar Cengarn over nadenken. Ik moet de zaak zorgvuldig uitleggen. Wil jij je nu even met de schildknapen gaan bemoeien? Vooral Ynedd moet je goed aanpakken. Zijn moeder heeft hem verwend en hij begint om het minste en geringste te huilen.'

'Natuurlijk. Ik zal mijn best doen.'

Zoals alle hoge heren had Cadryc schildknapen van adel in zijn huishouding, zoons van vazallen, die naar hem toe waren gestuurd om een opleiding te volgen in krijgskunst en hoffelijke manieren. Coryn was tien en een flinke jongen, maar Ynedd, een magere jongen met grote blauwe ogen en blonde krullen, was voor het eerst gescheiden van zijn moeder. Maar Gerran wilde geen medelijden met hem hebben, omdat Ynedds leven op een dag kon afhangen van zijn bekwaamheid als krijger.

Hij nam de jongens mee naar de achterkant van de broch om ze uit de buurt van de wagens en het vee te leren zwaardvechten. Gerran beval Coryn in de schaduw van de muur te gaan zitten, terwijl hij Ynedd liet zien hoe hij zijn zwaard moest vasthouden. 'Je moet je polsen leren gebruiken,' zei hij. 'Leg je zwaard op de grond en raap het op.'

Met een schuine blik op Gerrans gezicht deed Ynedd wat hem was gezegd. Gerran liet hem het zwaard vijfmaal neerleggen en oprapen, waarbij hij steeds Ynedds greep verbeterde. Ten slotte gooide Ynedd het zwaard van zich af.

'Ik heb er geen zin meer in,' zei hij.

'Dat is jammer' – Gerran keek de jongen strak aan – 'want je moet er toch mee doorgaan.'

Ynedd sloeg zijn armen over elkaar en keek boos terug. Gerran gaf hem een draai om zijn oren.

'Hoe durf je me zo te behandelen!' piepte Ynedd. 'Je bent alleen maar een burgerman!'

'Hij heeft er het recht toe.' Coryn stond op en kwam naar hen toe.

'Hij is de hoofdman en je moet hem gehoorzamen. Echt waar.'
Ynedds ogen vulden zich met tranen, maar hij raapte het zwaard weer op. Nadat hij nog een keer of tien had geoefend, zag Gerran dat de jongenshand trilde van het zware wapen en zei hij dat het genoeg was.

'Zie je wel?' voegde hij eraan toe. 'Nu heb je iets gedaan wat je niet voor mogelijk had gehouden.'

Ynedd haalde zijn schouders op terwijl hij zijn ogen gericht hield op de keien. Gerran stuurde de jongens naar de stallen om hun pony's te halen voor een rijles. Toen hij hen wilde volgen, zag hij dat Clae een eindje verderop stond toe te kijken.

'Doe ik iets wat niet mag?' vroeg Clae.

'Niet als je eigenlijk aan het werk hoort te zijn,' antwoordde Gerran.

'Nee. Ik wilde graag zien wat jullie doen. Ik wou dat ik ook mocht leren vechten.'

'O ja? Waarom?'

'Dan kan ik later ook krijger worden en Paardenvolkers doden.'

De vlakke, kille klank van Claes stem deed Gerran herinneren aan de reden dat de jongen naar de dun was gekomen. Hij liet zich op een knie zakken zodat hij Clae recht kon aankijken.

'Dat vind ik een wens om respect voor te hebben,' zei hij. 'Hoe oud ben je? Weet je dat?'

'Acht, heer. Mijn pa hield het bij. Zou ik later ook krijger kunnen worden? Mijn pa was schrijver, meer niet.'

'Dat heeft er niets mee te maken. Krijgers zijn niet van adel. Maar de opleiding is erg zwaar. Ik ben bang dat je er gauw genoeg van zou krijgen.'

'Ik niet. Als ik moe zou worden, zou ik meteen aan mijn oom denken en ze weer volop haten, en dan zou ik niet moe meer zijn.'

Gerran had nooit eerder zoveel kille woede gezien in de ogen van een kind.

'Ik droom nog steeds over ons dorp,' vervolgde Clae. 'Dan komt het Paardenvolk en dan probeer ik ze tegen te houden en dan lachen ze me uit. Ik haat die droom.'

'Dat kan ik me voorstellen. Heb je Neb verteld dat je dat droomt?'

'Nee. Hij zou alleen maar zeggen dat ik niet moet stilstaan bij dingen die ik niet kan veranderen. Weet u wat ik het ergste vond? Dat we boven aan de waterval stonden toe te kijken en ik wist dat ik niets kon doen om ze tegen te houden. Niets!' Zijn zachte stem brak. 'Zo wil ik me nooit meer voelen.'

Gerran bekeek hem aandachtig. Een gezonde jongen, groot voor zijn leeftijd. Maar wat de meeste indruk op Gerran maakte, was zijn haat. De meeste mannen in Deverry die krijger wilden worden, wilden roemrijke daden verrichten, terwijl een krijger pas echt roem kon verwerven als hij daar verbeten genoeg voor kon vechten. Dat vereiste een zekere mate van verbittering, zowel in zijn denken als in zijn ziel.

'Weet je wat?' zei Gerran. 'Als je broer het goedvindt, zal ik jou ook opleiden. Maar ik waarschuw je dat het hard werken betekent en dat ook een houten zwaard pijn kan doen. Goed?'

'Goed.' Clae lachte breed. 'Zal de tieryn het goedvinden?'

'Vast wel, als ik het hem vraag. Maar dat je broer ermee instemt, is belangrijker, want hij is het hoofd van jullie clan. Vraag het hem maar en zeg dat hij vanmiddag met me moet komen praten.'

Terwijl Gerran zijn adellijke pupillen rijles gaf, dwaalden zijn gedachten zo nu en dan af naar Clae. De jongen deed hem aan zichzelf denken toen hij nog klein was. Hij herinnerde zich zijn eigen hete woede nadat het Paardenvolk zijn vader had vermoord. Die haat voelde hij nog steeds, al was hij na al die jaren verkild tot iets wat vergelijkbaar was met het koude metaal van een scherp nieuw zwaard. De oorlogsgoden hadden Clae net zo'n prachtig geschenk gegeven.

Toen ze terugkwamen in de dun, stond Neb op Gerran te wachten. De schrijver liep mee naar de stallen en hield het paard bij de teugels terwijl Gerran het afzadelde.

'Ik veronderstel dat Clae met je heeft gepraat,' zei Gerran.

'Inderdaad,' antwoordde Neb. 'Maar hij is de enige bloedverwant die ik nog heb, en het doet me verdriet dat hij krijger wil worden.'

'Dat begrijp ik.'

'Toch wil ik hem niet tegenhouden. Iedereen hier in de dun heeft me verteld dat hij zal worden opgeleid door de beste zwaardvechter van heel Deverry.'

'O ja?' Gerran voelde dat hij bloosde van het compliment. 'Ze overdrijven natuurlijk wel.'

'Daar kom ik dan nog wel achter.' Neb glimlachte een beetje triest. 'Maar als jij bereid bent hem onder je hoede te nemen, vind ik het goed. Zijn wyrd is niet het mijne, daar kan ik niets aan veranderen.'

'Zo is het. Maar hij krijgt eerst een proeftijd. Als ik merk dat hij niet de gave heeft om een uitstekende zwaardvechter te worden, stuur ik hem naar je terug.'

'Dat is goed. Ik...' Neb zweeg abrupt en staarde naar iets achter Gerran.

Gerran draaide zich om en zag Branna een eind verder over het plein lopen. Door de blik in Nebs ogen werd het Gerran opeens duidelijk dat de jongen helemaal weg was van het meisje. Tegelijkertijd kwam de verbijsterende gedachte bij hem op dat Neb meer recht op haar had dan hijzelf. Maar hij kon het niet opbrengen een stap terug te doen om de schrijver, dat magere, zachtmoedige ventje – hij kon zelfs lezen! – een kans bij haar te geven. Zo gemakkelijk kom je niet van me af, dacht Gerran. Laten we maar eens zien wie van ons tweeën haar hart kan veroveren.

Zonder iets te zeggen liep Gerran achter Branna aan. Neb volgde hem, maar ze bleven allebei staan toen Salamander haar tegemoetkwam. De gerthddyn boog met zo'n hoffelijke gratie dat ze glimlachend haar hand op zijn arm legde voordat ze samen weg wandelden.

'De duivel hebbe zijn ziel,' fluisterde Gerran.

'Over zijn ziel maak ik me geen zorgen,' zei Neb.

In mokkende verbroedering draaiden ze zich om en liepen terug naar de stallen, waar ze Branna en de knappe troubadour niet meer konden zien.

Achter de broch, zo ver mogelijk bij de varkensstal en de mestvaalt vandaan, had de kokkin een groentetuin aangelegd. Tussen bedden met kool, rapen en andere groente lagen smalle bedden met kruiden. Midden in de geurige tuin stond een bankje, waar Salamander Branna mee naartoe nam om te praten.

'Mag ik je iets vragen?' begon hij. 'Wat vind je van Neb? En wat vind je van Gerran?'

'Dat is me de laatste paar dagen al vaker gevraagd,' zei Branna. 'Wil jij me ook al uithuwelijken?'

'Zie ik eruit als de koppelaarster van het dorp?'

'Dat niet. Maar waarom wil je dan weten wat ik van Neb en Gerran vind?'

'Ze zijn allebei verliefd op je. Daarom vraag ik het.'

'Dat is waar.' Branna klonk verbaasd. 'Wat vreemd.'

'Het is helemaal niet vreemd. Je bent een aantrekkelijk meisje.'

'Een meisje zonder noemenswaardige bruidsschat.'

'Je hebt blijkbaar geen hoge dunk van jezelf, vrouwe.'

'Hoe zou ik dat wel moeten hebben? Mijn stiefmoeder liet geen gelegenheid voorbijgaan om me aan mijn armzalige situatie te herinneren. Ze raadde me regelmatig aan priesteres te worden, omdat ik nooit een goed huwelijk zou sluiten.'

'Ze klinkt niet als een vriendelijke vrouw, eerder als een echte feeks, een helleveeg, een heks, hoe zal ik het noemen.'

'Dat allemaal en nog meer, beste man. Kun je je voorstellen hoe het is als je familie je zelfs elke hap eten misgunt?'

'Gek genoeg kan ik dat,' antwoordde Salamander. 'Maar ik hoefde er niet zo lang onder te lijden als jij. Hoe heb je het kunnen verdragen zonder waanzinnig te worden?'

'Wat? En haar te laten winnen?'

Ze lachten allebei.

'Maar je vraag verdient een antwoord,' vervolgde Branna. 'In het begin was ik niet alleen. Toen ik klein was, had ik de kinderen van de bedienden om mee te spelen. Niet mijn lieve stiefbroertjes natuurlijk, want die mochten niet met zulke minderwaardige schepsels als ik praten.'

'Het is jammer dat het Paardenvolk je stiefmoeder niet heeft meegenomen. Ze zou daar uitstekend op haar plaats zijn geweest.'

Branna grinnikte. 'En ik had tante Galla, die altijd een oogje op me hield.' De lach verdween van haar gezicht. 'Tot haar man dit domein aangeboden kreeg en ze hierheen verhuisden.'

'Dus onze brave tieryn heeft deze dun nog niet zo lang?'

'Nee. Hij en Galla woonden vroeger ongeveer dertig kilometer naar het oosten, niet ver van de dun van mijn vader, die nog verder oostwaarts ligt. Maar toen de koning dit land erbij had genomen, schonk de gwerbret het aan Cadryc. Daarna zag ik tante Galla niet vaak meer, en tegen die tijd moesten de kinderen van de bedienden allemaal werken.'

'Maar je hebt het overleefd.'

'Dat is zo. Ik heb geleerd alleen te zijn. Ik bedacht verhalen om een beetje gelukkiger te worden, over een andere tijd ergens anders in Deverry.' Ze wendde met een zucht haar hoofd af. Een lange lok haar was losgeraakt uit de speld en hing naast haar wang. Met een geërgerd gebaar streek ze hem naar achteren, maar toen hij nogmaals naar voren gleed, liet ze hem hangen.

'Wat voor verhalen?' vroeg Salamander. 'Daar ben ik erg nieuwsgierig naar. Zou je me er iets over willen vertellen?'

'Ach, gewoon, verhalen over dwaze dingen.' Branna bloosde. 'Het spijt me, ik had het niet moeten zeggen.'

'Dat hoeft je helemaal niet te spijten, want jouw verhalen kunnen nooit dwaas zijn. Daar ben je veel te verstandig voor.'

'Vind je dat? De meeste mensen vinden me een beetje vreemd.'

'De meeste mensen zijn halfblind, al hebben ze nog zulke goede ogen. Maar ik ben een gerthddyn, dat weet je toch? Ik heb altijd belangstelling voor de verhalen van anderen.'

Opnieuw zuchtte ze en ze liet haar blik afdwalen. Ze schoof zo ver naar voren op de bank dat Salamander bang was dat ze zou opstaan en weglopen, maar toen leunde ze weer naar achteren.

'Ik heb iemand anders bedacht, toen, in een andere wereld, hoewel die wereld wel op Deverry leek. En daar...' Ze dacht even na.

Salamander glimlachte haar bemoedigend toe.

'... eh... deed ik net alsof ik een machtige tovenaar was. Ik trok door het hele land en ook helemaal naar Bardek, en zelfs naar prachtige eilanden heel ver weg. Ik kon een vreemd blauw licht laten schijnen om me de weg te wijzen en toen ik een keer opgesloten zat in een brandend gebouw, beval ik de wind me te redden.'

'Dat klinkt geweldig.'

'In een van die verhalen kon ik mezelf in een vogel veranderen en vliegen.'

'Was het een valk?'

Branna draaide zich met een ruk naar hem toe en staarde hem aan terwijl ze verbleekte. 'Hoe weet je dat?' fluisterde ze. 'Of is het normaal dat eenzame meisjes zich verbeelden dat ze toverkracht hebben?'

'Helemaal niet. De meeste eenzame meisjes dromen dat ze een prins ontmoeten die verliefd op hen wordt.'

Branna wierp lachend haar hoofd naar achteren, en in dat gebaar herkende hij de verstandige natuur van het meisje in dat andere wanneer en waar. 'Dat is waar,' zei ze. 'Maar hoe wist je het dan van die valk?'

'Dankzij de geheimzinnige krachten die een bard eigen zijn, natuurlijk. Ach, ik zie al dat je me niet gelooft.'

'Je bent geen bard. Als je wel een bard was, zou ik je misschien geloven, maar je bent een gerthddyn. Hoe wist je het?'

'Ah, dat is een raadsel, iets wat heel duister, ongrijpbaar en moeilijk te doorgronden is.' Hij zweeg en hoorde stemmen dichterbij komen. 'En het is noodzakelijk dat je het zelf oplost.' Hij stond op en gebaarde in de richting van de stemmen. 'Daar komen onze brave tieryn en zijn zoon aan, dus helaas moet ik je nu verlaten.'

Branna sprong op en greep met beide handen zijn hemd vast. 'Zeg het me, wauwelende elf!' Meteen liet ze hem los en deed blozend een stap achteruit. 'O, neem me alsjeblieft niet kwalijk! Ik weet niet waarom ik dat deed! Je bent niet eens een elf. Het was vreselijk ongemanierd van me, vergeef het me, alsjeblieft.'

'Ik vergeef het je en ik geef je nog één raad: wees voorzichtig in de omgang met Gerran. Misschien doet hij je denken aan een valk, maar ik betwijfel of hij ooit in een vogel zal veranderen en vliegen.'

'Dat heb ik zelf ook al bedacht, waarde heer.'

'Aha, ben ik nu opeens een waarde heer?' Salamander grinnikte en even later grinnikte ze met hem mee.

Terwijl ze op zachte toon een twistgesprek voerden, kwamen Cadryc en Mirryn de hoek om en hun kant op. Pas toen Salamander vlug opzij ging, drong het tot de twee mannen door dat ze toehoorders hadden.

'Neem ons niet kwalijk,' zei Cadryc nors. 'Branna... Ik zag je niet, kind.'

'Dat hindert niet, oom.' Branna stond op en maakte een kniebuiging. 'Ik wilde net naar binnen gaan.'

De drie mannen keken haar na terwijl ze wegdraafde, met haar rokken iets omhoog om ze niet over het zand te laten slepen.

'Dan ga ik ook maar,' zei Salamander. 'Met uw toestemming, heren.'

Cadryc en zijn zoon knikten en Salamander liep vlug weg. Maar hij verschool zich achter het tuinschuurtje van de kokkin om de rest van hun gesprek af te luisteren.

'Ik wil er geen woorden meer aan vuilmaken,' zei Cadryc. 'We vertrekken morgen en jij gaat niet mee.'

'Maar...'

'Geen woord meer, zei ik!'

Even later beende Mirryn langs Salamander heen zonder hem te zien. Cadryc volgde langzaam en hoofdschuddend. Salamander kwam van achter het schuurtje tevoorschijn en maakte een buiging.

'Edele heer?' zei hij. 'Neem me niet kwalijk dat ik zo vrij ben me ermee te bemoeien, maar ooit zult u moeten toestaan dat uw zoon zijn vleugels uitslaat.'

Cadryc gooide als een verschrikt paard zijn hoofd omhoog en keek Salamander woedend aan. Salamander boog nogmaals en glimlachte zo nederig mogelijk.

'Ach heden, je hebt natuurlijk gelijk, gerthddyn,' gaf Cadryc toe. 'Alleen...' Hij kauwde op de punten van zijn snor. 'Alleen... Nou ja, je bent een troubadour, je hoort wel vaker vreemde verhalen, nietwaar?'

'Heel vaak, dat is zo, heer.'

'Mmff.' Cadryc aarzelde nog even en haalde toen zijn schouders op. 'Eh, het gaat om een voorspelling, zie je. Maar ik heb het Mirryn of mijn vrouw nooit verteld, want om je de waarheid te zeggen, schaam ik me dood dat ik erin geloof.'

'Een voorspelling? Van een priester?'

'Een soort priester, zou je kunnen zeggen. Het is eh... ongeveer tien zomers geleden gebeurd. Het Paardenvolk was op strooptocht in het noorden en de oude gwerbret had zijn bondgenoten bijeengeroepen.

Dat was de aanval waarbij hij werd gedood, nu ik erover nadenk. Hoe dan ook. We slaagden erin hun walgelijke, vervloekte kamp te vinden, hen onverwachts te overvallen en de bewakers en hun plaatsvervangers te doden. We bevrijdden de mensen die ze gevangen hielden: een aantal boeren van de gwerbret en hun familie en enkele anderen die als slaven waren gebruikt.' Cadryc zweeg en staarde in de verte, alsof hij zijn herinneringen wilde ordenen. 'Een van hen was een schurftige kerel die in vodden was gekleed. Zijn voeten waren opgezwollen en zaten onder het eelt, alsof hij nooit schoenen had gedragen. Later bleek trouwens dat dat zo was. Maar de mensen die als slaaf waren geboren, behandelden hem als een koning. De boeren van de gwerbret vertelden ons dat hij een priester was van die vervloekte godin van het Paardenvolk.'

'Toch niet weer die Alshandra?' vroeg Salamander. 'De zielenjaagster?'

'Juist, die bedoel ik. Van die gouden pijl die we in dat dorp hebben gevonden.'

'Inderdaad. Ga verder, alstublieft. Dit is een heel boeiend, spannend, meeslepend verhaal.'

'O ja? O, nou ja, die priester weigerde te eten. Hij zei dat hij liever verhongerde dan onze gevangene te zijn. Ik vond dat wel brutaal, want die vervloekte Paardenvolkers hadden onze mensen ook gevangen gehouden. Natuurlijk overwogen we hem te doden, maar een priester doden is een gevaarlijke aangelegenheid. Stel dat zijn god besluit wraak te nemen, wat dan?'

'U hebt gelijk. Daar moet je heel voorzichtig mee zijn.'

'Dus staken de heren de koppen bij elkaar en bespraken of ze de priester zouden dwingen te eten. Maar ik vond dat we hem moesten laten doen wat hij wilde, als hij dan zo graag wilde sterven. Bovendien vond ik het onwaardig iemand vast te binden en pap door zijn keel te gieten of zo. De anderen waren het met me eens. De schurftige kerel bedankte me, kun je je dat voorstellen? Hij bedankte me omdat ik hem liever een hongerdood zag sterven. Als dank wilde hij me een voorspelling doen, zei hij. Houd je zoon in veiligheid tot het begin van zijn negentiende zomer, dan zal hij een redelijk lang leven hebben. Als je hem voor die tijd laat vechten, sterft hij jong.' Cadryc keek naar de grond en haalde nogmaals zijn schouders op. 'Ongetwijfeld vind je me een oude dwaas omdat ik die vuile kerel geloof.'

'Dat vind ik niet,' zei Salamander. 'Ik begrijp heel goed dat zo'n voorspelling een vader de stuipen op het lijf jaagt. Wat is er met die priester gebeurd?'

'Hij is een hongerdood gestorven, precies zoals hij wilde. Hij heeft er lang over gedaan, maar uiteindelijk is hij vredig vertrokken.'

'Weet u toevallig nog hoe hij heette?'

'Dat niet, maar ik zie zijn gezicht nog heel scherp voor me.'

'Hoe oud is Mirryn nu?'

'Achttien zomers.' Cadryc keek Salamander weer aan. 'Ik schaam me dat ik het moet toegeven, maar ik heb het bijgehouden. Elk jaar met het meifeest zet ik een streepje op de kop van mijn zadel, een krasje in het leer.'

'Ik weet niet waarom ik zo denk, maar ik heb het gevoel dat u gelijk hebt dat u hem nog niet laat vechten.'

'Echt waar? Dan dank ik je. Ik kan het nog steeds niet opbrengen de voorspelling te negeren en trouwens, alle goden! Het duurt nog maar een jaar voordat zijn negentiende zomer begint. Hij is mijn enige zoon.'

Wat Salamander de tieryn niet kon vertellen, was dat hij zelf ook een omen had ontvangen. Toen hij Cadryc de voorspelling hoorde beschrijven, was er een ijskoude rilling over zijn rug gelopen, een waarschuwing vanuit het dweomer dat het een betrouwbare voorspelling was geweest. Jammer dat die verdraaide priester gestorven is, had hij gedacht. Hij moet in staat zijn geweest aan dweomer te doen en ik had hem graag een paar vragen willen stellen.

'Wat is er met de boerinnen gebeurd die destijds zijn bevrijd?' vroeg hij. 'Leven ze nog?'

'Voor zover ik weet wel. Het waren toen nog jonge vrouwen. Hoezo?'

'Ik houd van mooie verhalen. Ik verdien de kost met mijn voorraad mooie verhalen. Jonge vrouwen die door het Paardenvolk zijn gevangen en net op tijd zijn gered... Zoiets is mensen die een veilig, maar saai leven leiden wel een paar muntstukken waard.'

'Daar heb je waarschijnlijk gelijk in. Bedankt dat je naar me hebt geluisterd, gerthddyn, maar ik moet je verzoeken mijn aandeel in het verhaal niet rond te bazuinen.'

'Maakt u zich maar geen zorgen, edele heer, dat zou ik niet in mijn hoofd halen. Ik heb zelf ook een zoon, ziet u. Ik leef met u mee.'

Met zijn zoon in gedachten riep Salamander Dallandra weer op, die avond laat, toen hij alleen was en gelegenheid had om te scryen. Eerst vertelde hij haar wat hij had ontdekt over de situatie in de dun, met inbegrip van wat hij van Branna had gehoord.

'Aha,' kwam Dallandra's antwoord, 'volgens mij is ze klaar om het zich te herinneren en is Neb dat ook, nu ze samen in dezelfde dun wonen. Maar je kunt dat soort dingen niet dwingen. Als ze er nog niet aan toe zijn zelf de juiste vragen te stellen, zal hun geest als een geschrokken paard gaan steigeren en dan bereiken ze dat punt misschien nooit meer.'

'Dat is waar. Mag ik wel veelbetekenende aanwijzingen geven?'

'Jou kennende, zul je jezelf dat waarschijnlijk niet kunnen beletten. Maar leg het er niet te dik op, alsjeblieft.'

'Wees daar maar niet bang voor. Ik zal me beperken tot geheimzinnige, gangenkuierende, geestversluierende gezegden.'

Dallandra kneep haar lippen opeen en keek hem in het visioen geërgerd aan.

'Ik wilde je nog iets vragen,' zei Salamander vlug. 'Heb jij mijn Zan onlangs nog gezien?'

'Nee. Toen de winterkampen werden opgebroken, is hij met de alar van je vader meegegaan. Maar zij gaan ook naar het zomerfestival, dus daarna zal ik je meer kunnen vertellen.'

'Fijn, dank je wel. Binnenkort ga ik, dat hoop ik tenminste, met de tieryn en zijn mannen mee naar Cengarn. Daar zal ik afscheid van hen nemen en gaan rondreizen om de inwoners te ondervragen. Ik hoop dat ik, behalve wijzer te worden wat het Paardenvolk betreft, ook Rhodry weer zal zien.'

'Mooi zo. Maar wees alsjeblieft voorzichtig en houd me op de hoogte. Ik zal met Dar praten, maar ik kan me niet voorstellen dat hij niet met de alar mee naar het noorden trekt. Dan kunnen we elkaar weer ergens ontmoeten.'

'Een uitstekend plan, o prinses van perileuze potenties. En vrees niet, want ik zal niet zwijgen. Zwijgen druist tegen mijn natuur in.'

Het zomerfestival werd gevierd op de dagen rond de langste dag van het jaar. De schrijver van prins Dar, Meranaldar, vertelde Dallandra dat het festival in oeroude tijden, toen het grote observatorium in Rinbaladelan nog bestond, begon wanneer de zon op de langste dag op zijn hoogste punt stond. Maar in de vrije natuur nam niemand de moeite om de tijd zo nauwkeurig in de gaten te houden. Sommige alarli kwamen vroeg aan en andere laat, en iedereen bleef hangen tot hij werd gedwongen vers gras te zoeken voor zijn kudde. Maar het was de gewoonte dat de alar van de prins het eerst aankwam. Meranaldar telde de dagen af om de stand van de zon bij te houden en zo wat hij het 'echte begin' van het festival noemde, te bepalen. Zo nu en dan sloeg hij een houten paal in de grond en bestudeerde op het middaguur de schaduw – waarom, dat wist Dallandra niet.

Het festival werd gehouden bij het Meer van Springende Forellen, het noordelijkste meer in de keten van vier meren die de Deverrianen de Peddroloc noemden en die in een diep dal lag. Ten noorden van Springende Forellen werd het land vlakker en maakte het gras plaats voor bomen: naaldbomen, die in rechte rijen waren geplant en werden gesnoeid om als brandhout te worden gebruikt.

Het Volk verbrandde zijn doden. Wanneer er iemand was overleden, haalde de familie droog hout uit een van de stenen schuren langs de oever van het meer. Na het verbrandingsritueel werd er een boom gekapt om de houtvoorraad weer aan te vullen en werd er een nieuwe boom geplant. Omdat het zomerfestival in de buurt van de dodenplaats werd gehouden, was het ook een beetje een melancholieke gebeurtenis. De overledenen van de afgelopen jaren werden herdacht en eigenlijk was dat op een gepast moment. De langste dag betekende immers dat de zomer zijn hoogtepunt had bereikt en zich langzamerhand zou terugtrekken.

'Ik heb me iets afgevraagd,' zei Dallandra tegen Meranaldar. 'De manier waarop die bomen worden geplant en gesnoeid, is dat een oude gewoonte?'

'Heel oud,' antwoordde de schrijver. 'De gewoonte stamt uit de tijd van de Zeven Steden, dat staat vast. Hij komt voort uit de oude overtuiging dat iedereen meerdere levens leidt. Dat is natuurlijk bijgeloof, maar het houdt wel stand.'

'O ja?' Dallandra slaagde erin haar aandrang om te lachen te onderdrukken. 'Dan neem ik aan dat het planten van een nieuwe boom een symbolische betekenis heeft.'

'Inderdaad. Het symboliseert het volgende leven van die persoon, tenminste volgens de priesters van de Stergodinnen. Dat wordt nog in enkele teksten vermeld. Maar die priesters deugden niet, blijkt uit de geschiedenis. Een aantal had de Grote Brand overleefd, maar werd tijdens de reis over de Zuidelijke Oceaan overboord gegooid.'

'O ja? Bij de Donkere Zon, dat wist ik niet!'

'O nee?' Meranaldar keek haar peinzend aan. 'Ach ja, natuurlijk. Dat heb ik ooit aan prinses Carra verteld en volgens mij was jij daar niet bij. De vluchtelingen hadden steeds minder drinkwater, zie je, en die priesters eisten een grotere portie op dan de anderen. Ze baseerden hun logica, als je het zo kunt noemen, op doctrine. Omdat ze dankzij hun geboorte tot de religieuze elite behoorden, beweerden ze, was het zeker dat ze in een vorig leven waardevolle dingen hadden gedaan en daarom verdienden ze in hun huidige leven meer dan anderen.'

'Wat een afschuwelijke redenatie! Ik wil wedden dat ze dan ook van mening waren dat het gewone volk alle ellende verdiende die op hun pad kwam.'

'Precies. Maar toen Rinbaladelan was afgebrand en er zoveel mensen waren gestorven, trok niemand zich meer iets van de priesters aan. De soldaten aan boord gooiden ze over de reling en toen hadden ze al het water dat ze nodig hadden.' Meranaldar glimlachte. 'Diezelfde avond begon het te regenen en werden de tonnen met drinkwater weer tot de rand gevuld. De soldaten beschouwden dat als een teken van goedkeuring van de goden. En zo komt een nieuw geloof tot stand.'

Ze lachten allebei terwijl ze verder liepen. Dallandra had nooit begrepen waarom dweomermeesters erop stonden dat hun geloof in meerdere levens geheim moest blijven, maar zo langzamerhand werd het haar duidelijk.

Ze liepen door het bos, over een van de koele, beschaduwde paden. Toen Meranaldar pas in het Westland was aangekomen, was hij een magere man met een ingevallen borst en gebogen schouders, maar nu hij al veertig jaar deel uitmaakte van de koninklijke alar, was hij veel sterker geworden. Niet dat iemand hem ooit voor een krijger zou aanzien, met zijn slanke armen en zachte handen, maar hij had een kaarsrechte houding en bewoog zich met de gracieuze bewegingen van iemand die zijn eigen kracht kent.

'Ik denk dat de eerste alarli morgen zullen aankomen,' zei Dallandra. 'Ik ben benieuwd hoeveel borelingen erbij zijn, als die er zijn.'

'In elk geval een paar,' antwoordde Meranaldar. 'Ik herinner me dat er op de Gedenkdag een heleboel vrouwen zwanger waren. We mogen niet vergeten het aantal wisselkinderen bij te houden.'

'Inderdaad. In het voorjaar waren het er zevenenveertig. Ik ben erg benieuwd of Carra's nieuwe kleindochter ook een wisselkind is.'

'Ik ook. Tot nu toe zijn de wisselkinderen zo vriendelijk om zich over de families te verspreiden, een per gezin. Dat is maar goed ook, want het zijn zorgenkinderen.'

'Dat is zo. Misschien hebben de goden er de hand in.'

Meranaldar glimlachte, een beetje neerbuigend, vond Dallandra. De schrijver kon tamelijk uit de hoogte doen, maar ze was hem dankbaar voor zijn kennis en nam het hem niet kwalijk. Bovendien wist ze beter dan hij dat niet de goden er de hand in hadden, maar dat deze oplossing te danken was aan een menselijke man die lang geleden had geleefd: Aderyn.

Elke keer dat Dallandra de geboorte bijwoonde van een primitief kind of dat ze een pasgeborene in haar armen hield, was ze zich bewust van de aanwezigheid van Aderyn. Niet zo nadrukkelijk als van een geestverschijning, maar eerder alsof zijn geest de hare aanraakte, alsof hij zich door de bestaansvlakken heen met haar in verbinding stelde. Om zijn wyrd te vervullen, had hij haar in zijn laatste leven moeten helpen de Wachters en de groep halfgevormde zielen die met hen meetrok te genezen, maar aan die plicht had hij zich onttrokken. Terwijl hij nu nog verkeerde in de toestand die gewone stervelingen de dood noemden, deed hij alsnog zijn best om zijn taak af te maken en begeleidde deze zielen naar de geboorte en het fysieke leven.

De eerste alar die op het festival verscheen, bracht het oudste primitieve kind mee: Zandro. Hij was Salamanders volwassen zoon en woonde bij Salamanders vader, Devaberiel Zilverhand, de beroemdste bard van het Westland. Devaberiels tent werd door andere mannen van de alar opgezet naast die van de prins, wat zijn hoge status verried en waar iedereen hem gemakkelijk kon vinden. Dallandra liep erheen om Devaberiel en Zandro te begroeten. De bard was sinds hun vorige ontmoeting magerder geworden en zijn manestraalbleke haar was inmiddels sneeuwwit. Maar zijn ogen, zo donkerblauw als de nachtelijke hemel bij maanlicht, sprankelden nog steeds van levenslust en zijn fijngetekende gezicht vertoonde nog geen spoor van de rimpels en groeven die bij oude mensen van het Volk de naderende dood aankondigden.

Zijn kleinzoon leek absoluut niet op hem. Zandro was klein en stevig gebouwd, hij had een lichtbruine huid en een bos bruin krulhaar. Zijn ogen hadden een andere kleur gekregen dan toen hij nog klein was en waren nu diep oranjerood, nog net niet zo rood als bloed. Toen hij Dalla zag aankomen, wierp hij haar vanuit zijn ooghoeken een blik toe en grinnikte zijn puntige tanden bloot.

'Dalla,' zei hij.

Het was voor het eerst dat Dalla hem iemand bij zijn naam hoorde aanspreken, en Devaberiel glimlachte zo trots alsof zijn kleinzoon 'De brand in de rozenvallei' had opgezegd of een ander lang, ingewikkeld gedicht.

'Ja, ik ben Dalla,' zei ze, 'en jij bent Zandro.'

Zandro keek even naar zijn grootvader. Toen begon hij te giechelen en rende weg naar het groepje kinderen en honden dat op de oever van het meer aan het spelen was.

'Hij heeft nog een lange weg te gaan,' zei Devaberiel, 'maar we maken vorderingen.'

'Inderdaad. Ik moet bekennen dat ik verbaasd ben.'

'Valandario helpt me een handje.' Dev keek om zich heen. 'Ik zie haar niet. Waarschijnlijk is ze haar eigen tent aan het opzetten.'

'Dan ga ik haar ook even begroeten.'

Dallandra baande zich een weg door de chaos die het opzetten van een tentenkamp met zich meebracht. Ze moest zoveel mensen begroeten dat ze niet snel kon doorlopen, maar eindelijk bereikte ze de rand van het kamp. Ze had een paar mannen gevraagd haar tent een eindje bij de andere vandaan te zetten, zodat ze genoeg rust zou hebben om haar werk te doen. Zoals ze had verwacht, had Valandario om dezelfde reden ook een rustige plek gekozen, in de buurt van haar eigen tent, maar niet te dichtbij.

Valandario's tent was donkergrijs vanbuiten, maar binnen straalden de kleuren je tegemoet. De wanden waren bekleed met prachtig geweven panelen. Overal hingen in blauwe en groene tinten geborduurde, hier en daar met gouddraad versierde tentzakken, en op het grondzeil lagen Bardekse kleden en kussens in rood, paars en zilver. Op sommige plekken viel het zonlicht gedempt door de wanden. Toen Dalla de tent binnenging, had ze het gevoel dat ze in een enorme juwelendoos stapte. Valandario zat op een rood met gouden tapijt op de grond, en voor haar lagen een heleboel edelstenen en halfedelstenen op een scrykleed dat bestond uit aan elkaar genaaide lapjes Bardekse zijde. Sommige van de lapjes, vierkanten en driehoeken, waren effen, andere waren geborduurd met symbolen, en hier en daar lag een groter borduurpatroon over twee vierkanten heen. Alleen Valandario wist wat het allemaal betekende. Ze had honderden jaren hard gewerkt om uiteindelijk deze manier van scryen te vervolmaken.

'Stoor ik?' vroeg Dallandra.

'Absoluut niet,' antwoordde Val. 'Ik ben juist blij dat je er bent. Ik heb dit vandaag al tweemaal geprobeerd te verklaren, maar ik begrijp er niets van.'

Dallandra ging aan de andere kant van het kleed zitten, tegenover Val. Het licht dat door het rookgat in het dak op Vals haar viel, gaf het dezelfde glans als van de zijde. Val hield opnieuw haar tengere handen vol halfedelstenen boven het kleed, fluisterde een spreuk om de Heren van Ether aan te roepen en strooide de stenen uit. Amethisten, citrienen, lapiskralen, donkere jade en vuuropalen rolden samen met zeldzamere edelstenen over het kleed en bleven glinsterend liggen. Ertussen lagen, zo dreigend als wolven die loerden op een kudde schapen, traanvormige druppels obsidiaan.

'Ik kan geen bepaald patroon ontdekken,' zei Dallandra.

'Ik ook niet.' Valandario keek glimlachend op. 'Dat is het probleem.'

'Wat me doet vermoeden dat we moeilijkheden kunnen verwachten.'

'Helaas moet ik het met je eens zijn. Hoeveel stenen zijn op hun eigen kleur gevallen? Maar vier van de twintig, en de zwarte stenen zijn op de gouden vlakken terechtgekomen. Dat bevalt me niet.' Val schudde haar hoofd. 'Het bevalt me helemaal niet.' Ze raapte de stenen op en liet ze in leren zakjes glijden. 'Ik ben er al te lang mee bezig en het is me nog steeds niet duidelijk. De eerste worp was nog verwarrender. Twee stenen rolden zelfs van de doek af.'

'Dat klinkt onheilspellend.'

'Er is iets aan de hand... Nee, er gaat iets gebeuren. Een belangrijke kwestie dient zich aan en het is niet iets waar we blij mee zullen zijn.' Met gefronste wenkbrauwen trok ze de zakjes dicht. 'Meer kan ik er niet van zeggen.'

'Mijn dromen voorspellen hetzelfde.'

'Dan kunnen we alleen maar afwachten.'

'Afwachten en voorzichtig zijn. Ik vroeg me af of jij je met je alar bij die van de prins zou willen aansluiten. Ik zou het erg prettig vinden als ik wist dat er nog een dweomermeester op haar hoede was.'

'Ik zou niet weten waarom niet. Dev vindt het altijd leuk om met de schrijver van de prins verhalen uit te wisselen en ik zou de gelegenheid krijgen om jouw boeken weer eens te bestuderen.'

'Mooi zo. Als we snel genoeg reizen, zal het geen probleem zijn genoeg voer en water voor beide kudden te vinden.'

'En ik heb het gevoel dat we snel zullen moeten reizen, om verschillende redenen.' Val gaf een paar klapjes op de leren zakjes met stenen. 'Weet je wat? Wij vertrekken een dag eerder dan jullie en zetten ons kamp op waar genoeg gras groeit. Zodra jullie ons hebben ingehaald, rijden we rechtstreeks door naar het noorden. Ik zal het Dev meteen vertellen, dan hoeft hij geen extra voorstelling te geven.'

Ze gingen op zoek naar Devaberiel en vonden hem een eindje bij het kamp vandaan. Hij stond zijn nieuwste voordracht te repeteren, met alleen planten als gehoor.

'Als luizen vastgeklampt op de rug van de gehoefde dood...' Dev stopte halverwege een zin en keek de twee vrouwen grinnikend aan. 'Ik had het natuurlijk niet over jullie.'

'Dat spreekt vanzelf,' zei Valandario. 'Ik wilde je zeggen dat we van plan veranderd zijn. We vertrekken iets eerder en sluiten ons aan bij de alar van de prins.'

'Dat is goed.' Dev haalde glimlachend zijn schouders op. 'We doen wat jullie tweeën het beste vinden.'

Dallandra liep terug naar het kamp en liet beide anderen het nieuwe plan bespreken.

De volgende dagen vertrokken enkele van de groepen die het eerst aangekomen waren om nieuw grasland voor hun kudden te zoeken. Er kwamen nieuwe alarli aan, en een daarvan bracht een wisselkind mee. De ontstelde vader, Londrojezry, kwam al voordat hij zijn slede had afgeladen Dallandra ophalen om haar het kind te laten zien. Op een stapel vastgesjorde dekens lag de boreling in een wieg, die bestond uit een houten raamwerk bekleed met leer. Zijn paarse ogen keken wantrouwig de wereld in.

'Hij vindt het vreselijk om aangeraakt te worden,' zei Lon. 'Als je hem optilt, gilt hij moord en brand.'

'Hoe geeft je vrouw hem dan te eten?' vroeg Dalla. 'Hij ziet er niet ondervoed uit.'

'Ze moet haar melk in een kom doen. In het begin doopte ze er een doekje in en liet hem daarop zuigen, maar nu drinkt hij, de Stergodinnen zij dank, haar melk van een lepel. Het kost haar zoveel tijd dat ze doodmoe is.'

'Wanneer is hij geboren?'

'Zes manen geleden.'

'Probeer hem ook ander voedsel te geven. Zachtgekookte Deverryhaver en aftreksels van groente en vlees.'

'Dank je, Wijze Vrouw.' Lon staarde met betraande ogen naar de wieg. 'Ik verlangde zo naar een zoon...' Hij bukte zich en tilde de wieg op. 'Ik zal mijn vrouw vertellen wat hij mag eten.'

Dallandra keek hem na terwijl hij vlug wegliep. Ze had meer van dit soort wisselkinderen gezien en ze wist dat zowel het kind als zijn vader alleen verdriet te wachten stond. Deze kinderen trokken zich, naarmate ze ouder werden, steeds meer in zichzelf terug. Sommigen liepen weg van hun alar en werden nooit meer gevonden. Anderen volgden hun ouders op een afstand en namen alleen voedsel en af en toe een kledingstuk aan, maar ze zeiden geen woord en zochten nooit toenadering.

Toen ze terugliep naar het kamp, besefte ze dat ze, vreemd genoeg, toch een beetje jaloers was. Niet omdat ze zelf ook een wisselkind zou willen hebben, maar... Waarom dan? De vrouw van Lon hield zo veel van dat kind dat ze zichzelf uitputte om hem in leven te houden, terwijl ze er alleen verdriet voor terug zou krijgen. Maar zou ze dat belangrijk vinden? Zo veel van iemand houden, ben ik daar jaloers op? vroeg Dallandra zich af. Terwijl dat soort liefde toch een beetje ziekelijk leek...

Later die avond stond Dallandra net buiten de lichtkring van het vuur toe te kijken hoe Lon zijn zoon pap voerde van in melk gekookte haver. Zijn vrouw, Allaneseradario, zat er gehurkt naast en keek hoe het kind de pap opslurpte. Af en toe veegde ze met een lapje zijn kleverige kin schoon. Dalla voelde weer haar oude afkeer bij zich opkomen van de rommel en viezigheid die de zorg voor kleine kinderen met zich meebracht. Ik heb mijn keuze gemaakt, dacht ze.

Ik heb vrijwillig voor dweomer gekozen. Toch kwam de jaloezie ook weer terug, als een kneepje in haar hart, terwijl ze daar in de schaduw stond en keek naar wat er zich in het licht afspeelde. Ten slotte wierp ze haar haren naar achteren en draaide zich om, en toen zag ze dat Calonderiel een eindje verderop naar haar stond te kijken. Ze verwachtte dat hij iets zou zeggen, maar hij stak alleen zijn handen in zijn zakken en liep met grote stappen weg.

Dit was niet de tijd om bij droevige dingen stil te staan. Het festival werd voortgezet met liederen en voordrachten, eten en dansen. De feestvreugde was zo aanstekelijk dat de meeste wisselkinderen zich lieten vangen in het web van gelach en muziek. Zo nu en dan kon Dallandra het gevaar dat vanuit het westen naderde, zelfs vergeten. Maar niet de hele tijd, en anderen waren ook bang. Carra begon zich zorgen te maken om haar jongste dochter, Perra, die met de alar van haar man zou meekomen.

'Ze hadden er al moeten zijn,' zei Carra op een ochtend. 'Denk jij ook niet, Dalla?'

'Misschien wel, maar het festival is pas drie dagen geleden begonnen.'

'Dat is waar,' beaamde Carra, 'maar tegenwoordig kun je nergens meer zeker van zijn. Er gebeurt van alles. Als het Paardenvolk er weer op uit trekt...' Ze maakte de zin niet af.

'Je hebt gelijk,' zei Dallandra. 'Ik zal voor je scryen.'

Dalla liep naar de oever van het meer en staarde naar het rimpelige water, terwijl ze aan Perra dacht. Het beeld verscheen algauw: Perra zat geknield op het gras en bond een in een deken gewikkeld bundeltje op een slede, terwijl haar man eraan kwam met het paard dat hij had uitgekozen om de slede te trekken. De Stergodinnen zij dank, dacht Dallandra, want ik weet niet hoe ik het Carra had moeten vertellen als er iets met hen was gebeurd. Carra hield zielsveel van haar kinderen, net als Londrojezry en zijn vrouw. En wie heb ik? Die vraag bleef de rest van de dag door Dalla's hoofd gaan.

Carra's zorgen verdwenen toen Perra met haar alar voor zonsondergang het kamp binnen kwam rijden. Dallandra was opgelucht toen ze zag dat Carra's nieuwe kleinkind, dat nu een maand of vier oud was, er normaal uitzag. Ze was zelfs het toonbeeld van een elfenkind, met gekrulde oorschelpen en paarse kattenogen, alsof de menselijke vorm van haar grootmoeder haar bloed met geen druppel had besmet.

'Ik ben er ook erg blij om,' zei Carra tegen Dallandra. 'Zij zal niet net als Perra geplaagd worden met haar oren. Kinderen kunnen afschuwelijk wreed zijn.'

'Ze doen wrede dingen, dat is waar,' zei Dalla, 'maar dat doen ze uit onwetendheid. Ze weten niet hoeveel verdriet ze een ander ermee aandoen.'

'Je hebt gelijk. Gelukkig heeft Rori geleerd terug te vechten. De laatste keer dat iemand hem plaagde, heeft hij hem met een flinke stomp tegen de grond geslagen.'

'Blijkbaar heeft hij iets gemeen met de man naar wie je hem hebt vernoemd.'

Ze lachten allebei om Rhodry Maelwaedd.

'Het is eigenlijk heel vreemd, vind je niet,' vervolgde Carra, 'dat jij, die nooit kinderen wilde hebben, nu eretante bent van een heleboel kinderen. Elke moeder van een wisselkind vraagt jou om raad.'

'Dat is waar. Zo zie je maar weer dat je nooit weet wat je wyrd voor je in petto heeft. Maar ik heb ooit wel een kind gehad, een zoon. Dat verhaal heb ik je vast wel eens verteld.'

'Ja, dat heb je me verteld. Het spijt me dat ik hem was vergeten.'

Dat doe ik zelf ook, dacht Dallandra. Arme Loddlaen! Hardop zei ze: 'Nou ja, het is ook al heel lang geleden.'

Carra ging er niet op door.

Natuurlijk hadden de alarli andere zorgen om met elkaar te bespreken dan die om hun kinderen. Toen Dallandra de mannen van Perra's alar op de hoogte bracht van Salamanders angst voor een overval van het Paardenvolk, hadden zij ook nieuws voor haar. Niet veel, maar het was beter dan niets. Dalla riep nog diezelfde avond Salamander op, en in het visioen zag ze achter hem vaag een stenen muur en een zwak zilveren licht.

'Waar ben je?' vroeg ze in gedachten. 'Ik ben op het festival en ik heb nieuws over het Paardenvolk.'

'Ik sta op de loopbrug langs de vestingmuur van onze brave tieryn. Ik ben erop geklommen om de maan te zien opkomen en ik dacht erover jou op te roepen. Vertel me wat je aan de weet bent gekomen, o meesteres van mysterieuze magie. Ik hang aan je gedachten.'

'Er zijn weinig harde feiten bij. Een van de alarli vertelde me over een ontsnapte slaaf. Ze hebben haar teruggebracht naar haar familie in Deverry, laat in de herfst van vorig jaar. Voor zover ze het zich kunnen herinneren, was ze niet ver van het Westland ontsnapt, ergens in het noordwesten. Of ze wist het zelf niet of zij wisten niet meer hoe ver ze na haar ontsnapping had gelopen.'

'Dat is begrijpelijk. Maar ach, wee en helaas, het zij zo.'

'Ze hebben haar wel gevraagd wat die Paardenvolkers daar deden, zo ver ten zuiden van hun eigen land. Ze zei dat ze was meegenomen om te koken voor een groep belangrijke figuren, wie dat dan ook waren, die een groot gewapend escorte bij zich hadden. Ze waren ergens naar op zoek, zei ze, een geschikte plaats om iets te bouwen. Ze wist niet wat. Slaven krijgen dat soort dingen natuurlijk niet te horen.'

'Mijn grootste angst wordt zo langzamerhand bewaarheid, maar ik dank je.'

'Jouw grootste angst? Het is ook de mijne, en die van Cal.'

'Daar twijfel ik niet aan.' Zijn gezicht werd ernstig. 'Heb je Zandro al gezien?' vroeg hij.

'Dat heb ik, en ik heb ook goed nieuws voor je. Hij kan sommige mensen bij hun naam noemen. Hij kent zijn eigen naam en de mijne, en natuurlijk die van je vader en van enkele van diens vrienden.'

'Geweldig!'

'En hij doet zijn best om de wisselkinderen te beschermen. Elessi en hij voeren ze aan als een troep wolven. Ze rennen met z'n allen door het kamp en lachen om alles. Zan heeft sinds onze komst nog niemand geslagen, aan de haren getrokken of op een andere manier pijn gedaan.'

'Wat heerlijk! Ik begin te hopen dat hij dan toch nog op zijn manier gelukkig wordt.'

'Dat hoop ik ook.' Opeens voelde Dallandra zich erg moe. 'Toen ik zo mijn best deed om die zielen geboren te laten worden, heb ik er niet over nagedacht hoe ze in hun eerste incarnatie zouden zijn. Arme geesten! Ze hadden een lichaam moeten kiezen toen de wereld begon.'

'Dat is waar, maar uiteindelijk zullen ze volgroeien.'

'Dat kunnen we alleen maar hopen. Ik weet eerlijk gezegd niet hoeveel levens ze dan eerst zullen moeten doorstaan. In elk geval gedraagt Zan zich nu heel behoorlijk. Dev heeft verbazingwekkend veel geduld.'

'Nu wel. Ik heb er nooit iets van gemerkt.'

'Nou ja, toen was hij veel jonger. Toen wist hij nog niet hoe je met een kind moest omgaan.'

'Ach, waarschijnlijk heeft hij zijn best gedaan. Vooral omdat mijn moeder me niet wilde hebben.'

Zijn verbittering was, na bijna tweehonderd jaar, nog zo groot dat Dallandra die kon voelen. 'Ze had weinig keus,' zei ze. 'De schuld lag bij de manier waarop de mannen in Deverry hun vrouw behandelden, dat heeft je vader een keer tegen me gezegd.'

'Misschien wel. Ik kan me haar niet eens meer duidelijk herinneren; ik weet alleen nog dat ze roze en zacht en warm was en dat ze Morri heette.'

'Dat was niet je moeder, dat was je verzorgster. Dat heeft Dev me ook verteld, maar gek genoeg wilde hij er niet meer over kwijt.'

In het visioen zag Dalla verwarring op Salamanders gezicht, en ze voelde dat zijn gedachten rondwervelden als herfstbladeren tot, alsof de wind ging liggen, de rust terugkeerde in zijn hoofd.

'Ach, het is niet belangrijk meer,' zei Salamander in gedachtentaal.

'Maar als we ooit een keer tijd hebben om over het verleden te praten, wil ik het hele verhaal graag horen.'

'Ik denk dat je vader jou meer zal willen vertellen dan mij.'

Zijn gezicht betrok.

'Maar we zouden hem samen kunnen vragen of hij ons het verhaal wil vertellen,' ging Dalla vlug verder. 'Het verbaast me eigenlijk dat je het nog niet hebt gehoord.'

'Mij ook. Het verbaast me voortdurend, telkens weer en eeuwig, steeds wanneer het onderwerp tussen mij en mijn achtbare vader ter sprake komt.' Op zijn gezicht verscheen een gedwongen glimlach. 'Waarschijnlijk zou je nog verbaasder zijn om de snelheid waarmee hij dan wegspringt, zoals een kat wanneer iemand vlak naast hem een emmer water leegt.' Zijn glimlach moest haar overtuigen dat hij het niet erg vond. 'Maar het doet er niet toe. Morgen vertrekken we naar Cengarn. Ik laat je weten wat er daar gebeurt.'

Abrupt verbrak hij de verbinding. Ze had een oude, diepe wond aangeraakt, besefte Dallandra. Ooit zou ze hem moeten helpen om die wond te laten genezen.

Het verbaast me eigenlijk dat je het nog niet hebt gehoord... Nadat hij de scryverbinding tussen hen had verbroken, merkte Salamander dat hij zijn rechterhand had gebald tot een vuist en dat hij aandrang voelde daar heel hard mee tegen de stenen muur van de tieryns dun te slaan. Er kwam een groepje dwergen om zijn benen staan en ze hieven hun armen alsof ze hem dat wilden beletten.

'Ja, ja, een gevecht tussen vlees en steen heeft maar één uitkomst,' mompelde Salamander in de elfentaal. 'De steen wint.'

Met het Natuurvolk achter zich aan klom hij van de muur en liep naar de broch. De gedachte aan zijn jeugd maakte hem altijd weemoedig, en hij overwoog of hij dat gevoel met een paar kroezen bier zou wegdrinken. Toen hij voor de deur naar de grote zaal stond, kwam Branna naar buiten met een kaarslantaarn in haar hand. Het licht dat door de gaatjes in het tin heen scheen, bestippelde haar gezicht met sterren.

'Goedenavond, vrouwe,' zei Salamander. 'Kom je buiten om van de avondlucht te genieten?'

'Inderdaad,' antwoordde Branna. 'In mijn kamer is het soms erg benauwd.'

'Hm, dan vraag ik me af of het in Nebs kamer ook erg benauwd is. Kan het zijn dat hij ook naar buiten is gegaan, heel toevallig, dat spreekt vanzelf, en in de groentetuin zit?'

'Zou jou dat ook maar iets aangaan?'

'Helemaal niets, natuurlijk. Maar als ik jou was, zou ik ervoor zorgen dat Gerran niet te weten komt waar je naartoe gaat.'

'Gerran en zijn kameraden zitten te drinken, en daar houden ze pas mee op als ze allemaal stomdronken zijn.'

'Een man kan net zo dronken zijn van liefde als van bier.'

'Dat is waar, maar als hij dronken is van bier kan hij zijn zwaard niet meer omhoog krijgen.'

'En ook niet veel anders. Neb is een verstandiger soort man, neem ik aan.'

'Ach...' Branna bloosde en slikte. 'Hou toch op, wauwelende elf!'

'Ik vraag me af,' zei Salamander grinnikend, 'hoe je aan die uitdrukking komt. Dat ik wauwel, is iets waarover we niet hoeven te redetwisten, maar iemand anders noemde me ooit ook zo, en ik denk dat we haar allebei goed kenden.'

Branna staarde hem even recht aan en draaide zich toen met een werveling van haar rokken abrupt om. Haastig stak ze het binnenplein over op weg naar de groentetuin. Salamander liep de grote zaal in, waar Gerran en zijn mannen aan een tafel opgewonden een dobbelspel zaten te spelen. Salamander overwoog of hij zou meedoen, maar in plaats daarvan liep hij de trap op. Een lange, zilverig doorzichtige stoet Natuurvolkers ging met hem mee naar boven.

In zijn eigen vertrek ging Salamander op de vensterbank zitten en keek uit over de nachtelijke dun. Hier en daar was een raam verlicht of ging er deinend een licht, van een lantaarn die door iemand omhoog werd gehouden, door het donker. Vaag, als het ruisen van een rivier, hoorde hij het geroezemoes in de grote zaal. Bij de stallen blafte een hond en werd het weer stil.

'Dit zou wel eens een vervelende kwestie kunnen worden,' zei hij tegen de Natuurvolkers. 'Neb, Branna en Gerran, bedoel ik.'

De Natuurvolkers knikten instemmend.

'Toch heb ik hoop. Dalla heeft me verteld dat Cullyn in het laatste leven dat hij met Branna heeft gedeeld hun lotsketen voorgoed heeft verbroken. Als Gerran zich dat herinnert – niet dat hij zal weten dát hij het zich herinnert, natuurlijk – ergens diep in zijn geest, dan zal alles misschien goed aflopen. En als het slecht afloopt, zullen we weten dat hij zich de wijsheid van Cullyn van Cerrmor niet herinnert.' De Natuurvolkers staarden hem aan en krabden zich ernstig op het hoofd, om hun verwarring te laten blijken.

'Dat had ik duidelijker kunnen uitleggen,' gaf Salamander toe. 'Misschien is het tijd dat ik ga slapen.'

De Natuurvolkers knikten heftig en verdwenen een voor een. Gapend trok Salamander zijn kleren uit, behalve zijn lendedoek, en ging op zijn matras liggen. Hij overwoog of hij een deken over zich heen zou trekken, maar het was een warme zomernacht. Warm genoeg om meteen in slaap te vallen.

Hij werd gewekt door een boze stem onder zijn raam en het roze licht van een bewolkte ochtendschemering. Hij ging rechtop zitten om beter te kunnen luisteren en herkende de stemmen: het waren Gerran en Mirryn, die ruziemaakten om het voorspelbare bevel van Cadryc aan zijn zoon en erfgenaam.

'Je moet eens leren je te beheersen,' zei Gerran. 'Je kunt je eigen vader niet uitdagen voor een duel, dat weet je best.'

'Dat kun jij makkelijk zeggen, Gerro.' Mirryns stem trilde van woede. 'Niemand vindt jou een lafaard. Laat me los! Ik ga weer naar binnen om tegen vader te zeggen...'

'Je zegt helemaal niets meer.'

Er viel een stilte, en toen die erg lang duurde, stond Salamander op om tussenbeide te komen als de ruzie uit de hand zou lopen. Op blote voeten liep hij naar de deur.

'Ach, laat maar,' zei Mirryn ten slotte. 'Je hebt immers gelijk. Neem me niet kwalijk.'

'Ik wist wel dat je uiteindelijk je verstand zou gebruiken.' Gerran klonk opgelucht, omdat zijn verwachting was uitgekomen. 'Het is absoluut niet laf of een vrouwentaak om de vesting te bewaken, niet nu het in het dal wemelt van roofzuchtig Paardenvolk.'

Het bleef stil en voetstappen stierven weg. Ik moet me aankleden, dacht Salamander. Vandaag rijden we naar Cengarn. Toen hij naar het raam liep en omlaag keek, zag hij dat de stalknecht en de schildknapen paarden naar buiten brachten, zodat de krijgsbende ze kon zadelen. Tieryn Cadryc liep heen en weer over het plein om bevelen te geven en de volgorde van de stoet te bepalen.

Toen Salamander in de grote zaal zijn haastige ontbijt bijna op had, kwam vrouwe Branna de trap af. Hij stond op om naar haar toe te gaan, maar ze kwam vlug naar hém toe.

'Midda zei dat je met mijn oom meegaat naar Cengarn,' zei ze.

'Dat is waar.' Salamander legde zijn lepel in de lege papkom. 'Ik ben een soort sprokkelaar; ik sprokkel stukjes van het leven van anderen bij elkaar om er het vuur van mijn verhalen mee brandende te houden.'

'Wat een mooie manier om het uit te drukken! Wat wil je nu gaan sprokkelen?'

'Verhalen over het plunderende Paardenvolk en wetenswaardigheden over de draken. Je hebt toch wel eens van draken gehoord?'

'O, zeker. De boeren op het domein van mijn vader waren altijd bang dat ze hun koeien of lammeren zouden meenemen.'

'Hun vrees was ongetwijfeld terecht.' Salamander wierp door de deur een blik naar buiten, maar de krijgsbende was nog steeds met de voorbereidingen bezig. 'Heb je er ooit een gezien?'

'Ik denk dat ik een keer de zilveren wyrm heb gezien, maar de zon ging net onder en ik kon hem niet duidelijk onderscheiden.' Branna trok een misprijzend gezicht. 'Mijn lieve stiefmoeder zei dat het alleen maar een hoog vliegende uil was. Ze plaagde me er nog dagenlang mee, maar ik weet heus wel hoe een uil eruitziet.'

'Dat geloof ik graag.' Salamander moest opeens aan Aderyn denken en hij onderdrukte met moeite een lach.

Toen hij nog iets wilde zeggen, kwam Neb met een bundel dekens op zijn schouder de trap af. Branna glimlachte toen ze hem zag en liep zonder nog iets tegen Salamander te zeggen naar hem toe. Zacht pratend gingen ze samen naar buiten. Salamander ging ook naar buiten, maar hij liep door naar de stallen. Daar stond Clae zijn schimmel te zadelen. Zijn lastpaard stond ernaast, al beladen. Iemand had voor de jongen een groot hemd in stukken geknipt en er een netter hemd van gemaakt. Op de schouderstukken stonden verbleekte blazoenen met de Rode Wolf van de tieryn.

'Dank je wel,' zei Salamander.

'Geen dank.' Clae grinnikte tegen hem. 'U hebt ons het leven gered en ons meegenomen hierheen en daar ben ik u erg dankbaar voor. Het minste wat ik voor u kan doen, is uw paarden zadelen, vind ik.'

'Dat is erg aardig van je. Waarschijnlijk zien we elkaar voorlopig niet terug, jongen, maar ik hoop dat het je goed gaat.'

'Ik hoop hetzelfde voor u.'

Salamander steeg op, ving het leidsel van het lastpaard op dat Clae hem toewierp en reed naar de poort. Net buiten de poort haalde hij de stoet in. Neb reed vlak achter de tieryn. Ik zal onderweg van de gelegenheid gebruik maken om met hem te praten, dacht Salamander. Dan zal ik hem een paar belangrijke aanwijzingen geven, dingen waar Dalla het mee eens is. De gedachte dat hij eindelijk invloed kon uitoefenen op Nevyn, na alle keren dat de oude man hem had berispt, beschuldigd of zelfs beschimpt, maakte hem zo vrolijk dat hij uitbarstte in gezang toen de stoet ruiters de weg naar het noorden nam.

De stad Cengarn, waar de gwerbret zetelde, lag op twee dagen rijden ten noordoosten van Cadrycs dun. Het vlakke land werd er heuvelachtig terwijl het oprees naar de bergen in het noorden. Cengarn was eigenlijk een heel vreemde stad; hij lag verspreid over drie heuvels en werd aan drie zijden omringd door een stenen muur. Aan de vierde kant, de westelijke, vormde een gladde rotswand een betere versterking dan mensenhanden konden bouwen. De toegangsweg naar de zuidpoort was zo steil dat Cadrycs krijgers en begeleiders moesten afstijgen om hun paarden bij de teugel over het kronkelige pad naar boven te leiden.

Maar binnen de muren was er evenveel groen als stenen. Tussen ronde huizen met rieten daken langs bochtige straatjes groeiden bomen en waren tuinen aangelegd – de meeste werden gebruikt om groente te verbouwen, maar hier en daar bloeiden bloemen aan weerskanten van de voordeur. In het midden van de stad lag, boven op een ronde heuvel, een grasveld. Te oordelen naar het aantal mensen en wagens dat zich erop had verzameld, werd er markt gehouden. Toen ze met hun paarden om het grasveld heen liepen, zag Gerran twee houten deuren die rechtstreeks toegang gaven tot de heuvel zelf: een dwergenherberg, geleid door en bestemd voor kooplieden van het Dak van de Wereld. Gerran kende de stad en de vesting goed. Hij en Mirryn waren schildknaap geweest in de huishouding van gwerbret Daen, de inmiddels overleden vader van de huidige gwerbret.

Op de hoogste heuvel lag, boven de steile westelijke rotswand, de dun van de gwerbrets van Cengarn. De torens van de grote vesting staken hoog boven de omringende muur uit. De schildwachten voor de met ijzer beslagen poort herkenden Cadryc meteen. Ze bogen voor hem en gaven hem doorgang naar het drukke binnenplein. Zoals in alle duns lagen ook de paarden- en varkensstallen, de voorraadschuren en allerlei andere bijgebouwen aan dit plein. Schildknapen en stalknechten kwamen toesnellen om de tieryn te begroeten en de paarden van hem en zijn gevolg over te nemen. De raadsheer kwam naar buiten om Cadryc te begeleiden naar de grote zaal.

Terwijl de tieryn zijn opwachting maakte bij de gwerbret, regelde Gerran met diens hoofdman onderdak voor zijn mannen en als vanzelfsprekend ook voor de gerthddyn. De ruiters kregen slaapplaatsen toegewezen in de comfortabelste barak van de krijgers, boven de stallen, maar aan de kant die het dichtst bij de verschillende torens lag. Het was een warme zomermiddag en de zware stank van de stallen kwam door de ruwe houten vloer naar boven.

'Als u het goedvindt, hoofdman,' zei Salamander met verstikte stem, 'ga ik liever ergens in een herberg een onderkomen zoeken.'

'Ach man, die lucht went na een tijdje wel.'

'Wat mij betreft, zal dat pas na heel lange tijd zijn.' Salamander liet zijn stem zakken tot een fluistertoon: 'Bovendien wil ik navraag doen naar de zilveren wyrm. Misschien zijn er boeren die hem hebben zien vliegen en kunnen ze me vertellen waar hij zich schuilhoudt.'

'Ah...' Gerran keek om zich heen. Toen hij zag dat er een paar mannen dicht genoeg bij stonden om hun gesprek te kunnen horen, besloot hij hen Salamanders belachelijke idee dat de draak zijn verloren broer was, te besparen. 'Doe maar wat je wilt, troubadour.'

'Dank je. Maar eerst...' Salamander aarzelde. 'Eh... Eerst zou ik graag willen horen wat onze Cadryc en de gwerbret op dit ogenblik met elkaar bespreken.'

'Leg je spullen dan maar op mijn bed en ga mee.'

Gwerbret Ridvar had de beschikking over een prachtige grote zaal, met genoeg ruimte voor tafels en banken voor zijn uit honderd man bestaande krijgsbende en bijna evenveel gasten. Op de vloer lagen keurige rietmatten en aan de lichtbruine stenen muren hingen tussen de ramen houten afbeeldingen van allerlei dieren. De schouw van de haard voor de edelen stelde een enorme stenen draak voor, met aan de ene kant zijn achterpoten en aan de andere kant zijn voorpoten en kop, terwijl zijn rug en gevouwen vleugels de bovenkant van de schoorsteenmantel vormden. In de loop der jaren had de rook de steen donker gekleurd en hadden opeenvolgende dienstmaagden hun best gedaan om hem schoon te schrobben, waardoor de diepe gleuven zwart waren en de uitstekende delen vuilgrijs. Dit contrast maakte het beeld zo levensecht dat het bij schemerlicht leek alsof de draak zich uitrekte na een lange slaap. Voor de haard stonden vijf glanzend geboende houten tafels, niet met banken, maar met stoelen eromheen.

'Blijkbaar is de gwerbret een rijk man,' merkte Salamander op.

'Dat is hij,' beaamde Gerran. 'Dit is een belangrijke handelsstad.' Hij zweeg en liet zijn blik over de tafels van de krijgers glijden, die een eind verderop in de zaal stonden. 'Laten we vooraan gaan zitten, dan kunnen we onze heer goed zien.'

Gerran wees naar een gehavende houten tafel en wilde weglopen om zijn mannen te gaan halen, maar op dat moment kwam een van de zusters van de gwerbret, vrouwe Solla, haastig naar hem toe om hem te begroeten. Ze was een slanke vrouw met donkerbruin haar, dat met een gouden speld bijeen werd gehouden, en grote lichtbruine ogen, die leken te dansen van levenslust en vrolijkheid. De meeste mannen vonden haar beeldschoon en Gerran vond dat ook, maar op een afstandelijke manier, want hij vond Branna veel meer de moeite waard.

'Goedemorgen, Gerro,' zei ze. 'Is er goed voor je mannen gezorgd?'

'Zeker, vrouwe. We zijn ondergebracht in een comfortabele barak. Het is vriendelijk van u dat u ernaar vraagt.'

'Ach, dat is een van mijn taken. Maar waarom slaap jij niet in een van de brochs?'

'Ik hoor hier niet thuis, vrouwe. Ik ben net zomin van adellijke afkomst als mijn mannen.'

Solla keek geschrokken en glimlachte vaag. 'Laten we dan nu zorgen dat je mannen te eten krijgen,' zei ze. Ze draaide zich om en wenkte een dienstmaagd. 'Breng brood en bier voor de mannen van de tieryn, en zeg tegen de kokkin dat we gasten hebben.'

Gerran liep naar Salamander, die was gaan zitten en al twee volle kroezen bier had bemachtigd. Hij gaf er een aan Gerran.

'Dat is een heel mooie vrouw,' zei Salamander. 'En ze schijnt je aardig te vinden.'

'Paardenstront! Wat zou zij moeten zien in een gewone kerel zoals ik?'

Salamander leek nog iets te willen zeggen, maar hij wendde met een zuchtje zijn hoofd af en keek de zaal door. Vanaf hun bank hadden ze onbelemmerd zicht op Cadryc, die rechts van de gwerbret had plaatsgenomen. Tegenover hen zaten twee andere mannen te luisteren terwijl Cadryc een dringend betoog hield tegen zijn opperheer, die op een halfronde, met houtsnijwerk versierde stoel aan het hoofd van de tafel zat. Ridvar van Cengarn was net zo donker en slank als zijn zuster. Hij was in het voorjaar veertien geworden, maar hij zat kaarsrecht en fier op zijn stoel en maakte weloverwogen, vastberaden gebaren.

'Alle goden!' fluisterde Salamander. 'Hij is nog maar een jongen!'

'Dat is waar, maar laat hem dat niet horen. Hij heeft een oudere broer gehad, maar die is een paar jaar nadat het Paardenvolk zijn vader had vermoord aan koorts gestorven.'

'En nu staat er een kind aan het hoofd van het rhan.'

'Dat soort dingen gebeuren. Zie je die twee mannen links van de gwerbret?' Gerran wees. 'Die met de grijze baard tegenover Cadryc is de opperraadsheer, heer Oth. De jongere man met donker haar is de opperstalmeester, heer Blethry.'

Oth, een broodmagere man, had dun grijs haar, een nette grijze baard en een grote grijze snor, die blijkbaar een tegenwicht moest vormen voor zijn bijna kale hoofd. Blethry was stevig gebouwd en van gemiddelde lengte. Zijn smalle ogen onder dikke donkere wenkbrauwen en zijn brede mond verrieden dat er ook bloed van het bergvolk door zijn aderen stroomde.

'Een boeiend stel,' zei Salamander. 'Zo verschillend als dag en nacht.'

'Ze zijn allebei zeer trouw, dat is het belangrijkste.'

'Dat spreekt vanzelf.'

'Waar is onze schrijver?' Gerran draaide zich om naar zijn mannen. 'Ik wil niet dat hij verdwaalt.'

'Hij is meteen naar de markt gegaan, hoofdman,' antwoordde Daumyr. 'Op zoek naar inkt en zo.'

'O, dat is goed. Ik hoop alleen dat hij daar niet in moeilijkheden komt.'

'Ik zal straks wel achter hem aan gaan, als je wilt,' zei Salamander. 'Maar eerst wil ik nog even horen hoe dit afloopt.'

Gerran richtte zijn aandacht weer op de eretafel. Zelfs van een afstand kon hij zien dat Cadryc zijn best deed om zich niet op te winden. De tieryn leunde met zijn linkerhand tot een vuist gebald en zijn rechterhand om de tafelrand geklemd naar voren, alsof hij bang was dat hij zou opstijgen en iemand een dreun verkopen.

'Het ziet er niet goed uit,' oordeelde Gerran. 'Maar ik kan er niet zomaar naartoe gaan en me in een gesprek tussen edelen mengen.'

Even later loste een schildknaap het probleem op door hem te komen halen. Salamander liep ongenood mee, een paar passen achter hem aan. Het leek Gerran beter niet de aandacht te vestigen op de ongemanierdheid van de gerthddyn door hem terug te sturen naar hun tafel, dus negeerde hij hem. Toen Gerran naast Cadryc neerknielde, begroette de gwerbret hem met een hoofdknik.

'Ik heb onze edele heer verteld wat die schurken onlangs weer hebben gedaan,' zei Cadryc. 'Hij is van mening dat het genoeg is meer krijgers naar heer Samyc te sturen. Ben je het daarmee eens, hoofdman?'

'Neemt u me niet kwalijk, heer, maar dat ben ik niet. Bovendien heeft Samyc niet genoeg voedsel om nog meer mensen te eten te geven.'

Gerran keek alleen Cadryc aan, maar de gwerbret leunde naar voren.

'Spreek wat luider, hoofdman,' zei hij. 'Ik zal de voor Samyc bestemde krijgers genoeg eten meegeven, en het zal geen symbolisch legertje zijn. Vijfentwintig uitstekende vechters en genoeg geld om ze te voeden.'

'Als ik mijn eerlijke mening mag geven, edele heer,' begon Gerran voorzichtig, 'dan moet ik zeggen dat dat meer dan genoeg zou zijn om normale bandieten te vangen, maar we hebben nu te maken met het Paardenvolk.'

Ridvar dronk met kleine slokjes mede uit een zilveren beker en zei niets.

'Vijfentwintig krijgers is niet genoeg!' snauwde Cadryc met nauwelijks onderdrukte ergernis. 'We hebben een groot leger nodig.'

'Het zou me erg slecht uitkomen als ik de Eerste Koning om een leger zou moeten vragen.'

Gerran vroeg zich af hoe hij ooit had kunnen verwachten dat het anders zou uitpakken. Hulp van de koning bracht verplichtingen met zich mee. Maar omdat de huidige toestand een bedreiging vormde voor het voortbestaan van het rhan, verbaasde het hem dat de gwerbret zo koppig was. Ridvar nam nog een slokje mede.

'Als heer Samyc extra krijgers tot zijn beschikking heeft, kunnen zij zijn grenzen bewaken,' zei Ridvar. 'Dan worden de dorpelingen op tijd gewaarschuwd voor een volgende overval en kunnen ze zich in veiligheid brengen.'

'Terwijl ze hun boerderijen, vee en gewassen moeten achterlaten voor die vervloekte plunderaars.' Cadryc leunde naar voren. 'Als het Paardenvolk de gewassen en de koeien steelt of verbrandt, waar moeten wij allemaal dan van leven?'

'Zelfs als we een groot leger zouden sturen, zou dat niet betekenen dat we de plunderaars vangen. We weten niet eens waar ze vandaan komen, of wel soms?'

'Misschien is het dan verduiveld eens tijd dat we daarachter komen.'

'Tieryn Cadryc, u gaat te ver.' Ridvar hief met een ruk zijn hoofd op en zijn ogen flitsten van ergernis.

Rood van woede keek Cadryc hem recht aan. Raadsheer Oth leunde naar voren en heer Blethry kwam omhoog van zijn stoel, klaar om in te grijpen. Gerran zuchtte, omdat hij zag aankomen dat het zou uitdraaien op de vraag wie het koppigst was. Hij was zo vrij om waarschuwend een hand op Cadrycs arm te leggen. Cadryc beheerste zich en maakte een buiginkje naar de gwerbret.

'U hebt gelijk,' zei hij. 'Neem me niet kwalijk.'

'Het is goed. Bedankt voor je raad, hoofdman.'

Heer Blethry liet zich met een zuchtje van opluchting weer op zijn stoel zakken.

'Edele heer?' Salamander stapte naar voren en knielde naast de stoel van de gwerbret neer. 'Vindt u het goed als ik ook iets zeg?'

Verbaasd draaide Ridvar zich om naar de gerthddyn, die hem met een onschuldige glimlach aankeek.

'Ik ben een reiziger, edele heer,' vervolgde Salamander. 'Ik hoor allerlei vreemde geruchten en nieuwtjes. Hebt u, edele heer, zich ooit afgevraagd waarom het Paardenvolk zo ver van huis gaat om een paar slaven en maar heel weinig buit te halen? Ik heb hier en daar dingen gehoord die erop wijzen dat ze een legerkamp hebben opgezet ergens in het westen en dat ze niet willen dat wij dat vinden. Als dat waar is, dan is het geen wonder dat ze willen voorkomen dat er die kant op steeds meer land wordt ontgonnen.'

Raadsheer Oth slaakte een kreetje.

'Is dat waar?' Ridvar draaide zich nog iets verder om naar de gerthddyn om hem zijn volle aandacht te geven. 'Heb je hier bewijzen van?'

'Nog niet, edele heer.'

'Ik ben niet van plan de Eerste Koning om een leger te vragen omdat een gerthddyn me iets heeft verteld.'

'Dat kan ik me voorstellen, edele heer, maar ik heb deze informatie van het Westvolk gekregen.'

Ridvar aarzelde, zichtbaar geërgerd. Iedereen wist dat het Westvolk nooit loog en zelden overdreef. 'Dat maakt het inderdaad geloofwaardiger,' zei hij nors. 'Maar je hebt het nog steeds van horen zeggen.'

'Dat is waar, edele heer. Maar stel dat ik met bewijzen kom?'

Ridvar sloeg zijn armen over elkaar en keek de gerthddyn een poosje met een kille blik aan. Raadsheer Oth leunde naar voren en fluisterde enkele woorden in zijn oor, maar de jongen liet niet blijken dat hij ernaar had geluisterd.

'Er is een oud gezegde, edele heer.' Blijkbaar kon Cadryc de stilte niet langer verdragen. 'Als de herders verdwijnen, poepen de wolven wol.'

De jongen keek de tieryn met opeen geperste lippen en samengeknepen ogen aan. Het was doodstil geworden in de grote zaal, omdat iedereen, zowel de krijgers als de bedienden, het overleg wilde horen. Ten slotte verwaardigde Ridvar zich te glimlachen.

'Ik begrijp wat u bedoelt,' zei hij. 'Goed, dan doe ik een voorstel. Als iemand, zelfs deze troubadour, me kan bewijzen dat het Paardenvolk een legerkamp heeft in het westen, zal ik de hulp van de Eerste Koning inroepen.'

'Belooft u dat, edele heer?' vroeg Cadryc.

'Dat beloof ik.' De gwerbret kneep zijn ogen opnieuw samen en hij aarzelde, maar slechts heel even. 'Ik doe er een eed op.'

'Dan dank ik u, edele heer. Ik dank u van harte.'

Salamander leek nog iets te willen zeggen, maar Gerran legde een

hand op zijn schouder om het hem te beletten. Hijzelf en de gerthddyn stonden op, bogen voor de edelen en liepen terug naar hun kant
van de zaal. Toen ze weer zaten en Gerran naar de eretafel keek, zag
hij dat Ridvar met zijn raadsheer en opperstalmeester zat te praten
en dat Cadryc met een stug gezicht in zijn wijnbeker staarde.

'Ik begrijp het niet,' zei Gerran zacht. 'Waarom is de gwerbret zo
vervloekt halsstarrig?'

'Dat vraag ik me ook af.' Salamander nam een slok bier. 'Mijn grootste angst is dat Ridvar degene is die niet wil dat er zich langs de grote weg naar het westen nog meer boeren vestigen. Want stel dat de
koning dan besluit dat er aan die kant een nieuw gwerbretrhyn moet
worden gesticht?'

'Dat was nog niet bij me opgekomen.'

'Laten we hopen dat Ridvar niet zulke slechte gedachten heeft als
ik.' Salamander dronk achter elkaar de rest van zijn bier op. 'Maar
gwerbrets verwelkomen zelden het idee van nieuwe rivalen langs hun
grenzen.' Hij veegde zijn mond af met een mouw en stond op. 'Nu
ga ik mijn spullen halen, en ik zal in de stad ook opletten of ik Neb
ergens zie.'

Salamander hoefde de schrijver van de tieryn niet te gaan zoeken.
Toen hij met zijn rijpaard en zijn lastpaard de poort uit liep, zag hij
Neb met een volle mand aan zijn arm hijgend de heuvel opkomen.
De dikke gele dwerg huppelde met hem mee. In een te groot hemd
en met zijn bezwete, magere jongenshoofd zag Neb er niet erg indrukwekkend uit, maar Salamander wist dat er diep in zijn ziel angstaanjagend sterke dweomerkrachten sluimerden.

'Aha, ben je daar,' zei Salamander. 'Ik wil je gedag zeggen, jongen.
Wanneer jij met de tieryn mee teruggaat naar huis, blijf ik hier in
Cengarn.'

'Dan wens ik je het beste,' zei Neb. 'En ik wil je nog één keer bedanken. Je hebt mij en Clae het leven gered.'

'Ach, het zit vreemd in elkaar, die kwestie van levens en dankbaarheid.'

Neb staarde hem aan.

'Ik bedoel,' legde Salamander uit, 'dat niemand weet of je geluk hebt
gehad dat je me vond of dat het je lot was me te vinden. Soms heeft
het grootste toeval een verborgen oorzaak.'

'Eh, dat zou best kunnen.'

'Denk maar eens aan de rivier de Melyn. Dat is een brede, snelstro-
mende rivier, nietwaar? Toch komt hij voort uit een heel kleine bron
ergens diep verborgen in een oeroud woud. Misschien komt het wyrd

ook voort uit zo'n geheime bron.'

'Dat klinkt waarschijnlijk, maar...' – Neb keek Salamander vragend aan – 'waarom vertel je me dit?'

'Je kunt het je echt niet herinneren, hè?'

'Wat niet?'

'Ah, daar gaat het nu juist om. Terwijl ik weg ben, kun je daar misschien eens ernstig over nadenken, piekeren, peinzen en zelfs je hersens mee pijnigen.'

Nebs mond vertrok van boosheid. Salamander lachte, wuifde met zijn hand, klakte met zijn tong tegen zijn paarden en liep door. Hij moest toegeven dat hij van deze kleine wraakneming op Nevyn had genoten. Toch had Nevyn gelijk, moest hij voor zichzelf bekennen. En Jill ook, maar je luisterde nu eenmaal niet naar hen. De herinnering aan de lange jaren van waanzin overweldigde hem en deed hem rillen.

Neb staarde de gerthddyn na toen die met zijn paarden het steile pad afliep naar de stad. Wat had Salamander nou toch bedoeld? vroeg hij zich af. Ach, waarschijnlijk had hij weer onzin uitgekraamd. Tijdens hun rit naar het noorden had Salamander wel vaker raadselachtige opmerkingen gemaakt over het wyrd en herinneringen, en daar had hij net zomin iets van begrepen. Toch had de opmerking van de troubadour deze keer iets in hem geraakt. Hij besefte dat er een grond van waarheid in stak, maar hij had geen idee wat die waarheid was. Wel had hij duidelijk het gevoel dat het verband hield met zijn dromen over het mooiste meisje van heel Deverry, hoewel hij niet wist waar dat gevoel op was gebaseerd. Denk erover na, had Salamander gezegd. Pijnig je hersens ermee. Neb besloot dat hij dat zou doen.

De poortwachter herkende hem en liet hem zonder meer de vesting binnen. Toen hij het plein overstak, wees de gele dwerg met een mager handje naar de lucht. Neb keek omhoog en zag alleen een enkele raaf hoog boven het plein vliegen. Met allerlei bedienden om zich heen vond Neb het niet verstandig met de dwerg te praten. Ik denk niet dat hij zich zorgen maakt om die raaf, dacht hij. 's Zomers vlogen er altijd allerlei vogels rond. Misschien zweefde er ook ergens een luchtgeest voorbij, die alleen de dwerg kon zien, maar wat zou hij daaraan kunnen doen?

Omdat hij geld van de tieryn had uitgegeven, ging hij naar hem op zoek. In zijn mand zaten grote brokken droge inkt, een echte maalsteen, een pakje zegelwas en nog meer schatten voor een schrijver, die in deze uithoek erg duur waren. De tieryn zat in de grote zaal alleen aan de eretafel, met een beker mede voor zich. Neb boog en wilde knielen, maar Cadryc gebaarde dat hij moest blijven staan.

'Ik neem aan dat je gevonden hebt wat je nodig had,' zei Cadryc.

'Inderdaad, edele heer.' Neb zette de mand op tafel. 'Als u het wilt zien...'

'Dat is niet nodig, jongen. Ik vertrouw erop dat je je vak kent.'

'Dank u, edele heer.' Neb maakte opnieuw een buiging. 'Dan breng ik de aankopen naar de barak, waar ook mijn beddengoed ligt. Eh, als ik vragen mag, heeft de gwerbret...'

'Dat heeft hij niet,' zei de tieryn op zachte, felle toon. 'Die jongen maakt me razend. Meer durf ik er niet van te zeggen. Ik denk dat hij en zijn raadsheer zo meteen wel weer beneden komen. Ze zijn de zaak onderling aan het bespreken.'

Neb wilde nog iets zeggen, maar plotseling verstikten tranen zijn stem. Cadryc legde een hand op zijn schouder.

'Je denkt aan je familie, nietwaar? Ach jongen, ik heb de hoop op wraak nog lang niet opgegeven, hoor. Gerran kan je vertellen wat er is gebeurd' – Cadryc keek om zich heen – 'als jullie alleen zijn.'

Een schildknaap kwam Neb vertellen dat de mannen van de tieryn in de barak waren. Toen Neb binnenkwam, lagen de meesten te slapen en zat de rest geknield op de grond te dobbelen om geld. Gerran zat op de enige stoel in het vertrek, met zijn voeten op een bed. Hij stak verstrooid een hand op toen hij Neb zag staan.

'Zo, ben je er weer?' zei hij.

'Inderdaad. Onze heer zei dat ik jou moest vragen wat er vanmiddag is gebeurd.'

'Niet veel. Gwerbret Ridvar is niet van plan de koning om hulp te vragen.'

'Heeft hij gezegd waarom?'

'Dat niet. Hij kwam met een ander voorstel, maar dat is niet genoeg. Toen kwam tot onze verbazing de troubadour ertussen, die zei dat hij misschien weet waarom het Paardenvolk op strooptocht is gegaan, namelijk om te voorkomen dat wij hun legerkamp vinden ergens verder naar het westen.'

'Dat zou best kunnen.'

'Inderdaad. Ik wou alleen dat de gwerbret dat ook begreep.'

'Ik ook. Maar edelen zijn koppig, dat weet iedereen, en Ridvar is nog erg jong.'

'Dat is waar. Daar komt nog bij dat zijn familie het rhan langs de vrouwelijke lijn heeft geërfd, wat hen een beetje prikkelbaar maakt.'

'Ik heb gehoord dat ze verwant zijn aan het gwerbretion van Dun Trebyc.'

'Dat is zo. Mirro en ik hebben de geschiedenis van hun clan uiten-treuren moeten aanhoren toen we hier schildknapen waren. In de tijd dat het Paardenvolk deze stad had bezet, was Cadmar de gwer-bret. Zijn twee zoons stierven lang voordat hij zelf doodging, maar een van zijn dochters had een zoon. Die zoon, gwerbret Tanry, erf-de het rhan. Zijn zoon was Daen, de vader van onze Ridvar. Maar Ridvar erfde het rhan alleen omdat zijn oudere broer aan de koorts was gestorven.'

'Aha.' Neb herhaalde de belangrijke informatie enkele keren in ge-dachten om er zeker van te zijn dat hij die niet zou vergeten. 'Dank je. Ik begrijp dat het voor onze jonge heer nog steeds een teer punt is.'

'Inderdaad.' Gerran zwaaide zijn voeten van het bed en ging recht-op zitten. 'Ik zou wel eens willen weten hoelang we hier blijven. Niet lang, wed ik.'

De hoofdman zou de weddenschap hebben gewonnen als iemand had meegedaan. De volgende morgen direct na het ontbijt beval de tieryn zijn mannen dat ze hun spullen moesten inpakken en de paar-den zadelen.

'We gaan naar huis,' zei hij. 'Ik zie geen reden om hier nog een dag langer te blijven. Ik ga afscheid nemen van de gwerbret en dan rij-den we weg. Laten we hopen dat die verdraaide troubadour met een argument komt om zijne hoogwaardigheid van gedachten te laten veranderen.'

Gerrans mondhoeken krulden omlaag, alsof hij die hoop verspilde moeite vond. Maar Neb dacht aan de vreemde dingen die Salaman-der tegen hem had gezegd en de manier waarop hij zijn luchthar-tigheid van zich af kon werpen zoals een ander zijn mantel.

'Ik weet het niet zeker, edele heer,' zei hij, 'maar ik vermoed dat on-ze gerthddyn een heel andere man is dan we misschien denken.'

'Dan hoop ik dat je gelijk hebt.' Gerran schonk hem een glimlach-je. 'Laten we gaan, mannen.'

Het kostte Neb heel wat tijd om zijn aankopen zorgvuldig in te pak-ken. Toen hij ten slotte uit de barak naar buiten kwam, stond er al een schildknaap met zijn paard aan de teugel te wachten en hadden de tieryn en zijn krijgers zich verzameld op het plein. Neb bedank-te de schildknaap en wilde zich snel bij de anderen voegen toen vrou-we Solla haastig naar hem toe kwam.

'Mag ik je om een gunst vragen, burgerman Neb?' vroeg ze.

'Vanzelfsprekend, vrouwe,' antwoordde Neb met een buiging. 'Ik voel me vereerd.'

'Wil je deze aan vrouwe Galla geven?' Solla gaf hem een brievenkoker, die aan beide uiteinden was verzegeld.

'Een eenvoudige opdracht, die ik graag zal uitvoeren.' Neb stak de koker onder zijn hemd tot hij op zijn gordel rustte, waar hij veilig zou blijven liggen.

'Gaat het wel goed met haar? Het moet een eenzaam leven zijn, daar helemaal aan de grens.'

'Het gaat uitstekend met haar. En ze heeft nu gezelschap van haar nichtje, vrouwe Branna.'

'O, dat is prettig.' Maar vrouwe Solla's stem klonk vlak en ze beet op haar onderlip. 'Ik heb Branna al jarenlang niet meer gezien. Het was een erg leuk meisje; ongetwijfeld is ze nu een beeldschone jonge vrouw.'

'Dat niet, vrouwe. Weliswaar vind ik haar het mooiste meisje van heel Deverry, maar de meeste mannen zouden haar alleen knap of aantrekkelijk noemen.'

'O, zit het zo.' Solla glimlachte alweer. 'En is Branna ook gesteld op jou?'

Plotseling besefte Neb dat hij te vrijuit had gesproken en dat hem dat schade zou kunnen berokkenen. 'Ik ben alleen maar een schrijver in de dun van haar oom,' antwoordde hij. 'Ik verzeker u dat ik dat nooit vergeet.'

'Och heden, dat hoeft toch geen bezwaar te zijn? Ze heeft tenslotte geen bruidsschat meegebracht en ze heeft geen hoge positie. Als zij haar rang niet belangrijk vindt, dan is het ook geen punt.' Op zachtere toon voegde ze eraan toe: 'Als ik haar ooit weer zie, zal ik een goed woordje voor je doen.'

'Echt waar?' Neb kon een lach niet onderdrukken, maar hij keek meteen weer ernstig. 'Dank u, vrouwe. Veel dank.'

Terwijl de ruiters opstegen, zag Neb dat de vrouwe vanuit de deuropening stond toe te kijken. Het viel hem op dat ze vooral naar Gerran keek. Aha, dacht hij. Geen wonder dat ze zo vriendelijk tegen me deed. Ze dacht eerst dat Branna haar rivale was, en daar heeft ze eigenlijk wel gelijk in. Neb spoorde zijn paard aan en reed naar de hoofdman.

'Zie je vrouwe Solla daar staan?' vroeg hij. 'Wat een mooie vrouw is dat.'

'Hm, dat is ze,' antwoordde Gerran nors. 'Wat...'

'Volgens mij vindt ze je erg aardig. Je hebt geluk, hoofdman.'

'Alle goden, je bent net zo erg als die onzin pratende troubadour!' Maar Gerran keek nu wel naar de vrouwe en maakte vanuit het zadel een buiging voor haar. Ze glimlachte om het gebaar en wuifde lieftallig. Met een zelfvoldaan gevoel klakte Neb met zijn tong tegen zijn paard en reed terug naar zijn plaats in de rij.

Later hoorde hij in gedachten zichzelf weer zeggen dat hij Branna het mooiste meisje van heel Deverry vond en meteen ging er een golf van gevoelens door hem heen: verrukking, triomf en angst, alles door elkaar. Hij besefte dat hij het raadsel had opgelost en dat het dode meisje uit zijn dromen inderdaad ook Branna was, maar hoe ze een en dezelfde persoon konden zijn, was opnieuw een raadsel. Het zou nog een hele tijd duren voordat hij daar ook een verklaring voor had gevonden.

Nadat Salamander een poosje had lopen zoeken, vond hij een herberg die bestemd was voor mensen in plaats van dwergen. Of eigenlijk was het alleen een redelijk schone kamer boven een taveerne, met een plek in de stal voor zijn paarden. De meeste kooplieden van normale lengte kwamen met hun eigen karavaan en kampeerden buiten de stadsmuur. Voordat Salamander naar de markt ging om zijn werk te doen, verwisselde hij zijn eenvoudige rijkleren voor een brigga van mooie grijze wol en een linnen hemd dat door het overdadige borduursel van bloemen op het voor- en achterpand en ranken op de mouwen en schouderstukken, zo stijf stond als tentdoek. Aan de binnenkant van het hemd zaten, onzichtbaar vanwege het drukke borduursel, lussen en zakjes om de verschillende voorwerpen voor zijn goocheltrucs te verbergen.

Hij legde zijn spullen netjes in een hoek van het vertrek, stak zijn hoofd om de deur en riep de zoon van de kroegbaas, een jongen die met beperkt succes zijn best deed om zijn eerste snor te laten staan. 'Een meevaller voor je, jongen.' Hij greep in de lucht, opende zijn hand en liet tien glimmende koperen munten zien, die hij op de palm uitspreidde. 'Zie je deze munten?'

'Ik zie ze, heer.' De jongen keek er met verbaasde ogen naar.

'Mooi zo. Ik wil graag een wandeling maken over de markt, maar ik wil ook graag terugkomen en al mijn eigendommen terugvinden. Denk je dat jij daarvoor kunt zorgen?'

'Zeker, heer.'

'Goed, dan spreken we het volgende af: als alles er straks nog ligt, zijn deze munten voor jou. Maar als er iets ontbreekt, geef ik je voor elk gestolen artikel een munt minder. Vind je dat eerlijk?'

'Heel eerlijk, heer.' De jongen sloeg zijn armen over elkaar en leunde tegen de deurpost. 'Ik hoef vanavond pas aan het werk, dus kan ik hier blijven staan.'

Op de meent stonden boeren groenten te verkopen en boden handwerkslieden in houten kraampjes hun diensten aan. Klanten onderhandelden met kooplui, paardenhandelaars liepen met hun dieren heen en weer. Salamander slenterde door de drukte, nam alles en iedereen in zich op en bedacht hoe hij het zou aanpakken. Dallandra had hem al een heleboel over de draken verteld, maar het onderwerp leende zich er goed voor om een gesprek aan te knopen. Als hij meteen over het Paardenvolk zou beginnen, zou dat in het ergste geval, als de plunderaars een spion in Cengarn hadden, gevaarlijk kunnen zijn en in elk geval zou hij er mensen die hem misschien konden helpen, de stuipen mee op het lijf jagen.

Na een tijdje vond hij een lege bierton. Hij rolde hem naar een vlak stuk gras, zette hem ondersteboven neer en klom erop. Toen enkele mensen bleven staan om naar hem te kijken, trok hij een paar zijden sjaals uit zijn hemd. Hij gooide ze in de lucht, ving ze op, liet ze in zijn mouw verdwijnen en trok ze weer uit de hals van zijn hemd tevoorschijn. Een tiental kinderen verdrong zich om hem heen en keek geboeid toe. Na nog een paar trucs met de sjaals kwamen er ook volwassenen bij.

'Goedemorgen, brave burgers van Cengarn,' zei Salamander. 'Ik ben Salamander, een gerthddyn uit Eldidd. Ik ben hier om jullie te vermaken, verstrooien en verblijden. Hebben jullie wel eens gehoord van Cadwallon, de machtige tovenaar die in het beroemde paleis van koning Bran woonde? Weten jullie dat hij ooit alleen met zoete woordjes een draak heeft getemd?'

De meeste toeschouwers riepen: 'Dat weten we niet!'

Toen iedereen op de grond was gaan zitten, klom Salamander van de ton en vertelde het verhaal gratis, tot het publiek was aangegroeid tot een menigte waaraan iets te verdienen viel. Op dat moment nam hij de tijd om uitgebreid te kuchen en zijn keel te schrapen.

'Helaas, lieve mensen, heb ik nu te veel dorst – ik ben zelfs helemaal uitgedroogd – om verder te gaan.'

De toeschouwers lachten en enkelen gooiden hem een koperen muntstuk toe. Terwijl hij die opraapte, kwam er een jongen aandraven met een kroes bier.

'Van mijn pa,' zei de jongen. 'Hij wil de kroes terug hebben.'

'Ik zal ervoor zorgen,' beloofde Salamander, en hij nam een paar slokken. 'Het is erg lekker bier.'

Terwijl hij de rest van het verhaal vertelde, dronk hij de kroes leeg door steeds wanneer hij even zweeg om de spanning te verhogen, een slok te nemen. Gaandeweg landden er meer munten voor zijn voeten, waarvoor hij de gevers uitgebreid bedankte. Ten slotte gaf hij de lege bierkroes terug aan de jongen.

'Vond jij het ook een mooi verhaal, jongen?' vroeg hij.

'Ja, heer. We hebben hier in de buurt ook draken, wist u dat?'

'Dat heb ik gehoord. Een zwarte en een zilveren draak, is dat juist?'

'Dat is juist, maar de zilveren draak zien we niet vaak. De zwarte wel.' De jongen slaakte hoofdschuddend een zucht. 'Zij steelt af en toe een koe. Mijn pa zegt dat we daar niets aan kunnen doen, want zo zijn draken nu eenmaal.'

Salamander stuurde de jongen terug naar zijn vader en slenterde nog een stukje verder over de markt. Nu hij zich bekend had gemaakt als gerthddyn – een zeldzaam en geliefd verschijnsel aan de rand van het koninkrijk – was iedereen bereid om met hem over de plaatselijke draken te praten. Hoewel hij weinig te horen kreeg dat hij niet al wist, werd het hem duidelijk dat de zilveren draak nederzettingen van mensen, zowel boerderijen als steden, vermeed. De zwarte daarentegen was absoluut niet bang of verlegen in de buurt van mensen.

'Zij kan een echte lastpak zijn,' zei een vrouw die stukken geroosterd varkensvlees op een stokje verkocht. 'Ik ben allang blij dat ze liever koeien dan varkens eet.'

'Maar zo vaak steelt ze hier nu ook weer geen dieren,' wierp Salamander tegen, 'want anders hadden jullie niets meer om van te leven.'

'Daar hebt u gelijk in, heer. Waarschijnlijk eet ze voornamelijk herten en andere wilde dieren. Ik denk dat een koe een lekkernij voor haar is. De zilveren draak eet ook vooral herten, vermoed ik, of misschien af en toe een smakelijke dikke beer.'

Salamander glimlachte, maar zijn maag verkrampte van walging bij de gedachte dat zijn broer wilde dieren doodde en ze rauw opat. Hij troostte zichzelf met de wetenschap dat de draak niet echt Rhodry was. Toch deed het beeld van een maal dat bestond uit berenvlees dat krioelde van de wormen en andere parasieten hem rillen. Hij ging op zoek naar nog een kroes bier om de vieze smaak in zijn mond weg te spoelen.

Bij de stadspoort vond hij een tijdelijk dranklokaal, dat bestond uit een rond tentdak op palen boven een verzameling biertonnen. De klanten dronken uit aardewerken bekers die met een ketting aan een ton waren bevestigd, maar op een driepotig krukje zat een grijsaard die uit een losse kroes dronk. Salamander betaalde voor een rondje. Dat bleek een verstandig gebaar te zijn, omdat hij eindelijk iemand vond die hem kon vertellen wat hij wilde weten.

'Draken?' Een van de mannen wees naar de grijsaard op het krukje. 'Ah, als je iets over draken wilt horen, moet je bij onze Mallo zijn.'

Toen Mallo zijn kroes ophief als groet ging Salamander op zijn hurken voor hem zitten.

'Dus jij kunt me wel iets vertellen over draken?' vroeg hij.

'Inderdaad, en meer dan iets. Ik was hoofdman van de stadswacht toen het Paardenvolk onze stad had omsingeld, en de zwarte draak hoorde bij het leger dat ons toen heeft ontzet. Ze heet Arzosah.'

'Is dat waar? Nou, dan bof ik. Hoe groot is ze?'

'Zo groot als een huis, zou ik zeggen. Niet zo groot als de broch van de gwerbret, hoewel sommigen dat zouden beweren. Maar ik schat dat ze een meter of zes lang is.' Mallo grinnikte een paar zwarte tandenstompjes bloot. 'Ach, wat was dat een mooi gezicht, troubadour! Al die smerige Paardenvolkers, zo verwaand als wat, die op hun vervloekte enorme paarden om onze muren reden, met z'n duizenden. Ze dachten dat ze onze poorten wel even konden platrijden.' Mallo boog voorover om zijn kroes op de grond te zetten, zodat hij zijn handen vrij had. Hij hield ze tegen elkaar, haakte zijn duimen in elkaar en fladderde met gespreide vingers als vleugels. 'Woesjjj! Daar kwam ze aan, met die woeste zilverdolk op haar rug. Wat een prachtig gezicht! De paarden raakten in paniek en wierpen hun verdomde ruiters van zich af. Ik leunde tegen een kanteel op de muur en lachte tot ik het bijna in mijn broek deed. Ach, wat een schitterend gezicht.'

'Ik wou dat ik erbij was geweest.'

'Ha, je zou niet graag bij ons in die belegerde stad hebben gezeten, troubadour!' Mallo nam vlug een versterkende slok bier. 'We dachten dat we allemaal verdoemd waren, echt waar, met die vuile honden van Paardenvolkers vlak buiten onze muren, en die feeks van een godin van ze.'

'Ik geloof dat ik wel eens van die godin heb gehoord,' zei Salamander. 'Heet ze niet Alshandra?'

'Zo heet ze, of liever, zo heette ze. Ha, ze bleek helemaal geen godin te zijn! Het was gewoon een truc of zoiets.' Mallo's gezicht betrok, alsof hij zich iets herinnerde wat hij niet begreep. 'Ik weet niet hoe die smerige Paardenvolkers het deden, maar het was een truc.' Hij haalde zijn schouders op om het raadsel van zich af te laten glijden. 'Maar sommigen een eind hiervandaan geloofden in haar, en die twee verraderlijke heren ook.'

Dallandra had Salamander verteld van de twee adellijke broers die Alshandra hadden aanbeden, maar ze had hem geen duidelijk beeld gegeven van de streek rondom Cengarn. 'Hadden die heren hun domein ergens in het westen?'

'Niet in het westen, maar in het noorden, aan de rand van de wildernis. Een kilometer of vijftig hiervandaan, denk ik, of misschien iets meer.'

'De kant op van de uitlopers van het gebergte,' zei een magere man met rood haar. 'Aan het begin van het Dak van de Wereld.'

'Zo ver was het niet,' zei Mallo. 'Je kent de rivier die langs Cengarn stroomt? Als je die volgt, kom je er uiteindelijk. Als je zou willen gaan, natuurlijk.'

Nadat Salamander nog een paar slimme vragen had gesteld, kwam de gevangengenomen priester van Alshandra ter sprake. Zijn dood was nog recent genoeg om vers in het geheugen te liggen.

'Hij heette Zaklof,' zei de roodharige man. 'Hij was een sukkel, maar hij is dapper gestorven. De krijgers van de gwerbret boden hem steeds voedsel aan, eigenlijk meer om hem te pesten dan om hem in leven te houden, maar hij weigerde het aan te nemen. Mijn dochter werkte toen in de keuken van de dun en zij heeft het allemaal meegemaakt.'

'Dat verhaal van Zaklof zou voor iemand zoals ik een mooie bron van inkomsten zijn,' zei Salamander. 'Ik heb er wel iets van opgevangen, maar niet genoeg. Heeft je dochter het ooit over die godin van hem gehad? Of over de dingen die hij van haar geloofde?'

'O, zeker. Ze was onder de indruk van zijn standvastigheid.' Hij sloeg zijn ogen ten hemel. 'Ze was nogal goedgelovig, maar ja, wat kun je anders van een jong meisje verwachten. Ze kon eindeloos kwekken over zijn geloof.'

Na nog een rondje bier was de man maar al te bereid om alles wat hij zich van de kwestie herinnerde uit de doeken te doen. Een paar anderen konden er nog enkele wetenswaardigheden aan toevoegen, al staken ze zelf de draak met dat vreemde geloof, en zo te zien oprecht.

'Ah, maar het is een prachtig verhaal,' zei Salamander ten slotte. 'Het Paardenvolk heeft toen wel een aantal mensen gevangengenomen, nietwaar?'

'Inderdaad,' beaamde Mallo. 'Een paar meisjes en enkele kinderen, maar de krijgers van de gwerbret hebben hen bevrijd.'

'Aha, dat klinkt veelbelovend. Meisjes in gevaarlijke omstandigheden maken een verhaal extra spannend. Wonen ze nog in Cengarn?'

'Niet dat ik weet. Ze kwamen van boerderijen, heb ik gehoord.' Hij wees naar zijn stijve been. 'Ik was er niet bij toen ze hen bevrijdden.'

'Maar een van die meisjes,' zei de roodharige man, 'trouwde later met een man die een boerderij heeft iets ten noorden van onze stad. Ze heet Canna. Ze hebben een stuk land in Mawrvelin, een oud domein.'

'Ik wil graag met haar praten,' zei Salamander. 'Want ik moet zoveel mogelijk bijzonderheden weten om een verhaal boeiend te maken.'

'Ik weet niet meer hoe de man met wie ze is getrouwd heet.' De roodharige man tuurde nadenkend in zijn kroes. 'Ze was een mooi meisje, met rood haar dat tot op haar middel hing.'

'Wie zijn de nieuwe eigenaars van die domeinen?' vroeg Salamander. 'Ik bedoel de domeinen van de verraders. Ik denk dat dat ook weer een goed verhaal kan opleveren.'

Deze keer gaf Mallo weer antwoord: 'De priesters van Bel hebben het grootste in bezit genomen, dat van die schurftige hond Matyc. De dun van zijn broer Tren is naar een neef gegaan. De huidige eigenaar heet... Even nadenken... Honelg.'

'Honelg? Wat een vreemde naam!'

'Het is een vreemde man.' Mallo haalde zijn schouders op. 'Maar die hele clan is een beetje vreemd, dat komt waarschijnlijk omdat ze daar aan de rand van nergens wonen.'

Salamander bleef de hele dag op de markt en maakte een praatje met allerlei boeren uit de omgeving. In de namiddag had hij een vrij goed beeld van het land ten noorden van de stad en wist hij alles van de dood van Zaklof, die op iedereen diepe indruk had gemaakt. Hij kocht iets te eten voor zijn avondmaal en ging terug naar zijn kamer boven de taveerne. Hij betaalde de zoon van de kroegbaas, die zijn spullen trouw had bewaakt, nam zijn aankopen mee naar binnen en schoof de grendel voor de deur.

Na het eten wilde hij dweomerwerk doen, waarbij hij niet gestoord wilde worden. Omdat het veel te warm was voor een vuur, ging hij op de vensterbank zitten en keek naar de ondergaande zon. De plukjes en slierten wolken in de dieprode gloed waren een uitstekende achtergrond om te scryen. Het kostte hem geen moeite zich in verbinding te stellen met Dallandra, en hij vertelde haar wat hij allemaal op de markt had gehoord.

'Dus morgen ga ik naar het noorden,' eindigde hij. 'Daar woont een vrouw die een aantal jaren geleden een gevangene was van het Paardenvolk. Misschien weet zij nog dingen die ons van nut kunnen zijn en kan ze ons bijvoorbeeld vertellen waar de krijgers haar destijds hebben bevrijd.'

'Dat is waar,' antwoordde Dallandra in gedachtentaal. 'Wat doe je nadat je haar hebt gevonden?'

'Dat hangt af van wat ze me heeft verteld, maar waarschijnlijk trek ik nog verder naar het noorden. Daar heeft ooit een vrij grote groep aanbidders van Alshandra gewoond, dankzij ene heer Matyc, die een verrader schijnt te zijn geweest. Zijn domein is nu in handen van de priesters van Bel. Niet dat ik op zoek ben naar een mooie tempel, maar misschien kan iemand me daar nog meer wetenswaardigs vertellen.'

'Matyc was inderdaad een verrader. Weet je ook waarom de priesters dat land hebben gekregen?'

'Geen idee. Hoezo?'

In het visioen kreeg Dallandra's gezicht een zorgelijke trek. 'Je broer heeft Matyc bij een duel gedood. De priesters waren scheidsrechter, en het domein was hun beloning.'

'Dan moet ik voorzichtig zijn met wat ik over Rhodry en Alshandra zeg.'

'Je moet in elk geval voorzichtig zijn. De jacht op het Paardenvolk is een gevaarlijke bezigheid.'

'Dat weet ik maar al te goed, o prinses van perileuze potenties. En als ik ze voor het einde van de zomer wil vinden, moet ik opschieten. Het is jammer dat ik alleen te voet of te paard kan reizen. Kon ik maar vliegen...'

'Daar is het nog te vroeg voor.' Dallandra's gezicht in het wolkenvisioen werd streng. 'Je geest is nog niet stabiel genoeg.'

'Dat is hij nooit geweest, zei Nevyn altijd.'

'Daar mag je geen grappen over maken.' Ze schudde geërgerd haar hoofd. 'Een vogelvorm aannemen is een zware krachtsinspanning. Wil je soms weer waanzinnig worden? De vorige keer vond je het niet bepaald een pretje.'

'Daar heb je gelijk in, o meesteres van mysterieuze magie. Maak je geen zorgen, ik zal je bevelen opvolgen.'

'Ik wil niet dat je wat ik zeg als bevelen beschouwt. Je moet begrijpen waarom ik het zeg.'

'Dat begrijp ik ook. Neem me niet kwalijk. Ik maak grapjes, terwijl ik beter weet. Heus.'

De volgende morgen vertrok Salamander uit Cengarn om de rivier in noordelijke richting te volgen. De stad werd omringd door boerderijen van vrije boeren, degenen die rechtstreeks onder de gwerbret vielen en geen belastingen verschuldigd waren aan een van zijn vazallen. Hun landerijen, groene weiden en akkers met rijpende gewassen, strekten zich uit tussen glooiende heuvels. Overal waar Salamander rust hield, kreeg hij verhalen te horen over de draken. Veel boeren hadden koeien aan ze verloren, beweerden ze, hoewel ze dat lang niet allemaal konden bewijzen. Een van hen liet een gelooide koeienhuid zien met lange scheuren erin van enorme klauwen.

'Ik bewaar hem als waarschuwing voor die vervloekte schepsels,' zei de boer. 'Gelukkig gebeurt het niet vaak dat een draak een koe van je steelt, de goden zij dank. Het enige wat er van mijn koe over was, waren haar schoongelikte huid, de horens en de hoeven. Die verduivelde draak had de rest opgegeten.'

'Was het de witte of de zwarte?'

'De zwarte. Ze nam de koe in de avondschemering mee, toen we haar te laat zagen aankomen. De zilveren draak zou beter zichtbaar zijn geweest.'

'Ongetwijfeld. Het spijt me voor je.'

'Nou ja, eerst was ik zo kwaad als een duivel met een zere kont, maar toen dacht ik, ach, in elk geval houden de draken het Paardenvolk bij ons vandaan en een koe is waarschijnlijk geen hoge prijs om daarvoor te betalen.'

'Denk je echt dat de draken het Paardenvolk uit de buurt houden?'

'Heb je hier ooit een van die lieden gezien?'

'Je hebt gelijk. Bedankt voor de informatie.'

Toen Salamander vond dat hij ver genoeg van Cengarn verwijderd was, haalde hij de gouden pijl tevoorschijn die hij van Warryc had gekocht en stopte hem in een zakje van een van zijn zadeltassen. Misschien zou de pijl hem van pas komen, bedacht hij, als er ergens in het gebied dat heer Matyc en zijn broer Tren vroeger hadden bestuurd nog volgelingen van Alshandra woonden.

Op een benauwde zomermiddag, toen de lucht zwart was van de onweerswolken, kwamen tieryn Cadryc en zijn mannen terug naar de dun. Branna was met vrouwe Galla in de grote zaal toen ze hoefgetrappel op de keien hoorden en daarna het geschreeuw van de schildknapen en stalknechten die naar het plein renden om de stoet te verwelkomen. Branna moest zich beheersen om niet met de bedienden mee naar buiten te rennen. Het gelukkige gevoel dat door haar heen stroomde bij de gedachte dat ze Neb weer zou zien, verbaasde haar. Om geen te enthousiaste indruk te maken, wachtte ze bij de ingang van de grote zaal, maar het was wel de ingang bestemd voor bedienden en krijgers.

Niet veel later kwam Neb haastig binnen, beladen met beddengoed, een mand en een paar vreemd gevormde pakjes, die hij in zijn tweede hemd had gerold. Branna keek om zich heen en zag Clae vlakbij staan.

'Breng die spullen van je broer naar boven,' beval ze. 'Als je alles tenminste kunt dragen.'

'Natuurlijk!' Clae kwam vlug naar hen toe. 'Geef ze maar aan mij, Neb.'

'De mand draag ik zelf wel,' zei Neb. 'Daar zitten dingen in die de tieryn een lieve duit hebben gekost. Hier, pak de dekens maar... Voorzichtig, niet trekken!'

Branna hielp een handje door de mand van Neb over te nemen en hem zelf de rest te laten regelen. Toen Clae met de spullen naar de trap liep, hield ze Neb de mand weer voor. Met een glimlach nam hij hem aan en even raakten hun vingers elkaar. In het besef dat haar adellijke verwanten niet ver bij haar vandaan stonden, trok Branna haar hand gauw terug, maar terwijl Neb en zij nog even een praatje maakten, merkte ze dat haar hand als vanzelf naar de zijne ging en dat de zijne ook haar vingers zocht.

'O, daar komt je tante,' zei Neb even later. 'Ik zal deze dingen ook maar even opbergen. Dat is waar ook, ik heb een boodschap voor haar van vrouwe Solla.'

Neb stak een hand in zijn hemd, haalde de brievenkoker eruit en gaf die aan Branna. 'Wil je deze aan onze vrouwe geven?' Hij boog, liep door naar de trap en nam die met twee treden tegelijk.

Die avond las Branna in de beslotenheid van de vrouwenzaal de brief van Solla hardop aan vrouwe Galla voor. Deels uit verveling had Branna vroeger de schrijver van haar vader gesmeekt haar te leren lezen, een kunst die haar tante nooit meester was geworden.

'Geachte vrouwe Galla,' begon Branna, 'ik groet u en hoop dat u het goed maakt. Ik heb nieuws voor u, maar ik vraag u dringend het nog niet buiten uw vrouwenzaal bekend te maken. Mijn broer is met onderhandelingen begonnen voor een huwelijk. Op dit ogenblik mag ik u nog niet vertellen met wie, maar zoals u ongetwijfeld kunt raden, gaat het om de dochter van een hooggeplaatste man. Ik vertel het u alvast omdat ik me zorgen maak. Na de voltrekking van het huwelijk zal de vrouw van mijn broer het hoofd van onze huishouding zijn, en ik vrees dat er voor mij dan nauwelijks plaats meer is. Als u zo goed zou willen zijn mij een functie als gezelschapsdame aan te bieden, zou ik u daar eeuwig dankbaar voor zijn. Ik beschik over een kleine erfenis, die kan bijdragen tot mijn onderhoud. Ik hoop dat u over mijn verzoek wilt nadenken. Hoogachtend, Solla van Dun Cengarn.'

'Alsof ik een gezelschapsdame zou vragen voor haar eigen voedsel te betalen!' riep Galla verontwaardigd uit. 'Het arme kind, ze moet wel erg bang zijn om zoiets te schrijven.'

'Inderdaad,' zei Branna. 'Ik weet precies hoe ze zich voelt.'

'Dat geloof ik graag. Nou, hier is ze welkom. Ik zal haar morgen mijn antwoord sturen, zodat ze zich niet langer zorgen hoeft te maken. We zullen haar uitnodigen voor een bezoek en dan kunnen we de zaak bespreken. Onze schrijver zal je vast wel wat inkt en de andere benodigdheden willen lenen.'

'Het zou beter zijn hem de brief te laten schrijven. Lezen is veel gemakkelijker dan schrijven.'

'Ah, daar had ik niet aan gedacht. Ik hoop dat hij een geheim kan bewaren.'

'O, dat weet ik zeker. Hij is een rechtschapen man. Eh... Dat denk ik tenminste.'

Galla glimlachte en zei: 'Ik heb de indruk dat je die jongeman graag mag.'

'Is dat erg?'

'Helemaal niet. Hij lijkt mij het soort man dat op een dag raadsheer wordt van een gwerbret of zo.'

Branna lachte opgelucht. Met een glimlachje gaf Galla haar een paar klapjes op haar arm. 'Eigenlijk,' vervolgde ze, 'heeft die akelige vrouw van je vader je een grote dienst bewezen. Niet veel meisjes hebben net zoveel vrijheid als jij om een man te kiezen.'

'Dat is waar. Daar had ik nog niet aan gedacht.'

'Zo zie je maar weer. Elke overstroming, al is hij nog zo gierig, laat vis achter, zeggen ze. Maar ik zou niet te veel haast hebben om met je schrijver te trouwen, hoor. Het is beter om te wachten tot je weet wat de honden doen voordat je achter de haas aan gaat. Bovendien is Gerran er ook nog.'

'Dat is waar. Gerran is er ook nog.'

De volgende paar dagen had Branna het gevoel dat ze eerder de haas was dan de jager. Waar ze ook bezig was in de dun, dook Gerran op. Weliswaar behulpzaam, maar niet spraakzamer dan anders. Na de wederzijdse begroeting deed hij niets anders dan zwijgend naar haar kijken, zo gespannen als een boog. In het begin deed ze haar best om een praatje met hem te maken, en dan kon hij het nog net opbrengen om een paar beleefde woorden terug te zeggen voordat hij haar weer aanstaarde met een blik vol aanbidding, zo leek het. Het viel haar op dat, steeds wanneer de onbehaaglijke stilte tussen hen naar haar zin lang genoeg had geduurd, Neb naar hen toe kwam om haar te redden.

'Het lijkt wel alsof ze me allebei de hele dag in de gaten houden,' zei ze klagend tegen Galla. 'Ik kan nergens naartoe voordat een van hen beiden als de heer van de hel plotseling voor me staat.'

'Ach kind, zo erg is het niet,' zei Galla glimlachend. 'Het is juist erg vleiend.'

'Natuurlijk, maar stel dat ze om me gaan vechten of zoiets? Ik geloof niet dat Neb Gerran partij kan geven.'

'Dat is waar.' Galla's glimlach verdween. 'En Neb is te waardevol om te verliezen. Ik zal er met je oom over praten, dan kan hij Gerran waarschuwen. We hebben al genoeg zorgen om dat ellendige Paardenvolk, we hoeven er in onze dun geen problemen bij te hebben.'

Heer Ynedd krijste van woede, terwijl de tranen over zijn wangen en het snot over zijn bovenlip stroomde. Hij stond met zijn magere rug tegen de vestingmuur en zwaaide met zijn vuisten. Clae en Coryn liepen voor hem heen en weer terwijl ze plagend riepen: 'Meisje! Meisje! Kijk eens naar die mooie krullen!' Om beurten sprongen de grotere jongens naar voren, trokken aan een lok van Ynedds haar en sprongen weer buiten zijn bereik.
'Hou op!' schreeuwde Neb. 'Hou daar onmiddellijk mee op!'
De geschrokken jongens draaiden zich om en Neb vloog op hen af, gaf hen allebei een oorvijg en greep Clae bij zijn hemd. 'Wat zou ma zeggen als ze dit zag?' gromde hij.
Clae liet zijn hoofd hangen. Hij staarde naar de grond en gaf geen antwoord. Coryn rende hard weg en verdween tussen de schuren. Neb schudde zijn broer nog een keer heen en weer en liet hem los.
'Twee tegen een,' zei hij. 'En jullie zijn nog groter ook.'
'Het spijt me,' mompelde Clae. Hij wierp een blik op Ynedd en zei iets luider: 'Het spijt me.' Hij keek naar zijn broer en liep een eindje bij hem vandaan. Toen Neb niets meer zei, rende hij achter Coryn aan.
Ynedd leunde tegen de muur en huilde zo hard dat hij waarschijnlijk niet eens besefte dat zijn kwelgeesten op de vlucht waren geslagen, vermoedde Neb. Hij liet zich op één knie voor de jongen op de grond zakken en haalde een doekje vol inktvlekken uit de zak van zijn brigga.
'Rustig maar, rustig maar, heer,' suste Neb. 'Hier, veeg je gezicht schoon en snuit je neus.'
Snakkend naar adem pakte Ynedd het doekje aan en deed wat hem was opgedragen. 'Het komt door mijn haar,' hakkelde hij. 'Ze plagen me met mijn haar.'
'O ja? Misschien moeten we het dan korter maken. Ik heb mijn zakmes bij me en dat heb ik pas geslepen. Zal ik je krullen eraf snijden?'
Ynedd knikte en ging met zijn rug, en de lastige krullen, naar Neb toe staan. Met het weliswaar scherpe, maar korte lemmet van het zakmes kon Neb maar één krul tegelijk afsnijden, waardoor de jonge heer heel wat geruk aan zijn hoofd te verduren kreeg. Maar hij

gaf geen kik terwijl de krullen een voor een op de keien vielen. Met kort haar zag hij er een stuk ouder en veel zelfverzekerder uit.

'Ziezo,' zei Neb ten slotte. 'Nu ligt je haar mooi glad om je hoofd.' Ynedd betastte zijn korte kapsel en schopte met zijn laars tegen een dot krullen op de grond. 'Dank u, beste schrijver,' zei hij. 'U hebt me gered, echt waar.'

'Geen dank,' zei Neb. 'Ik neem het afgesneden haar mee en leg het ergens neer waar de vogels het kunnen vinden om nesten van te bouwen.'

Daar moest Ynedd om lachen en toen draafde hij weg, de andere kant op dan waar de grotere jongens waren verdwenen. Neb stopte het zakmes terug in de schede en raapte de krullen op. Toen hij overeind kwam en zich omdraaide, zag hij Midda, de dienstmaagd van Branna, achter zich staan. Voor haar voeten lag een grote bundel vuil wasgoed, samengeknoopt in een laken.

'Dat heb je goed gedaan, schrijver,' zei Midda.

'Heb je daar al die tijd gestaan?' vroeg Neb.

'Ik hoorde de jongeheer gillen en kwam kijken wat er aan de hand was. Maar jij was er eerder en je loste het zo goed op dat ik het niet nodig vond me ermee te bemoeien.' Ze gaf met haar voet een duwtje tegen de bundel. 'Nu ga ik de was doen. De andere vrouwen zijn al bij de rivier.'

'Ik zal dat wasgoed wel voor je dragen.'

De rivier stroomde door een lang weiland achter de heuvel van de dun. De was werd gedaan in de schaduw onder twee wilgen. Dienstmaagden zaten geknield op de oever en wreven zeep in natte kleren of sloegen de vlekken er met stenen uit. Op het gras lagen al een heleboel schone kleden en hemden uitgespreid om te drogen. Vrouwe Branna zat met haar rug tegen een van de bomen te zingen om de vrouwen te vermaken. Het lied dat ze zong, een oud volksgezang over de burgeroorlog, was eigenlijk een vreemde keus, want het ging over verraad en moord. Midda riep vanuit de verte haar naam en Branna brak midden in een regel af.

'Dit zijn de laatste hemden, vrouwe,' zei Midda. 'Die krijgers maken een boel vuil.'

De vrouwen begonnen allemaal te kreunen en hielden even op om uit te rusten. Midda nam de bundel van Neb over en draafde ermee naar de oever om ook aan het werk te gaan. Branna stond op, rekte zich uit en wierp haar lange blonde haar naar achteren. Toen Neb haar daar bij het water zag staan, stokte zijn adem en werd hij opeens ijskoud. Een krankzinnig ogenblik wilde hij naar haar toe rennen, haar beetpakken en haar bij het water vandaan sleuren naar een veiliger plek. Maar ze verkeert niet in gevaar! dacht hij toen. De rivier is daar nog geen meter diep!

Gelukkig had niemand iets van zijn vreemde aanval, zoals hij het zelf noemde, gemerkt. De wasvrouwen giechelden en kreunden terwijl ze grapjes maakten over de stank van de kleren van de krijgers. Toen Branna Neb wenkte om een praatje met haar te komen maken, had hij zichzelf weer in de hand. Hij spreidde de krullen van heer Ynedd uit op het gras en liep naar haar toe.

Maar hij kon zijn bizarre opwelling niet vergeten. De hele dag en zelfs die avond nog had hij het gevoel dat hij zich een belangrijk feit of voorval zou moeten herinneren, maar hij had geen idee wat het was. Hoewel hij bang was voor wat hij zou ontdekken, bleef hij in zijn geheugen graven. Ten slotte kwam hij tot de slotsom dat Branna ooit moest zijn verdronken, al wist hij dat dit onmogelijk was.

De angst bleef hem bij tot hij voor de avondmaaltijd naar de grote zaal ging. Toen hij naar zijn vaste plaats liep, zag hij dat Branna aan de eretafel met haar tante zat te praten. Dat zit ze, sufferd, zei hij in gedachten tegen zichzelf. Ze is niet verdronken, dat kun je met je eigen ogen zien! Hij was net gaan zitten toen Gerran eraan kwam en hem met een hoofdknik begroette.

'Goedenavond, hoofdman,' zei Neb.

'Hetzelfde,' antwoordde Gerran. 'Bedankt dat je Ynedds haar hebt geknipt en de andere jongens bij hem weg hebt gejaagd.'

'Geen dank, maar toen ik zag hoe Clae hem pestte... Ik ben lange tijd niet zo kwaad geweest.'

'Dat zei hij.' Gerran glimlachte. 'Hij zei dat het als jij kwaad wordt, lijkt alsof de draken zijn gekomen. Ik wil je om een gunst vragen. Clae leert al aardig zwaardvechten, maar hij hoort eigenlijk bij Coryn en Ynedd in de barak te slapen. Een jongen die krijger wil worden, moet leren om samen met andere krijgers te leven.'

'O.' Neb voelde een akelige kilte om zijn hart. 'Nou ja, als jij vindt dat het nodig is, moet het maar.'

'Dat vind ik. Dank je. Ik zal ervoor zorgen dat hij daar een bed krijgt, dan kan hij vandaag nog verhuizen.'

De hoofdman liep door naar buiten. Nou, het is zover, dacht Neb. Mijn broer hoort van nu af aan bij de krijgsbende. Hij had het gevoel dat de deur die toegang gaf tot zijn jeugd voorgoed was dichtgedaan. En hij was zich ervan bewust, al kon hij niet zeggen waarom, dat hij door zijn ontmoeting met Branna voor een andere deur was komen te staan, ergens diep in zijn ziel. Hij wist nog niet wat er achter die deur lag, maar hij besefte wel dat hij binnenkort genoeg moed zou moeten hebben om die deur te openen en dat te ontdekken.

Branna zelf sterkte hem in die overtuiging. Na de maaltijd kwam ze naar hem toe en ging naast hem op de bank zitten. Het gemak waarmee ze dat deed, gaf hem hartkloppingen.

'Ik wil je iets vragen,' zei Branna. 'Over de gerthddyn. Oom zei dat jij de laatste bent die in Cengarn met hem hebt gesproken. De laatste van ons, bedoel ik.'

'Dat denk ik ook,' zei Neb. 'Ik was op de terugweg naar de dun en hij kwam net naar buiten.'

'Heeft hij gezegd wanneer hij terugkomt? Komt hij eigenlijk wel terug?'

'Waarom wil je dat eigenlijk weten?' Neb hoorde zelf de snijdende klank van zijn stem, als een klap van een zweep. Hij sloeg een hand voor zijn mond, alsof hij de woorden weer naar binnen wilde duwen.

Branna lachte en waagde het even licht haar vingers op zijn arm te leggen. 'Je bent jaloers,' fluisterde ze.

'Nietes!'

'Welles!'

Ze bleef zo oprecht verrukt tegen hem lachen dat hij toegaf en terug lachte.

'Nou ja, misschien heb je gelijk,' zei hij. 'Maar Salamander is een knappe man.'

'Huh, dat vinden sommigen misschien.' Ze trok overdreven afkerig haar neus op. 'Ik mis gewoon zijn verhalen 's avonds, dat is alles. Ik wou dat mijn oom een bard in dienst had, maar hij heeft er nog geen kunnen vinden die bereid is om helemaal hierheen te komen.'

'Het waren inderdaad mooie verhalen. Het enige wat hij me heeft verteld, is dat hij in Cengarn zou blijven terwijl wij weer naar huis zouden gaan.'

'Wat jammer. Ik vond het prettig dat hij soms over dweomer praatte. Jij ook?'

Haar stem klonk net iets te achteloos en haar woorden waren iets te weloverwogen. Het drong tot Neb door dat ze ertegen opzag hem een bepaalde vraag te stellen.

'Dat was best vermakelijk,' antwoordde hij. 'Het was onzin, maar best vermakelijk. Ik betwijfel of iemand die dingen echt kon doen.'

'Waarschijnlijk niet.' Ze wendde haar hoofd af en keek opeens bedroefd. 'Ach nee, waarschijnlijk niet.'

Voordat hij nog iets kon zeggen, stond ze op, maakte een wuivend gebaartje en liep terug naar haar kant van de zaal, waar haar tante op haar zat te wachten. Neb voelde haar teleurstelling als een klap in zijn gezicht. Waarin was hij tekortgeschoten? Hij wist dat hij dat op de een of andere manier had gedaan. Net als bij die rivier in het donker, dacht hij. Net als toen ze verdronk. Hij dacht aan het vreemde gesprek dat hij met Salamander had gehad toen ze voor de poort van Dun Cengarn stonden. Levens en wyrd, dankbaarheid en wyrd, hij begreep er nog steeds niets van. Geërgerd haalde hij zijn schouders op en verliet de grote zaal.

Salamander was er zich, doordat hij in vorige levens een sterke band met hen beiden had gehad, vaag van bewust dat Branna en Neb over hem praatten. Ergens langs de weg had hij halt gehouden, ongeveer twintig kilometer ten noorden van Cengarn. Hij keek naar de zonsondergang terwijl hij het geroosterde vlees en het brood at dat hij in de stad had gekocht, en sprokkelde daarna langs de bosrand wat hout voor een vuurtje. Hij besefte dat hij zich al de hele dag onbehaaglijk had gevoeld, maar hij wist niet waarom. Daarom wilde hij licht hebben.

Terwijl hij keek hoe de twijgjes vlam vatten en het vuur naar de takken kroop, opende hij het Zicht en gebruikte de vlammen om flarden van beelden naar zich toe te halen. Hij zag Rori hoog door de lucht zweven en steeds weer omlaag duiken – blijkbaar zocht hij naar een prooi. Hij werd zich bewust van Dallandra en Valandario, maar hij kon hen niet zien. De twee dweomermeesters bevonden zich op de rand van het astrale bestaansvlak en werkten aan het een of andere bewakingsritueel. Toen hij aan Neb en Branna dacht, kostte het hem geen moeite hen te vinden. Neb stond met zijn broer te praten in de grote zaal en Branna zat met haar tante in de vrouwenzaal. Daar dreigt geen gevaar, dacht hij. Maar achter me wel.

Meteen stond hij op en draaide zich met een soepele beweging om. Net buiten de lichtkring van het vuur stond een vrouw in een versleten blauw kleed. Het was geen levende vrouw, want haar haren waren zo blauw als haar kleed en ze zag lijkbleek. Ze zweefde een paar centimeter boven de grond en bekeek hem aandachtig, met ogen als glinsterende schaduwpoelen.

'Eh... Goedenavond,' zei Salamander in de elfentaal. 'Hoor je hier wel te zijn? In de fysieke wereld, bedoel ik.'

'Waar is Jill?' Haar stem klonk als een rietfluit, ijl en levenloos.

'Het spijt me, maar ze is dood. Weet je wat dat betekent?'

'O ja! Waar is de nieuwe Jill?'

'Waarom wil je dat weten?'

De vrouwengeest fronste haar wenkbrauwen en slaakte een hoge, doordringende kreet, als een onheilstijding. Terwijl het geluid weg-stierf, verdween ze. Salamander rilde, nat van koud zweet. Hoewel hij meteen probeerde met Dallandra in verbinding te komen om met haar over zijn bezoekster te praten, beantwoordde ze zijn oproep niet. Hij besefte dat ze het nog te druk had met haar dweomerwerk. Hij ging op zoek naar meer brandhout en wachtte nog een paar uur, niet op zijn gemak, tot hij Dallandra eindelijk kon bereiken.

'Er is me vanavond iets heel vreemds overkomen,' begon hij. 'Ik heb bezoek gehad van iemand uit een ander bestaansvlak.'

'O ja? Welk vlak?' vroeg Dallandra.

'Geen idee. Ik heb haar beslist niet opgeroepen of zo. Ze stond er opeens.'

'Hoe zag ze eruit?'

'Eerst dacht ik dat ze een vrouw was, maar toen zag ik dat ze een paar centimeter boven de grond zweefde. Ze had blauw haar en een lijkbleke huid.'

'Droeg ze een gescheurd kleed, van een blauwe kleur?'

'Inderdaad! Maar ik kon niet duidelijk zien of dat kleed over haar lichaam heen hing of een deel van haar lichaam was.'

'Ik denk dat ik wel weet wat ze was. Heeft ze iets gezegd?'

'Ja. Ze wilde weten waar de nieuwe Jill is, maar dat heb ik haar niet verteld. Ze maakte een sinistere of zelfs een beetje bedreigende in-druk. Misschien moet ik het...'

'Laat maar. Ik begrijp dat je van haar geschrokken bent.'

'Helemaal niet!'

'Hm. Maar als mijn vermoeden juist is, kan ze overal verschijnen waar ze wil, ook als ze niet is opgeroepen. Blijf op je hoede, want ze kan gevaarlijk zijn.'

'Je hebt haar dus eerder ontmoet.'

'Inderdaad. Ik heb ooit de Heren van de Wildernis geholpen om haar in de val te lokken. Kun je je de keer herinneren dat je broer voor het eerst naar het Westland kwam? Toen jij op zoek bent gegaan naar Devaberiel en hij achterbleef bij Aderyn?'

'Ah, nu weet ik wat je bedoelt, denk ik. Oorspronkelijk was ze een luchtgeest van het Natuurvolk, en ze werd verliefd op onze Rhod-ry.'

'Het zit ingewikkelder in elkaar dan dat, maar voorlopig doet dat er niet toe. Om hem te behagen, probeerde ze zich te veranderen in een echte vrouw en dat kostte hen allebei bijna het leven voordat Jill en Aderyn haar vingen.'

'Denk je dat ze wraak wil nemen op Jill?'

'Dat weet ik niet. Eigenlijk hoort die feeks dankbaar te zijn, want ze verkeerde in groot gevaar toen ze ronddoolde door de fysieke wereld en niet terug durfde naar haar eigen wereld. Maar met geesten weet je het nooit. Misschien is het verstandig om vannacht wachters om je kamp te zetten.'

'Dat zal ik beslist doen, o prinses van perileuze potenties! Het zal hier wemelen van de pentagrammen.'

Maar zelfs nadat Salamander zich met stralende wachters had omringd, bracht hij een rusteloze nacht door. Hij schrok wakker van elke ritseling tussen de bomen, maar de lijkbleke geest kwam niet terug. Bij het eerste ochtendgloren gaf hij zijn poging om te slapen op en kroop uit zijn dekens. Hij zadelde zijn paard en reed verder naar het noorden.

Halverwege de morgen kwam hij bij een stenen grenspaal, waarop stond dat hij het domein Mawrvelin zou betreden, dat onder het bestuur viel van de heilige Bel. De priesters vatten hun voorrechten als bestuurders blijkbaar ernstig op. Tegen het middaguur reed hij langs hun tempel, die op de hoge heuvel waarnaar het domein was vernoemd, verscholen lag achter een dikke stenen muur. Hij keek naar de gesloten poort, waarvan het ijzeren beslag glinsterde in het zonlicht. Hoewel het door de priesters bestuurde land er net zo groen en vruchtbaar uitzag als dat van Cengarn, werd het hem al bij de eerste boerderij duidelijk dat de bestuurders hun taak op een heel verschillende manier uitvoerden. Deze boer en zijn familie droegen schamele kleren, het rieten dak van de boerderij moest nodig worden vernieuwd en de paarden op het land waren veel te mager. Blijkbaar eisten de priesters hoge belastingen, misschien zelfs te hoge.

Nadat Salamander in een armzalig gehucht hier en daar navraag had gedaan, vond hij Canna, de vrouw die enige jaren geleden uit handen van het Paardenvolk was gered. De man in Cengarn had haar beschreven als een knap meisje, maar hoewel ze nog steeds het lange rode haar had dat hij zo had bewonderd, was ze een magere, gebogen vrouw geworden. Haar gezicht was diep gerimpeld, maar Salamander was geschokt toen hij haar handen zag. Ze zaten vol eeltplekken en littekens, en onder de gelig bruine huid zag hij broze botten. Ook haar polsen waren niet meer dan botten met huid eromheen. Terwijl ze op het erf met hem praatte, had ze een boreling in haar armen. Aan haar rokken hing een peuter, een meisje van een jaar of zes leunde tegen haar aan en op de akker achter het huis zag Salamander twee oudere kinderen aan het werk met een man die, nam hij aan, hun vader was. Toen hij Canna een munt aanbood voor haar verhaal, griste ze die uit zijn hand en stopte hem in een zakje dat om haar hals hing.

'Ach ja, dat met dat Paardenvolk,' zei ze. 'Dat is al heel lang geleden gebeurd en eerlijk gezegd kan ik me er niet veel meer van herinneren. Ik weet nog wel hoe bang ik was, dat weet ik nog heel goed. Ik wist zeker, dat wisten we allemaal, dat we nooit meer naar huis zouden gaan.'

'Dat moet heel erg zijn geweest,' beaamde Salamander. 'Ik hoop dat ze jullie verder geen kwaad hebben gedaan.'

'Ons niet, de vrouwen, bedoel ik. De mannen hadden ze al vermoord.' Haar stem klonk vlak van het oude verdriet. 'Mijn vader is meteen gedood, bij de overval. Maar toen ze ons meenamen, behandelden ze ons beter dan we hadden verwacht. Ze gaven ons te eten en niemand raakte ons aan, als je begrijpt wat ik bedoel.' Canna kneep nadenkend haar ogen samen. 'Eh... Er waren twee soorten mannen. Die van het Paardenvolk, en die lieten ons met rust. En mannen die net zo menselijk waren als jij en ik, waarde heer, en die vochten voor het Paardenvolk, als je dat kunt geloven. Zij wilden zich wel met ons vermaken, maar een oude priester stak daar een stokje voor.'

'Een oude priester? Zaklof?'

'Ik weet niet meer hoe hij heette. Ik heb gehoord dat ze hem later de hongerdood hebben laten sterven.'

'Dat was Zaklof. Dus hij voorkwam dat jullie werden verkracht?'

'Dat is zo. Hij schold ze uit en dreigde met van alles en nog wat. Wij konden er geen woord van verstaan, maar die mannen wel en daar ging het om, nietwaar? Hij wilde ons redden vanwege de een of andere godin. Shandrala, of zoiets.'

'Alshandra. Heeft hij jullie veel over haar verteld?'

'Niets.' Ze keek naar de boreling, die op vieze vingertjes zoog. 'Niet doen!' Ze gaf een tik op het handje. 'Als ik het me goed herinner, was hij dat wel van plan, maar toen kwamen die mannen van de gwerbret en dat was dat.'

De boreling begon te huilen en aan de hals van haar versleten grijze kleed te trekken.

'Ik moet het kleintje voeden,' zei Canna. 'Meer kan ik me trouwens niet herinneren.'

'Mag ik je dan nog één ding vragen? Hoe ver is het van hier naar het domein van heer Honelg?'

'Een dag rijden. Ik heb horen zeggen dat er tussen zijn land en dat van de priesters een stenen grenspaal staat.'

'Weet je soms ook wat zijn blazoen is?'

'Hij en zijn mannen rijden hier soms langs. Het is een blauwe cirkel met een zwarte pijl erdoor, maar niet recht. Hij wijst schuin naar boven.'

'Dank je. Nu moet ik verder, dan kun jij je weer bekommeren om je kinderen.'

Terwijl Salamander zijn weg vervolgde, dacht hij na over het blazoen van Honelg. Bijzonder interessant, dacht hij. Als die pijl betekent wat ik denk dat hij betekent, heeft Honelg vervloekt veel lef, vooral omdat zijn land grenst aan dat van de priesters.

Maar Honelg had volkomen in zijn recht gestaan toen hij een pijl toevoegde aan het blazoen van zijn clan. De heren in Eldidd kenden al jarenlang de kracht van pijl en boog, maar pas na de strijd om Cengarn en ook toen bekend werd hoe elfen hun vijanden konden doorboren, had het wapen de aandacht getrokken van de heren in Deverry. Hoewel de edellieden in het noorden zelf het gebruik van pijl en boog beneden hun waardigheid vonden, wilden ze wel allemaal boogschutters tot hun beschikking hebben. Velen van hen verlaagden de belastingen van elke boer die in het bezit was van pijl en boog en dit wapen bij een gevecht kon hanteren.

Meteen toen Salamander het domein van Honelg binnenreed, zag hij dat de weg werd omzoomd door jonge taxusbomen. Sommige waren al groot genoeg om een bijna twee meter lange stam op te leveren voor een boogmaker, en ze stonden ver genoeg uit elkaar om te voorkomen dat hun takken zich met elkaar verweefden tot een heg. Ze moesten meteen na het beleg van Cengarn zijn geplant, dacht Salamander. Net als een eikenboom nam een taxus de tijd om te groeien.

Hier en daar zag hij een boerderij, waar de koeien en varkens er weldoorvoed uitzagen. Ook de mensen die hij tegenkwam zagen er gezond uit en ze waren fatsoenlijk gekleed. Steeds wanneer hij halt hield bij een hek, werd hij uitgenodigd om binnen te komen en kreeg hij een kroes bier en iets te eten. Hij speelde zijn rol als goedmoedige troubadour en jongleerde en zong voor de kinderen, en hij vertelde de volwassenen verhalen die waren gebaseerd op de oorlog in Cengarn. Elke keer dat hij de naam van Alshandra uitsprak en haar een valse godin noemde, keek hij scherp naar zijn toehoorders, in de hoop dat iemand zich met zijn gezichtsuitdrukking zou verraden. Uiteindelijk leverde zijn speurtocht bij het groepje huizen dat in dit gebied het enige dorp vormde, resultaat op.

Op een warme, benauwde zomeravond kwamen de dorpelingen naar de stenen waterput om te genieten van het onverwachte vermaak: een gerthddyn uit Deverry. Salamander trok zijn geborduurde hemd aan en toverde sjaals en eieren tevoorschijn, en andere dingen die hij in zijn binnenzakken had verstopt. Toen de duisternis inviel, stak iemand een paar toortsen aan, en de zwarte rook verjoeg de wolken muggen die om het publiek heen zwermden. Salamander zat op de muur van de put en beschreef het einde van het beleg.

'Maar de hele slachtpartij zou voor niets zijn geweest,' zei hij, 'als de machtige tovenaars binnen de muren de valse godin niet hadden gedood, die duivelin, die bedriegster, Alshandra. Het gebrul van het Paardenvolk toen ze stierf...'

'Het is niet waar!' Het was de stem van een kind, helemaal achter in de menigte. 'Ze is niet dood!'

Er klonken kreten en vloeken, sommigen krompen ineen en anderen draaiden hun hoofd om naar waar de stem vandaan was gekomen. Aan de rand van de lichtkring deden twee figuren, een kleine en een grotere, een paar stappen naar achteren het donker in.

'O nee?' vroeg Salamander luid. 'Wat bedoel je? Ik begrijp het niet.' Niemand antwoordde of verroerde zich. In het rokerige licht kon Salamander de gezichten nauwelijks meer onderscheiden, maar iedereen leek verstijfd van angst. Ten slotte stond de smid op en kwam naar voren. Het was Salamander al opgevallen dat hij in het dorp enig gezag uitoefende.

'Hij is nog maar een jongen,' zei de smid, die Marth heette. 'Hij haalt zich van alles in zijn hoofd.'

'O, zit het zo. Zal ik het verhaal dan maar afmaken?'

'Graag.'

Marth ging weer zitten en de mensen ontspanden zich. Opgelucht gezucht en gemurmel ruiste door de menigte als de wind door de taxusbomen die het dorp als een levende omheining omringden.

Salamander bracht de nacht door op een braakliggend veld buiten het dorp. Hij begreep waarom de dorpelingen zo bang waren. Als de priesters van Bel zouden horen dat mensen in de buurt een vreemde godin aanbaden, zouden ze rechtstreeks naar Cengarn gaan en eisen dat de gwerbret zou ingrijpen om het geloof uit te bannen. Honelg had waarschijnlijk niet genoeg krijgers of invloed om hen te beschermen. Maar waar zou deze heer zelf in geloven?

De volgende morgen bereikte hij na ongeveer een uur rijden de dun van heer Honelg. Het was een eenvoudige vesting, maar hij was bijzonder goed te verdedigen. Hij lag op een lage, maar steile heuvel, en het toegangspad kronkelde verschillende malen om de heuvel heen voordat het eindigde bij de poort. Aan weerskanten van het pad lagen diepe greppels, die bezoekers dwongen op het pad te blijven, als gemakkelijk doelwit voor boogschutters op de muur van de vesting.

Om de dun heen stond een ruwe stenen muur, die er niet veel steviger uitzag dan de muren om de akkers van de boeren, al pasten de stenen van verschillende grootte min of meer op elkaar. Hier en daar was er leemmortel tussen gesmeerd om de grootste brokken op hun plaats te houden, zag Salamander.

Toen hij ten slotte voor de dubbele houten poort stond, zag hij dat die open was, al was het maar een klein stukje. In het midden stond de poortwachter, in een maliënkolder en met een zwaard in zijn hand. Salamander sprong van zijn paard en vertrok zijn mond tot een vriendelijke glimlach.

'Goedemorgen, brave man,' zei hij. 'Ik ben een gerthddyn en ik ben hier helemaal vanuit het zuiden naartoe gekomen met een voorraad goocheltrucs, verhalen, grappen en...'

'We weten al wie je bent,' viel de man hem in de rede. 'Marth heeft een jongen naar ons toe gestuurd om ons te laten weten dat je eraan kwam.'

Vanuit de schaduw van de halfopen poorten stapten aan weerskanten nog twee schildwachten naar voren. Salamander bleef krampachtig glimlachen.

'Weet je zeker dat je mij niet verwart met iemand anders?' vroeg hij. 'Ik ben heus alleen maar een troubadour. Ik noem mezelf Salamander, maar mijn echte naam is Evan en ik kom uit Trev Hael.'

De mond van de man vertrok van iets wat op minachting leek. Hij was lang en hij had heel kort afgesneden, naar achteren gekamd haar en smalle donkere ogen. Hij droeg een nette brigga van een blauw, zwart en bruin geruit weefsel, en onder de maliënkolder was een mooi linnen hemd zichtbaar.

'Heb ik soms de eer tegenover heer Honelg zelf te staan?' vroeg Salamander.

'Dat heb je, maar ik weet niet zeker of dat wel een eer zal blijken te zijn.'

Zijn stem, vlak en hard, gaf Salamander een onbehaaglijk gevoel. Hij besefte dat hij zijn leven met een stoutmoedig gebaar op het spel zou moeten zetten, want eigenlijk had hij al niets meer te verliezen. Honelg zou hem onmiddellijk een kopje kleiner maken als hij zou vermoeden dat Salamander een spion van de priesters of gewoon een bemoeial was.

'Een man met de naam Zaklof heeft me verteld dat u gastvrijer bent dan u lijkt,' zei Salamander. 'Voor de juiste soort bezoeker, natuurlijk.'

Honelg knipperde een paar maal met zijn ogen.

'Ik wil u een symbool laten zien,' vervolgde Salamander. 'Het zit in mijn zadeltas. Mag ik het pakken?'

'Dat mag.'

Salamanders vingers trilden licht toen hij de gesp losmaakte. Wat moet ik doen als ik dat vervloekte ding onderweg verloren ben? vroeg hij zich af. Of nog erger, als hij ooit in Trev Hael is geweest en weet dat daar nooit een gerthddyn heeft gewoond? Maar de gouden pijl zat nog steeds in het zakje, en blijkbaar ging de heer nooit ver van huis. Toen Salamander het sieraad omhooghield om hem te laten zien, knikte Honelg tegen zijn schildwachten en stak zijn zwaard terug in de schede.

'Neem me niet kwalijk dat ik je liet schrikken,' zei hij. 'We wonen zo dicht bij de priesters van Bel dat we niet voorzichtig genoeg kunnen zijn.'

'Natuurlijk neem ik het u niet kwalijk,' zei Salamander. 'Ik begrijp het heel goed, want ik ben immers zelf wegens mijn geloof door mijn verwanten verstoten. En al sinds Zaklofs dood dwaal ik door het koninkrijk in een wanhopige speurtocht naar nieuws over háár, terwijl ik mijn leven niet zeker ben.'

Honelg keek hem met samengeknepen ogen wantrouwig aan. 'Zaklof is al jaren geleden gestorven.'

'Dat is waar. Elk jaar trek ik, terwijl ik mijn beroep uitoefen, door het hele westelijke deel van het land. Pas als een stad al je verhalen heeft gehoord, wordt er niet meer voor betaald en daarom heeft het een tijd geduurd voordat ik terug kon naar het noorden.'

De hand van de heer ging naar het gevest van zijn zwaard.

'En ik heb, nee, ik had een vrouw en een gezin,' vervolgde Salamander. 'Ik kon hen niet zomaar in de steek laten. Pas toen onze buren me dwongen Trev Hael te verlaten, kon ik vol overgave gaan zoeken.'

'Aha. Zij zou het niet goedvinden dat haar volgelingen hun kleintjes in de steek lieten, dat is waar. Wat had je dan gedaan? Over haar gepraat?'

'Dat niet. In de eerste plaats had ik ergens ver van huis deze pijl laten maken. Een van de buren kreeg hem per ongeluk te zien. Ze gingen iets vermoeden, en vorig jaar' – hij zweeg om dramatisch te rillen – 'misschien hebt u gehoord van die vreselijke ziekte die Trev Hael heeft getroffen? Een verschrikkelijke ontsteking in de darmen, waaraan een heleboel mensen zijn gestorven. Maar mijn gezin werd op wonderbaarlijke wijze gespaard en toen zijn de buren naar de bemoeizuchtige priesters in de plaatselijke tempel gegaan. Ze waren ervan overtuigd dat ik van tovenarij of zoiets gebruik had gemaakt om de stad die plaag te bezorgen, en toen moest ik vluchten om mijn leven te redden. Mijn vrouw geloofde hun leugens en wilde niet met me mee.'

'Aha.' Maar de heer bleef staan en liet zijn hand op het gevest van zijn zwaard liggen.

'Ik kon niet rechtstreeks hierheen rijden,' ging Salamander verder. 'Dat zou me verdacht hebben gemaakt, en ik wilde niemand de weg naar uw dun wijzen.'

'Daar dank ik je voor.' Honelg liet zijn hand van het zwaard glijden. 'Kom binnen, troubadour. Je kunt haar pijl hier veilig dragen.'

Met een glimlach van oprechte opluchting speldde Salamander de pijl op de kraag van zijn hemd en liep met de heer mee naar binnen. De twee schildwachten borgen ook hun wapen op en begonnen de poort dicht te duwen. Er kwam een stalknecht aanrennen om Salamanders paarden van hem over te nemen en er verscheen een jonge schildknaap, die voor Honelg en Salamander even diep boog.

'We hebben een gast, Matto,' zei Honelg. 'Breng zijn spullen naar een vertrek in de broch. Vraag de kamerheer je te helpen.'

'Goed, pa.' Matto rende achter de stalknecht aan.

'Vanzelfsprekend is dat mijn zoon,' zei Honelg tegen Salamander. 'Ik kan geen andere schildknapen aannemen, dat is te gevaarlijk.'

Midden op het binnenplein stonden een stenen toren, breder van onderen dan van boven en met een plat dak, en een aantal houten schuren. Aan een kant zag Salamander ook nog een lang, rechthoekig gebouw van twee verdiepingen staan, waarschijnlijk de stallen en het onderkomen van de krijgers, dacht hij. Over het hele plein hing de doordringende geur van mest.

Honelg nam Salamander mee naar de grote zaal, een kale, stoffige halfronde ruimte met ruwe tafels en wankele banken. Ze gingen aan de eretafel zitten, Salamander op een bank en de heer op de enige stoel. Een bediende bracht mede in aardewerken bekers. Honelg zat kaarsrecht op zijn stoel en bekeek zijn gast aandachtig. Er kon geen lachje af. Salamander was zich ervan bewust dat hij maar één fout hoefde te maken om door zijn gastheer te worden vermoord.

'Vertel me eens hoe je Zaklof hebt leren kennen,' begon Honelg.

'Ik was in Cengarn mijn beroep aan het uitoefenen toen krijgers van de gwerbret met Zaklof terugkwamen. Hij had zich voorgenomen te sterven, maar ze daagden hem uit door hem voedsel voor te houden en hem over te halen toch te eten. Maar hij hield vol, heel rustig.' Heftig voegde hij eraan toe: 'Ik moest weten hoe hij zo kalm kon blijven, met de dood voor ogen.'

'Het is inderdaad wonderbaarlijk hoe heiligen dat kunnen,' zei Honelg. 'En toen heb je met hem gesproken?'

'Dat is zo. In de keuken werkte een jonge vrouw – haar vader woonde in de stad – die ook onder de indruk van Zaklof was. De gevangenis lag aan het binnenplein, ziet u, en 's avonds sloop ze erheen om door het raam van zijn cel met Zaklof te praten. Ik ging dan met haar mee.'

'Ach' – Honelg leunde achterover op zijn stoel – 'ik wou dat ik hem ook persoonlijk had kunnen spreken.'

'Hij werd steeds zwakker, maar zijn stem bleef vast terwijl hij ons vertelde over Alshandra's macht over de dood en dat hij binnenkort naar haar toe zou gaan. Op zijn laatste dag haalden ze hem uit zijn cel en mocht hij in de zon liggen, dat was zijn wens. Ik heb nooit eerder iemand op die manier zien sterven, met een glimlach en terwijl hij zijn gevangenbewaarders zegende.'

'Dat heb ik gehoord, ja.' Honelg knikte. 'Maar ik vergeet gastvrij te zijn. Je hebt vast honger.' Hij draaide zich om en wenkte een bediende. 'Breng brood en vlees voor onze gast!'

Salamander liet met een zuchtje van opluchting zijn adem ontsnappen.

Nadat de bediende het eten had gebracht, kwam er een vrouw in een schoon grijs linnen kleed met een blauw met zwart geruite overrok de wenteltrap af, die bij hen kwam zitten. Honelg vertelde haar wie Salamander was en stelde haar voor als zijn echtgenote, vrouwe Adranna. Salamander had sterk het gevoel dat hij haar al kende. Ze was een knappe, donkerharige vrouw, al was ze vrij klein en mollig en waren haar blauwe ogen zo smal dat het leek alsof ze die voortdurend wantrouwig samenkneep. Hij groef in zijn geheugen, maar hij kon zich niet herinneren haar eerder te hebben gezien. Ze ging rechts van haar man op de bank zitten, tegenover Salamander.

'Evan was erbij toen Zaklof stierf,' legde Honelg uit.

'Echt waar?' Adranna leunde naar voren. 'Wil je me vertellen hoe dat is gegaan? Ik wil niet onbeleefd zijn, maar...'

'U bent absoluut niet onbeleefd,' zei Salamander vlug. 'Ik voel me vereerd.'

Gelukkig herinnerde hij zich nog een heleboel bijzonderheden die anderen hem hadden verteld, en deze keer beschreef hij de gebeurtenis uitgebreider dan hij tegen Honelg had gedaan. Adranna luisterde met grote ogen en open mond, terwijl Honelg af en toe meelevend knikte. Salamanders angst werd verdrongen door een steeds groter schuldgevoel, omdat hij mensen misleidde die hun ziel hadden toevertrouwd aan een onwaarachtige geest.

Alshandra's toverkracht was groter geweest dan van welke menselijke dweomermeester ook. Hoewel ze die kracht koelbloedig en vastberaden had gebruikt om te worden aanbeden, was ze geen godin, maar slechts een vreemde geest van het ras dat de elfen de Wachters noemden. Uiteindelijk was gebleken dat ze net zo sterfelijk was als een elf of een mens, maar haar volgelingen weigerden te aanvaarden dat ze uiteindelijk was verslagen en gedood. Salamander begreep nog steeds niet hoe het kwam dat ze na haar dood een legendarische figuur was geworden, waarin steeds meer mensen geloofden, vooral in het noorden. De heer en zijn vrouwe zaten roerloos voor hem, volkomen in de ban van zijn verhaal, tot hij er met een snikje en een gebroken zucht een eind aan maakte.

'Ik heb gehoord dat Zaklofs lichaam naar rozen rook,' zei Adranna. 'Helemaal niet naar rottend vlees.'

'Dat weet ik echt niet, vrouwe,' zei Salamander, wat eindelijk de waarheid was. 'Na zijn dood hebben ze hem weggebracht en daar was ik niet bij.'

Adranna haalde een zakdoek uit haar schort en bette een traan van haar wang. 'Wat verdrietig om in gevangenschap te sterven,' zei ze.

'Ach, we leven allemaal in gevangenschap; we zitten gevangen in ons vlees.' Honelg keek Salamander aan. 'Zaklof heeft ons verschillende keren bezocht. Ik herinner me hem als een sterke man, vol levenslust. Maar we weten dat hij nu is waar wij allemaal willen zijn, eindelijk bevrijd uit deze vervloekte, ellendige wereld, bij haar in ons ware thuis.'

'Inderdaad,' beaamde Salamander. 'Hij is over een brug van gebeden overgestoken naar haar koninkrijk.'

'Het komt goed uit dat je verhalen vertelt voor de kost,' vervolgde Honelg. 'Wil je dit verhaal nog een keer vertellen? Vanavond krijgen we een heel bijzondere gast.' Hij keek zijn vrouw veelbetekenend aan. 'Ik denk dat zij het ook zal willen horen. Zaklof is gestorven als een oprechte getuige van ons geloof.'

'Je hebt gelijk. En je kunt prachtig vertellen, Evan.'

'Dank u, vrouwe. Het is vriendelijk van u dat u dat zegt.'

Die avond bij de maaltijd maakte Salamander kennis met de rest van de familie: Honelgs dochter Treniffa en zijn oude moeder, vrouwe Varigga. Zijn zoon Matyc bediende hen, zoals een schildknaap hoorde te doen, en kwam even later bij hen aan tafel zitten. Uit de gesprekken bleek dat zelfs de laagste helper in de dun in Alshandra en haar valse beloften geloofde. Het eeuwige leven in een glorieus soort andere wereld klonk erg aantrekkelijk, besefte Salamander, maar toch vroeg hij zich af hoe het kwam dat iedereen zo vast geloofde in dingen die hij nooit had gezien. De twintig krijgers aan de andere kant van de zaal maakten met een dronk op de godin duidelijk dat ze eveneens gelovigen waren.

Ook de deelpachters en hun gezinnen die in het domein van heer Honelg woonden, bleken aanhangers van de godin te zijn. Toen de tafels werden afgeruimd, kwamen ze in groepjes van drie of vier de grote zaal in. Ze gingen zo vanzelfsprekend op de grond zitten dat Salamander begreep dat het de gewoonte was. Onder hen herkende hij Marth en nog enkele anderen uit het dorp.

'Ze komen voor de dienst.' Blijkbaar had de oude vrouwe Varigga gezien dat Salamander naar de boeren keek. 'Wacht maar, je gaat iets heel moois beleven.'

'Dat is fijn, vrouwe. Het is erg vriendelijk van u dat ik erbij mag zijn.'

'Het is in haar naam. In haar wereld is plaats voor alle soorten mensen.' Ze zweeg en keek zonder een spoor van een glimlach naar zijn vuile hemd. 'Zelfs voor de allerlaagsten.'

Blijkbaar moesten de allerlaagsten wel hun plaats weten, maar Varigga was tenslotte van adel, ook al leefden zij en haar adellijke zoon als vossen in een hol en hoopten ze dat de honden nooit hun kant op zouden komen.

'Het is tijd,' zei heer Honelg even later. 'Het is bijna donker buiten.' Hij stond op en gebaarde dat alle anderen in de grote zaal zijn voorbeeld moesten volgen. Rustig liepen ze naar buiten en volgden hun heer over het schemerige binnenplein.

Bij zijn aankomst had Salamander zich afgevraagd waarom de krijgsbende van heer Honelg in een gebouw woonde dat zo ver bij de broch vandaan stond in plaats van in een barak dichterbij, zoals in andere duns. Nu zag hij dat het gebouw helemaal niet op een normale barak leek. De gammele houten deur deed vermoeden dat hij toegang gaf tot een voorraadschuur of iets dergelijks, maar het bleek een smal, langwerpig vertrek te zijn. Frisse lucht kwam door gaten tussen de stenen, maar gelukkig hadden de metselaars met opzet slordig gewerkt.

Het enige licht kwam van de kaars die vrouwe Adranna had meegebracht en die ze meenam naar het andere eind van het vertrek. De vrouwe zelf, haar schoonmoeder, haar zoon en haar dochter gingen op een bank voor een houten verhoging zitten. Achter hen namen de kamerheer en de opperstalmeester plaats, naast de kokkin en de stalknechten, en daarachter schoven de krijgers aan. De bedienden en de boerenfamilies installeerden zich achter de rijen banken op de vloer. Honelg deed de deur dicht en plantte zich ervoor, en hij wenkte Salamander om naast hem te komen staan.

'We hebben allemaal onze eigen plaats.' Honelg gaf een paar klapjes op het gevest van zijn zwaard. 'Jij en ik houden vanavond de wacht.'

'Dat is goed, heer,' zei Salamander. 'Denkt u dan dat er gevaar dreigt?'

'Nu nog niet, maar de kans bestaat dat die vervloekte priesters van Bel ons op een dag zullen vinden en daar moeten we op voorbereid zijn.'

Toen Salamanders ogen aan het halfdonker gewend waren, zag hij dat er aan het andere eind van het vertrek ook een deur was. Even later ging die open en stapte er een vrouw het houten podium op. Ze hief beide armen, wierp haar hoofd in haar nek en riep een woord in een taal die hij niet herkende. Tussen en om haar handen verscheen een zilveren licht, als een streng garen. Salamander slaakte een kreet, wat de heer een glimlach ontlokte. Toen vrouwe Adranna de kaars uitblies, gooide de priesteres de lichtstreng naar het dak, waar hij bleef hangen en vanwaar hij een zilveren gloed over de menigte wierp. Nu pas zag Salamander een houten altaar staan met daarop een stenen plaat, die vreemd genoeg in tweeën was gebroken.

'Onze heilige,' fluisterde heer Honelg. 'Priesteres Rocca.'

Ondanks het zilveren licht stond ze te ver bij Salamander vandaan om meer dan een vage indruk van haar te krijgen: een slanke vrouw met donker haar en wellicht een knap gezicht, misschien nog jong, in elk geval heel vitaal.

'Is ze vandaag hierheen komen rijden?' vroeg hij fluisterend.

'Ze rijdt niet, ze loopt overal naartoe,' fluisterde Honelg terug. 'Ze is helemaal uit het land van het Paardenvolk hierheen komen lopen. Ze heeft een vaste kring van gelovigen.'

Salamander had graag meer vragen gesteld, maar Rocca had het woord genomen. Haar lage, welluidende stem, maar wel met een boerse tongval, bereikte met gemak alle hoeken van de bedompte ruimte. Ze klonk alsof de woorden uit het achterste deel van haar mond kwamen, anders dan de mensen in Deverry, en haar r'en en rh's waren vlak, niet rollend. Terwijl Salamander naar haar luisterde, kwam hij nadat hij een paar vreemde uitdrukkingen had gehoord tot de slotsom dat ze uit het noordwesten kwam, voorbij Deverry en het land van het Westvolk.

'We zijn hier vanavond in de bescherming van de dun van onze heer bijeengekomen om de waarheid te vernemen,' zo begon de priesteres. 'Welke vragen stellen we al ons hele leven?' Ze wees naar Honelgs moeder.

Vrouwe Varigga stond op en haar leeftijd in aanmerking genomen, had ze een heldere stem: 'We willen weten wat we zijn geweest, waar we vandaan komen, waar we nu zijn, wie we nu zijn en waar we naartoe gaan.'

'Inderdaad. En wat zijn de antwoorden?'

'We zijn eeuwige geesten, we komen uit het gebied van de sterren, we leven nu in een gevangenis, we zijn nog steeds kinderen van het licht en we gaan naar het land van Alshandra.'

'Dat is ook juist.'

Varigga ging weer zitten.

'In het begin van de wereld,' vervolgde Rocca, 'schiep Alshandra een prachtig groen land met heldere rivieren. Aan de bomen hingen rijpe vruchten en als een vrucht werd geplukt, groeide er meteen een nieuwe. In haar lieflijke boomgaarden hing een heerlijke geur van rijpend fruit. En de bloemen! In visioenen heb ik overal bloemen gezien, paarse en roze en rode, die bloeiden langs de heldere rivieren. Ik verzeker jullie, vrienden, dat haar wereld bestond uit kleuren, geuren en licht.' Rocca zweeg om de boodschap te laten doordringen. 'Maar waarom is die wereld voor ons gesloten?' vervolgde ze. 'Waarom kunnen wij daar nu niet naartoe gaan? Waarom houdt zij, de godin van al het goede, die wereld voor ons verborgen?'

Vrouwe Adranna stond op en legde met een geoefend gebaar haar rechterhand op haar hart. 'Ze houdt hem niet voor ons verborgen, maar voor de duistere heer Vandar.'

'Zo is het,' beaamde Rocca. 'En wat heeft die slechte Vandar van haar gestolen?'

'Haar dochter. Haar kostbare, enige kind.'

'Juist. En waarom laat Alshandra zich niet meer aan ons zien? Ooit leefde ze bij ons, maar nu niet meer.'

'Omdat ze weeklagend de wereld afzoekt naar haar verloren dochter.' Adranna wachtte even en vroeg: 'Waarom kan ze haar niet vinden?'

Deze keer gaf de priesteres antwoord: 'Omdat de duistere heer het kind en ook de wereld laat bewaken door duivelse wachters.'

Adranna ging zitten en Varigga stond weer op.

'Wat zijn de vazallen die Vandar heeft gestuurd?' vroeg Rocca aan haar.

'Duivelse draken, die gif spuwen,' antwoordde Varigga. 'Reusachtige draken, die eropuit zijn om de schepping van onze godin te vernietigen.'

'Heeft Alshandra ze gedood?'

'Ze heeft de moeder en de vader van de draken gedood, maar ze wist niet dat hun duivelse broedsel nog leefde.'

'Juist.'

Varigga ging weer zitten. Rocca leunde naar voren en keek de zaal in alsof ze elke aanwezige in de ogen wilde kijken. 'Tot de dag van vandaag,' ging ze ten slotte verder, 'zetten de zilveren wyrm en de zwarte draak hun verwoestende bezigheden voort. Ze moorden overdag en ze vergiftigen 's nachts, met hun razende, duivelse harten.'

Alle goden, dacht Salamander, ze bedoelt Rori en Arzosah!

'De duivelse heer Vandar heeft hun die taak opgedragen,' vervolgde Rocca. 'Op zijn bevel vallen ze Alshandra's volgelingen aan om hen te vernietigen. Tot Vandar uiteindelijk sterft, zullen ze daar sterk genoeg voor zijn, maar zodra de duivelse heer dood is, zullen zijn vazallen verzwakken en eveneens sterven.'

Salamander voelde sterke aandrang om naar voren te lopen en 'Evandar is al dood!' te roepen, alleen maar om het publiek de stuipen op het lijf te jagen. Maar hij slaagde erin zijn neiging tot drama te onderdrukken, zelfs toen de gelovigen alvast triomfantelijk begonnen te juichen.

'Die dag, geliefde vrienden,' zei Rocca, 'zal weldra komen, op een golf van zilveren maanlicht. Maar tot die dag hebben we een taak, een heilige verplichting. Wat houdt die taak in?' Ze zweeg heel even. 'We moeten getuigen van haar macht over de dood. Dat moeten we zelfs doen als het onze eigen dood zou betekenen, want wat kan een heiliger daad zijn dan met haar naam op onze lippen te sterven?'

'Niets!' brulde haar gehoor eenstemmig.

'Inderdaad!' riep Rocca. 'Laten we dankzeggen. Laten we bidden.'

Degenen die op de banken zaten, lieten zich op hun knieën vallen, zelfs de oude vrouwe Varigga. Degenen die op de grond zaten, kwamen overeind om te knielen. Salamander volgde Honelgs voorbeeld en knielde ook.

Alshandra's volgelingen geloofden blijkbaar dat de godin erg graag naar gebeden luisterde. Rocca wist van geen ophouden, de menigte mompelde antwoorden en het werd steeds benauwder in de zaal, tot Salamander zich moest inspannen om wakker te blijven. Omdat de aanbidders hun ogen gericht hielden op de vloer, kon hij er zeker van zijn dat niemand hem zag gapen. Toen hij een of twee keer iemand hoorde snurken, wat meteen werd afgebroken, wist hij dat hij niet de enige was die slaap had gekregen.

Eindelijk was het gebed en daarmee ook de dienst afgelopen. Iedereen stond zwijgend op en liep over het binnenplein terug naar de grote zaal. De bedienden deelden hompen in honing gedoopt brood uit – of dat nog een ritueel was dat bij de dienst hoorde, wist Salamander niet. Er werd druk nagepraat, tot de boerenfamilies langzamerhand als katten in het donker wegslopen. Rocca stond bij de deur om iedereen te zegenen.

Bij het licht van de fakkels in de grote zaal kon Salamander haar eindelijk goed bekijken. Ze droeg haar lange, donkere haar in een slordige wrong in haar nek, bijeengehouden door twee tweetandige benen spelden. Korte lokken waren eraan ontsnapt en hingen om haar gezicht. Haar ogen waren ook donker en ze had zulke fijne trekken dat ze erg mooi zou zijn als ze schoon was.

Op haar wangen zaten vieze strepen, haar haren waren dof van het vuil, haar hals was goorgrijs en haar rafelige vingernagels hadden zwarte randen. De tuniek die over haar wijde brigga hing, had ooit de lichte kleur van linnen gehad, maar was nu donkerbruin van opgedroogde modder en hing in stijve plooien om haar lichaam. Haar enige sieraad, als je het zo kon noemen, was een band van platgeslagen metaal om haar rechterpols. Haar voeten verrieden dat ze veel had gelopen: ze waren groot, plat en verdikt van eelt en oude littekens. Salamander herinnerde zich dat tieryn Cadryc had gezegd dat Zaklof nooit van zijn leven schoenen had gedragen. Rocca moest tijdens haar lange wandeltochten veel pijn hebben geleden voordat zich die dikke eeltlaag had gevormd.

Ze rook naar verzuurd zweet en andere lichaamsafscheidingen. Salamander deed alsof hij moest hoesten en hief een arm om zogenaamd zijn neus af te vegen – een gebaar dat door Honelg werd gezien. De heer gaf hem een por in zijn ribben en fluisterde: 'Ze wassen zich nooit, de heiligen. Daarmee laten ze zien dat ze wereldse zaken minachten.'

'Aha,' zei Salamander. 'Maar krijgen ze dan geen zweren en zo?'

'O zeker, afschuwelijke zweren. Die noemen ze juwelen van Alshandra.'

Toen de laatste gelovige vertrokken was, voldeed de priesteres aan het verzoek om aan de eretafel te komen zitten. Vrouwe Adranna schoof een eindje op om haar plaats rechts van de heer aan haar af te staan, zodat Rocca tegenover Salamander zat. Matto bracht haar een bord met droog brood en een beker water, boog en liep snel weer weg. Rocca sprak een kort gebed uit, pakte een stukje brood en wees naar Salamander.

'Wie is dat?' vroeg ze. 'Een vreemdeling, maar hij draagt wel het symbool van een volgeling van onze godin.'

'Inderdaad, uwe heiligheid,' antwoordde Honelg. 'Hij heet Evan, maar hij noemt zich Salamander, omdat hij een gerthddyn is.'

'En hij heeft Zaklof zien sterven.' Adranna leunde naar voren. 'Vertel haar het verhaal, Evan.'

Voor de derde keer die dag diste Salamander zijn geleende verhaal op. Met zo'n aandachtig gehoor kon hij het niet nalaten elk onderdeel nog eens extra boeiend te maken. Hij verzon toespraken van de bewakers en preken van Zaklof. Hij raakte zo in vervoering dat hij hier en daar ook zelf een traan kon laten of zijn stem kon laten stokken. Zelfs de krijgers draaiden zich naar hem om en luisterden zwijgend, terwijl ze hun bier onaangeroerd lieten staan, naar zijn verslag van Zaklofs laatste uren op deze wereld.

Vervolgens vertelde Salamander zijn verzonnen persoonlijke drama: wantrouwige buren, priesters die hadden gedreigd hem levend te verbranden en een echtgenote die woedend was geworden wanneer hij de naam van Alshandra noemde. Dit relaas werd even gespannen gevolgd als het vorige, tot hij uiteindelijk zag hoe hij zijn gehoor had meegesleept. Niemand verroerde zich, niemand keek ongelovig, iedereen zat als versteend.

Toen hij eindelijk uitgesproken was, veegde hij met een gepast ruw en mannelijk gebaar de tranen van zijn wangen en liet zijn hand, alsof hij uitgeput was, op zijn schoot vallen. De vrouwen aan tafel, ook de priesteres, staarden hem met vochtige ogen aan.

'Zoals je geleden hebt,' beloofde Rocca zacht, 'zal onze godin je belonen.'

'Ik verlang geen enkele beloning, heiligheid,' zei Salamander. 'Het enige waarnaar ik verlang, is meer kennis over haar en haar leer.'

'Ach, die zou ik je misschien kunnen geven, maar we moeten onze lessen allemaal langzaam leren. Een reis wordt stap voor stap gemaakt.'

'Dat spreekt vanzelf,' beaamde Salamander. 'Maar zijn er misschien dingen die een beginneling alvast mag weten?'

'Die zijn er.' Rocca nam een slokje water. 'De raad van hogepriesters heeft onze reis naar haar opgedeeld in veilige stappen.'

'Ik brand van verlangen om alles te horen wat u vindt dat ik horen mag,' zei Salamander. 'Meer niet.'

Rocca hief glimlachend haar beker met water, alsof ze hem toedronk.

'Helaas,' onderbrak Honelg hen, 'kan onze heiligheid hier niet langer dan één nacht blijven, anders wordt het te gevaarlijk. Bovendien heeft ze ook de zorg voor andere zielen.'

'Eerlijk gezegd ga ik hierna meteen terug naar onze nieuwe dun, die we Zakh Gral hebben genoemd.' Rocca keek Honelg aan. 'We bouwen daar natuurlijk ook een heiligdom en ik zal op tijd terug moeten zijn voor de inwijding.'

Salamander moest zich tot het uiterste inspannen om kalm te zeggen: 'Dat is jammer, maar misschien wilt u me dan de volgende keer dat u hier naartoe komt, vertellen wat ik mag weten.'

'Ik heb een beter idee, en misschien heeft de godin me dat wel ingegeven.' Met stralende ogen boog ze zich naar hem toe. 'Jij moet met me meegaan, Evan, echt waar. Je kunt zo mooi vertellen dat je een geschenk bent voor ons geloof en onze gelovigen. Als de, eh... de hogere orde van priesters het ermee eens is, krijg je misschien zelfs toestemming om helemaal mee te gaan naar de heiligste tempel in onze stad in het verre westen.'

'O nee, dat is te veel eer.' Salamander sloeg zijn ogen neer en vervolgde op zachte, bescheiden toon: 'Mijn gaven zijn bij lange na niet goed genoeg. Maar dat heiligdom zou ik graag willen zien, een heilige plek gewijd aan haar.'

'Dan zul je het zien!' beloofde Rocca met een warme glimlach. 'Het wordt een lange reis, maar onderweg zal ik je vertellen wat je als beginneling mag weten en dan kun jij mij leren hoe ik net zo mooi kan vertellen als jij.'

'U spreekt vanuit uw hart, uwe heiligheid, en dat maakt wat u zegt veel aangrijpender dan de verhalen van een troubadour.'

'Dat is erg vriendelijk van je. Maar er zijn nog meer rondreizende priesters en priesteressen en hoewel ook zij veel van onze godin houden, ontbreken hen de woorden om anderen de waarheid te onthullen en hen naar haar toe te brengen. We hebben iemand zoals jij nodig om ons te helpen. Wil je dus alsjeblieft met me meegaan?'

'Denkt u echt dat ik dat verdien?'

'Als ik dat niet dacht, zou ik het dan vragen?' Ze klonk alsof ze in lachen wilde uitbarsten. 'Maar of je ooit de tempel in Taenalapan zult mogen zien, kan ik niet zeggen. Dat beslist de heilige raad. Ons heiligdom... Ik heb wel het recht om je daar mee naartoe te nemen.'

'Als u het me beveelt, kan ik alleen maar gehoorzamen.'

Rocca glimlachte en Honelg en zijn vrouwvolk lachten mee. Salamander hief als bezegeling van de afspraak zijn kroes mede. Toen stond Rocca op, terwijl haar glimlach overging in gapen.

'Ik ben erg moe,' zei ze. 'Nu moet ik gaan slapen.'

'Weet u zeker, heiligheid, dat ik u geen fatsoenlijk bed in de broch kan aanbieden?' vroeg Adranna.

'Heel zeker. Stro in de stal is in deze wereld voor mij goed genoeg. Op een goeie dag zullen we het allemaal een stuk beter hebben.'

Toen Rocca weg was, wenste Salamander de anderen ook welterusten en ging naar het spaarzaam ingerichte kamertje dat hem boven in de broch was toegewezen. Toen Rocca zijn leugens zo gemakkelijk had geloofd, was er een golf van schaamte door hem heen gegaan, maar die ebde weg toen hij veilig alleen was en rustig kon nadenken. Hij zou er een fortuin, als hij dat had, onder willen verwedden dat Taenalapan, die stad in het verre westen, vroeger Tanbalapalim had geheten en de elfenstad was geweest die ruim duizend jaar geleden door het Paardenvolk was verwoest. Het verhaal ging dat de veroveraars daarna waren getroffen door de afschuwelijke pest, maar wat er werd verteld over een deel van het Paardenvolk, de beschaafde Gel da 'Thae uit Braemel, bewees dat oude verhalen niet altijd juist waren. Dat verhaal over de pest kon dus ook verzonnen zijn, zei hij even later tegen Dallandra, toen hij zich met haar in verbinding had gesteld.

'Je hebt gelijk.' Haar gezicht in het visioen stond ernstig. 'Ik weet niet precies waar Tanbalapalim lag, maar ik wil wedden dat Meranaldar het wel weet.'

'De schrijver van Dar? Ongetwijfeld! Hij kent alle verhalen, Meranaldar. Tot in de kleinste bijzonderheden en van haver tot gort.'

'Hij kan het niet helpen dat hij soms een beetje langdradig is.'

'Dat kan hij best helpen, als hij zou willen, maar het is niet van belang, o meesteres van machtige magie. Wat wel van belang is, dat is die nieuwe dun waar Rocca het over had.'

'Inderdaad. Dat is waar ook, ik ben op zoek gegaan naar die geest die je hebt gezien, dat lijkbleke vrouwachtige schepsel, maar ik heb geen spoor van haar kunnen vinden. Misschien was ze alleen nieuwsgierig naar Branna en wilde ze helemaal geen wraak nemen of zo.'

'Laten we het hopen.'

Hoewel Salamander Meranaldar al langdradig vond, kwam hij er de volgende morgen algauw achter dat hij nooit had geweten hoe lang een draad wel kon zijn. Toen hij samen met Rocca de weg naar het westen nam, bood hij haar zijn rijpaard aan, maar ze wilde per se lopen. Gelukkig stond ze wel toe dat hij de ruwe zak met haar weinige bezittingen aan het zadel van zijn pakpaard hing. Ze namen een redelijk vlakke zandweg tussen landerijen door. Hij zat op zijn paard en zij liep ernaast, en ze praatte aan een stuk door. Dankzij haar harde leven, dat ze voornamelijk in de buitenlucht had doorgebracht, had ze uitstekende longen.

'Getallen zijn de sleutel,' begon ze. 'Alles wat een beginneling mag weten, draait om getallen, zoals eenden rondjes zwemmen door een vijver. De belangrijkste getallen zijn zeven, dertien en tweeënvijftig.'

'Zeven, dertien en tweeënvijftig. Dat zal ik onthouden,' zei Salamander. 'Eh, ik kan de last van mijn andere paard wel iets verschuiven zodat we allebei kunnen rijden, hoor.'

'Maar ik wil niet rijden.' Er klonk een lach door in haar stem. 'Onze godin heeft me de kracht gegeven om overal naartoe te lopen en meer vraag ik niet. We beginnen met zeven. Er bestaan tweeënvijftig rijtjes van zeven heilige dingen, die je in de juiste volgorde moet leren onthouden. Eerst de planeten.'

Salamander slaakte ongemerkt een zuchtje van opluchting. Hij kende de namen van de zeven planeten al, en misschien zou de rest net zo gemakkelijk te leren zijn. Helaas was het niet bij hem opgekomen dat de priesters van Alshandra iets wat ze als heilig beschouwden nooit een naam zouden geven in het Deverriaans of de Elfentaal.

'Azgarn en Rebisov zijn de zon en de maan,' vervolgde Rocca. 'De andere heten Jalmat, Ringonnin, Saddet, Fomthir en Honexel. Zeg het me na.'

Salamander slaagde erin het eerste rijtje foutloos te herhalen, maar naarmate de dag vorderde en er steeds meer woorden bij kwamen, werd zijn gemoed zo zwaar als sgarkan, een van de zeven heilige metalen, dat ook 'lood' werd genoemd. Vroeger had hij een grondige hekel gehad aan de beginlessen in dweomer omdat daarin ook de nadruk lag op het uit het hoofd leren van rijen namen en toverspreuken voor rituelen, en nu moest hij opnieuw beginnen met een heel ander systeem. Ongetwijfeld zou deze enorme verzameling gegevens, net als bij dweomer, later ook van het hoogste belang blijken te zijn.

'Vroeg of laat,' zei Rocca opgewekt, 'zul je onze heilige taal ook moeten leren. De taal waar al deze namen vandaan komen.'

'Daar twijfel ik niet aan,' zei Salamander. 'Het is de taal van het Paardenvolk, nietwaar?'

Ze slaakte een kreetje en stond stil. Hij trok aan de teugels en draaide zich in het zadel naar haar om. Ze staarde hem met grote, verschrikte ogen aan.

'Rocca, iedereen hier in het noorden kent het Paardenvolk,' zei hij. 'Waarom doe je steeds alsof het niet bestaat?'

'Eh... Ik...' Ze wist niet wat ze moest zeggen.

Salamander steeg af om beter met haar te kunnen praten, maar ze weigerde hem aan te kijken, zelfs toen hij voor haar stond.

'Het is me al een paar keer opgevallen dat je een bepaald woord bijna uitspreekt en het dan niet doet. Dat woord is Paardenvolk, nietwaar? Je meesters behoren tot het Paardenvolk.'

'Dat is waar, maar het jaagt de mensen schrik aan, Evan. Iedereen denkt dat het Paardenvolk slecht is, dat het afschuwelijke slavenhouders zijn, die eropuit zijn de hele wereld te veroveren.'

'Is dat dan niet waar?'

'Natuurlijk niet!' Ze schudde haar hoofd en keek hem eindelijk aan. 'Het enige wat ze willen, is het woord van Alshandra en haar verlossing verspreiden. Maar de mensen in Deverry begrijpen dat niet en willen ons aanvallen.'

'Te oordelen naar wat ik zelf heb gezien, zijn de Paardenvolkers de aanvallers.'

'Nou ja, soms moeten we onszelf beschermen door als eerste aan te vallen.' Rocca dacht een poosje na. 'Als je de hogepriesteres eenmaal hebt ontmoet, zul je het begrijpen, echt waar.'

Salamander voelde een dweomerkoude rilling over zijn rug lopen. Vanzelfsprekend ging hij ervan uit dat zijn bezoek aan de nieuwe dun gevaar met zich mee zou brengen, maar hij had niet verwacht dat het gevaar uit de geestenwereld zou komen. Rocca deed een stap naar hem toe en stak een hand uit.

'Je gaat toch nog wel met me mee?' vroeg ze.

Even, terwijl de dweomerkou om hem heen hing, aarzelde hij. Ze keek hem zwijgend aan. Met haar vuile gezicht en in haar schamele kleren zag ze er zo kwetsbaar uit als een bedelaarskind.

'Natuurlijk,' antwoordde hij. 'Ik wil Alshandra's heiligdom graag zien. Dat kan niets me beletten.'

Rocca glimlachte en ondanks het vuil was ze even heel mooi. Salamander suste zijn geweten door zich voor te houden dat hij het heiligdom alleen graag wilde zien omdat hij dan ook de dun zou zien waarin het was gebouwd, en dat hij dus niet echt tegen haar had gelogen.

Halverwege de middag lieten ze de landerijen achter zich. De weg werd een smal pad door een bos waarin slanke sparren oprezen uit struikgewas en hoog gras. Te oordelen naar de afgehakte stammen en takken leverde het bos al jarenlang brandhout voor Honelg en zijn onderdanen. Nu de weg moeilijker begaanbaar was, kon Rocca niet langer naast Salamander blijven lopen en moesten de paarden beter opletten waar ze hun hoeven plaatsten. Rocca ging met haar lange, soepele passen voorop, en af en toe stond ze stil tot Salamander haar had ingehaald. Elke keer vroeg ze hem dan een van de rijtjes te herhalen – die afschuwelijke, stuitende, smerige, verachtelijke rijtjes, zoals Salamander ze noemde, maar natuurlijk niet hardop.

Tegen zonsondergang kwamen ze bij een veld, waar Salamander zijn paarden aan een touw kon laten grazen. Hij zocht stenen om een ondergrond te maken voor een vuur, legde er als aanmaakhout een laagje boombast en droge bladeren op en stapelde daar takken op die hij langs de bosrand had gevonden. Toen ze hadden gegeten en het donker werd, worstelde hij met een vuursteen en een stukje metaal om het vuur aan te steken. Nu Rocca erbij was, durfde hij het Natuurvolk van het Vuur niet aan te roepen om hem een handje te helpen, maar uiteindelijk kregen ze medelijden met hem en strooiden een paar vonken op de bladeren. De boombast vatte vlam en daarna ook het hout. Salamander zuchtte van opluchting en ging naast Rocca zitten, die met een glimlachje had zitten toekijken.

'Het is inderdaad prettig om 's avonds licht te hebben,' zei ze.

'Maak jij dan geen vuur wanneer je onderweg bent?' vroeg Salamander.

'Nooit. Omdat ik geen paarden bij me heb om te verzorgen, ben ik eraan gewend door te lopen tot het donker wordt, en dan wil ik alleen nog maar slapen.'

'Ah.'

Ze keek hem aan alsof ze nog iets wilde zeggen – nog meer rijtjes, vermoedde hij.

'Ik wilde je iets vragen,' zei hij vlug. 'Die metalen armband om je arm, heeft die een betekenis?'

'Ik zou het geen betekenis willen noemen, maar ik draag hem om dweomer af te weren, voor het geval dat iemand dat tegen me zou willen gebruiken.'

'Om dweomer af te weren? Dat kan toch niet met metaal?'

'De hogepriesteres in Taenalapan heeft me zelf verteld dat dat wel kan, en zij zou toch niet tegen me liegen? Iedereen die naar het oosten gaat om zich onder de inwoners van Deverry te begeven, moet zo'n gezegende armband dragen om hun gemene dweomer af te weren.'

'O. Dus jij... wij bedoel ik, wij denken dat dweomer slecht is.'

'Dat denken we niet alleen, dat weten we zeker. Vroeger waren er onder ons volk ook mensen die dweomerkracht hadden, van het ergste soort. Ze waren er trots op dat ze zich konden veranderen in dieren of vogels, zodat ze overal konden rondscharrelen of rondvliegen om anderen te bespioneren. Het Paardenvolk noemde ze mazrakir. Toen Alshandra haar vreugdevolle licht over ons ging schijnen, hebben de meeste tovenaars hun slechte gewoonten opgegeven om haar te aanbidden, maar enkelen waren te hoogmoedig om hun duivelse kunsten af te leren.'

'Wat is er met hen gebeurd?'

'Toen is er een verordening uitgevaardigd om ze te doden. Hun oneerbiedige kennis is samen met hen verdwenen, en nu is er onder ons niemand meer die een andere gedaante kan aannemen.'

'Doden de priesters elke tovenaar die ze vinden?'

'Dat doen ze, meteen nadat ze hem te pakken hebben gekregen.'

De goden staan me bij! dacht Salamander.

'Maar dat zilveren licht dan?' vroeg hij. 'Dat licht dat je tevoorschijn liet komen voor de eredienst. Dat was toch ook dweomer?'

'Dat was een geschenk van de godin. Zijzelf heeft ons geleerd hoe we het licht uit haar wereld omlaag kunnen halen.'

'Maar nu jij weet hoe je dat moet doen, kun je het toch ook iemand anders leren?'

'Zeg niet zulke domme dingen! Zonder haar zegen komt er geen licht.'

'Dus je bidt en dan komt het licht, gaat het zo?'

'Precies. We bidden met de juiste woorden om haar erom te vragen en gebruiken onze handen op een bijzondere manier om het te ontvangen. Het is een soort truc.'

'Ah, dus je maakt het licht zelf.'

'Niet alleen, domoor! Het komt van haar, zowel de kunst als het licht. Ik ga nog liever dood dan dat ik mijn hart en mijn ziel besmet met smerige dweomer.'

Tot zijn verbazing welde er opeens woede in hem op. Hoe durfde ze dweomer zo te verachten! Maar ze was zo ergerlijk zeker van zichzelf dat hij wist dat hij haar nooit op andere gedachten zou kunnen brengen.

'Nu begrijp ik het,' zei hij alleen nog maar. 'Dank je.'

Dallandra hoorde pas laat in de nacht weer iets van Salamander. Hij had moeten wachten tot Rocca hem alleen had gelaten voordat hij het waagde in het vuur te staren. Zelfs al had het geleken alsof hij alleen maar diep zat na te denken, legde hij Dallandra uit, dan nog zou dat Rocca opgevallen zijn en zou ze hebben gevraagd waarover hij nadacht.

'Ze is nu mijn spirituele gids,' legde hij uit. 'Ik hoor haar alles te vertellen.'

'Waarom eigenlijk?' vroeg Dallandra. 'Ik krijg de indruk dat Alshandra een heel nieuwsgierige godin is geworden. Het is toch nog wel veilig om met mij van gedachten te wisselen?'

'Nu wel. Rocca wilde alleen het bos in. Beginnelingen mogen niet toekijken wanneer priesteressen hun speciale gebeden zeggen.' Hij vertelde haar hoe het die dag was gegaan, maar als een echte troubadour bewaarde hij het beste nieuws voor het laatst. 'Het wordt een beetje onbehaaglijk. Ze vertelde me net dat ze iedereen vermoorden die aan dweomer doet.'

'Dat verbaast me niets,' antwoordde Dallandra. 'De meeste menselijke priesters zijn jaloers op dweomer. Denk bijvoorbeeld maar aan de Gel da 'Thae en de ernst waarmee zij hun godsdienst bedrijven. Het Paardenvolk is waarschijnlijk wat hun nieuwe geloof betreft nog feller.'

'Dat is een goed woord om het te beschrijven. Fel, vurig, gloedvol, in vuur en vlam, en misschien zelfs fanatiek. Toch is Rocca van nature een vrolijk meisje. Ze lacht graag en vaak.'

'Dat spreekt toch vanzelf? Ze denkt dat ze weet hoe elke kwaal in de wereld te genezen is. Daar zou iedereen toch vrolijk van worden?'

'Je hebt gelijk, o prinses van perileuze potenties. Maar daar komt ze weer aan.' Meteen verbrak hij de verbinding.

Dallandra dacht aan de menselijke vrouw die Raena heette en die een jaar of veertig geleden haar aartsvijand was geworden, hoewel ze had geprobeerd haar te helpen. Zij aanbad haar godin ook, peinsde Dallandra. Ik vraag me af... Maar Rocca leek te opgewekt om de reïncarnatie van die verbitterde, verwarde ziel te zijn. Tot ze Rocca zelf ontmoette, als ze die kans ooit zou krijgen, zou ze het niet weten. Schouderophalend stond ze op en ging Calonderiel zoeken.

Zwermen muggen en andere insecten bleven in de vochtige avondlucht om haar heen hangen, hoe ze ook schold en met haar handen wapperde om ze weg te jagen. De zomer in het Westland had ook nadelen. Nu het festival voorbij was, stonden alleen de paar tenten van de prinselijke alar nog op het veld, dat door de vele voeten was veranderd in een zandvlakte. Ongeveer honderd meter bij haar vandaan stond de fleurige tent van Dar. Een eindje verderop lagen de weiden waar hun kudden graasden in het schaarse gras, terwijl enkele jongemannen te paard er de wacht hielden.

Cal en zijn zoon Maelaber zaten geknield voor de tent van de prins een dobbelspel te spelen. Om beurten strooiden ze een handvol felgekleurde houtjes van verschillende vormen uit op een gelooide hertenhuid die tussen hen in lag. Hoewel vrouwe Rhodda, de moeder van Maelaber, een mens was geweest, had ze ook elfenbloed gehad. Maelaber zag er dan ook eerder uit als een lid van het Westvolk dan als een Deverriaan. Zijn donkerblauwe ogen waren als die van de mensen, maar zijn oren krulden als die van de elfen.

In de tent klonk gemompel van stemmen. Prins Daralanteriel zat buiten bij het licht van het vuur naar het dobbelspel te kijken. Toen Dallandra eraan kwam, legden de spelers hun houtjes neer, terwijl de prins haar met een handgebaar begroette. Hij was een heel knappe man, zelfs voor een man van het Volk. Hij had ravenzwart haar en grijze ogen met pupillen zoals die van katten, maar ze waren lavendelblauw.

'Kom bij ons zitten,' zei Dar.

Calonderiel raapte de houtjes op en bood haar de hertenhuid als zitplaats aan.

'Dank je.' Dallandra ging erop zitten. 'Ik heb slecht nieuws. Ebañy krijgt binnenkort grote problemen.'

'Waarom verbaast me dat niet?' Calonderiel keek naar de prins. 'Het is maar goed dat wij ook naar het noorden gaan.'

'En ons aansluiten bij de alar van Valandario,' voegde Dar eraan toe.

'Weet Devaberiel dat zijn zoon weer moeilijkheden zal veroorzaken?'

'Ja, zeker. Hij zei net als Cal dat het hem absoluut niet verbaast,' antwoordde Dallandra. 'Waar is je schrijver, Dar? Ik wil hem iets vragen.'

'In de tent. Hij helpt Carra de kinderen naar bed te brengen. Volgens mij hebben ze een te grote portie opwinding gehad. Maar Meranaldar kan, als hij wil, heel mooie verhalen vertellen.'

Het vuur brandde nog maar heel laag, maar het was zo'n benauwde avond dat zelfs dat al te warm was.

'Mael, wil jij het vuur doven?' vroeg Dallandra.

De jongen knikte en pakte een schop. Terwijl hij er hard mee op de gloeiende as sloeg, stak Dallandra een hand op en riep het Natuurvolk van Ether aan. De luchtgeesten kwamen in een zwerm om haar heen vliegen en toen ze met haar vingers knipte, maakten ze een zilveren lichtbal voor haar, zo mistig als de maan achter de wolken. Ze gooide hem recht omhoog, waar het Volk van de Lucht hem opving en vasthield.

'Dat is beter,' zei Cal. 'Hoewel de rook die vervloekte muggen op een afstand hield.'

'Ik heb liever last van muggen dan van zweten,' zei Dallandra. 'Bovendien is het hout bijna op.'

Toen Meranaldar even later uit de tent kwam, keek Dar hem met een opgetrokken wenkbrauw aan.

'Ze slapen, prins,' zei Meranaldar. 'Zo goed als. De prinses blijft bij ze tot ze zeker weet dat Elessi niet meer wakker zal worden.' Hij boog naar de prins en ging naast Dallandra zitten. 'Hoorde ik dat je me iets wilt vragen?'

'Inderdaad. Waar lag Tanbalapalim? En weet je wat er na de Grote Brand van overgebleven is?'

'Tanbalapalim was de noordelijkste stad van de Zeven Steden en hij is dan ook het eerst gevallen. De Mera zijn er op strooptocht gegaan, althans volgens de oude verslagen, en hebben toen de hele stad verwoest en platgebrand. Later hebben ze geprobeerd hem weer op te bouwen, maar ik weet niet wat daarvan terecht is gekomen.'

'Maar ze zijn uiteindelijk uitgeroeid, nietwaar? Door ziekten, bedoel ik.'

'Uiteindelijk wel, denk ik. Omdat de pest destijds is uitgebroken in Rinbaladelan, aan de kust, was Tanbalapalim waarschijnlijk de laatste stad die erdoor werd getroffen. Hoezo?'

'Ebañy heeft gehoord dat er weer Paardenvolkers wonen.'

Meranaldar staarde haar even stomverbaasd aan, maar keek toen weer ernstig. 'Dan moeten ze er niet zo lang geleden naartoe zijn gegaan, want Evandar heeft me verschillende keren verteld dat de pest de indringers in elke stad had gedood.'

'Dat heeft hij mij ook verteld,' zei Dallandra. 'En Zatcheka en de Gel da 'Thae zijn ervan overtuigd dat zij de enige groep Paardenvolkers zijn die in steden woont. Eerst hebben ze zich in Braemel gevestigd en toen hebben ze ten zuiden daarvan nieuwe steden gebouwd. Hoe ver ligt Tanbalapalim ten noorden van Braemel?'

'Volgens een van de boeken tweehonderdnegentig kilometer en volgens een ander driehonderdtwintig.' Meranaldar fronste nadenkend zijn voorhoofd. 'Ik haat het als bronnen niet met elkaar overeenkomen, maar we kunnen er vrij zeker van zijn dat Tanbalapalim heel ver van Braemel vandaan ligt. Het was een noordelijke buitenpost, hoog in de bergen.'

'Dus ligt het overal ver vandaan,' zei Dalla. 'En de Gel da 'Thae maken geen lange reizen, tenzij het noodzakelijk is. Daarom zijn zij in die streek nog geen Paardenvolkers tegengekomen.'

'Maar zelfs al zijn ze dat wel, wat maakt dat dan uit?' Daralanteriel leunde naar voren om ook aan het gesprek deel te nemen. 'Als het Paardenvolk van een van die oude steden een vesting heeft gemaakt, zijn wij niet in staat om hen te verjagen.'

'Ik begin me af te vragen of we niet met een hopeloze zaak bezig zijn.' Cal schudde gefrustreerd zijn hoofd. 'We kunnen het Paardenvolk wel steeds terugdrijven, maar uiteindelijk zijn zij met veel meer dan wij. Het is net zoiets als proberen de zee leeg te scheppen met een emmer.'

'Ach, beste banadar, we hebben gelukkig een toevluchtsoord,' zei Meranaldar. 'De Zuidereilanden. De Hoge Raad heeft zijne koninklijke hoogheid herhaalde malen gevraagd bij hen te komen wonen, en die uitnodiging geldt natuurlijk ook voor zijn gevolg.'

'Hij zou moeten gelden voor iedereen in het Westland voordat ik erover zou denken hem aan te nemen,' zei Dar.

Meranaldar boog zijn hoofd en mompelde een verontschuldiging.

'Maar wie wil er nou in een stinkend oerwoud wonen?' zei Cal, terwijl hij zijn kin vooruitstak. 'Ik vecht liever voor het Westland, al wordt het mijn dood.'

'Ik heb het liefst dat we allemaal in het Westland blijven léven,' zei Dallandra. 'En ik ben van plan een manier te vinden om daarvoor te zorgen. Je weet best dat we ook bondgenoten hebben, Cal. De heren in Deverry weten dat het Paardenvolk, als wij worden verslagen, aan hun grens zal staan.'

'Dat is waar, we kunnen op flink wat versterkingstroepen rekenen,' zei Cal, opeens weer opgewekt. 'Die Rondoren planten zich voort als ratten.'

'Hé!' Maelaber richtte zich op zijn knieën op. 'Je hebt het over het volk van mijn moeder, denk je daaraan?'

'Rustig maar, jongen,' zei Calonderiel met een grijns. 'Als ik slecht over haar dacht, zou jij hier niet zijn.'

Mael opende zijn mond om boos iets terug te zeggen, maar Dallandra was hem voor. 'Ach, hou je mond, Cal,' zei ze. 'Het is afschuwelijk benauwd vanavond en gekibbel maakt het alleen maar erger.'

'Je hebt gelijk.' Cal keek naar zijn mokkende zoon. 'Als je onze omstandigheden in aanmerking neemt, is die vergelijking met ratten een compliment.'

Mael keek hem met een kille blik aan.

'Denk nou eens goed na,' vervolgde Cal. 'Wat is altijd ons zwakste punt geweest, hier in de natuur? Ons aantal, juist. Onze vrouwen krijgen niet genoeg kinderen. Niet dat ik hen dat kwalijk neem, maar...'

'Natuurlijk wel!' viel Dalla hem in de rede. 'Terwijl het waarschijnlijk nooit bij je is opgekomen dat onze mannen ook iets met het probleem te maken hebben.'

'Wát?' snauwde Calonderiel. 'Dat spreekt toch vanzelf! Je bent vanavond verdraaid prikkelbaar, weet je dat...'

'Hou op!' Daralanteriel maakte gebruik van zijn koninklijk gezag. 'Hou op, allebei. Het komt gewoon door de hitte, die vervloekte muggen en het slechte nieuws, al die dingen bij elkaar. Maar ruzie zal onze moeilijkheden niet oplossen.'

'Dat is waar,' gaf Cal toe. 'Het spijt me.'

'Mij ook,' zei Dallandra, met een knikje naar de prins.

Daralanteriel glimlachte, maar het was een grimmig lachje. 'Ga verder, dweomermeester,' zei hij. 'Wat wilde je ons vertellen?'

'Eh... over de kinderen. Daar heeft niemand schuld aan. Het komt doordat we zo lang leven, Cal. Geen enkel schepsel dat heel lang leeft, brengt veel nakomelingen voort. Vooral niet als de soort jaagt op vlees, zoals wij. Als dat wel zo was, zou er geen enkel smakelijk dier overblijven. In de dweomer noemen we dit principe de balans tussen leven en levens.'

'O ja?' Cal haalde zijn schouders op. 'Daar weet jij meer van dan ik.'

'Inderdaad.' Dalla verzachtte haar woorden met een glimlach. 'In de volksverhalen van de Deverrianen wordt beweerd dat we onsterfelijk zijn. Die indruk hebben zij, maar als dat waar was, zou een vrouw bij ons maar één keer in de duizend jaar een kind krijgen, of zelfs nog minder.'

'Dan ben ik verduiveld blij dat ik niet onsterfelijk ben,' zei Cal. 'Ook om andere redenen. Alle goden, wie zou nog moedig willen zijn als lafaards het eeuwige leven zouden hebben?'

'Dat is nog nooit bij me opgekomen,' zei Meranaldar. 'De kans lopen dat je bij een gevecht om het leven komt, terwijl je het eeuwige leven hebt? Waarom zou je dat doen?'

'Je zou stapelgek zijn. Het is iets anders als je van mijn leeftijd bent en beseft hoe weinig tijd je nog overhebt. Als je dan op het slagveld sterft, verlies je niet zoveel.' Cal haalde zijn schouders op. 'Wat onze kinderschaarste betreft – en ik zeg ónze, Dalla – veronderstel ik dat het, toen we nog in die mooie steden woonden waarover Meranaldar het altijd heeft, een zegen was, maar in ons huidige leven is het een vloek. De Rondoren, eh... ik bedoel de Deverrianen, krijgen zoveel kinderen dat ze die niet eens allemaal te eten kunnen geven, en voor het Paardenvolk geldt hetzelfde. Dus Deverry breidt zich uit naar het westen en het Paardenvolk spreidt zich uit naar het oosten en wij worden platgedrukt en gewurgd in het midden.'

'Dat zou zo zijn,' zei Daralanteriel, 'als we geen bondgenoten hadden in Deverry.'

'Dat is waar. Zij staan aan onze kant, voorlopig.'

'En daar blijven ze staan,' zei Dalla, 'want ze haten het Paardenvolk.'

'Misschien wel, misschien niet.' Cal dacht even na. 'Maar als er pijlen vliegen, heb ik liever mijn eigen volk om me heen.'

Maelaber, die zwijgend had geluisterd, begon opeens te lachen, hoewel het eerder klonk als geblaf dan als een uiting van plezier. 'Wat jammer,' zei hij, 'dat we niet een paar honderd jaar leven kunnen ruilen voor meer kinderen.'

'Maar dat doen we eigenlijk ook, nietwaar?' Opeens werd Dallandra iets duidelijk wat ze al veel eerder had moeten inzien. 'Elke keer dat een van ons een kind krijgt bij een man of vrouw van het mensenras.'

Cal vloekte, zacht maar langdurig. Iedereen keek naar de prins, die schouderophalend zijn handen spreidde.

'Eigenlijk wel,' beaamde Dar. 'Maar ik heb Carra alleen om haarzelf het hof gemaakt, niet vanwege haar' – hij aarzelde even – 'vruchtbaarheid.'

De mannen lachten, maar Dallandra moest meteen aan een voorspelling denken die al ruim honderd jaar geleden was gedaan: *het wyrd van Rhodry is het wyrd van Eldidd.* Deze uitspraak kreeg opeens een heel andere betekenis voor haar. Misschien, dacht ze, is het wel de bedoeling dat Eldidd en het Westland een gemengd ras voortbrengen om een uitstervend volk te redden.

'We zullen gauw genoeg weten, Cal,' vervolgde Dar, 'hoe sterk de band met onze bondgenoten is.'

'En laten we niet vergeten dat ik ook nog bondgenoten heb.' Dalla stond op en keek om zich heen. 'Zodra ik morgenvroeg wakker ben, zal ik Grallezar waarschuwen, en Niffa in Cerr Cawnen. Over "wakker" gesproken, ik denk dat ik nu maar eens ga slapen.'

Calonderiel kwam ook overeind. 'Ik breng je naar je tent. We hadden hem dichter bij die van ons moeten zetten. Ik vind het geen prettig idee dat je daar in je eentje helemaal aan de rand van het veld staat.'

'Ach, dat maakt nu niets meer uit,' zei Dallandra. 'We vertrekken morgen, en ik geloof niet dat er moordenaars van het Paardenvolk in het gras liggen en naar ons loeren.'

'Ik ook niet,' zei Cal, 'maar misschien wel tovenaars van het Paardenvolk.'

Dallandra wilde net vertellen wat ze van Ebañy had gehoord over de manier waarop het Paardenvolk met tovenaars omging toen ze zich herinnerde dat er meerdere soorten Paardenvolkers waren. Het was best mogelijk dat sommigen van hen geweigerd hadden hun toverkunst op bevel van een priester op te geven.

'Dat zou kunnen,' gaf ze toe. 'Maar voor één nacht is het nog veilig genoeg. Als er een gedaantewisselaar bij me in de buurt zou komen, zou ik dat voelen.'

'Mooi zo.' Calonderiel keek naar de lucht. 'Het zijn meestal vogels, nietwaar?'

'De gedaantewisselaars die ik ooit heb gezien, hebben allemaal de vorm van een vogel aangenomen, dat is waar. Dus als je ergens een ongewoon grote vogel ziet rondvliegen, laat het me dan weten.'

Nu ze het over mazrakir hadden gehad, zoals het Paardenvolk hun wisselgedaanten noemde, was Dallandra toen ze door het donkere, stille veld overstaken blij met Calonderiels gezelschap. Eindelijk was er een zachte wind opgestoken om afkoeling te brengen en de insecten te verjagen. Achter haar tent golfde en ruiste het hoge gras steeds wanneer de wind eroverheen streek, en leek in het schijnsel van de sterren een groene zee die zich uitstrekte naar de westelijke horizon. En achter die horizon, onzichtbaar, lagen de uitlopers en vervolgens de hoge bergen van het verre westen, waar ooit het Volk had gewoond in steden en boerderijen. In die tijd was het een gevestigd volk, dat bekendstond om haar wetenschap en literatuur.

'Ik heb weer veel van Meranaldar geleerd,' zei Dallandra. 'Het belangrijkste is dat ik nu weet hoeveel we verloren hebben.'

'Dat is zo,' zei Cal. 'En het zou aan mijn ziel vreten als we het weinige dat we nog over hebben ook zouden verliezen. Ik vervloek het hartgrondig, dat Paardenvolk en zijn valse godin!'

'Gelukkig leeft die valse godin niet meer. Zij was degene die hun die leugen heeft verteld en daardoor deze afschuwelijke toestand teweeg heeft gebracht. Je kunt er het Paardenvolk eigenlijk niet de schuld van geven.'

Calonderiel snoof luidruchtig. 'Het Paardenvolk brengt goden voort zoals paardenstront vliegen,' zei hij. 'Ik verzeker je bij de duistere zon dat ik, als ik de pest zou kunnen veroorzaken en die harige schurken uitroeien, dat zou doen.'

'Zoiets mag je niet zeggen! Je weet niet wat zo'n slechte gedachte tot gevolg kan hebben. Je hebt toch ook Zatcheka en haar mannen ontmoet? Het Paardenvolk bestaat niet alleen uit woestelingen.'

'Ach, natuurlijk niet. Maar de woestelingen zijn degenen die dood en verderf zaaien.'

'Helaas wel, ja. Maar als Zatcheka en haar stamgenoten hun gedrag konden veranderen en Gel da 'Thae konden worden, kunnen anderen dat ook.'

'En misschien wordt de maan dan paars.'

'Ach, wees toch niet zo koppig! De ware aard van het Paardenvolk vormt geen beletsel voor een ander soort gedrag. Het zijn geen dieren zoals wolven of beren, die van nature zijn wat ze zijn en nooit zullen leren zich anders te gedragen.'

'Maar wie zal het Paardenvolk leren zich anders te gedragen? Ik wil niet dat onze lijken zullen dienen als hun lesmateriaal.'

'Denk je dat ik dat wel wil?'

'Nee.' Plotseling glimlachte Cal. 'De prins had gelijk. We hebben allemaal onze stekels overeind staan vanwege het slechte nieuws. Het spijt me oprecht dat ik je zo heb afgesnauwd.'

'Het spijt mij ook dat ik zo kribbig deed.'

Een poosje liepen ze zwijgend naast elkaar en genoten van de avondwind. Boven hun hoofden stroomde de Sterrenrivier, waarop de goden van de elfen in hun met edelstenen versierde schepen zachtjes voortgleden, glinsterend van einder tot einder.

'Ach ja,' zei Cal ten slotte, 'ik zal maar eens teruggaan.'

Dallandra hoorde aan de geforceerd onverschillige klank van zijn stem hoe hij naar haar verlangde. Even kwam ze in de verleiding om hem de nacht bij haar te laten doorbrengen, alleen maar omdat ze zich onder de hoge sterrenboog zo eenzaam voelde. Maar dat zou een heel oneerlijke reden zijn, vond ze.

'Dat is een goed idee,' zei ze. 'We moeten morgen al bij zonsopgang op.'

'Je hebt gelijk.' Hij stak een hand op ten afscheid en om meteen wat muggen te verjagen. 'Welterusten.'

Toen Dallandra hem nakeek, had ze hem bijna teruggeroepen. Je voelt je eenzaam, meer niet, hield ze zichzelf vermanend voor. Doe alsjeblieft geen domme dingen. Hoofdschuddend liep ze haar tent in, waar de hete, benauwde lucht haar als een onaangename omarming verwelkomde. Ze pakte haar dekens en nam ze mee naar buiten om in het gras te gaan slapen.

Maar ze bleef nog een hele poos wakker liggen, terwijl ze naar de Sterrenrivier keek en dacht aan het Paardenvolk, dat als een ander soort rivier onstuitbaar naar het oosten stroomde. Haar enige troost was dat er hulp in aantocht was, niet alleen in de vorm van krijgers, maar ook in de vorm van dweomer. Ze wist dat ze kon rekenen op Grallezar van de Gel da 'Thae en Niffa van de Rhiddaer om in hun eigen land op hun hoede te zijn. Daarnaast waren twee van de grootste dweomermeesters ter wereld herboren, die inmiddels oud genoeg waren om met hun opleiding te beginnen. En ze zullen snel leren, dacht Dallandra, want voor hen zullen het allemaal herinneringen zijn.

Dat hoopte ze tenminste.

Toen alle belastingen waren afgeleverd en opgeborgen, ging het dagelijks leven in de dun van Cadryc weer rustig zijn gang. Althans, het zou rustig zijn gang zijn gegaan als tieryn Cadryc niet zo prikkelbaar was geweest. Hij grauwde en gromde tegen iedereen, bedienden en edelen, waarna hij dan weer zijn verontschuldigingen aanbood, zelfs aan de bedienden. Tussen de woedeaanvallen door liep hij onrustig heen en weer over het binnenplein, nam de krijgsbende mee voor lange ritten door het land of zat in zijn stoel in de grote zaal te piekeren. Regelmatig brak er ruzie uit voordat Gerran het kon verhinderen, en dan kwam hij meteen tussenbeide door tussen de twee kemphanen in te gaan staan en zonder partij te trekken scheldend met zijn zwaard te zwaaien.

Het weer droeg bij aan de gespannen sfeer. Overdag was het ongewoon heet, en na een regenbui bleef de lucht zo vochtig dat het net
zo goed door kon regenen. In de namiddag hingen er om mensen en
dieren grote wolken insecten. Cadryc vroeg steeds eerder op de dag
om bier.

'Hij voelt zich aangetast in zijn eer, denk ik,' zei Branna. 'Ik bedoel
oom Cadryc. Hij heeft hartenpijn.'

'Hij voelt zich inderdaad zwaar beledigd,' beaamde Galla. 'Maar hij
hoopt nog steeds dat de gwerbret hem uiteindelijk zijn zin zal geven. Het hangt af van die troubadour, heeft hij me verteld.'

'Salamander? Heeft hij invloed op de gwerbret? Dat begrijp ik niet.'

'Ik ook niet, kind, maar hij heeft iets gezegd over een vesting van
het Paardenvolk en daar is hij naar gaan zoeken. Als hij die vindt,
zal dat van groot belang zijn. Dat is alles wat Cadryc me heeft verteld. Maar hoop kan iemand ook ongedurig maken, al dat wachten
op iets wat wel of niet komt.'

De twee vrouwen zaten te handwerken in de vrouwenzaal, hun toevluchtsoord wanneer de stemming beneden te onplezierig werd. Een
paar dagen geleden hadden ze de laatste hand gelegd aan het eerste
paneel van het gordijn om Branna's bed en nu lag het tweede, op
het raamwerk gespannen, voor hen. Met een stukje houtskool had
Branna zojuist spiralen getekend tussen rijen wolven die met de snuit
naar elkaar toe stonden en hun staart gekruld hadden om die van
de wolven die achter ze stonden. Het paneel werd omzoomd door
een rand van lussen met nette, schuin tegen elkaar liggende hoeken.
De wolven zouden roestbruin worden, de kleur van de spiralen en
de lussen hing af van de verfstoffen die ze tegen die tijd tot hun beschikking zouden hebben.

'Het is jammer dat mannen zich niet met zoiets als dit bezig kunnen
houden,' zei Branna. 'Ik denk dat ik gek zou worden als ik niet kon
borduren.'

'Dat heb ik ook wel eens gedacht, kind, vooral toen we hier pas
woonden, zo ver van jou en mijn vriendinnen vandaan. De mannen
hebben wel hun carnoic en hun kennisspel met die houten stukken,
maar gokken veroorzaakt tegenwoordig alleen maar nog meer ruzie.'

'Dat is zo. Ze zouden iets kalmerends moeten doen.'

'Ach kind, ze halen hun neus op voor rustige, vredige bezigheden.'
Galla zweeg nadenkend. 'Maar je hebt me wel op een idee gebracht.
Ik zal het je oom vanavond voorstellen.'

De volgende morgen, toen iedereen zijn ontbijt ophad, stond Cadryc op en riep om stilte. Toen iedereen zijn mond hield, keek hij

glimlachend de zaal rond.

'Ik wil jullie een voorstel doen, jongens,' zei hij. 'Wat denken jullie van een toernooi om de tijd te doden? Ik zal een boodschapper naar heer Pedrys sturen om te vragen of hij een paar van zijn beste krijgers wil sturen om mee te doen. Houten zwaarden en rieten schilden, mannen, en de winnaar krijgt een zilveren penny uit de toelage van de Eerste Koning. Gerran en Mirryn zullen scheidsrechters zijn, en ik hoop dat zij ons een demonstratie willen geven om het toernooi af te sluiten.'

De mannen juichten hem instemmend toe. Galla, die tegenover Branna aan tafel zat, gaf haar nichtje een knipoog. Het rumoer in de grote zaal nam toe terwijl er weddenschappen werden afgesloten. Ook al wist niemand nog wie er tegenover elkaar zouden komen te staan, iedereen had een favoriet.

'Het was een uitstekend idee van je, liever,' zei Cadryc met een knikje naar Galla. 'Waar is mijn schrijver? Ik wil de uitnodiging aan Pedrys meteen wegsturen.'

'Ik zal hem wel even gaan halen, oom.' Branna stond op en maakte een kniebuiginkje. 'Ik hoorde hem zeggen dat hij veren ging zoeken om pennen te maken.'

'Dank je, kind.' Cadryc keek Galla weer aan. 'Vind jij dat we die vermaledijde jonge gwerbret ook moeten uitnodigen?'

'Ik vind van wel,' antwoordde Galla. 'En waarom ook niet, want hij komt waarschijnlijk toch niet.'

Branna liet hen de zaak bespreken en liep haastig door de achterdeur de zaal uit. In de zon was het al erg warm. Toen ze tussen de verschillende schuren door liep, hoorde ze de ganzen gakken en sissen. Ze trof ze aan in de groentetuin, waar ze zich druk te goed deden aan slakken en insecten, en alleen af en toe ophielden om naar elkaar te happen. Aan de andere kant van de groentetuin stond de ganzenhoedster te praten met Neb, die zijn handen al vol had met ganzenveren.

Ze was een knap meisje, de donkerharige Palla. Ze droeg maar één kleed, een grijs, met een scheur aan de hals. Ze giechelde en keek Neb dwepend aan terwijl hij haar een lang verhaal vertelde. Branna liep naar hen toe, maar voordat ze kon horen wat ze zeiden, zagen de ganzen haar aankomen en sloegen alarm. Een oude mannetjesgans kwam met zijn kop omlaag en wild fladderende, gekortwiekte vleugels op haar afstormen. Branna deed een stap opzij en gaf hem een schop, zodat hij omtuimelde.

'Pas eens wat beter op je ganzen, meisje,' snauwde Branna tegen Palla. 'Ze zijn een beetje te brutaal.'

Palla werd rood en ze mompelde een verontschuldiging, maar haar ogen flitsten van woede. Branna wierp een blik op Neb en liep terug naar de broch. Even later haalde hij haar in.

'Wie is er nu jaloers?' zei hij met een zelfvoldaan glimlachje.

'Huh, je denkt zeker dat ik me iets aantrek van zo'n kind dat onder de vlooien zit,' zei Branna op minachtende toon. 'Je mag net zoveel met haar praten als je wilt, hoor.'

'Ik legde haar alleen maar uit welke veren ik nodig heb om pennen van te maken.' Neb hield een handjevol omhoog. 'Ze moeten een dikke, stevige schacht hebben, want van dunne veren blijft, nadat je de pluimen eraf hebt gesneden, niets over.' Hij grinnikte. 'Volgens mij was je wel degelijk jaloers.'

'En wat dan nog?'

'Juist, wat dan nog?'

'Ach, wat geeft het. Natuurlijk was ik jaloers. Een beetje. Een heel klein beetje, meer niet. Eh... Nou ja, eerlijk gezegd wilde ik haar het liefst een draai om haar vuile oren geven en dat verbaasde me. Jij vindt dat natuurlijk heel raar van me.'

'Dat vind ik niet.'

'Dank je.'

'Geen dank, en maak je maar geen zorgen om dat meisje.' Neb zweeg en wendde zijn hoofd af. 'Ik wil je al een hele tijd iets vragen en dat kan ik net zo goed nu doen. Denk je dat je er ooit in zou kunnen toestemmen met een burgerman te trouwen? Het is zomaar een vraag, hoor.'

Branna had het liefst meteen 'als jij het was, wel' geantwoord, maar ze hield zichzelf net op tijd voor dat ze moest laten zien dat ze een welopgevoed meisje was. Dat hield in dat ze niet al te vrijmoedig mocht zijn tegen mogelijke huwelijkskandidaten.

'Ach, het idee staat me niet tegen,' antwoordde ze. 'Ik breng als bruidsschat tenslotte geen land mee.'

'O, maakt dat verschil?' Neb begon weer te grinniken, maar hij hield er meteen mee op, waarschijnlijk omdat hij ook wilde laten zien dat hij goede manieren had.

'Een groot verschil,' zei Branna. 'Want dan kan mijn familie geen tegenwerpingen maken omdat er een deel van hun grondgebied naar een burgerman gaat.'

'Zouden ze er ook nog om andere redenen bezwaar tegen kunnen hebben, denk je? Ik wil het alleen maar weten.'

'Mijn vader was blij dat hij van me af was, dus waarom zou hij er bezwaar tegen hebben?'

'En je oom?'

Branna aarzelde. Ze vroeg zich af of ze Neb zonder omwegen kon vertellen dat tante Galla het ermee eens was en dat zij haar man zou overhalen om ook toestemming te geven, maar Neb vatte haar aarzeling verkeerd op.

'Ik merk dat ik te ver ben gegaan,' zei hij op kille, afgemeten toon. 'Neem me niet kwalijk dat ik...'

'Ach, doe niet zo dwaas! Je hebt niets verkeerds gedaan, ik vroeg me alleen af wat oom Cadryc ervan zou vinden.'

Neb wilde weer iets zeggen, maar hun ogen ontmoetten elkaar en ze begonnen allebei hard te lachen.

'Je doet heel beleefd en zo,' zei Branna, 'maar je staat daar met handen vol ganzenveren.'

'Inderdaad.' Neb hield haar zijn vuisten voor. 'Mag ik mijn vrouwe een teken van mijn hoogachting geven?'

'O, dank je, beste schrijver.' Branna trok een veer uit een van de bossen en hield hem omhoog. 'Ter ere van jou zal ik hem koesteren.'

Neb begon weer te lachen, keek langs haar heen en hield abrupt op. Branna draaide zich om en zag Gerran een paar meter bij hen vandaan staan, met over elkaar geslagen armen en een kwaad gezicht.

'Neb!' riep hij. 'De tieryn wil dat je een brief voor hem schrijft.'

'Dat is waar ook.' Branna voelde dat ze bloosde. 'Dat had ik tegen je moeten zeggen.'

'Dan zal ik maar gauw naar binnen gaan,' zei Neb. 'Ga je mee?'

Gerran bleef mokkend tussen hen en de broch in staan.

'Nee, ik moet Midda spreken,' antwoordde Branna.

Ze draaide zich om en liep weg. Toen ze even later omkeek, zag ze Gerran en Neb ieder een andere kant op gaan. Ze liet haar goede manieren varen en rende naar het bediendenverblijf, met de ganzenveer in een zak van haar rok.

Midda en de andere dienstmaagden sliepen op een langwerpige zolder. De vloer was bedekt met stro en overal lagen matrassen en dekens. De jongere meisjes moesten een matras delen, met z'n tweeën of zelfs met z'n drieën, maar Midda, de kokkin, en nog enkele andere dienstmaagden met een hogere rang hadden ieder een matras voor zichzelf en ook een rieten scherm om hun eigen ruimte af te bakenen. Aan een uiteinde van de zolder, voor het raam, stond een wankele houten tafel met aan weerskanten een bank. De tafel lag vol met vellen afgeschoren schapenwol, en Midda en drie andere vrouwen zaten er met sterke benen kammen grote plukken af te trekken. Voordat de wol kon worden gesponnen, moest hij ook nog met een fijnere kam worden gekaard.

Toen Branna binnenkwam, wilden de vrouwen opstaan, maar ze gebaarde dat ze moesten blijven zitten. 'De vrouwe wil weten hoe het gaat,' zei ze.

'We schieten al aardig op,' antwoordde Midda. Ze legde haar kam neer en stond op om zich uit te rekken. 'We zijn ongeveer op de helft.'

'Geweldig! Als jullie genoeg hebben om mee te spinnen, geef dat dan maar aan mij, dan begin ik daar alvast mee.'

'Ik kan u minstens een zak vol meegeven, vrouwe. Ik zal hem halen.'

Terwijl Branna stond te wachten, gingen de andere vrouwen door met hun werk. Ze zaten onder de plukjes wol en zagen eruit alsof ze net vanuit een sneeuwbui naar binnen waren gekomen. Wolvezels zweefden traag door de ruimte, glinsterend in het zonlicht dat door het raam viel. Branna niesde, driemaal achter elkaar.

'Ik ga alvast naar beneden,' zei ze.

Even later kwam Midda ook naar buiten, waar het koeler was, en overhandigde haar een zak ter grootte van een kussensloop. De gekaarde wol was er voorzichtig in gestopt, om te voorkomen dat er opnieuw knopen in zouden komen.

'Ach, arme vrouwe,' zei Midda. 'Ik vind het heel erg dat u net als sommigen van ons moet spinnen.'

'Och, zo erg is dat nu ook weer niet. Zelfs tante Galla gaat af en toe aan het spinnewiel zitten.'

'Toch verdient u beter.' Midda kneep haar lippen opeen, wat betekende dat ze aan Branna's stiefmoeder dacht.

'Eigenlijk vind ik dat ook, Midda,' gaf Branna toe. 'Alleen weet ik niet wat "beter" zou moeten inhouden. En over "beter" gesproken, waarom doen jullie dit werk niet buiten, waar het koeler is?'

'Omdat het elk moment kan gaan regenen en het veel moeite kost om alles naar buiten te slepen en dan weer naar binnen te brengen.'

'Ach, natuurlijk. Daar had ik niet aan gedacht.'

Op de terugweg naar de broch keek Branna steeds om zich heen, omdat ze Gerran wilde ontwijken. Maar de mannen hadden het zo druk met de voorbereidingen voor het toernooi dat ze hem de rest van de dag niet meer zag. Wel zag ze Neb weer, na het avondeten, toen ze met een kaarslantaarn op weg was naar haar kamer. Op de eerste verdieping liep ze hem tegen het lijf toen hij van zijn kamer op de tweede verdieping naar beneden kwam.

'We komen elkaar steeds tegen, vrouwe,' zei hij.

Het waren heel gewone woorden, maar opeens kreeg Branna het ijskoud, alsof ze midden in de winter voor een open deur stond. Neb deed een stap naar achteren en probeerde iets te zeggen, maar hij kon haar alleen maar aanstaren. Plotseling kwam het Natuurvolk tevoorschijn; groepjes ernstig kijkende dwergen stonden om hen heen en sylfen zweefden glinsterend in het gevlekte licht van de lantaarn door de lucht.

'Er is iets waarover we moeten praten.' Branna maakte met haar vrije hand een vaag wijzend gebaar.

'Je hebt gelijk. Ik weet niet waarom we dat niet eerder hebben gedaan.'

'Omdat ik bang was. Jij niet?'

'Ik ook wel een beetje. Ik denk niet dat het gepast is als ik met je mee naar je kamer ga.'

'Beslist niet. We kunnen naar het dak gaan.'

Zoals de meeste duns in Deverry had de hoofdbroch een plat dak, dat vanaf de bovenste verdieping te bereiken was. Neb beklom voor Branna de ladder en duwde het luik naar het dak open. Branna gaf hem de lantaarn aan en volgde hem. Het dak lag vol min of meer spits toelopende hopen zware stenen, klaar om bij een aanval naar beneden te worden gegooid.

'O, wat is het hier heerlijk koel!' riep ze uit.

Na de hitte van de dag was de avondbries als een streling. De heldere hemel was dicht bezaaid met sterren, die vlak boven hun hoofd leken te hangen, alsof de lucht een enorme lantaarn was waar licht doorheen scheen vanuit het huis van de goden. Ze liepen tussen de stenen door naar de rand van het dak, waar de muur met kantelen tot aan hun middel reikte. Ergens tegen de muur stond een houten kist met een geoliede lap eromheen, waarin ongetwijfeld bundels pijlen werden bewaard. Branna ging erop zitten en Neb liet zich tegenover haar op de grond zakken.

'Je kunt die kaars beter uitblazen,' zei Neb. 'Anders denkt iemand misschien dat de broch in brand staat of zoiets.'

Branna opende het deurtje van de lantaarn, blies de kaars uit en zette de lantaarn naast zich op de grond. Opnieuw kwamen dwergen hen gezelschap houden, en sylfen die straalden als maanlicht en genoeg licht gaven om elkaar te kunnen zien. Branna's grijze dwerg klom op haar schoot, schoof als een kind een paar keer heen en weer en leunde toen zuigend op een benige vinger tegen haar aan.

'Laten we dan meteen maar beginnen,' zei Neb. 'We zien allebei het Natuurvolk, hoewel iedereen ons altijd heeft verteld dat het niet bestaat. Dat moet iets betekenen, meer dan dat we ze allebei zien, bedoel ik. Ben je dat met me eens?'

'Dat ben ik,' zei Branna. 'En ik heb steeds het gevoel dat ik een geheim ken, of zou moeten kennen, maar ik kan het me niet herinneren.'

'Ik krijg in mijn dromen steeds raadsels op die jou tot antwoord hebben.'

Opnieuw voelde Branna die vreemde kou over haar rug glijden. Ze rilde en wierp met een rukje haar haren naar achteren.

'Droom jij ooit over mij?' Neb leunde naar voren.

'Eigenlijk niet.'

'Wat bedoel je daarmee?'

'Ach, weet je...' Branna liet haar stem wegsterven. 'Het klinkt te dwaas.'

'Ik zal nooit iets wat jij zou kunnen zeggen dwaas vinden.'

Hij klonk zo oprecht en hij keek haar zo open aan dat Branna even sprakeloos was. Haar hart bonsde en ze voelde een hete blos op haar gezicht komen.

'Dank je,' zei ze ten slotte. 'Ik heb al mijn hele leven heel duidelijke dromen, en soms gaan ze de volgende nacht gewoon door. Dan ga ik naar dezelfde plaatsen en praat ik met dezelfde mensen. Een van hen is een oude man met jouw ogen en bijna dezelfde naam als van jou. Hij heette Nevyn.'

'Maar dat betekent "niemand"!' Neb begon te lachen, maar hield er meteen mee op.

'Zegt die naam je iets?'

'Dat wel, maar ik weet echt niet waarom.'

Bij het licht van de sylfen zag Branna dat hij zijn wenkbrauwen fronste en het probleem toen schouderophalend van zich afzette.

'Zijn jouw dromen ook zo?' vroeg ze. 'Een soort verhalen? De mijne wel, of eigenlijk zijn het eerder een soort herinneringen. Ik was vroeger erg eenzaam, weet je, en ik werkte aan mijn dromen alsof het borduursels waren. Het begon met een vage droom, zoiets als een tekening op stof. Zodra ik wakker was, werkte ik die uit. De volgende nacht was de droom het verhaal dat ik had bedacht en dan kwam het vervolg.'

'Waarover droomde je dan? Behalve over die oude man, bedoel ik.'

'O, kinderachtige dingen. Zoals dweomer. In mijn dromen kende ik dweomer en kon ik mezelf zelfs veranderen in een vogel en vliegen.'

'Ik wou dat ik zulke dromen had. Ik droom meestal heel saaie dingen. Daarom kan ik me de dromen met jou erin herinneren. Die zijn heel anders.'

'Hoe zijn...' Ze zweeg en draaide zich om, om ergens naar te luisteren. Neb ging op zijn knieën zitten.

Beneden op het binnenplein riep iemand zijn naam, met een hoge jongensstem.

'Mijn broer,' zei Neb een beetje geërgerd. 'Laten we maar naar beneden gaan.'

'Dat is goed, maar zullen we dan een andere keer verder praten?'

'Ik wil niets liever, vrouwe.'

Ze stonden op en Branna pakte de lantaarn met de gedoofde kaars. 'Ik had hem niet uit moeten blazen,' zei ze. 'Want nu moeten we in het pikdonker die wankele ladder af.'

Neb stak een hand uit en knipte met zijn vingers. De lont begon te gloeien en er sprong een vlammetje op, dat meteen een gouden licht verspreidde. Branna slaakte een kreet.

'Hoe heb je dat gedaan?' vroeg ze.

'Alle goden...' Neb klonk doodsbang. 'Dat weet ik niet.'

In het gevlekte licht staarden ze elkaar aan. Branna wilde graag praten over wat er zojuist was gebeurd, maar ze zag de angst in Nebs ogen.

'Neb!' Beneden stond Clae hard te schreeuwen. 'Wat doe je op het dak?'

Neb liep naar de muur en hief de lantaarn. 'Een luchtje scheppen!' riep hij terug. 'Wacht even, ik kom er al aan!'

Neb hielp Branna de ladder afklimmen, bracht haar naar haar kamer en liep met de lantaarn in zijn hand haastig de stenen wenteltrap af naar de grote zaal. Hij vroeg zich af of Clae tegen iedereen zou zeggen dat hij zijn broer had gezien in gezelschap van vrouwe Branna, maar Clae was zo opgewonden omdat hij een nieuwtje had dat het waarschijnlijk niet tot hem was doorgedrongen. Toen Neb van de onderste traptrede stapte, kwam Clae hem al tegemoet rennen.

'Raad eens, Neb?' zei Clae lachend en met stralende ogen. 'Het gaat over het toernooi.'

Eigenlijk kon Neb zijn broer wel wurgen. 'Het toernooi?' herhaalde hij kribbig. 'Ik moest helemaal naar beneden komen omdat jij me iets wilt vertellen over dat stomme toernooi?'

Claes lach verstomde en hij stak afwerend een hand op, alsof hij bang was dat Neb hem zou slaan.

'Wat is er dan?' vroeg Neb bars.

'Ik mag eraan meedoen, dat is alles. Maar waarschijnlijk vind jij dat niets bijzonders.'

Hij klonk zo gekwetst dat Nebs woede omsloeg in schaamte. 'Ach heden, het spijt me,' zei hij. 'Het komt door dat afschuwelijk warme weer, daar word ik zo ongedurig van als een beer in het voorjaar.'

Clae haalde met neergeslagen ogen zijn schouders op.

'Leg het me dan eens uit,' vervolgde Neb. 'Want ik kan me niet voorstellen dat Gerran jou tegenover de krijgsbende zet.'

'Nee, dat niet.' Clae keek Neb weer aan. 'Coryn en ik mogen met elkaar vechten. Coryn oefent al jaren en ik ben pas begonnen, maar de hoofdman zegt dat ik het al goed genoeg kan om aan het toernooi mee te mogen doen.'

'Alle goden, dat is een grote eer!' Neb dacht aan hun vader en wat die ervan zou hebben gevonden. 'Je zult wel trots op jezelf zijn. Ik ben erg trots op jou.'

De lach op Claes gezicht keerde terug als een zonnestraal. 'Dat ben ik ook wel.' Claes stem trilde van de inspanning om bescheiden te klinken. 'Maar de hoofdman zegt dat ik nog verduiveld veel moet leren.'

'Dat kan ik me voorstellen, maar ik twijfel er niet aan dat je dat zult doen.'

Toen Neb uiteindelijk naar bed ging, hoopte hij dat hij weer zou dromen van Branna, of van het mooiste meisje van heel Deverry. Maar misschien waren zijn verwachtingen te hoog gespannen, want de volgende morgen kon hij zich alleen maar flarden van dromen herinneren die te maken hadden met het tellen van de belastingen, en een stem die zei: 'Nu is alles betaald.' Maar toen hij naar beneden ging om te ontbijten, dacht hij weer aan de opmerking die Salamander tegen hem had gemaakt in Cengarn, over dankbaarheid en het wyrd, en hij besefte dat die opmerking en zijn dromen op de een of andere manier met elkaar te maken hadden.

Vrouwe Branna zat bij een raam in de grote zaal. Gerran, die buiten in de felle zon stond, keek naar haar beschaduwde vorm terwijl ze met een elleboog op tafel leunde om het spelbord dat tussen haar en Mirryn in lag beter te kunnen zien. Waarschijnlijk spelen ze carnoic, dacht Gerran. Ze doet het niet slecht voor een meisje.

'Waar sta je zo aandachtig naar te kijken, hoofdman?' vroeg een vrouwenstem achter hem.

Gerran draaide zich snel om en zag een eindje bij hem vandaan een dikke vrouw staan, te oordelen naar de zwarte doek om haar hoofd een weduwe, die hem met haar handen in haar zij met een boze blik aanstaarde.

'Wie ben jij, als ik vragen mag?' zei hij.

'De dienstmaagd van vrouwe Branna.' De vrouw kneep haar ogen tot spleetjes en nam hem van hoofd tot voeten op. 'Ik zorg al voor haar sinds ze nog maar een boreling was en ik let op dat niemand haar kwaad doet. Zo'n kerel als jij net zomin als een van je krijgers.'

'Ik heb geen greintje kwaad in de zin, oude feeks,' zei Gerran.

De vrouw snoof minachtend. 'Ik weet heus wel hoe weinig eerbied jullie voor vrouwen hebben, en ik waarschuw je dat ik niet wil dat mijn vrouwe wordt gekrenkt. Al moet ik de tieryn vragen er een stokje voor te steken.'

Ze draaide zich om en liep weg. Gerran riep haar geluidloos een paar scheldwoorden na. Het leek wel alsof iedereen hem tegenwoordig wilde waarschuwen om Branna met rust te laten. De vermanende woorden van Cadryc toen die hem onomwonden verbood moeilijkheden in de dun te veroorzaken, klonken nog na in zijn hoofd. Ik wil wedden dat vrouwe Galla hem daartoe heeft aangezet, dacht hij. Maar dat was geen troost. Vloekend draaide hij zich weer om naar het raam.

Tot zijn grote ergernis zag hij dat Neb naast Branna ging zitten alsof het de gewoonste zaak van de wereld was. Gerran hoopte dat Mirryn de vrijpostige schrijver zou wegsturen, maar in plaats daarvan stond zijn pleegbroer glimlachend op, praatte nog even met Neb en liep weg. Het spel liet hij op tafel staan. Gerran draafde om de broch heen naar de ingang, maar daar kwam Mirryn hem tegemoet. 'We moeten de paarden nog mee uit nemen,' zei Mirryn. 'Wil jij de anderen even roepen?'

Toen de krijgsbende de poort van de dun uit was gereden, besloot Mirryn dat ze een lange rit moesten maken. Gerran kon geen reden bedenken om te protesteren. Tegen de tijd dat ze terugkeerden, was het ver na het middaguur en hield Branna haar tante gezelschap in de vrouwenzaal.

Steeds wanneer Gerran in de volgende paar dagen Branna ergens zag, was Neb bij haar. Behalve natuurlijk tijdens de maaltijden, want dan zat zij aan de eretafel en Neb bij de bedienden. Gerran begon spijt te krijgen van zijn koppige wens om bij de andere krijgers aan tafel te zitten in plaats van bij zijn familie. Vaker dan anders hing hij rond in de grote zaal in de hoop dat hij Branna daar alleen zou aantreffen, en een paar keer zag hij haar naar de groentetuin lopen, maar dan voegde Neb zich altijd weer bij haar. Als hij 's middags naar de grote zaal ging, zat ze daar met Neb en keek ze toe terwijl hij brieven schreef. 's Avonds verdween ze vaak en dan kon hij haar nergens vinden, dan was ze zelfs niet in de vrouwenzaal. Hij vermoedde dat ze zich dan samen met Neb ergens teruggetrokken had, en dat maakte hem nog bokkiger.

Hoe kon ze aan die sullige schrijver de voorkeur geven boven hem? Naarmate het steeds meer tot hem doordrong dat dat inderdaad het geval was, begreep hij er steeds minder van. Hij vestigde zijn laatste hoop op het toernooi. Hoewel hij zijn best deed om zich bescheiden voor te doen, wist hij dat hij de beste zwaardvechter van de westelijke provincies was. Andere meisjes waren diep onder de indruk geweest van zijn vechtkunst en natuurlijke vaardigheid, dus zou Branna dat ook zijn.

Al na een paar dagen kwamen boodschappers van tieryn Cadrycs vazallen de antwoorden brengen op de uitnodiging. Neb stond naast de eretafel en las ze voor. Heer Pedrys wilde graag aan het toernooi meedoen, maar de vrouw van heer Samyc was onlangs bevallen en de gwerbret had de beloofde extra krijgers gestuurd, en vooral om de laatste reden vond hij het beter om thuis te blijven. Want stel dat het Paardenvolk opnieuw tot de aanval overging...

De ouders van heer Ynedd waren net twee dagen voordat de uitnodiging bij hun dun werd afgeleverd vertrokken voor een bezoek aan verwanten, daarom zouden zij het toernooi niet bijwonen. Toen heer Ynedd dit hoorde, begon hij te huilen en rende de zaal uit. De jongen had zich er heel erg op verheugd zijn moeder weer te zien, dat wist Gerran, maar al was het sneu, hij was blij dat ze niet zouden komen. Het was hoog tijd dat Ynedd het zonder zijn moeders verwennerij stelde. En niemand had verwacht dat vrouwe Marigga, de moeder van Coryn en de regentes van haar oudere zoon, zou komen. Het was dan ook geen teleurstelling dat zij wegens drukke werkzaamheden de uitnodiging had afgeslagen.

'Het is eigenlijk ook maar beter dat we niet veel gasten zullen hebben,' merkte vrouwe Galla op. 'De oogsten waren kleiner dan ik had verwacht en ik was al bang dat we niet genoeg te eten zouden hebben.'

Twee dagen na de komst van de boodschappers kwam heer Pedrys aan, met zijn krijgsbende, zijn echtgenote, vrouwe Omaena, zijn schildknapen en bedienden. Gerran had geen tijd meer voor zwartgallige gedachten. Nadat de krijgers een slaapplaats in de barak hadden gevonden, nam Gerran Tidd, de hoofdman van heer Pedrys – wiens grijzende haar en snor een bewijs waren van zijn ervaring – mee naar het veld achter de dun om het wedstrijdterrein af te bakenen. Met hun armen vol houten staken en touwen liepen Coryn, Ynedd en Clae opgewonden pratend en lachend achter hen aan.

'Ik weet nog hoe het was om zo jong te zijn,' zei Tidd. 'Een toernooi was de spannendste gebeurtenis van je leven.'

'Nu niet meer?' zei Gerran.

'Je weet best waar we voor oefenen, Valk.' Tidd wendde nadenkend zijn hoofd af. 'Er zijn al te veel van mijn vrienden naar de andere

wereld vertrokken om nog plezier te beleven aan een toernooi.'
'Dat is waar.' Gerran kreeg het opeens koud, alsof er een wolk voor de zon was geschoven. 'Ach, de schildknapen zullen die les op een dag ook leren, en waarschijnlijk veel te vroeg.'

Branna en haar tante brachten vrouwe Omaena en heer Pedrys naar de gastenkamer met het op één na mooiste bed en een paar fraaie wandkleden aan de muur. Pedrys keek even om zich heen, boog naar Galla en verliet haastig het vertrek om met tieryn Cadryc een kroes bier te gaan drinken. Zijn bedienden droegen de zakken met hun kleren en andere spullen naar boven en Omaena zorgde ervoor dat alles naar haar zin werd opgeborgen. Daarna ging ze met de twee andere edelvrouwen mee naar de vrouwenzaal, waar ze zich met een zucht van verlichting op het kussen van een gemakkelijke stoel liet vallen.
'Ben je moe, lieve?' vroeg Galla. 'Je ziet een beetje bleek.'
'Dat geloof ik graag,' antwoordde Omaena glimlachend. 'Binnenkort zal ik mijn rok hoger moeten omdoen, zie je.'
'O, wat heerlijk!' riep Branna uit. 'Je eerste kind!'
Omaena, een gedwee vrouwtje ondanks haar felrode haar, glimlachte lief. 'Ik ben ook erg blij. We hopen dat de godin ons zal zegenen met een zoon.'
'Dat spreekt vanzelf.' Branna onderdrukte de ergernis, bijna boosheid, die ze voelde elke keer dat ze iemand deze vastgeroeste opvatting hoorde uiten. 'En daarna met een dochter, hoop ik,' zei ze.
'O, dat hoop ik ook,' zei Omaena. 'Nadat ik mijn plicht heb gedaan jegens mijn heer wil ik dolgraag een dochter.'
Na een klop op de deur kwam Midda binnen met enkele dienstmaagden achter zich aan om allerlei versnaperingen te brengen: een kruik wijn uit Bardek, een kan bronwater, koekjes en kazen. Ze zetten alles op een smalle tafel en toen ze weg waren, schonk Branna wijn en water in voor de twee oudere vrouwen.
'Wil jij niets, kind?' vroeg Galla.
'Ik neem alleen water. Van wijn krijg ik het nog warmer, en het is al zo warm.'
De echte reden was dat Branna het zweverige gevoel dat wijn haar gaf niet prettig vond, maar haar tante nam genoegen met haar antwoord. Branna pakte haar werkmandje en verstelde een paar scheuren in een hemd van Mirryn, terwijl de oudere vrouwen babbelden over bevallingen, borelingen en hun verzorging. Daarna gingen ze over op nieuwtjes uit de omgeving.
'Ik heb een nogal droevige brief gekregen van Solla van Cengarn,'

zei Galla. 'Het wordt tijd dat haar broer gaat trouwen, en ze wil weten of ze na zijn huwelijk mijn gezelschapsdame mag worden. Ze is ervan overtuigd dat ze dan in zijn dun niet langer welkom is.'

'Ach, hemeltjelief!' Omaena sloeg haar ogen ten hemel. 'Ze heeft waarschijnlijk gelijk, maar ik wil wedden dat dat niet de enige reden is van haar verzoek.'

'O nee?'

Omaena snoof en schonk zich nog een beker wijn met water in voordat ze uitleg gaf. 'De ware reden is de hoofdman van je man,' zei ze. 'Het arme kind is helemaal weg van Gerran, al is hij niet van adel.'

'O ja?' Branna kon het niet helpen dat ze moest grinniken. 'Wat geweldig!'

Omaena draaide zich om en keek Branna vragend aan, terwijl Galla een lach onderdrukte.

'Ik heb de indruk,' vervolgde Omaena een beetje beledigd, 'dat "ingewikkeld" wat dit betreft een beter woord is dan "geweldig".'

'Heus?' Branna keek haar zo dom mogelijk aan. 'Ik bedoel alleen maar dat ware liefde altijd geweldig is.'

'Ach ja, op jouw leeftijd dacht ik er waarschijnlijk net zo over,' zei Omaena. 'Mag ik nog een koekje, Galla? Ik heb tegenwoordig de hele dag trek.'

Branna ging met een gevoel van diepe opluchting verder met haar verstelwerk. Ze vond het niet prettig dat ze het hart van een man moest breken, vooral niet dat van Gerran, die ze al haar hele leven kende en op wie ze erg gesteld was. Maar als een beeldschone vrouw zoals Solla hem zou kunnen troosten, zou zijn hart geen schade lijden. Ik wil met Neb trouwen, dacht ze opeens. Ziezo, nu heb ik dat eindelijk voor mezelf bepaald.

De dag van het toernooi begon zonnig en warm. Knechten brachten banken en stoelen voor de vrouwen en voor tieryn Cadryc naar het veld achter de dun en plaatsten die aan een uiteinde van het toernooiveld. De krijgers gingen aan weerskanten van het veld op de grond zitten, een eindje achter de afzetting, voor het geval dat een van de deelnemers een flinke tuimeling zou maken. Vanwege zijn hoge leeftijd kreeg heer Veddyn, de kamerheer, een bank met een rugleuning en bracht Neb een kussen voor hem mee.

Neb ging naast Veddyn zitten en Branna zorgde ervoor dat haar stoel naast Neb kwam te staan. Aan haar andere kant zat Omaena, maar gelukkig praatte zij druk met Galla, natuurlijk weer over zuigelingen. Neb grinnikte tegen Branna en schoof zo dicht mogelijk naar haar toe.

Branna had in de loop der jaren zoveel toernooien bijgewoond dat ze zich er inmiddels gruwelijk bij verveelde. Ze verliepen altijd op dezelfde manier: de mannen werden verdeeld in tweetallen, die om beurten met houten zwaarden en rieten schilden met elkaar vochten tot de een de ander driemaal op het lichaam had geraakt. De winnaars van de eerste ronde werden opnieuw in tweetallen verdeeld en dan begon de volgende ronde, tot er één paar over was voor de eindstrijd. Terwijl zich dit afspeelde, sloten de krijgers weddenschappen af en moedigden hun favorieten luidkeels aan.

Na afloop van de eerste ronde riep Gerran zijn schildknapen naar voren en stelde hen aan de menigte voor. Terwijl degenen die door mochten naar de tweede ronde even rust namen, lieten de twee oudere schildknapen, Coryn en Clae, zien wat ze al hadden geleerd. Ze hadden kleine houten zwaarden en op maat gesneden rieten schilden, en ze droegen ieder een rieten helm om hun jeugdige hoofd te beschermen.

De jongens gingen tegenover elkaar staan en begonnen te vechten. Hun houten wapens en rieten schilden kletsten en botsten wild tegen elkaar, en vanzelfsprekend overtrof hun geestdrift hun bekwaamheid. De krijgers lachten en riepen aanwijzingen, maar steeds op een goedmoedige manier. Branna zag dat Neb met oprechte belangstelling toekeek en zijn broer aanmoedigde. De jongens waren aan elkaar gewaagd en wisten niet van opgeven, maar toen Gerran besloot dat het genoeg was, ging hij tussen hen in staan.

'De wedstrijd is gelijk geëindigd,' zei hij. 'Goed zo, jongens.'

De krijgers juichten en de jongens renden blozend het veld af. Branna zag hoe ze even later hun helmen afzetten en die met hun zwaarden en schilden op het gras legden.

Gerran kwam naar Neb toe. 'Je broer doet het goed,' zei hij.

'Mooi zo,' zei Neb. 'Ik heb hem in jaren niet zo gelukkig gezien. Het vak van onze vader heeft hem nooit aangetrokken, en ik weet echt niet waar pa hem in de leer had moeten doen.'

'Dan is dat probleem opgelost.' Gerran keek naar Branna en boog voor haar. 'Ik hoop dat u van het toernooi geniet, vrouwe.'

Branna besloot dat dit een van die situaties was waarin liegen eerder een noodzaak dan een ondeugd was. 'Natuurlijk geniet ik ervan,' antwoordde ze. Ze was zich ervan bewust dat Neb glimlachend een wenkbrauw optrok, omdat hij wist dat ze niet de waarheid sprak. Gerran keek de schrijver even nors aan en slenterde weg om iets met de hoofdman van Pedrys te bespreken.

Nadat de tweede ronde gevechten was begonnen, werd de zorgvuldige scheiding van de rangen verbroken. Tieryn Cadryc en heer Pedrys stonden op en gingen langs de zijlijn staan om mee te brullen en eveneens op hun mannen te wedden. Terwijl het geld van hand tot hand ging, waren de beledigingen, juichkreten en goedmoedige grappen niet van de lucht. Branna waagde het zo nu en dan naar Neb te kijken, en het deed haar genoegen dat heer Veddyn onderuit was gezakt en in al het rumoer ontspannen zat te snurken. Neb gaf haar een knipoog en gleed naar het puntje van de bank.

'Niemand let op ons,' zei hij.

'Dat weet ik. Als ik wegglip,' ging ze zacht verder, 'zou jij wat later achter me aan kunnen komen.'

'Naar het dak?' vroeg hij fluisterend.

'Te heet, in de volle zon.'

'De tuin?'

Ze knikte en hij gleed terug naar zijn plaats naast heer Veddyn.

Branna wachtte tot het gevecht dat aan de gang was, was beslist. Ze stond op, rekte zich uit, liep naar Galla en ging achter haar stoel staan. 'Tante Galla, ik heb het verschrikkelijk warm. Ik ga terug naar de broch om een poosje bij te komen.'

'Dat is goed, kind,' zei Galla. 'Maar denk eraan dat je op tijd terug bent om het gevecht tussen Gerran en Mirryn te zien. Ze zijn allebei erg goed.'

'Als ik niet in slaap val, kom ik daarvoor terug.'

Voordat Galla nog iets kon zeggen, stelde vrouwe Omaena weer een ingewikkelde vraag over borelingen. Branna knikte de vrouwen glimlachend toe en liep weg. Kalm stak ze het veld over en toen ze zeker wist dat niemand haar meer kon zien, rende ze verder.

Nu de zon iets lager stond, werd de bank in de groentetuin beschaduwd door de muur. Buiten adem van haar snelle klim de heuvel op plofte Branna met een zucht van verlichting neer. Haar grijze dwerg kwam naast haar zitten en liet zijn beentjes over de rand van de zitting bengelen.

'Het is te warm,' zei ze.

Hij knikte en stak een vinger in zijn mond om erop te zuigen. Nu bijna iedereen naar het toernooi was gaan kijken, was het ongewoon stil in de dun. Af en toe kakelde ergens een kip of gakte een gans, en zo nu en dan bracht de wind een vlaag van een gesprek mee uit de keuken, waar de kokkin en de keukenmeisjes de laatste hand legden aan het feestmaal.

Terwijl Branna zat te wachten, dacht ze weer aan de droom van de afgelopen nacht. Hoe dieper ze erover nadacht, des temeer betekenis hij leek te hebben. *In een ondergronds vertrek, dat alleen werd verlicht door een haardvuur, wachtte ze op Nevyn. Boven langs de muren liep een vreemde fries, een patroon van cirkels en driehoe-*

185

ken, dat halverwege een muur abrupt ophield. Ze herkende het pa-
troon, dat wist ze zeker, maar ze kon het niet ontcijferen, hoe ze ook
haar best deed. Het geluid van voetstappen op het grindpad haalde
haar uit haar droom, maar toen ze opkeek, verwachtte ze eigenlijk
Nevyn te zien in plaats van Neb.

'Wat is het afschuwelijk warm!' Neb ging zitten en trok aan de open
kraag van zijn hemd. 'Zullen we naar de grote zaal gaan? Daar is
nu niemand.'

'Zo meteen zullen de dienstmeisjes daar af en aan lopen,' zei Branna. 'Om alles klaar te zetten voor het feestmaal.'

'Dat is waar. Nou ja, gelukkig zitten we hier in de schaduw.'

'Gelukkig wel.' Branna aarzelde even en besloot toen er niet omheen
te draaien. 'Ik had vannacht weer zo'n droom, je weet wel, over
Nevyn. Hij kon ook een kaars aansteken door met zijn vingers te
knippen.'

Neb draaide zich abrupt naar haar toe en hij werd zo bleek dat ze
een ader in zijn slaap kon zien kloppen.

'Ben je bang?' vroeg ze.

'Een beetje. Ik heb zelf ook gedroomd, maar het was geen droom
zoals de andere. Ik was wakker geworden en naar het raam gelopen
om een luchtje te scheppen, en terwijl ik daar zat, kwam het bij me
op dat je een heel andere naam had dan Branna.'

'Echt waar? Welke naam dan?'

'Dat kan ik me niet meer herinneren.' Neb glimlachte een beetje
wrang. 'In de droom leek het alsof je meerdere namen had, maar ik
kon me er niet een van herinneren.'

'Wat vreemd! Die oude man heeft maar één naam.' Ze zweeg, omdat haar opeens allerlei beelden voor ogen kwamen. 'Eh... Misschien
had hij toch nog een andere naam...'

'Welke?'

'Dat weet ik niet meer. Dit is allemaal wel erg griezelig, Neb.'

'O ja? Waarom?'

'Ik heb het gevoel dat er binnen in me nog een meisje zit. Ze is zowel mij als een ander, en ze doet vreselijk haar best om... om eh...
om te worden herinnerd. Zoiets, denk ik. Maar als ik me haar zal
herinneren, zal ik niet meer mezelf zijn. Dan zal ik haar zijn.' Ze
zweeg en haalde diep adem. 'Of zelfs al zal ik niet helemaal haar
zijn, ik zal ook niet helemaal Branna meer zijn. Niet het meisje dat
ik nu ben, maar een soort mengeling, zoals wijn en water in dezelfde beker.'

Neb dacht erover na en knikte een paar keer.

'Denk je dat ik niet goed wijs ben?' vroeg Branna.

'Dat denk ik niet. Ik heb ongeveer hetzelfde gevoel als jij, maar de man die bij mij vanbinnen zit...' Hij dacht een poosje na. 'Ik denk dat ik liever die man ben dan mezelf.'

'Ach nee toch, met jou is toch helemaal niets mis?'

'Dank je, maar zo bedoel ik het niet. Het is erg moeilijk deze dingen precies te beschrijven.'

'Daar heb je gelijk in.'

Neb glimlachte. Plotseling zei hij: 'Wacht even, ik weet het al! Ik voel me als een man die maandenlang ziek is geweest en langzaam beter wordt. Hij kan zich herinneren dat hij ooit sterk was en allerlei dingen kon doen, maar nu kan hij nauwelijks meer uit zijn bed komen. Een deel van me weet op de een of andere manier dat ik ooit heel sterk ben geweest, maar nu...' Hij liet zijn stem wegsterven. 'Ach, misschien is dat ook weer geen juiste beschrijving. Ik weet het niet, Branna. Ik kan niet bedenken waartoe dit allemaal dient. Maar ik weet zeker dat ik alles zal begrijpen als ik één ding kan ontdekken. Dat ene ding zal alles verklaren, maar ik moet het eerst vinden.'

'Dan vind ik dat je het moet zoeken. Ik bedoel dat ik vind dat jij het moet ontdekken, niet ik, omdat jij wél die ander wilt zijn.'

'Waarschijnlijk heb je gelijk. Want wat ben ik nu tenslotte? De schrijver van een heer in het grensgebied, meer niet.'

'Voor mij is dat goed genoeg.' Ze had het eruit geflapt voordat ze het zich kon beletten en ze voelde dat ze bloedrood werd.

'Meen je dat?' Neb nam haar handen in de zijne en glimlachte zo vol puur geluk dat haar schaamte verdween. 'Meen je dat echt?'

'Dat meen ik echt.'

Neb trok haar naar zich toe, liet haar handen los en legde zijn handen om haar gezicht. 'Ik hou van je,' zei hij, en hij kuste haar mond. Branna sloeg haar armen om hem heen en kuste hem terug. 'Ik hou ook van jou,' fluisterde ze. 'Dat weet ik in elk geval zeker.'

'Wil je dan met me trouwen?'

'Natuurlijk. Ik hoopte al een poos dat je me dat zou vragen.'

Neb lachte en liet haar los. 'Wat zal je oom ervan zeggen?' vroeg hij, bezorgd kijkend.

'Dat weet ik niet, maar ik wil wedden dat tante Galla hem wel over zal halen het goed te vinden.'

'Als zij het goedvindt.'

'Ze heeft al gezegd dat je een hoogstaande jongeman bent, die ongetwijfeld ooit nog eens de raadsheer van een belangrijke heer zal worden.'

'Aha, dat klinkt in elk geval veelbelovend!'

'Inderdaad. Maar ik kan pas met haar praten als de gasten vertrokken zijn.'

'Alle goden! Ik hoop dat ik zo lang kan wachten!'

'Tot morgen, langer niet.'

'Een eeuwigheid, mijn lief, om me nog zorgen te moeten maken, en alleen maar omdat ik zo veel van je hou.'

'Dat hoor ik graag, maar ik heb liever dat je me kust.'

'Dan zal ik je mijn kussen niet onthouden. Maar ik geloof dat we dan beter ergens anders naartoe kunnen gaan.'

'Je hebt gelijk.' Branna keek om zich heen. 'Hier kan elk moment iemand komen en ons zien.'

Opeens bracht de wind van een afstand een schreeuw mee, gevolgd door gelach en gejuich van de menigte.

'Het toernooi is afgelopen.' Neb stond op en stak een hand naar haar uit. 'Vervloekt nog aan toe, nu komt iedereen terug naar de dun.'

'Inderdaad.' Branna stond op en pakte zijn hand. 'Weet jij een rustiger plek om naartoe te gaan?'

'Een lege voorraadkamer, maar die stinkt naar uien.'

'Die is niet geschikt. Als je ogen gaan tranen, wil ik dat het tranen van liefde zijn.'

'Aha, nou, dan moet ik nog even nadenken.'

Omdat het de gewoonte was dat Gerran en Mirryn ter afsluiting van een wedstrijd samen het toernooiveld betraden, hadden ze een gevecht bedacht waarbij ze geen van beiden oneervol uit de strijd kwamen. Gerran behaalde altijd het eerste punt, omdat de toeschouwers dat van hem verwachtten. Ze vochten op een natuurlijke manier, maar ze zorgden ervoor dat Mirryn het tweede punt behaalde en dat ze elkaar voor het derde punt tegelijkertijd aanraakten, waardoor de wedstrijd in gelijkspel eindigde in plaats van een vernederende nederlaag voor een van beiden. Het was die middag zo warm en benauwd dat ze hun gevecht zo snel mogelijk lieten verlopen, wat niemand merkte.

'Goed gedaan, jongens!' prees Cadryc. 'Allebei, maar Gerran is een wonder met het zwaard.'

'Dat is hij,' beaamde Mirryn grinnikend, 'maar dat wisten we al voordat ik tegenover hem ging staan.'

Gerran boog verlegen zijn hoofd. Hij voelde dat hij bloosde, en dat vond hij net zo erg als hij het fijn vond geprezen te worden.

'Laten we naar binnen gaan,' vervolgde Cadryc, 'en allemaal een beker mede drinken. Mijn vrouw heeft me verteld dat de kokkin een varken voor ons roostert, en Gerro en Mirro mogen allebei een plak van een bout hebben.'

De omstanders juichten. Terwijl de toeschouwers opstonden en hun spullen bijeen zochten om terug te gaan naar de dun, liet Gerran zijn blik ronddwalen op zoek naar Branna. Hij verwachtte dat ze ergens glimlachend naar hem stond te kijken, vol bewondering voor zijn vechtkunst of onder de indruk van de lof van de tieryn. Wel zag hij vrouwe Galla, die een paar dienstmaagden opdrachten gaf voor de maaltijd, maar Branna zag hij niet. En wat nog erger was, Neb zag hij ook niet.

'Hoofdman?' De kleine heer Ynedd kwam op een drafje naar hem toe. 'Zoekt u iemand?'

'Inderdaad. Heb jij vrouwe Branna soms ergens gezien?'

'O, zij is teruggegaan naar de dun. Meteen na het gevecht tussen Clae en Coryn.'

'Aha.'

Gerran keek opnieuw om zich heen. Niemand leek haast te hebben om weg te gaan. De heren stonden met elkaar te praten, de vrouwen zaten nog op hun stoel. De krijgers en de knechten liepen rond en bespraken onderdelen van de gevechten. Met een onderdrukte vloek rende Gerran naar de dun. Het binnenplein lag er verlaten bij. Vlug liep hij door naar de grote zaal, maar daar zag hij Branna ook niet. Hij bleef bij de eretafel staan en riep naar een dienstmaagd: 'Heb jij vrouwe Branna gezien?'

'Ja, ze is een tijdje geleden met de schrijver ergens naartoe gegaan.'

Gerran had het gevoel dat iemand hem een schop tegen zijn maag had gegeven. 'Hoelang was dat geleden?'

Het meisje haalde haar schouders op.

'Voor of na de tweede reeks gevechten?'

'O, lang daarvoor. Toen ik hier terugkwam om aan het werk te gaan, zag ik ze in de tuin.'

Gerran mompelde nog een paar verwensingen en beende de zaal uit. Maar toen hij bij de groentetuin kwam, zaten Branna en Neb daar niet meer, zoals hij eigenlijk al had verwacht. Hij stond stil op het pad en schopte met de punt van zijn laars gedachteloos tegen een kool, terwijl de waarheid tot hem doordrong: Branna was niet gebleven om hem te zien vechten. Ze gaf niet genoeg om hem, niet nu die vervloekte schrijver voortdurend om haar heen hing. Het is hopeloos, dacht hij. Maar als ze zo'n man wil als hij, wat moet ik dan met haar? Ze is geen geschikte vrouw voor een krijger.

Gerrans kersverse minachting duurde tot hij in de richting van het binnenplein keek en zijn blik op de stallen liet rusten. De hooizolder! Geschokt besefte hij dat Branna en Neb misschien hun toevlucht hadden gezocht op een van de weinige plaatsen in de dun waar een verliefd paar alleen kon zijn. Hij gromde als een hond en liep met grote stappen naar de stallen.

Op de hooizolder rook het naar pasgemaaid gras en stofjes dansten in de lichtbundels die door de raampjes vielen. Neb lag op zijn rug op een dikke laag hooi en Branna zat zedig naast hem.

'We moeten terug,' zei Branna. 'Iedereen is vast al terug van het toernooi. Stel dat een van de krijgers naar de barak komt en ons hoort praten?'

'Dat moeten we inderdaad voorkomen.' Neb ging zitten en kamde met zijn vingers het gras uit zijn haar. 'Bovendien is het hier erg benauwd.'

Neb klom de ladder af en hield die vast terwijl Branna hem volgde. Toen ze op de grond stond, bekeek ze haar kleed en plukte er hier en daar een verraderlijk strootje af.

'Zit er nog iets op mijn rug?' Ze draaide haar rug naar hem toe.

'Een paar.' Met spijtige stem voegde hij eraan toe: 'Niet alsof we daarboven hebben liggen rollebollen.'

'Daar moet je op wachten tot we officieel verloofd zijn.' Ze draaide zich weer om en zag dat hij stond te grinniken. 'Ik maak graag plannen, zie je.'

'Daar ben ik blij om.' Neb maakte een buiging voor haar. 'Zullen we gaan, vrouwe?'

Samen liepen ze door de brede staldeuren naar buiten, waar ze met hun ogen knipperden tegen de felle zon. Vaag zag Branna een man met grote stappen naar hen toe komen. 'Daar komt iemand aan,' zei ze. 'Ach goden, het is Gerran!'

'Hij kijkt alsof hij met zijn tanden Bardekse citroenen heeft gepeld en ze met azijn heeft weggespoeld,' zei Neb.

Branna giechelde, wat Gerran hoorde. Met een woedend gezicht kwam hij dichterbij, een hand op het gevest van zijn zwaard, zijn rode haar glanzend in het zonlicht. Neb ging met een paar soepele stappen voor Branna staan.

'Waarom ben je zo boos, hoofdman?' vroeg Neb.

'Wat doet zo'n slapjanus, zo'n laf schrijvertje als jij, met vrouwe Branna?' Gerran kon van kwaadheid nauwelijks uit zijn woorden komen.

'Dat gaat je niets aan.'

'Jij...' Gerran zweeg en zijn gezicht werd zo bleek dat zijn sproeten zich als bloedspatjes aftekenden. Hij liet zijn zwaard los en deed een paar stappen achteruit. 'Ach nee,' zei hij, 'wat wil ik eigenlijk? Jij hebt van je leven nog geen zwaard aangeraakt! Alle goden, ik kan toch niet... Alle goden!'

'Vooruit dan maar,' zei Neb minachtend. 'Gesp dat vervloekte zwaard af, dan beslechten we dit met onze vuisten.'

Gerran nam Neb van hoofd tot voeten op en begon te lachen. Even was Branna bang dat Neb Gerran, al had die zijn zwaard nog om, zou aanvliegen, maar in plaats daarvan wierp hij plotseling zijn armen in de lucht. Van alle kanten kwam het Natuurvolk eraan: luchtgeesten, een legertje dwergen en een watergeest, die oprees uit het water in de drinkbak van de paarden en haar vuistje hief naar Gerran.

'Lach hier dan maar om,' zei Neb kalm, en hij liet zijn armen zakken.

Voordat Branna een protest kon uitroepen, gingen de dwergen tot de aanval over. Hoewel Gerran ze niet kon zien, kon hij ze blijkbaar wel voelen. Hij schreeuwde, sloeg, vloekte en schreeuwde steeds harder terwijl de dwergen hem van alle kanten besprongen, hem knepen en hem sloegen. De luchtgeesten zwermden als zomervliegjes om zijn hoofd, prikten in zijn gezicht en trokken aan zijn haar. Gerran probeerde achteruit te lopen om ze te ontwijken, maar hij struikelde over Nebs gele dwerg. Hij viel languit op zijn rug en lag te kronkelen op de keien, terwijl Neb lachte en de dwergen met hun vuistjes op hem trommelden.

'Neb!' riep Branna. 'Jullie allemaal! Zo is het genoeg! Hou op!'

'Uw wens is mijn bevel, vrouwe.' Neb boog naar haar.

De giechelende dwergen en luchtgeesten waren na haar luide bevel al meteen opgehouden en toen Neb met zijn handen zwaaide, verdwenen ze. Gerran lag trillend en vloekend op de keien.

'Jij hebt een zwaard,' zei Neb, 'maar ik heb andere wapens.'

Gerran probeerde iets te zeggen, maar het lukte hem niet. Neb glimlachte zo zelfvoldaan dat Branna hem het liefst een draai om zijn oren zou geven. Gerran krabbelde overeind, heel voorzichtig, terwijl hij om zich heen keek alsof hij verwachtte dat er een nieuwe onzichtbare aanval zou komen.

'Vrouwe Branna,' zei Neb, 'je bent inderdaad de hoofdprijs.'

'De hoofdprijs? Moet ik dat als een compliment beschouwen?' Tot haar voldoening betrok zijn gezicht.

'Eh... Nou ja, ik...'

'Is het dat dan niet?' Gerran keek haar met kille ogen aan. 'Meisjes willen toch altijd...'

'Jullie zijn allebei afschuwelijk!' Branna keek Gerran fel aan. 'Denk je soms dat ik een tochtige merrie ben? Dat ik het leuk vind om hengsten om me te zien vechten?'

De mannen staarden haar met open mond aan. Met een blik van minachting keerde Branna zich om en liep weg, het binnenplein over. Ze verdween in de broch.

In de grote zaal zat iedereen te wachten op het feestmaal. De krijgers vulden hun kant van de ruimte, Branna's oom en tante en hun gasten zaten om de eretafel. Er werd druk gepraat en gelachen, mede en bier vloeiden rijkelijk. Branna kon ongemerkt langs de gebogen muur naar de trap lopen en naar boven rennen voordat iemand haar zag. Hijgend bereikte ze haar kamer. Ze gooide de deur hard achter zich dicht en schoof er voor alle zekerheid de grendel voor.

Haar grijze dwerg kwam vanuit het niets voor haar zweven, keek om zich heen en landde op haar bed.

'Alle goden!' Branna hoorde hoe haar stem trilde van woede. 'Ik haat hen allebei, dat zweer ik je! Ik trouw nooit, met niemand! Ik breng de rest van mijn leven nog liever in een tempel door om altaarkleden voor de maangodin te borduren.'

Ze liep naar het raam en leunde naar buiten, zo ver mogelijk omdat ze om een schuur heen wilde kijken, maar ze zag geen spoor meer van Neb of Gerran. Plotseling besefte ze dat ze hen straks bij de maaltijd toch weer onder ogen zou moeten komen.

'Misschien blijf ik op mijn kamer en zeg ik dat ik ziek ben,' zei ze tegen de dwerg. 'Ik heb toch al geen trek meer.'

Maar er werd op de deur geklopt en tante Galla riep: 'We dienen zo meteen het eten op, Branna. Ben je hier?'

Branna kon niet tegen haar tante liegen. 'Ja, ik ben hier!' riep ze terug. 'Ik wil even mijn haar kammen en dan kom ik eraan.'

Toen ze vlug naar beneden ging, hoopte ze hevig dat niemand het voorval met Gerran en Neb had gezien. Maar meteen besefte ze dat haar oom en tante het verhaal, als iemand het hun zou hebben verteld, toch niet zouden geloven. Hun schrijver had een legertje Natuurvolkers te hulp geroepen? Die Natuurvolkers hadden hun hoofdman op de grond gegooid? Terwijl ze met tegenzin zat te eten, wierp ze af en toe een blik op de andere kant van de zaal. Gerran kwam binnen om mee te eten, maar Neb kwam niet opdagen.

Met zoveel mensen en zoveel gerechten op de tafels werd het steeds heter en benauwder in de grote zaal. Tijdens het ritueel van het heffen van de bekers op verschillende aanwezigen viel Branna bijna in slaap. Tegen de tijd dat de mannen zich overgaven aan een drinkgelag, besloot ze dat ze zou sterven van benauwdheid als ze geen frisse lucht kreeg. Ze verontschuldigde zich en liep naar buiten, maar daar haalde Gerran haar in.

'Ik wil je mijn verontschuldigingen aanbieden,' zei hij. 'Ik was de aanstichter van die ruzie en ik heb me oneervol gedragen.'

'Dat is waar,' beaamde Branna, 'maar Neb was geen haar beter.'

'Inderdaad.' Gerran aarzelde. 'Hoe deed hij dat eigenlijk? Weet jij dat?'

Branna besefte dat ze Gerran bewonderde omdat hij zijn bizarre nederlaag ruiterlijk toegaf, wat ze niet van hem had verwacht. 'Niet precies,' antwoordde ze. 'Het ging te vlug. Ik dacht dat Neb je een duw gaf en dat je struikelde over een kei.'

'Zoiets moet het zijn geweest.' Gerran haalde zijn schouders op, wendde zijn blik af, keek naar de grond, keek haar weer even aan en wendde opnieuw zijn blik af. 'Eh...' zei hij ten slotte, 'ik vroeg me af of... Ga je soms een wandeling maken?'

'Dat was ik wel van plan.'

'Dan wil ik... Eh... Mag ik mee?'

'Maar ik moet zo meteen terug om mijn tante te helpen. Eigenlijk kan ik maar beter nu weer naar binnen gaan...'

'Je bedoelt dat je geen behoefte aan mijn gezelschap hebt. Ik weet dat ik geen edelman ben...'

'Ach, hou toch op over die domme rangen en standen! Het kan me niets schelen dat je door pleegouders bent grootgebracht. Voor mij ben je mijn neef, een verwant, een lid van mijn clan.'

'Dus zo denk je over me?'

Branna aarzelde, maar het was tijd om de waarheid te zeggen. 'Inderdaad,' antwoordde ze. 'Je bent altijd als een broer voor me geweest, Gerro. Een oudere broer, die ik bewonder en voor wie ik ontzag heb.'

Zijn gezicht betrok en hij draaide zich half om. Ze waagde het een hand op zijn arm te leggen. 'Ik heb een heel prettig nieuwtje gehoord,' zei ze. 'In Cengarn woont een vrouwe van adel die erg op je gesteld is.'

'Doe niet zo dom! Wat moet vrouwe Solla nu met iemand zoals ik?'

'Aha, dus je hebt wel gemerkt dat ze belangstelling voor je heeft!'

'Ik heb niets gemerkt. Ik raad je aan, vrouwe, niet naar roddelpraat te luisteren.' Hij trok zijn arm los en liep met grote stappen weg.

De grijze dwerg verscheen en sprong lachend voor Branna heen en weer. 'Je bent het met me eens, nietwaar?' fluisterde ze. 'Ach, arme Gerro. Laten we nu maar weer naar binnen gaan.'

Vrouwe Galla was op weg naar de vrouwenzaal en Branna ging met haar mee. Ze gingen bij het raam zitten waar het laatste zomerse daglicht doorheen viel en pakten hun naaiwerk op, om daar voor het donker nog iets aan te doen.

'Waar is Omaena?' vroeg Branna.

'Naar bed,' antwoordde Galla. 'Ze wordt tegenwoordig gauw moe, zegt ze.'

'O. Ik ben erg blij dat Solla bij ons komt wonen, tante.'

'Ik ook. Ik neem aan dat je tegen Gerro hebt gezegd dat hij jou niet langer het hof moet maken.'

'Hebt u gezien dat we stonden te praten?'

'Dat niet, maar ik zag dat hij achter je aan naar buiten ging en niet veel later met een gezicht als een donderwolk terugkwam.'

'Ik heb inderdaad tegen hem gezegd dat hij het moest opgeven. Ik kan niet met hem trouwen. Al ben ik de dochter van een krijger, ik wil niet de vrouw van zo'n harde, grimmige man worden. Ik heb al genoeg te stellen gehad met pa.'

'Dat weet ik, kind. Ik begrijp het heus.'

'Dank u. Maar wat denkt u van Solla? Zal zij het bij Gerro kunnen uithouden? Ze is tenslotte de zuster van een gwerbret en ze zwaait de scepter over zijn dun.'

'Dat is allemaal waar, maar ze heeft gelijk. Ridvar zal binnenkort moeten trouwen en ik weet zeker dat zijn vrouw het niet goed zal vinden dat een andere vrouw bevelen geeft aan haar bedienden. Wat Gerro's rang betreft' – Galla aarzelde en tuurde naar een rijtje bordduursteken – 'die zou inderdaad een beletsel kunnen vormen. Ridvar zou er meer baat bij hebben als ze trouwde met een hoge heer, bijvoorbeeld iemand aan het hof, of zelfs met onze Mirryn.' Ze keek Branna aan, nog steeds met een zorgelijk gezicht. 'Maar omdat Gerran hier de hoofdman is, zou een huwelijk met Mirryn toch geen goed idee zijn.'

'Dat is zo. Maar Ridvar heeft nog twee zusters. Is een van hen niet al met een belangrijke man getrouwd?'

'Inderdaad.' Galla glimlachte. 'Met de opperstalmeester van de Eerste Koning in Dun Deverry. Een heel belangrijke man. Als Ridvar de koning om een leger zou vragen, zou zij het verzoek van haar broer beslist steunen. En zijn jongere zuster is een heel lieftallig meisje. Over een paar jaar zal zij ook een goed huwelijk kunnen sluiten.'

'Dus Solla's keus is niet zo belangrijk?'

'Dat is juist. Bovendien verkeert Gerran niet in een positie om een bruidsschat te eisen.'

Terwijl de zon naar de horizon zakte, werd het steeds schemeriger in het vertrek. Branna vouwde haar naaiwerk op en legde het terug in haar mandje. 'Zal ik vuur halen uit de grote zaal?'

'Graag, kind.' Galla stak haar naald in de lap op haar schoot. 'Het is tijd om de kaarsen aan te steken en we hebben vandaag genoeg gedaan.'

In de grote zaal zaten de mannen nog steeds te drinken, maar Neb was er niet bij. Branna stak een kaars aan in het vuur van de bediendenhaard en nam de lantaarn mee naar boven. Ze zag Neb ook niet op de trap of in de gang. Nu ze wist dat ze het bizarre gevecht niet aan haar tante en oom hoefde uit te leggen, was haar woede gezakt en kon ze weer helder nadenken. De zoon van een schrijver, dacht ze, maar hij kan het Natuurvolk oproepen en bevelen geven. Ken ik die man eigenlijk wel? Maar diep vanbinnen wist ze dat ze niemand zo goed kende als Neb.

Een poosje later kwam vrouwe Omaena bij Galla en Branna in de vrouwenzaal zitten. Omdat haar tante de verdere avond gezelschap zou hebben, zei Branna dat ze hoofdpijn had en naar bed ging. Maar toen ze voor de deur van haar kamer stond, verscheen haar grijze dwerg en sprong grinnikend op en neer.

'Wat is er?' vroeg Branna fluisterend.

De dwerg draaide zich om en liep door de deur heen naar binnen. Eerst stak hij een mager voetje in het hout, als een zwemmer die de temperatuur van het water wilde voelen, vervolgens een arm en ten slotte verdween hijzelf, nog steeds grinnikend, door het hout heen haar kamer in. Maar omdat Branna hem al eerder dit soort trucjes had zien doen, sloeg ze alleen maar haar ogen ten hemel en opende de deur. Haar kamer baadde in een gouden licht. Ze slaakte een kreetje, deed de deur vlug weer dicht en leunde ertegenaan.

Neb zat op de vensterbank op haar te wachten. De dwerg draafde naar hem toe en wees met een benige vinger.

'Blaas die kaars maar uit,' zei Neb, 'want die hebben we niet nodig.'

Branna zette de gedoofde lantaarn op de vloer en keek naar het plafond. Daar hing, als een kleine zon, een stralende gouden bal. Ze had verbaasd moeten zijn, dat besefte ze, maar opeens was het licht in haar kamer een heel normaal verschijnsel. Maar haar bed, de muren en haar bruidskist kwamen haar opeens zo vreemd voor dat ze zich even afvroeg of ze in de verkeerde kamer terecht was gekomen.

'Het licht...' fluisterde Branna. 'Hoe heb je dat gedaan?'

'Dat heb ik niet gedaan, dat heeft het Natuurvolk gedaan toen ik het vroeg.'

'Het is niet gepast dat je hier bent.'

'Ik wilde tegen je zeggen dat het me spijt. Het was stom van me Gerran op die manier te sarren.'

Hij klonk zo berouwvol dat ze medelijden met hem kreeg en hem zwijgend aankeek.

Hij stond op, kwam naar haar toe en knielde als een hoveling voor haar neer. 'Wil je het me vergeven, Branna?'

'Ach, natuurlijk. Ik zou ook heel hooghartig kunnen doen en zo, maar daar heb ik absoluut geen zin in.'

Neb lachte, stond op en veegde het stof van zijn brigga. 'Het is inderdaad niet gepast dat ik hier ben,' gaf hij toe. 'Ik wil je deugdzaamheid niet schenden. En dat licht kunnen we beter doven, voordat iemand het vanaf het plein kan zien.'

'Je hebt gelijk.' Branna negeerde haar van angst bonzende hart en hief een hand. Ze moest weten, besefte ze, welke krachten zijzelf bezat. In het schijnsel wervelden sylfen met doorzichtige vleugeltjes. 'Dank je,' zei ze, en ze knipte met haar vingers.

De gouden bal verdween. De gedoofde kaars begon weer te branden. Toen ze de lantaarn optilde van de vloer trilden haar handen zo erg dat de kaars bijna weer uitging.

'Dweomer bestaat,' zei Neb, 'en we hebben er allebei een gave voor. Het is tijd, vrouwe, dat we allebei proberen te bedenken wat dat betekent.'

'Blijkbaar.' Branna liep de kamer door en zette de lantaarn op haar bruidskist. 'Ik wou dat Salamander terugkwam. Hij heeft een paar heel vreemde dingen tegen me gezegd en hoe meer ik erover nadenk, des te belangrijker denk ik dat ze zijn.'

'Ook tegen mij. Ik denk dat hij verdraaid goed weet wat hij daarmee bedoelde en dat hij een heleboel van onze vragen kan beantwoorden.'

'Dat hoop ik. Ik kan me niet voorstellen dat dweomer niet meer inhoudt dan bevelen geven aan het Natuurvolk. We zijn vast ook in staat... Ik bedoel, er zijn vast ook andere dingen...' Ze staarde een beetje wanhopig voor zich uit.

'Inderdaad. Volgens mij heb je al van sommige van die dingen gedroomd.'

Ze knikte, maar zijn woorden drongen nauwelijks tot haar door en ze merkte nauwelijks dat hij wegging. Ze hoorde de deur dichtgaan, maar het geluid leek van heel ver te komen. Haar dwerg sprong op het bed en ging met gekruiste benen op de sprei zitten.

'Goed dan,' zei Branna kribbig, 'je had gelijk.'

Hij knikte grinnikend en verdween. Branna rilde als een natte hond. Heel even, dat gevoel had ze, had iemand anders door haar ogen gekeken en die persoon had deze kamer nooit eerder gezien. Iemand anders. Maar wie?

Terwijl Gerran de hele avond met zijn krijgers in de grote zaal zat te drinken, bleef hij rondkijken naar Neb. Maar de schrijver kwam niet opdagen, en een dienstmaagd vertelde hem ten slotte dat Neb bij de kokkin in de keuken wat te eten had gehaald. Gerran probeerde zichzelf ervan te overtuigen dat de schrijver bang voor hem was, maar hij was te eerlijk van aard om het te geloven. Neb had geen enkele reden om bang te zijn voor gewone mannen, al dan niet gewapend. Kwam dat door dweomer? vroeg Gerran zich af. Hij had meer dan genoeg verhalen over dweomer gehoord, dat was zo, maar daar had hij nooit iets van geloofd. Misschien heb ik me dit gewoon verbeeld, dacht hij, en dat vond hij een geruststellende gedachte. Hij loste het probleem op door zoveel mede te drinken dat hij de herinnering aan de ruzie kon uitwissen.

De volgende morgen kwam Neb fluitend de grote zaal in, zo opgewekt alsof er niets was gebeurd. Gerran zat langzaam een tweede kom pap te eten en toen de schrijver hem zag zitten, kwam hij naar hem toe.

'Goedemorgen, hoofdman,' zei Neb. 'Het is een mooie dag.'

'Dat is het,' beaamde Gerran. 'Het lijkt erop dat de grootste hitte voorbij is.'

Neb knikte glimlachend en liep door naar de tafel die hij deelde met heer Veddyn en de stalmeester en zijn gezin. Even voelde Gerran aandrang om zijn kom pap achter Neb aan te gooien, maar hij beheerste zich en at door.

Tegen het midddaguur zag Gerran Branna en Neb naar de groentetuin lopen. Hij kwam in de verleiding om achter hen aan te rennen en de schrijver met een enorme dreun tegen de grond te slaan, maar toen kwam de herinnering weer boven aan de regen van ontelbare vuistjes die op zijn hele lichaam had geroffeld terwijl hij geen enkele aanvaller had kunnen zien. Ik ben toch verdomme niet bang voor zo'n lafhartig schrijvertje? dacht hij. Maar het was geen angst die hem tegenhield, kwam opeens bij hem op, eerder het besef dat Neb de oudste rechten op haar had. Hij schrok zo van dit bizarre idee dat hij om zich heen keek om te zien of iemand anders het hardop had uitgesproken, maar hij zag niemand. Hij hief zijn kin en verweet zich dat hij blind moest zijn geweest om Branna zelfs maar aantrekkelijk te vinden. Want ze had gelijk toen ze had gezegd dat ze zo goed als familie van elkaar waren. Zo lang kenden ze elkaar inderdaad al.

'Het is vandaag een stuk koeler,' zei Branna. 'Vooral hier.'

'Inderdaad, de goden zij dank,' zei Neb.

Ze waren op de vestingmuur geklommen om alleen te kunnen zijn, omdat de kokkin aan het werk was in de tuin en de stalknechten de stallen schoonmaakten. Branna hees zich op en ging tussen twee kantelen zitten, en Neb leunde tegen de koele stenen muur.

'Wees voorzichtig,' maande hij. 'Ik ben steeds bang dat je zult vallen.'

'O, ik heb geen hoogtevrees. Nooit gehad. Vroeger zat ik graag op de muur om de dun van mijn vader.' En in haar dromen, schoot haar te binnen, kon ze vliegen als een valk. Inderdaad, als een valk.

'Is er iets?' vroeg Neb.

'Nee. Hoezo?'

'Je bent bleek geworden.'

'O ja? Ach, het is niet belangrijk. Ik moest opeens denken aan iets wat Salamander een keer tegen me heeft gezegd.' Branna was bang dat Neb erop in zou gaan, maar blijkbaar wilde hij over iets belangrijkers praten.

'Eh... Heb je al met je tante gesproken?' vroeg hij. 'Over ons huwelijk, bedoel ik.'

'Daar heb ik nog geen gelegenheid voor gehad. Omaena en Pedrys zijn vanmorgen pas laat vertrokken, en nu zit mijn tante samen met heer Veddyn uit te rekenen hoeveel van de voedselvoorraad er tijdens het toernooi is gebruikt.'

Neb keek zo teleurgesteld als een kind wanneer een uitstapje vanwege de regen niet doorgaat. Branna draaide zich half om en liet haar blik dwalen over het uitzicht: groene velden met nette boerenhoeven en de glinsterende rivier. In een van de bochten van de rivier stond een kudde witte koeien beurtelings te drinken – door de grote afstand leek het net een vlek sneeuw. Opeens herinnerde ze zich dat ze in een droom wel eens met behulp van sterke vleugels over het landschap heen had gevlogen en hoe dat er toen had uitgezien.

'Je wilt toch nog wel met me trouwen?' vroeg Neb, en zijn stem klonk bezorgd. 'Je bent er nu toch niet opeens bang voor geworden?'

'Bang? Natuurlijk niet!' Branna draaide zich weer naar hem toe. 'Bovendien moet ik, of ik met je trouw of niet, leren de dweomer te aanvaarden.'

'Je kijkt wel bang.' Neb hield zijn hoofd schuin en keek aandachtig naar haar gezicht.

'Naarling!' Bijna stak ze haar tong naar hem uit, maar het schoot haar nog net op tijd te binnen dat dat geen waardig gebaar was. 'Vooruit, dan geef ik toe dat ik gisteravond erg geschrokken ben.'

'Het spijt me. Ik had het Natuurvolk niet om die gouden bal moeten vragen.'

'Neu, neu, neu, dat was niet de reden! Het kwam door dat andere meisje, dat in mijn hoofd woont. Gisteravond was ik me heel erg van haar bewust en ik wil mezelf zijn, niet haar.'

'O.' Neb dacht er diep over na. 'Ja, ik voel die andere man ook vanbinnen, maar eh... Hoe zal ik het zeggen? Ik heb het gevoel dat hij en ik dezelfde zijn, of zoiets. Ik ben niet bang, omdat ik weet dat hij een deel van me is. Geldt dat niet ook voor dat meisje? Is zij niet een deel van jou?'

'Misschien wel, maar er is een soort kloof tussen ons. Ach, ik weet niet hoe ik het moet zeggen.'

'Ik begrijp het wel, ik weet alleen niet hoe ik je kan helpen.'

Daar moest Branna bijna om huilen. Waarom was ze er zo zeker van geweest dat Neb haar kon helpen? Dat hij het probleem voor haar zou oplossen en haar angst zou verdrijven?

'Kalm nou maar,' zei Neb, en hij stak een hand naar haar uit. 'Kom hier, liefste.'

Ze knikte en sprong op de houten loopbrug langs de muur. Hij trok haar naar zich toe, kuste haar en veegde haar tranen weg. In zijn armen voelde ze zich weer veilig.

'Een van ons zal het antwoord wel vinden,' zei ze. 'En zo niet, dan kunnen we het Salamander vragen of iemand anders die het weet.' Ze keek Neb glimlachend aan. 'En ik zal zo gauw mogelijk met mijn tante praten.'

'Daar ben ik blij om. Ik...' Hij zweeg en keek omhoog. 'Dat is vreemd.'

'Wat?' Branna liet hem los en keek ook naar de lucht.

Er vloog een enkele raaf boven de dun, een grote vogel, eigenlijk te groot om een raaf te zijn. Branna rilde terwijl ze zwijgend keken hoe hij rondcirkelde en af en toe iets lager vloog.

'Het is de enige die ik hier tot nu toe heb gezien,' zei Neb. 'Zou hij de andere hebben weggejaagd? En meestal maken ze veel meer lawaai.'

'Ik heb hem ook een keer eerder gezien. Wanneer was... O ja, op de dag van mijn aankomst.'

'Vloog hij toen op dezelfde manier rond?'

'Ja.'

Neb klom op de muur en knielde tussen twee kantelen. Plotseling kraste de raaf alsof hij schrok. Hij maakte een schuine bocht en vloog snel in noordelijke richting weg.

'Hij wist dat we naar hem keken,' zei Neb. 'Het lijkt me geen goed teken, het bevalt me niet.'

'Mij ook niet. Laten we hopen dat het geen onheil voorspelt.'

'Inderdaad.' Neb glimlachte geruststellend, maar het kostte hem moeite. 'Vooral niet voor ons huwelijk.'

'Dat vooral niet. Zullen we naar de grote zaal gaan? Het bevalt me hier niet meer. Ik hoop dat dat afschuwelijke schepsel niet terugkomt.'

Ze klommen de ladder af, maar toen ze het binnenplein overstaken, keek Branna nog steeds af en toe omhoog. De hele dag bleef het beeld van de rondzwevende raaf boven de dun haar bij, even verontrustend als de geruchten over een naderende oorlog.

Terwijl de schaduwen in de loop van de zomermiddag steeds langer werden en etensgeuren het binnenplein vulden, kwamen de krijgers, de knechten, de dienstmaagden en de edelen langzamerhand naar de grote zaal. Neb nam zijn plaats in aan de tafel van heer Veddyn, maar de oude man zelf was er nog niet.

Aan het andere eind van de tafel zat de vrouw van de stalmeester perziken in stukken te snijden voor haar vijf kinderen. Door de ramen aan de westkant vielen lange bundels zonlicht vol goudglinsterende stofjes naar binnen. Aan de eretafel speelden Branna en Mirryn een potje carnoic, terwijl tieryn Cadryc achteroverleunend op zijn stoel met een kroes bier in zijn hand toekeek. De honden kwamen ook naar binnen en ploften op het stro in de buurt van de krijgers, die het meest met hun eten knoeiden en zo goed waren om de dieren af en toe een bot toe te werpen. Dienstmaagden liepen rond met mandjes brood en kroezen bier.

Neb dronk langzaam van zijn bier en probeerde te bedenken hoe het kon dat de raaf die zo hoog boven de dun had gevlogen de vredige zomerdag voor hem had bedorven. Raven, de grootste kraaiensoort, werden beschouwd als voorboden van slecht nieuws, maar deze vogel leek nog een andere betekenis te hebben. Neb herinnerde zich delen uit Salamanders fantasierijke verhalen waarin tovenaars zich konden veranderen in een vogel. Zijn moeder zou het een bespottelijk idee hebben gevonden. Ze had natuurlijk gelijk, besloot hij, maar het beeld van de raaf bleef rondcirkelen door zijn geest zoals de vogel zelf had rondgecirkeld boven de dun.

Toch weigerde hij zijn geluk erdoor te laten bederven. Branna had erin toegestemd met hem te trouwen. Neb glimlachte voor zich uit terwijl hij zich afvroeg hoe het zou zijn om de rest van zijn leven in deze dun door te brengen. In het voorjaar en in de zomer was het hier erg prettig, dat stond buiten kijf, maar in de winter zou het een stuk moeilijker en nogal benauwend zijn, dacht hij. Maar met Branna als zijn vrouw was het vast wel te verdragen. Waar zouden we anders naartoe moeten? vroeg hij zich af. Branna zal beslist niet als de vrouw van een rondreizende brievenschrijver door het land willen trekken. Misschien konden ze teruggaan naar Trev Hael, waar hij net als zijn vader een winkeltje zou kunnen beginnen als schrijver en verkoper van perkament en inkt. Maar hij wilde geen tijd verspillen door zich daar nu al zorgen om te maken. Eerst moesten ze toestemming krijgen om met elkaar te trouwen, daar hing verder alles van af.

Voor die toestemming moesten ze in de eerste plaats bij vrouwe Galla zijn. Toen zij en heer Veddyn eindelijk binnenkwamen en ook hun plaats hadden ingenomen, brachten de dienstmaagden schalen rond met koud varkensvlees, dat over was van het feestmaal van de vorige dag, en manden met perziken voor erbij. Branna zou tijdens de maaltijd niet met haar tante kunnen praten. De avond ging pijnlijk langzaam voorbij. Vrouwe Galla en Branna namen alle tijd om te eten voordat ze zich terugtrokken in de vrouwenzaal. Zouden ze het eindelijk over hem hebben? Neb kon alleen maar wachten.

Toen Branna eindelijk weer beneden kwam, zat Neb nog als enige aan tafel, half in slaap. Cadryc en Mirryn waren naar boven gegaan, en het merendeel van de krijgers was ook verdwenen – met inbegrip van Gerran, gelukkig. Branna keek zo ernstig dat Neb het ergste vreesde, maar ze ging naast hem zitten en dat zou ze niet hebben gedaan als haar tante de toestemming had geweigerd.

'We hebben er met de hele clan over gesproken,' zei Branna. 'In de gang voor de deur van de vrouwenzaal.'

'En?' vroeg Neb.

'Het is mijn vader. Het probleem, bedoel ik. Tante Galla vindt het goed dat ik met je trouw en oom Cadryc maakt ook geen bezwaar. Hij was verbaasd, en Mirryn ook, dat ik Gerran niet had uitgekozen, maar oom zei dat hij niet degene was die met je zou trouwen en dat ik het zelf moest weten.' Ze zweeg en keek hem met een zorgelijke blik aan. 'Maar we moeten het ook aan mijn vader vragen en alleen de goden weten wat hij zal antwoorden.'

'Als je niet eens meer welkom bent in zijn dun, waarom zou hij dan bezwaar hebben?'

'Het gaat niet om mij, maar om de eer. Alleen al de gedachte dat zijn dochter met een burgerman trouwt, zou hem wel eens razend kunnen maken. Geen van ons heeft ook maar enig idee hoe hij het zal opvatten.'

Neb kreunde. Branna gaf een paar klapjes op zijn arm.

'In het ergste geval kunnen we samen weglopen,' zei ze. 'Als ze ons dan vangen, zal ik me zo eerloos hebben gedragen dat hij alsnog toestemming zal moeten geven.'

'Stel dat hij je afranselt...'

'Denk je dat het Natuurvolk dat goed zal vinden?'

Neb grinnikte tevreden. 'Nee, en het zou een prachtig gezicht zijn als hij het zou proberen. Maar wat moeten we nu dan doen? Hem een brief schrijven?'

'Dat weet ik niet. Tante Galla wil er eerst over nadenken. Zij kent hem tenslotte als geen ander. Ze is zijn zuster.'

'Goed, dan zal ik me bij de raad van onze vrouwe neerleggen.'

'Ik denk echt dat dat het beste is.' Branna keek met een frons tussen haar wenkbrauwen naar het tafelblad. 'Ik vraag me af of er binnenkort oorlog uitbreekt. Ik heb de laatste tijd steeds heel vreemde... Geen dromen, want ik ben wakker als het gebeurt, maar het zijn een soort beelden van onze mannen in gevecht met het Paardenvolk.'

'Winnen we?'

'Zo ver gaan de beelden niet.' Ze werd bleek en keek hem aan. 'Jij denkt dat ik toekomstvisioenen zie, nietwaar?'

'Inderdaad. Waarom zou ik je niet geloven?'

Branna legde een hand op haar keel en keek lange tijd zwijgend een andere kant op. 'Ik wou dat Salamander terugkwam,' zei ze ten slotte. 'Echt waar. Dan zal hij weten wat het Paardenvolk van plan is of niet, en wat er met ons zal gebeuren of niet. Alle goden, ik heb schoon genoeg van al dat wachten!'

Ook Salamander wenste dat hij terug was in de dun van de tieryn. Rocca nam hem langs een grote omweg mee naar het westen. Bepaalde rotspartijen, had ze hem verteld, waren vervloekt en moesten vermeden worden, en in bepaalde oude bomen huisden boze geesten. In een van de riviertjes was het water zo sterk betoverd, had ze beweerd, dat ze kilometers langs de oever hadden moeten lopen om bij een stuk te komen dat smal genoeg was om overheen te springen. In een dicht woud, dat bijna ondoordringbaar was vanwege het kreupelhout tussen de bomen, had Salamander moeten afstijgen om zijn paarden over een heel smal pad te leiden.

'Als we een zuidelijker weg zouden nemen,' zei hij op een avond, 'zouden we door de velden lopen en veel sneller opschieten.'

'Wat? Geen sprake van!' zei Rocca. 'Dit deel van de reis is al gevaarlijk genoeg. Het open veld zou nog erger zijn.'

'Waarom dan?' vroeg Salamander.

'Vanwege het gebroed van Vandar.'

'Van wie?'

'De heer van het kwaad, Vandar, heeft kinderen verwekt bij beesten.' Rocca keek om zich heen alsof ze bang was dat er spionnen tussen de struiken naar hen zaten te loeren en fluisterde: 'Ze lijken een beetje op mensen en Paardenvolkers, maar hun ogen verraden hen. Ze hebben kattenogen, met spleetjes. En hun oren! Ze hebben de gewoonte hun borelingen te martelen, weet je, om ze haat en walging bij te brengen. Ze trekken aan hun oren en snijden erin met scherpe messen. Soms drukken ze zelfs gloeiende poken in hun vel.' Ze rilde overdreven. 'Misschien heb jij ook wel eens van ze gehoord. Ze worden het Westvolk genoemd.'

Salamander was zo geschokt dat hij haar alleen maar kon aanstaren.

'Afschuwelijk, nietwaar?' zei Rocca. 'Maar vrees niet, want de kinderen van Alshandra zullen zegevieren. Het is ons wyrd het gebroed helemaal uit te roeien en de vlakte weer zuiver en schoon te maken. En dan kan ons volk zijn paarden weer laten grazen op het overvloedige groene gras van Alshandra.'

'Nu begrijp ik het,' zei Salamander met moeite. 'En daarna? Gaan we, als we genoeg paarden hebben, ook Deverry veroveren?'

'Ach nee, dat zou te erg zijn. Na de vernietiging van het gebroed zullen we in vrede op de vlakte wonen en missionarissen naar Deverry sturen. Daar zien al onze priesters en priesteressen al met verlangen naar uit.'

'En jullie oorlogsleiders? Ik geloof dat jullie die rakzanir noemen. Willen zij ook in vrede leven?'

Rocca beet op haar onderlip en wendde met een rukje haar hoofd af. 'Die zijn erg koppig, dat is waar,' zei ze ten slotte. 'Die zijn het niet altijd met onze priesteressen eens.'

'Dat dacht ik al.'

'Maar uiteindelijk zal de heilige raad het van hen winnen. Alshandra de Wijze staat ons bij, en zij zal hun harten laten smelten en hun genade en zachtmoedigheid bijbrengen. Dat weet ik in mijn hart en Lakanza ook. Zij is de hogepriesteres, hare heiligheid Lakanza, ze is heel oud en wijs. Ze bidt elke dag dat ze lang genoeg zal leven om mee te maken dat de waarheid zich ook door heel Deverry zal verspreiden. Ik weet in mijn hart dat dat het wyrd is. Kijk maar naar Honelg en zijn gezegende verwanten en clan! Hun geloof is ook al sterk en puur, nietwaar? Net als het jouwe, jij wist ook meteen dat het de waarheid is.'

'Dat is waar.'

'We noemen dat ontwaken. De meeste mensen, zowel Deverrianen als leden van het Paardenvolk, brengen hun leven slapend door. Ze geloven in valse goden en verspillen hun tijd met dromen. Maar de waarheid van Alshandra is als een zilveren hoorn, die het sein blaast om wakker te worden en op te staan.'

Salamander verlangde wanhopig naar het sein dat Rocca wilde gaan slapen, maar ze was nog klaarwakker en spraakzamer dan ooit. Ze stond erop nog een keer de rijtjes door te nemen en vertelde hem vervolgens over haar jeugd. Ze was als slavin opgegroeid in een clan van het Paardenvolk tot ze dankzij haar geloof in Alshandra in vrijheid was gesteld.

'Iedereen die volgens de priesters geschikt is om haar te dienen, wordt vrijgelaten, zie je.' Ze geeuwde. 'Dus ben ik een gezegend mens.'

'Dat is waar. Hoe zou je leven zijn geweest als je niet was vrijgelaten?'

'Ach, helemaal niet erg. Mijn familie werkt op het land en verbouwt graan voor de strijdrossen. Hoog in de bergen zijn de zomers kort en koel, en in de valleien wonen boeren die het Paardenvolk belasting verschuldigd zijn. Mijn familie leeft net zoals de pachtboeren in Deverry, of eigenlijk nog iets beter. Dat zei Honelg een keer, nadat ik hem over mijn jeugd had verteld. We mogen een derde houden van alles wat we verbouwen, terwijl de pachtboeren zoveel aan hun heer moeten afdragen dat het me verbaast dat ze niet verhongeren.'

'Inderdaad.' Salamander deed net alsof hij heel lang moest geeuwen, waardoor Rocca zijn voorbeeld volgde. 'Die pachtboeren hebben inderdaad een droevig leven.'

'Ik wil niet liegen, dus moet ik toegeven dat sommige slaven er ellendig aan toe zijn. Maar onze priesters en priesteressen doen hun best om dat te veranderen. Enkele leiders van het Paardenvolk hebben het licht gezien en beseffen dat alle kinderen van Alshandra recht hebben op respect.'

'Dan werken jullie aan een eerbare zaak.' Salamander geeuwde nogmaals. 'Neem me niet kwalijk, maar ik ben vanavond erg moe.'

'Ik ook. Ik ga mijn gebeden zeggen.' Rocca stond op, schudde haar hoofd alsof dat haar wakker moest houden en draafde weg, zacht een liedje neuriënd. Salamander wierp twijgjes en takjes op het vuur tot hij er zeker van was dat ze ver genoeg uit de buurt was. Toen riep hij in gedachten Dallandra op en vertelde haar dat het Paardenvolk hen het gebroed van Vandar noemde, en hoe het over hen dacht. Haar gezicht in het visioen boven het vuur staarde hem vol afschuw aan.

'Nou, dan heeft Cal gelijk,' zei ze uiteindelijk. 'Hij houdt vol dat het Paardenvolk boosaardige plannen heeft en dat is dus zo.'

'Zij vinden natuurlijk dat ze de wereld moeten verlossen van een groot kwaad.'

'Natuurlijk. De meeste mensen die slechte dingen doen, vinden dat ze daar een goede reden voor hebben. Voor hun slachtoffers is dat geen troost.'

'Je hebt gelijk.'

'Ebañy, je loopt veel gevaar, meer gevaar dan we beseften toen je aan deze reis begon. Kun je het niet beter opgeven? Je kunt sneller weg- rijden dan zij je te voet kan volgen.'

'Daar heb ik zelf ook al aan gedacht.' Salamander zweeg en tuurde het bos in, waar Rocca op haar knieën zat te bidden. 'Maar het is nu nog belangrijker dat we weten waar die vesting ligt, nietwaar?'

'Dat is waar. Maar wees voorzichtig. Wees elk moment van de dag op je hoede.'

'Wees maar niet bang, ik zal heel voorzichtig zijn. En het kan niet zo ver meer zijn.'

In het noordelijke deel van de open vlakte, daar waar een reiziger uit het zuiden in de verte de bergen van het Dak van de Wereld zag opdoemen, stond een enorme rots van grijs graniet in de vorm van een gekromd dier. Eromheen stroomden beekjes, gevoed door ver- borgen bronnen. Dallandra en Valandario hadden afgesproken el- kaar bij dit baken te ontmoeten. Toen prins Daralanteriel en zijn alar de Twintigstromenrots bereikten, werden ze opgewacht door Val en haar groep. Dalla liet anderen haar tent opzetten en liep met Valandario mee naar haar tent. Binnen had Val de felgekleurde kus- sens opgestapeld tot zitplaatsen aan weerskanten van haar scry- kleed.

'Ik heb het nog tegen niemand gezegd,' zei Dalla, 'want ik wil geen paniek zaaien. Ebañy heeft iets afschuwelijks ontdekt.'

'Heeft het iets met die nieuwe godsdienst te maken waarover je me hebt verteld?' vroeg Val.

'Juist. Het Paardenvolk vindt dat het zijn heilige plicht is de vlakte en de rest van de wereld van het Volk te zuiveren, ons tot de laatste man uit te roeien.'

Valandario verstilde. Ze zat zo roerloos dat zelfs haar oogleden niet trilden. Ten slotte liet ze met een zuchtje haar adem ontsnappen. Ze hief haar handen en streek haar haren naar achteren, alsof zelfs de kleinste lok om haar gezicht haar hinderde. Dallandra wachtte ge- duldig.

'Nu begrijp ik het,' zei Val eindelijk. 'Obsidiaan tuimelt over lapis lazuli, vuur over water, nu begrijp ik wat dat betekent. Die worp

van de stenen gisteren, bedoel ik.' Ze zweeg opnieuw. 'Dood langs het water, natuurlijk.' Weer was ze stil. 'Gele edelstenen, afstand. Niet noodzakelijk onze dood, maar de dood ergens ver weg.'
'Bedoel je oorlog?'
Val draaide zich om, opende een geelkoperen kistje en haalde er een zakje uit van met reliëfwerk versierd bruin leer. Ze ging weer recht zitten, staarde even naar het scrykleed en strooide de edelstenen eroverheen. Een robijn rolde door en bleef liggen op een geborduurde spiraal.
'Inderdaad, oorlog,' zei ze. 'Met Deverry.' Ze legde haar vinger op een paarse steen vlak voor haar. 'Samen met Deverry, bedoel ik, niet tegen Deverry.'
'Binnenkort?'
'Heel binnenkort. Zodra Ebañy terug is met het bewijs voor zijn waarschuwing.' Val legde een slanke wijsvinger op een stukje donkere jade en schoof het over de naad tussen twee lapjes zijde, een geel en een rood. 'Als hij terugkomt.'
Dallandra rilde. 'Ik hoop wel dat we Ebañy levend terugzien.'
'Ik ook. Ik zie hier niets om die hoop te ontkrachten, maar het Paardenvolk...'
Ze bleven even zwijgend zitten terwijl Vals laatste woorden tussen hen in hingen, als een verwensing van de verre vijand. Niet ver genoeg, dacht Dalla. Een halve wereld verder zou nog niet ver genoeg zijn.
'Dalla,' zei Val uiteindelijk, 'ik hoop dat je het niet erg vindt dat ik Ebañy's genezing aan jou heb overgelaten. Daar voel ik me nog steeds schuldig over, maar ik wist echt niet wat ik met hem moest doen.'
'Je hoeft je niet schuldig te voelen, want ik had het toch zelf aangeboden?'
'Dat is waar, maar ik was bang dat ik jegens mijn leerling tekort was geschoten.'
'Hij was toch al – hoelang? Honderdvijftig jaar? – je leerling niet meer?'
'Zo ongeveer.' Valandario staarde naar de glinsterende stenen voor haar op het kleed. 'Ik vrees dat ik helemaal in de ban ben geraakt van het scryen. Er zijn nog steeds zoveel problemen, ik moet nog zoveel uitzoeken...'
'Je zou weer een leerling moeten aannemen, of liever een rondreizende dweomerwerker, iemand om dit te leren, al weet je nog lang niet alles. En ik vraag me af... Is het geen goed idee om alles op te schrijven?'
'Dat denk ik wel, ja.' Val keek op. 'Ik denk niet dat ik binnenkort

overlijd, maar tegenwoordig weet je zoiets niet meer, met die oorlog in het westen en zo.'

'Ik wil niet zwartgallig zijn...'

'Dat ben je niet. Het is de werkelijkheid.' Val schudde met een zucht haar hoofd. 'Herinner jij je Nevyn? Aderyns dweomermeester?'

'Nog heel goed. Weliswaar is het erg lang geleden dat ik hem heb ontmoet, maar hij was een indrukwekkende man.'

'Dat was hij.' Val glimlachte. 'Ooit heb ik met hem een gesprek gehad over de oude geschiedenis, het verhaal van de Zeven Steden, en toen betreurden we allebei wat er allemaal verloren is gegaan. Zij hadden de kern van hun leer nooit opgeschreven, zie je. Toen Meranaldar bij ons kwam, kreeg ik weer hoop. Ik dacht dat de boeken over de diepste kennis veilig bewaard lagen op de Zuidereilanden, maar dat bleek niet zo te zijn. Ze hebben nooit bestaan. Meranaldar had hier en daar iets gelezen wat dat duidelijk maakte. Ze hebben hun grootste geheimen nooit opgeschreven.'

'En dat betekent dat niemand die ooit zal weten.'

'Misschien. Maar het kan ook zijn dat we ze ooit zullen ontdekken, als we geluk hebben. Nevyn heeft een keer tegen Aderyn gezegd dat verlies de bittere prijs is die voor geheimhouding moet worden betaald. Die opmerking is me al die tijd – hoelang is het geleden? Bijna tweehonderd jaar? – bijgebleven.'

'De bittere prijs voor geheimhouding.' Dallandra knikte instemmend. 'Dat zegt het precies. En nu wil het Paardenvolk dat wat we nog wel hebben ook vernietigen.'

'Inderdaad. Maar ja, dat ligt in handen van de goden, net als de oorlog zelf. Laten we ervan uitgaan dat Ebañy vindt wat hij zoekt, een vesting of zo, en dat hij veilig terugkomt. En wat dan? Gaan we dan naar Cengarn en vragen we die jonge koning om hulp?'

'Dat doen we, en daarna ga ik naar het zuiden. Ik wil graag een bezoek brengen aan tieryn Cadryc van de Rode Wolf. Ik zal je uitleggen waarom.'

Terwijl de zomer voorbijging, hield Neb op zijn manier de wacht over de dun. Vroeger hadden hij en de andere jongens in Trev Hael steentjes geschoten met een katapult, en toen had hij bekendgestaan om zijn scherpe blik. Van restjes leer die hij in de stallen had gevonden, maakte hij nu weer een katapult, die hij samen met een handje stenen in een zak van zijn brigga steeds bij zich droeg, voor het geval dat de raaf terug zou komen. Het schepsel had zich als een normale vogel gedragen, maar aan zijn grootte was te zien geweest dat het geen normale vogel was. Toen het boven de dun had gevlogen, was het zo groot geweest als een normale raaf op een paar honderd meter afstand, maar daarvan zou Neb de kop en de veren hebben kunnen onderscheiden. Deze raaf was een zwarte vlek geweest hoog in de lucht.

Neb veronderstelde nog steeds dat het een soort tovenaar was geweest, maar hoe het ook zij, diep vanbinnen was hij ervan overtuigd dat zoiets onnatuurlijks alleen slechte bedoelingen kon hebben. Branna was bang voor haar geheimzinnige 'andere meisje', hij wantrouwde die raaf. Alle goden, dacht hij, wat is er toch met ons aan de hand? Opeens leek de wereld groter en vreemder dan ze ooit hadden vermoed. Hij wilde niets liever dan die raaf naar de aarde lokken, maar alsof het schepsel dat wist, liet het zich niet meer zien.

Niet lang na het toernooi kregen ze opnieuw een opwindend bericht. Toen iedereen in de grote zaal aan de avondmaaltijd zat, hoorden ze opeens buiten de klanken van een hoorn: drie waarschuwende tonen achter elkaar.

'De poortwachter.' Aan de tafel van de belangrijkste krijgers stond Gerran op. 'Schildknapen! Ga kijken wat er aan de hand is.'

De kleine heer Ynedd bleef zitten, maar Coryn en Clae sprongen op en renden naar buiten. Aan de andere kant van de zaal, bij de erehaard, stond tieryn Cadryc op en keek naar de deur. Even later kwamen Clae en Coryn weer naar binnen rennen, en ze hadden zo'n haast om naar de tieryn te gaan dat ze struikelden over een bruine hond, die gillend opsprong en wegkroop. Niemand lachte, iedereen zweeg om te kunnen luisteren.

'Boodschappers uit Cengarn, edele heer,' zei Coryn hijgend.

Clae rende weer naar de deur en kwam terug met twee vermoeide reizigers. Over hun normale kleren heen droegen ze een stoffige herautsmantel met de stralende zon van Cengarn erop geborduurd. Ze knielden voor de tieryn neer en een van hen overhandigde hem een zilveren brievenkoker. Neb zwaaide zijn benen over de bank en stond op.

'Schrijver!' riep Cadryc.

'Ik kom al, edele heer.'

Neb draafde naar de eretafel, nam de zilveren koker aan, trok de brief eruit en liet zijn blik er snel overheen glijden.

'Ik hoop dat onze gwerbret eindelijk inziet hoe gevaarlijk die plunderaars zijn,' zei Cadryc.

'Helaas niet, edele heer,' zei Neb. 'Dat blijkt in elk geval niet uit deze brief. Het is een aankondiging van zijn verloving en aanstaand huwelijk.'

'Nou ja, dat is ook goed nieuws. Lees voor, jongen.'

Het was een lange boodschap in hoffelijke, bloemrijke taal, waarin alleen werd aangekondigd dat gwerbret Ridvar zich had verloofd met vrouwe Drwmigga van Trev Hael. De gwerbret verzocht tieryn Cadryc en zijn familie hem de eer aan te doen het huwelijk bij te wonen.

'O, wat een uitstekende keus!' zei Galla. 'Zij is de dochter van de gwerbret van Trev Hael en haar moeder was de dochter van de gwerbret van Dun Trebyc.'

'Bedoel je de oude Drwmyc?' zei Cadryc. 'Dan is ze van goede afkomst.'

'Maar is zij niet ouder dan Ridvar?' vroeg Branna.

'Een paar jaar, meer niet.' Galla dacht even na. 'Ik weet niet meer wanneer ze geboren is, maar als ze te oud zou zijn, zou ze al een echtgenoot hebben.'

'Dat is waar, met haar familie- en vriendschapsbetrekkingen,' beaamde Cadryc. 'Neb, schrijf een fraai antwoord waarin je zegt dat we de uitnodiging aannemen. Het doet me genoegen dat onze gwerbret zijn plicht jegens rhan en clan vervult.'

'Mij ook,' zei Mirryn. 'Laten we hopen dat hij snel een kind bij haar verwekt.'

'Inderdaad,' zei Galla. 'Mogen de goden verhoeden dat ze onvruchtbaar is. O, wat een opwinding! Branna, misschien zien we op dat huwelijksfeest onze Adranna wel.'

'Ho, ho.' Cadryc stak een hand op. 'Verheug je daar nog maar niet op, lieve. Ik denk niet dat Ridvar elke heer in het rhan zal uitnodigen. Zo groot is zijn dun nu ook weer niet en alle goden! Kun je je het gemopper voorstellen als hij een deel van hen in de stad onderbrengt? Het zal al moeilijk genoeg zijn om ruimte te maken voor de tieryns, en daar komt de clan van Drwmigga ook nog bij.'

Galla's gezicht betrok. 'Waarschijnlijk heb je gelijk.' Haar stem trilde. 'Ik hoop dat alles bij haar in orde is.'

'Wat vind je hiervan?' vroeg Cadryc opeens. 'Zo ver is het niet van Cengarn naar die vreselijke dun van haar man, dus kunnen we na het feest misschien naar het noorden rijden om haar een bezoek te brengen.'

Galla en Branna keken hem stralend aan. 'Zodra we in Cengarn zijn,' vervolgde Cadryc, 'zal Neb haar een brief schrijven. Dan hoeft de boodschapper niet zo ver te rijden.'

'Dank je,' zei Galla. 'Nu kan ik me oprecht op het huwelijk verheugen.'

'Ik neem aan dat ik weer hier zal moeten blijven,' zei Mirryn.

'Iemand moet de vesting verdedigen, jongen.' Cadryc glimlachte tegen zijn zoon. 'Deze keer zul jij de gevaarlijkste taak hebben. Ik mag een escorte van vijfentwintig man meenemen, maar ik denk dat ik met minder genoegen neem om meer mannen bij jou te kunnen achterlaten. Het is heel goed mogelijk dat het Paardenvolk een poging waagt om ons te belegeren terwijl ik afwezig ben.'

Mirryn slikte zijn boosheid in, nam een slok bier en glimlachte moeizaam. 'Dat is waar,' zei hij.

Maar vader en zoon keken elkaar grimmig aan en de spanning bleef als een zwerm boze bijen boven de tafel hangen. Branna leunde naar voren en begon over iets heel anders te praten.

'De verloofde van Ridvar, wat is dat voor meisje? Ik heb haar zelfs nooit gezien. Kent u haar, oom?'

'Nee.' Cadryc haalde zijn schouders op. 'Maar haar uiterlijk is niet belangrijk. Hij kan altijd de kaars uitblazen.'

De mannen lachten, maar vrouwe Galla en Branna wisselden een geërgerde blik.

'Het is een knap meisje, edele heer,' zei Neb. 'Vroeger zag ik haar vaak met haar vader door onze stad rijden. Ze heeft het donkere haar van de mensen in Eldidd en donkerblauwe ogen, en ze is slank, maar niet broos.'

'Mooi zo.' Cadryc keek Neb aan. 'Ik was vergeten dat jij uit Trev Hael komt. Ik moet toegeven dat ik blij ben dat die jongen gaat trouwen, maar ook dat ik hoopte op een bericht van die verduivelde troubadour. Je mag het best dom van me vinden, maar ik heb het vermoeden dat hij straks met iets aankomt wat de gwerbret van gedachten zal doen veranderen.'

'Laten we het hopen,' zei Mirryn.

'Je klinkt niet overtuigd, jongen.'

'Dat ben ik ook niet.' Nu haalde Mirryn zijn schouders op. 'Maar hij is de enige hond in onze roedel die een geurspoor volgt, dus kunnen we hem beter zijn gang laten gaan.'

Al volgde Salamander op zijn manier een spoor, hij was ook hopeloos verdwaald. Als Rocca een uitgestippelde weg volgde, kon hij niet ontdekken wat de bakens waren of waar de weg naartoe ging. En hij moest de vesting van het Paardenvolk niet alleen vinden, hij moest er ook een leger naartoe kunnen sturen. Steeds wanneer hij erin slaagde zich in verbinding te stellen met Dallandra, beschreef hij het stukje wildernis waarin ze de nacht doorbrachten, hoewel hij betwijfelde of iemand in staat zou zijn de ene open plek in het bos van de andere te onderscheiden. Uiteindelijk, nadat ze op een dag een paar uur rechtstreeks naar het westen waren gelopen en toen opeens naar het zuiden waren afgeslagen om de boze geesten in een bepaald ravijn te ontwijken, had hij er zo genoeg van dat hij Rocca zonder omhaal van woorden vroeg of ze de weg kwijt was.

'De weg kwijt? Ik?' Rocca lachte even vrolijk als altijd. 'Jouw ogen kunnen de bakens langs deze weg nog niet vinden, Evan, maar ze zijn er echt. Zij heeft ze geplaatst, zo duidelijk als de steenhopen in Deverry, voor degenen die hun ogen open hebben.'

'O, nou, dat zal dan wel,' zei Salamander. 'Ik weet dat ik pas een beginneling ben in haar leer.'

'Straks komen we bij een riviertje dat we de Galan Targ noemen, de thuisgrens. Als we dat hebben overgestoken, ligt de weg recht voor ons, dan hebben we Vandars duivelse valkuilen achter ons gelaten. Het is niet ver meer, heus.'

Inderdaad kwamen ze laat in de middag bij de Galan Targ, een brede, maar ondiepe stroom met een schone, zanderige bedding. Het struikgewas op beide oevers was weggehakt en de doorwaadbare plaats was gemarkeerd met grote stenen. Salamander bood Rocca zijn paard aan voor de oversteek, maar opnieuw weigerde ze te rijden.

'Rijd jij maar naar de overkant, dan loop ik achter je aan,' zei ze. 'Ik moet het water zegenen terwijl ik erdoorheen loop.'

Salamanders paarden hadden geen moeite met de oversteek, omdat het water nog geen meter diep was. Aan de overkant steeg hij af en keek hoe Rocca haar armen hief en een kort gebed zei voordat ze in het water stapte. Maar misschien was het riviertje niet in de stemming voor een zegening, want bij de eerste stap gleed ze uit en viel op haar knieën. Ze stond op, maar toen struikelde ze en viel languit in het water. De benen spelden vielen uit haar haren en haar lange lokken spreidden zich als een waaier om haar hoofd. Salamander wilde het water inlopen om haar te helpen, maar ze krabbelde overeind, doornat en lachend, en gebaarde dat hij moest blijven waar hij was.

'Blijf jij maar droog!' riep ze. 'Ik ben op een scherpe steen of zoiets onder het zand gestapt, maar het doet nauwelijks pijn. Wel moet ik even naar mijn haarspelden zoeken, want die zijn het enige wat ik bezit!' Ze knielde in het water, betastte de zanderige bodem om haar heen en stond op, met gefronste blik. 'Ze zijn weg.'

'Ik maak wel nieuwe voor je,' bood Salamander aan.

'Dank je!' Meteen glimlachte ze weer.

Rillend als een hond beklom ze de andere oever, nog steeds met een glimlach. Haar dunne linnen kleed, iets schoner dan voorheen, plakte aan haar lichaam en haar natte haar hing, bevrijd van de spelden, bijna tot haar middel over haar borsten. Salamander draaide zich om en maakte het bit van zijn paarden wat losser zodat ze konden drinken.

'Hier blijven we vannacht,' zei Rocca. 'Eindelijk veilig, en voor je dieren is er groen gras en schoon water.'

Salamander bleef druk bezig met zijn paarden en daarna sprokkelde hij hout voor een vuur. Hij begon al te denken als een echte bekeerling, besefte hij opeens, want hij schaamde zich oprecht omdat hij met een wellustige blik naar een priesteres had gekeken. Toch kon hij het niet laten. Haar linnen kleed kromp bij het drogen en spande om haar borsten, terwijl ze zo ongedwongen als een kind met gekruiste benen bij het vuur zat. Ze had al haar aandacht bij het uitkammen van haar natte haar, dat vol knopen zat. Het leek wel alsof ze het in geen jaren had gewassen of gekamd.

'Zal ik je helpen?' vroeg hij. 'Aan de achterkant, waar je niet bij kunt.'

Rocca begon te lachen. 'Je weet nog niets van onze manieren, Evan. Je beseft niet wat je hebt gezegd.'

'Neem me niet kwalijk, heiligheid. Was het iets verkeerds?'

'Niet met opzet, maar omdat je niet beter weet. Bij ons biedt een man aan om het haar van een vrouw te kammen als hij met haar wil trouwen. Als ze het goedvindt, zijn ze getrouwd.'

'Ah, nu begrijp ik het.' Tot zijn schrik besefte Salamander dat hij bloosde van verlegenheid, want zijn gezicht gloeide.

Rocca hield haar hoofd schuin en keek hem onderzoekend aan. 'Ik wil je laten weten dat ik nooit zal trouwen,' zei ze ten slotte. 'En op liefdesgebied zal ik nooit iets met een man te maken hebben.'

Salamander bracht een verstikt geluid uit dat 'natuurlijk niet' zou kunnen betekenen.

'Het is een regel van onze priesteressen dat ze nooit gemeenschap met een man zullen hebben, om te voorkomen dat ze een kind krijgen,' vervolgde Rocca. 'Want waarom zouden we nog meer zielen op Vandars slechte wereld willen zetten? Zou het niet wreed zijn om hier nog meer zielen vast te houden die hij kan kwellen?'

'Dat is waar, heiligheid. Het spijt me echt verschrikkelijk...'

'Ach, schei uit! Ik ben toch ook een vrouw? Ik voel me gevleid.' Rocca glimlachte. 'Maar ik denk er niet aan uit haar dienst te treden.'

'Wat gebeurt er met een vrouw die haar godin verloochent voor een man?'

'Niets, behalve dat ze met hem moet trouwen, als hij vrij is, of anders terug moet naar haar familie. Zij is ook een vrouw, zoiets bestraft ze niet. Maar de zondige mag niet langer priesteres zijn.'

'Dus een vrouw die gemeenschap heeft gehad met een man kan geen priesteres worden.'

'Nee, nee, nee, zo erg is het niet. Als ze op dat moment maar geen priesteres was. Als je de gelofte nog niet hebt afgelegd, kun je hem ook niet breken. Ze kan haar geliefde opgeven en dan priesteres worden.'

'Dat vind ik een heel milde regel. In Deverry zijn ze strenger.'

'Ik heb gehoord dat ze daar een priesteres die haar gelofte heeft gebroken levend begraven.'

'Dat is niet waar. Ze moet de Maantempel verlaten, dat is alles. Maar de man wordt opgehangen.'

'Wat vreselijk, iemand straffen voor iets wat hij niet kan helpen! Van mannen kun je immers niet verwachten dat ze... Ach, laat maar, als ik daarover begin... Ik wil geen gemene dingen zeggen. Laten we samen bidden. Alshandra zal je hart meer vreugde en troost schenken dan ik ooit zou kunnen doen, dat verzeker ik je.'

Het dreigement urenlang te moeten bidden zou een man eerder beletten een zonde te begaan dan als hij zou worden opgehangen, dacht Salamander. Hoewel hij zijn best deed om naar Rocca te luisteren, viel hij uiteindelijk geknield in slaap, voorover gezakt als een zak graan. Haar zachte lach en een jongensachtige stomp tegen zijn schouder maakten hem wakker.

'Neem me niet kwalijk!' stamelde hij.

'Natuurlijk niet,' zei Rocca glimlachend. 'Je bent een bekeerling en je ziel is nog niet op ons geloof ingesteld. Ga slapen, Evan. Als alles goed gaat, komen we morgen bij de heilige tempel aan.'

Het Paardenvolk had voor zijn nieuwe dun een uitstekende plaats gekozen. Door de omwegen die Rocca had gemaakt, kon Salamander alleen maar raden hoeveel kilometer ze vanuit Cengarn hadden afgelegd naar het westen. Het waren er heel veel, dacht hij, minstens honderd. Genoeg om de bevoorrading van een leger, als de Eerste Koning dat zou willen sturen, te bemoeilijken. Tegen het eind van de reis kwamen ze weer bij een rivier, die ze zuidwaarts volgden naar een deel van het land waar Salamander nooit was geweest. Ze lieten de heuvels achter zich en toen het dichte woud, en trokken verder door een rotsachtig, licht glooiend gebied met alleen struikgewas. In het westen zag Salamander donkere vlekken aan de horizon – wolken, nam hij aan, maar toen ze niet bleken te bewegen, drong het tot hem door dat hij naar de beroemde bergen in het verre westen keek.

'In die bergen' – hij wees ernaar – 'daar ligt Taen, jullie stad, nietwaar? Ik kan me de juiste naam niet herinneren.'

'Hij ligt inderdaad in die bergen,' beaamde Rocca. 'Maar je moet wel erg goede ogen hebben om ze hier al te zien.'

'O, die heb ik altijd gehad.'

Salamander was blij dat haar kennis van Vandars gebroed beperkt was, maar hij drukte zichzelf op het hart in het vervolg wat voorzichtiger te zijn.

De rivier had zich een bedding gegraven door roodachtig zandsteen. Terwijl ze langs de westelijke oever hun weg vervolgden, werden de wanden van de kloof steeds hoger, tot ze een ravijn vormden. De laatste nacht sliepen ze op een tien meter hoog klif, waar ze de rivier in de diepte hoorden ruisen. Hoe krijgen we daar een leger overheen, vroeg Salamander zich af, zonder eerst een brug te bouwen?

'Morgen komen we in Zakh Gral aan,' zei Rocca.

'Mooi zo,' zei Salamander. 'Ik verlang er erg naar de heilige tempel van onze godin eindelijk te zien.'

De volgende morgen doemde hij op. Ze hadden nog de hele morgen langs de westelijke rand van het ravijn moeten lopen voordat Rocca opeens begon te lachen en recht vooruit wees.

'Kijk,' zei ze, 'daar ligt onze vesting.'

Met een hand boven zijn ogen tuurde Salamander in de verte. In een straal van honderden meters om de vesting heen waren alle struiken weggehaald, en midden in het rotsachtige, alleen nog met onkruid begroeide veld stak een toren boven de vestingmuur uit.

'Hij is alleen nog maar van hout,' zei Rocca. 'De steengroeven liggen in de uitlopers van het gebergte nog verder naar het westen, en het was moeilijker de stenen hierheen te vervoeren dan de bouwers eerst dachten.'

De echte goden zij dank! dacht Salamander. Hardop zei hij: 'De vesting ziet er al heel indrukwekkend uit, al is hij van hout. Hij is behoorlijk groot.'

'Dat is waar. Als hij klaar is, zullen er honderden mensen gaan wonen.'

Naarmate ze dichterbij kwamen, kon Salamander er meer van onderscheiden. Uiteindelijk zou het misschien een sterke vesting worden, maar voorlopig was het een rommelige verzameling houten bouwwerken langs de rand van het klif, waarvan de wand steil omlaag liep naar de rivier. Een houten toren van een meter of vijftig hoog werd omringd door een houten omheining, die hier en daar met stenen was versterkt. Hoog in de toren zaten raampjes, voor de uitkijkpost, vermoedde Salamander. Boven de muren staken hier en daar daken uit van houten schuren en delen van onafgemaakte stenen gebouwen.

Zelfs al van een afstand kwam de indeling van de vesting hem bekend voor. Toen ze vlakbij waren, besefte hij waarom. Het Paardenvolk had de dun van zijn oude vijand in Cengarn tot voorbeeld genomen. Hij steeg af en nam zijn paarden bij de teugels, terwijl Rocca alvast voor hem uit snelde naar de houten, met ijzer beslagen en aan ijzeren scharnieren opgehangen poort. De vestingmuur bleek een palissade te zijn van ruw gezaagde boomstammen, en de wanordelijk neergezette houten gebouwen erbinnen waren ook opgetrokken uit staken. Sommige waren gammele hutten, andere waren steviger en hadden openingen die tot raam dienden en een deur.

Aan één kant lag een min of meer rond stuk kale grond, ongeveer honderd meter in doorsnee, met in het midden een gebouwtje van gepolijste, zorgvuldig gehakte stenen. Het puntdak was van leistenen tegels, de steen boven de deur was versierd met het symbool van de pijl en boog. Aan weerskanten van de deur stond een jonge boom, beschermd door een hekje van smalle planken.

'Dat moet de tempel zijn!' Salamander deed zijn best om geestdriftig te klinken. 'Wat mooi!'

'De binnentempel,' zei Rocca. 'Die hebben we het eerst afgemaakt, voor onze godin, zoals het hoort.'

Bij de poort stapten schildwachten van het Paardenvolk, net zo afschrikwekkend als de rest van hun soortgenoten en gewapend met lange speren en zwaarden, naar voren om hun het zicht naar binnen te belemmeren. Ze waren bijna twee meter lang en hun enorme haardos, met hier en daar een vlecht en versierd met allerlei amuletten, deed hen nog langer lijken. De melkwitte huid van hun gezicht, blote armen en handen ging bijna helemaal schuil onder tatoeages, waaronder de pijl en boog van hun godin, zag Salamander, en vlamvormen die eveneens een heilig symbool zouden kunnen zijn. Toen de schildwachten Rocca herkenden, begroetten ze haar in hun taal en antwoordde zij met gebaren naar Salamander, alsof ze uitlegde wie hij was.

De schildwachten lieten hen door en een van hen riep iets met bulderende stem. Meteen kwamen er anderen aanrennen, Paardenvolkers en menselijke mannen in dezelfde bruine leren kleding als de schildwachten, en een paar menselijke vrouwen in versleten tunieken en met de ijzeren band om hun enkel, die aangaf dat ze slavinnen waren. Salamander zag vooral krijgers; ze stonden in groepjes bij een soort afgedekte bron, liepen heen en weer over de vestingmuur en zaten op de treden voor een lange houten barak. Ze zijn hier al met honderden, dacht hij.

Twee vrouwen van het Paardenvolk en twee menselijke vrouwen kwamen langzaam en waardig naar Rocca en Salamander toe. Ze droegen alle vier een lang kleed van hertenleer, druk beschilderd met symbolen en figuren, dat bijna tot de grond reikte en hun getatoeëerde armen bloot liet. De vrouwen van het Paardenvolk hadden een kaalgeschoren hoofd en droegen een leren kapje, de menselijke vrouwen hadden lang haar.

'Zie je die oudere vrouw?' Rocca wees naar een vrouw met grijs haar, dat ze had opgestoken in een knot boven op haar hoofd. 'Dat is Lakanza, de hogepriesteres. Achter haar lopen enkele van mijn zusters in het geloof.'

'Ik vermoedde al dat het heilige vrouwen waren,' zei Salamander. 'Ze hebben een waardige houding.'

'Ze dragen hun geloof waardig uit. Nou ja,' voegde Rocca er op minachtende toon aan toe, 'behalve één, maar daar zullen we het nu niet over hebben. Zie je achter het heiligdom die kring stenen?'

'Met die grote platte rots in het midden? Is dat een altaar?'

'Dat is inderdaad het heilige altaar voor onze bekeerlingen, daar verwelkomen we de nieuwe gelovigen. We noemen het de buitentempel. Zodra de bekeerlingen zijn ingewijd, mogen ze de binnentempel in.'

Toen de vrouwen voor hen stonden, viel het Salamander op dat de hogepriesteres en de twee vrouwen van het Paardenvolk Rocca hartelijk begroetten, maar dat de andere menselijke vrouw nauwelijks beleefd glimlachte. Rocca negeerde haar en begon in de taal van het Paardenvolk met de andere vrouwen te praten. Alle vrouwen namen Salamander intussen scherp op.

'Maar nu,' zei Lakanza even later, 'moeten we een taal spreken die onze gast verstaat.' Ze keek een van de vrouwen van het Paardenvolk aan en vervolgde: 'Dorag, breng de paarden naar een stalknecht en kom dan naar de heilige stenen, waar we ons zullen klaarmaken voor het gebed. We zullen de relikwieën van Raena, de heilige getuige, uit de tempel halen. Zij was de eerste die haar leven gaf om te getuigen van Alshandra's macht over de dood.'

Omdat Dallandra Salamander verhalen over Raena had verteld, verbaasde het hem niet dat haar nagedachtenis door het Paardenvolk werd geëerd. Als ze wisten dat ze een gedaantewisselaar was geweest, zouden ze haar ongetwijfeld verafschuwen. Lakanza liep vlug naar de binnentempel, terwijl de anderen even later in de buitentempel neerknielden voor het grote, afgeplatte rotsblok. In het midden was het pijl-en-boogsymbool uitgehakt. Rocca gebaarde dat Salamander vooraan moest neerknielen en zij knielde naast hem. Gelukkig was de grond binnen de cirkel begroeid met dik, zacht gras, bedacht Salamander opgelucht, want hij vermoedde al dat de gebeden heel lang zouden duren.

Lakanza kwam terug met een glanzend koperen dienblad met een aantal voorwerpen erop. Salamander had het volle zicht op het altaar en nadat de hogepriesteres daar het blad had neergezet, bekeek hij de relikwieën: een kleine pijl en boog van goud met koper, een houten kistje waarvan het deksel was ingelegd met gouden spiralen, en een vreemde benen fluit. Hij leek gemaakt van twee vingerbotjes die aan elkaar waren gelijmd, maar de botjes waren te lang om van een mens of een lid van het Westvolk te zijn geweest. Nog vreemder was het laatste voorwerp op het blad: een zwart kristal in de vorm van een afgevlakte piramide. Salamander wist meteen dat hij die eerder had gezien, maar hij kon zich niet herinneren waar.

Lakanza hief haar armen, zei enkele woorden in de taal van het Paardenvolk en begon te bidden in het Deverriaans. Salamander keek voorzichtig om zich heen en zag dat de andere menselijke priesteres op hem lette. Ze moest voorouders hebben die uit Eldidd kwamen, bedacht hij, want hoewel haar ogen een normale, korenblauwe kleur hadden, waren ze zo rond als die van een vogel, onder gebogen wenkbrauwen. Ze had haar glanzende blauwzwarte haar, als de vleugels van een raaf, van achteren met een touwtje bijeengebonden. Haar beschilderde leren kleed hing recht op haar voeten, die net als die van Rocca onder de littekens en bulten zaten.

Toen iedereen na afloop van de gebeden opstond, liep deze priesteres naar het altaar. Ze maakte een buiginkje en pakte het smalle houten kistje van het blad. Ze draaide zich om, knikte tegen de hogepriesteres en ging voor Rocca staan.

'Deze man,' begon ze, 'hoelang ken je hem al, om hem zomaar mee hiernaartoe te nemen?'

'Lang genoeg,' antwoordde Rocca bits. 'Ik voel dat zijn hart oprecht is.'

'Toch zal ik nog wat meer bewijzen moeten hebben. Zijn gezicht is me te knap, ik vermoed dat dat je oordeel heeft beïnvloed.'

'Ach, hou toch op, Sidro!' Rocca zette haar handen in haar zij. 'We weten allemaal dat je niets liever doet dan mij vernederen en wat je nu zegt, is daar opnieuw een voorbeeld van.'

'Het zou verstandig zijn naar me te luisteren.' Sidro hief het kistje omhoog. 'Deze man stinkt naar gevaar.'

'Ach, jij denkt dat iedereen met elkaar vrijt, dat is je probleem. Geen wonder dat je minnaar je in de steek heeft gelaten.'

Sidro's gezicht werd eerst spierwit en daarna rood van woede. Lakanza ging met opgeheven armen tussen hen in staan.

'Zwijg!' beval ze. 'Boze woorden tussen ons geven geen blijk van de vredelievendheid van onze godin.'

'U hebt gelijk, heiligheid,' zei Rocca. 'Sidro, zuster in Alshandra, ik had dat niet mogen zeggen. Het spijt me.'

Sidro zei niets, tot Lakanza haar op haar schouder tikte.

'Het is goed. Maar ik vraag me af of deze bekeerling de proef met de heilige dolk zal doorstaan. Hij heeft iets wat me doet denken aan Vandars gebroed.'

'Dat is zelfs voor jou erg gemeen,' zei Rocca.

'O ja?' Sidro keek Rocca met een zelfgenoegzaam lachje aan. 'Als zijn hart zo zuiver is als jij denkt, dan heb je vast geen bezwaar tegen dat ritueel, of wel? Jij bent al bereid hem te aanvaarden in ons geloof, dus hem kan niets meer overkomen.'

Rocca wist niet meer wat ze moest zeggen, en ze keek Sidro en de hogepriesteres om beurten hulpeloos aan. De twee priesteressen van het Paardenvolk liepen naar Lakanza toe en begonnen in hun eigen taal tegen haar te praten. Op hun zwaar getatoeëerde gezichten kon Salamander niets van hun gevoelens lezen, maar het leek erop dat ze de hogepriesteres maanden voorzichtig te zijn. Ten slotte knikte Lakanza instemmend en zei in het Deverriaans: 'Goed dan, geef me de heilige dolk.'

Met een glimlachje maakte Sidro het kistje open. Salamander voelde zijn hart bevriezen toen Rocca's rivale er een zilveren dolk uit haalde. Hij wist meteen wat de proef zou inhouden, en hij probeerde zich razendsnel al zijn leugens en uitvluchten te herinneren. Met de dolk in haar hand zette Sidro het kistje terug op het altaar. Toen wachtte ze even, terwijl ze hem aankeek met een glimlachje dat niet veel goeds voorspelde en met een vinger over een kant van het zilveren lemmet gleed. Vervolgens pakte ze het mes vast bij de punt, liep naar hem toe en hield hem het handvat voor.

'Pak aan,' beval ze bars. 'Houd hem in je handen, als je durft. Dan zullen we zien of de heilige draak je bijt of niet.'

'Natuurlijk durf ik dat,' zei Salamander grinnikend. 'Ik begrijp niet waar je het over hebt. Is hij erg heet of zoiets?'

'Pak nou maar aan.'

Hij haalde licht zijn schouders op en pakte de dolk aan. Al bij de eerste aanraking van zijn vingers flitsten er blauwe vlammen op. Salamander keek zo verbijsterd mogelijk en slaakte een kreet, liet de dolk vallen en sprong achteruit. Sidro gilde van triomf. Rocca gilde ook en sloeg haar handen voor haar mond.

'Vandars gebroed!' riep Sidro. 'Ik wist het wel.'

'Wat zeg je?' stamelde Salamander. 'Wat bedoel je?'

'Je liegt,' antwoordde ze. 'Weliswaar zie je eruit als een normale man, maar door je aderen stroomt het bloed van Vandars gebroed. Ik eis dat hij volgens onze regels wordt gedood.'

'Wacht even.' Rocca stapte tussen hen in. 'Ik heb een lange reis gemaakt met deze man en hij doet niemand kwaad. Ik begrijp er niets van. Was het een truc, Sidro? Dat zou me niet verbazen.'

'Stomme trut!' Sidro hief een hand.

'Hou op!' Opnieuw kwam Lakanza tussenbeide. 'Sidro, raap die dolk op en doe hem terug in het kistje. We zullen hem zuiveren. Rocca, hou je mond en laat me dit uitzoeken.' Ze keek Salamander aan. 'Volgens de getuigenis van deze dolk stamt je vader of je moeder af van Vandars gebroed. Ontken je dat?'

'Natuurlijk ontken ik dat!' Salamander keek zo ontzet mogelijk om zich heen. 'Mijn moeder was boerin in de buurt van Aberwyn. We woonden bij mijn grootvader. Ze heeft me verteld dat mijn vader krijger was van een heer. Hij was gedood en wij waren teruggegaan naar de boerderij van haar vader, en...'

'Stop!' Lakanza stak een getatoeëerde hand op. 'Heb je die man, je vader, ooit gekend?'

'Dat kan ik me niet herinneren. Hij was al gedood toen ik nog ingebakerd was, dat heeft mijn moeder me tenminste verteld.'

'Dat heeft zijn moeder hem verteld,' herhaalde Rocca. 'Ik denk niet dat ze tegen hem gelogen heeft, uwe heiligheid.'

'Misschien niet. Het komt wel eens voor dat Vandars gebroed menselijke vrouwen verleidt, met lieve woordjes en vleierij.'

'Maar' – Sidro was bezig met de dolk en het kistje, misschien om tijd te winnen – 'hij kan nog steeds een van hen zijn.'

'Dat kan me niets schelen!' riep Rocca verontwaardigd. 'Hoe kun je zelfs maar overwegen iemand te doden die ons geen kwaad wil doen?'

'Hoe weet je zo zeker dat hij de waarheid vertelt?' Sidro's smalle lippen vertrokken tot een grimmig lachje. 'Hij is met het kwaad in zijn hart geboren, hij is door en door slecht, hoe aardig hij zich ook voordoet.'

'Dat is niet waar!' riep Salamander zo verontwaardigd mogelijk. 'Wat moet dit eigenlijk allemaal voorstellen? Ik ben hierheen gekomen in de hoop dat ik meer zal leren over onze godin. Ik heb mijn verwanten en mijn clan achtergelaten, alleen uit liefde voor haar. En nu noemen jullie mijn moeder een leugenares en een hoer, en zeggen jullie dat ik tot een kwaadaardig ras behoor.' Hij wees beschuldigend naar Rocca. 'Heb je me in de val laten lopen? Wilde je al die tijd al dat ik zou worden gedood? Het moet wel erg moeilijk zijn offers voor haar altaar te vinden als jullie onschuldige slachtoffers hierheen moeten lokken.'

'Dat heb ik helemaal niet gedaan!' Rocca's ogen vulden zich met tranen. 'Evan, alsjeblieft, dat mag je niet denken!'

'Ik weet niet wat ik anders moet denken.' Salamander legde zijn hoofd in zijn nek en hief zijn handen naar de lucht. 'Alshandra, Alshandra, ik zweer op uw heilige naam! Ik heb u en de uwen nooit kwaad willen doen! Dood me als ik lieg!'

Salamander hoorde de priesteressen om hem heen kreten van schrik slaken terwijl ze achteruitdeinsden voor het geval dat Alshandra aan zijn verzoek zou voldoen. Hij bleef lange tijd naar de lucht staren, waarna hij langzaam zijn hoofd liet zakken en zijn blik op Lakanza richtte. De hogepriesteres hield haar gevouwen handen voor haar lippen, maar ze keek hem strak aan.

'Ik heb nog iets te zeggen,' vervolgde Salamander. 'Als ik inderdaad tot Vandars gebroed behoor, kan ik beter dood zijn dan dat ik het risico loop jullie en jullie clan op de een of andere manier te schaden en haar te kwetsen. Geef me het bevel, uwe heiligheid, dan zal ik... dan zal ik...' Hij keek zoekend om zich heen en wees ten slotte naar de toren. 'Dan zal ik die toren beklimmen en mezelf naakt op de stenen eronder werpen. Dan zal ik bereidwillig getuigen van mijn geloof in haar.'

'Wacht even, wees niet zo voorbarig,' zei Lakanza. 'Je zegt dingen van groot belang, zoals deze kwestie van groot belang is. Ik jaag je niet de dood in, Evan. Misschien is er een manier om je te redden.'

Salamander keek naar Sidro, die hem met samengeknepen ogen woedend aanstaarde.

'Uwe heiligheid, de dolk...' siste ze.

'Dat weet ik maar al te goed,' onderbrak Lakanza haar. 'De drakendolk liegt nooit, dus moet je moeder hebben gelogen, Evan. Ongetwijfeld schaamde ze zich diep voor haar onverstandige daad, en die schaamte ontkrachte de afschuwelijke beschuldiging dat ze een hoer is. Jonge meisjes vallen vaak ten prooi aan knappe mannen, en men zegt dat het gebroed een knap uiterlijk heeft om hun gemene ziel te verbergen. Om je lot te bepalen, moet ik de raad bijeenroepen. Misschien voldoet een zuivering of een straf, een speurtocht of een ontbering... Iets om je ziel te redden. Ik weet niet wat zij zou willen. Ik zal de raad meteen bijeenroepen. De leiders van deze wereld, onze rakzanir... Ik moet zowel met hen overleggen als met mijn zusters in het geloof.'

'Mag ik vragen hoelang ik moet wachten,' vroeg Salamander, 'voordat ik weet wat mijn lot zal zijn?'

'Ik heb niet de bedoeling je te laten kronkelen van angst, maar ik weet niet hoeveel tijd de raad nodig zal hebben om de zaak te bespreken. De halve avond, vermoed ik. Als onze regels bepalen en zij ermee instemt dat je van de toren moet springen, gebeurt dat niet voor zonsopgang morgenochtend. Meer kan ik je niet beloven.'

'En intussen, uwe heiligheid?' vroeg Sidro. 'Laten we dit schepsel al die tijd vrij rondlopen in ons heilige tehuis?'

'Noem hem geen schepsel,' zei Rocca. 'Jij bent hier het schepsel, Sidro het Serpent, met je ondoordachte, giftige oordeel.'

'Hou op met dat geruzie!' Lakanza hief opnieuw haar handen en liet ze abrupt vallen. 'Evan, omdat je de manier waarop je eventueel zult sterven zelf hebt gekozen, zul je in de torenkamer gevangen worden gehouden. Daar moet je blijven tot de raad tot een uitspraak is gekomen. Ik voel met je mee, maar ik ben er oprecht van overtuigd dat als je jezelf op de keien moet werpen, zij daar zal staan om je op te vangen aan de andere kant van de dood.'

Salamander boog zijn hoofd. 'Meer vraag ik niet, uwe heiligheid. Het zij zo, als de raad dat wil.'

'Intussen mag je eten en drinken.' Lakanza klapte driemaal in haar handen en twee gewapende Paardenvolkers kwamen naar haar toe. 'Breng hem naar de toren en doe wat ik zeg.'

De twee krijgers pakten zijn armen vast en trokken ze naar achteren. Salamander stond zichzelf toe een kreet van pijn te slaken.

'Nee!' snauwde Lakanza, en ze zei vlug iets in de taal van het Paardenvolk.

De krijgers lieten Salamander los en een van hen legde een hand op zijn schouder.

'Ik wil nog één ding zeggen.' Rocca's stem stokte van verdriet. 'Ik hoop dat je gelooft, Evan, dat ík je nooit kwaad heb willen doen.'

'Ik geloof je. Neem me niet kwalijk dat ik je daarvan beschuldigd heb. Ik was zo in de war dat ik niet meer wist wat ik zei. Wil je het me vergeven?'

'Natuurlijk vergeef ik het je.' Rocca glimlachte met trillende lippen. 'Natuurlijk.'

De krijgers draaiden hem om en namen hem mee. Toen ze naar het hoofdgebouw van de vesting liepen, bleven ze halverwege even staan om zijn kleine tafeldolk uit zijn riem te trekken en hem ruw te betasten op zoek naar verborgen wapens onder zijn kleren.

'Dat is al het metaal dat ik bij me heb,' zei Salamander.

De krijgers keken elkaar aan, haalden hun schouders op en zetten hun onderzoek voort. Salamander wist niet of ze Deverriaans verstonden. Ze liepen de toren in, een groot vertrek met de aarde als vloer, en beklommen een ladder naar boven. Boven aan de ladder openden de krijgers een kleine deur en duwden hem een vertrekje in met een houten vloer, een opening in de muur om licht door te laten en een vuurplaats in de muur. Er stonden geen meubels. Een van de krijgers wees naar het venster, zei iets in zijn eigen taal en lachte. Het was geen vriendelijke lach. Waarschijnlijk had hij een grapje gemaakt over Salamanders doodsmak de volgende morgen. De krijgers trokken de deur met een klap achter zich dicht en Salamander hoorde het geratel van een ijzeren ketting.

Een vrouwenstem gaf op ferme toon een bevel. Rocca, al had hij de woorden niet verstaan. De deur ging weer open.

'Ik kom je iets brengen,' zei ze. 'Om de uren van wachten iets draaglijker te maken.'

'Dank je. Ik ben je goede zorgen niet waard.'

Ze overhandigde hem een pijlkokertje met vier pijltjes erin van ongeveer acht centimeter lang, elk van een andere kleur. 'Dit is een gebedssymbool. De zwarte pijl stelt de wereld van Vandar voor, ondergedompeld in verdorvenheid. De rode is het bloed dat die wereld zal schoonwassen en redden, de witte is de reinheid van de schone wereld en de gouden' – ze glimlachte – 'de gouden is het leven dat we in Alshandra's koninkrijk zullen delen.'

Salamander drukte het voorwerp met een gepast eerbiedig gezicht, dat hoopte hij tenminste, tegen zijn hart. 'Hier doe je me inderdaad een groot genoegen mee. Dank je nogmaals.'

Rocca's glimlach vergleed tot een droevige trek en ze wendde vlug haar hoofd af. 'Nu moet ik naar de bijeenkomst van de raad.'

Ze liep haastig het vertrek uit en de krijgers trokken de deur met een klap weer dicht. Salamander hoorde aan het geratel van de ketting en de klap van ijzer op hout dat ze er bovendien de grendel op hadden geschoven.

Hij wachtte tot hun voetstappen waren weggestorven, liep naar het raam en keek in de diepte. Beneden lagen, glinsterend in het namiddaglicht, slordig opgestapelde blokken graniet. Iemand die uit het raam viel, zou niet op platte stenen terechtkomen, maar op scherpe randen.

Vanuit de hoge toren kon hij het grootste deel van de vesting zien en ook het land eromheen. Hij plantte alles wat hij zag zorgvuldig in zijn geheugen, met inbegrip van de achterpoort en een stenen muur langs de rand van het klif die voor de helft klaar was. Blijkbaar waren ze van plan een tweede versterking om de vesting te bouwen. Binnen de palissade zag hij een aantal bronnen en hier en daar een diepe, met stenen beklede kuil. Voor het bewaren van voedsel? Het leek erop dat het Paardenvolk zich voorbereidde op een langdurige belegering, maar voor wie waren ze dan zo bang? Misschien voor Vandars gebroed of de Gel da 'Thae, of zelfs voor een andere stam of afgescheiden groep van het Paardenvolk. Jammer genoeg zul je hier niet lang genoeg blijven om erachter te komen, dacht hij.

De ondergaande zon zette de wolken in vuur en vlam. Salamander concentreerde zich op de lucht om verbinding te zoeken met Dallandra. Toen haar gezicht verscheen, en de hulp en veiligheid die het vertegenwoordigde, gingen zijn gedachten in een stroom van zinnen en half verwoorde gevoelens met hem op de loop.

'Praat geen wartaal!' zei Dallandra. 'Wat is er?'

'Neem me niet kwalijk. Wartaal heeft me deze ellende bezorgd, een harde les voor iemand die zichzelf zo graag hoort als ik. Ik ben in de nieuwe vesting van het Paardenvolk en zoals we al vreesden, is het inderdaad een vesting. In aanbouw, maar toch al een vesting. Het lijkt erop dat ze zich voorbereiden op een langdurige belegering. Geen wonder dat ze niet willen dat boeren zich hier in de buurt vestigen.'

'Bij de zwarte zon zelf!' Dalla's beeld trilde even. 'Dat klinkt angstaanjagend! Maar nu kun je die plek tenminste voor Cal en ook voor de gwerbret beschrijven. Ik kan me niet voorstellen dat Ridvar nu nog zal weigeren de koning om hulp te vragen.'

'Wacht even, o meesteres van machtige magie, niet zo snel! Rocca heeft me hierheen gebracht en we werden verwelkomd door de hogepriesteres in eigen persoon. Alles leek goed te gaan. Hare heiligheid was erg vriendelijk, tot er iets heel vervelends gebeurde. Een jonge priesteres werd jaloers of zoiets en stond erop dat ik een proef zou doorstaan. Ze hebben een zilveren dolk. Ik weet niet hoe ze eraan zijn gekomen, maar ze hebben hem.'

'Staat er een draakje in het lemmet gegraveerd?'

'Inderdaad. Hoe...'

'Dan weet ik van wie die dolk is. Dat heb ik gezien in een voorspellende droom, maar dat doet er nu niet toe.' Salamander zag dat haar gezicht dofgrijs werd, wat niet veel goeds voorspelde. 'Ik neem aan dat ze je dwongen die dolk aan te raken en dat ze toen wisten...'

'Dat ik tot het gebroed van Vandar behoor, juist. Maar alles is nog niet verloren. De hogepriesteres is oprecht gelovig en zij heeft de raad bijeengeroepen om te bespreken wat ze met me zullen doen. Het is me gelukt hen ervan te overtuigen dat ik niet wist dat ik elfenbloed heb, snap je. Ik heb hun wijsgemaakt dat ik een bastaard ben die zijn vader nooit heeft gekend.'

'Ik had niet verwacht dat ik dit ooit zou zeggen, maar ik ben blij dat je zo'n uitstekende leugenaar bent.'

'Dank je, denk ik. Ik heb hen ook op de gedachte gebracht me op te sluiten in een hoge toren.'

'O ja?' Dalla's gezicht kreeg weer wat kleur. 'Gelukkig, dan is er nog hoop. Maar wees voorzichtig, wat er ook gebeurt.'

'Maak je maar geen zorgen. Jij leert leugenachtigheid waarderen en ik voorzichtigheid, sluwheid, behoedzaamheid en dat soort dingen. In elk geval zal ik, wat de raad ook besluit, niet voor zonsopgang sterven.'

'Je hebt dus nog wat tijd. Wil je me zo gauw mogelijk laten weten wat ze hebben besloten? Ik ga meteen met Cal en de prins praten.'

Toen de verbinding verbroken was, ging Salamander tegen de muur zitten en zag hij hoe de lucht eerst opvlamde en daarna uitdoofde. Hij vroeg zich af hoeveel tijd de raad nodig zou hebben om tot een besluit te komen – niet lang, vermoedde hij. Omdat hij een vreemdeling was en alleen Rocca een goed woordje voor hem kon doen, zouden ze ongetwijfeld snel besluiten hem te doden.

Toen de schemering plaatsmaakte voor het donker en de sterren langzamerhand verschenen, hoorde hij voetstappen op de ladder. Hij krabbelde met bonzend hart overeind en liep naar de deur. Even later stonden er een oudere menselijke slaaf in de deuropening, met een mand aan zijn arm, en twee gewapende krijgers van het Paardenvolk. Een van hen had een lantaarn bij zich.

'Eten,' zei de slaaf. 'En water.'

Hij zette de mand neer, waarbij hij strak naar Salamander bleef kijken, en liep achterwaarts het vertrek uit, alsof hij verwachtte dat de gevangene hem als een beest zou bespringen. De deur werd opnieuw op slot gedaan en Salamander hoorde hen met veel lawaai naar beneden gaan. Hij tilde de mand op en bekeek de inhoud: een half brood, vers en nog warm, een in een blad gewikkelde honingraat, een paar plakken koud vlees en een leren kruik met water. Toen hij het brood pakte, raakten zijn vingers een metalen bord met reliëfversiering aan. Hij gleed met zijn vinger over het patroon en vermoedde dat het bloemen waren en een cirkel van letters.

'Aardig van ze,' mompelde hij. 'En hun ondergang.'

Na het eten viel hij in slaap, om kracht te verzamelen. Tegen middernacht kwam er weer een bezoeker de ladder op, met zulke lichte stappen dat Salamander eerst niet zeker wist of het echt iemand was. Even later werd er met de ketting gerammeld.

'Evan?' Het was de stem van Rocca, een trillende fluistering. 'Evan, ben je wakker?'

'Ik ben wakker.' Hij liep naar de deur en zei zacht: 'Ik neem aan dat de raad me niet goed gezind is.'

'Inderdaad. Maar ik heb nog hoop, al is Lakanza de enige die rechtvaardig wil zijn. De anderen... Volgens mij heeft Sidro een slechte invloed op ze of zo.'

'Misschien zijn ze alleen maar bang, en dat kan ik hen niet kwalijk nemen.'

'Dat vind ik heel ruimhartig van je!' Haar stem brak, alsof ze tranen moest wegslikken. 'Ik ben gekomen om je nog een keer te vragen me te vergeven.'

'Natuurlijk vergeef ik het je. Als ik zelf niet eens wist dat ik tot Vandars broed behoor, hoe zou jij het dan kunnen weten?'

'Dat is zo.' Maar ze klonk nog even verdrietig. 'De raad heeft de beslissing uitgesteld. Morgen na de gebeden komen we weer bij elkaar.'

'O. Als het veilig is dat je nog even hier blijft, wil je me dan iets vertellen? Sidro is door een man in de steek gelaten, zei je?'

'Inderdaad. Sidro is slecht behandeld en verlaten door een man van wie ze hield, en haar familie wilde haar niet helpen. Ze verwachtte een kind, zie je. Lakanza heeft haar in ons vroegere heiligdom onderdak geboden. Sidro's boreling is twee dagen na de geboorte in haar armen gestorven. Als boetedoening heeft ze beloofd onze godin de rest van haar leven te dienen.'

'Wat een droevig verhaal.' Salamander besloot dat nog een leugen zijn lot niet zou verergeren. 'Ik zal erom bidden dat ik haar ook zal kunnen vergeven.'

'Dat verdient ze niet, maar het siert jou.' Opnieuw klonk Rocca alsof het huilen haar nader stond dan het lachen. 'Nu moet ik gaan.'

Voordat hij nog iets kon zeggen, hoorde hij dat ze zich omdraaide en naar beneden ging.

De morgenstond zou licht meebrengen, en hij had het donker nodig om te ontsnappen. Hij liep naar het venster en keek naar de lucht om zich op de sterren te concentreren, maar hoe hij ook zijn best deed, hij kon Dallandra's gedachten niet bereiken. Wel kreeg hij een verwarde indruk van haar gevoelens. Ze was een beetje boos en ook een beetje bang, maar ze was heel zorgvuldig bezig met een taak. Misschien had iemand in het kamp zich bij een ongeluk bezeerd, bedacht hij, en was ze, als de heelmeester van de alar, uit haar bed geroepen om te helpen. Hij besloot niet te wachten tot hij haar wel kon bereiken, want hoe eerder hij uit Zakh Gral weg was, des te beter.

Eerst kleedde hij zich uit en bedacht wat hij kon meenemen. Niet veel, als hij zeker wilde zijn dat zijn vlucht zou slagen. Hij knoopte de pijpen van zijn brigga aan elkaar om er een zak van te maken. Daar stopte hij het pijlkokertje met de pijltjes in, een brok steen dat hij op de vloer had gevonden en het bord waarop zijn avondmaal had gelegen. Zijn laarzen... Hij woog ze in zijn handen. Zwaar, maar hij zou ze straks nodig hebben. Hij stopte ze ook in de zak, trok die dicht met zijn riem en zette hem voorzichtig in een hoek van de vensterbank.

Wat zou er met Rocca gebeuren nadat de krijgers hadden ontdekt dat de vogel was gevlogen? Zouden de rakzanir haar de schuld geven? Als dat gebeurde, zouden ze haar een heel langzame dood bezorgen, daar twijfelde hij niet aan. Hoe zou hij... Hij grinnikte toen hij een idee kreeg. In de koude as in de haard vond hij een brok houtskool. De gladde muur van het vertrek diende tot perkament. Nog steeds grinnikend begon hij zorgvuldig te schrijven:

De dood kan me bedreigen, maar me niet ontbieden,
want Alshandra heeft me ontboden, sinds vele jaren.
Nu roep ik tot haar: red me of dood me,
in mijn donkere gevang kan ik geen licht ontwaren.

Eronder krabbelde hij: 'Daar komt ze! Mag ik...' Hij liet het stuk houtskool op de grond vallen.

'Ziezo,' mompelde hij. 'Daar mogen ze over nadenken. O, wacht even! Ze denken dat dweomerlicht van de godin afkomstig is.' Hij hief zijn handen en riep het Natuurvolk van Ether aan. Meteen hing er een glanzend zilveren zwerm om hem heen. 'Heren van Ether,' fluisterde hij, 'Ik smeek u uit de grond van mijn hart dit vertrek met licht te vullen tot lang nadat ik vertrokken ben.'

De zilveren zwerm spatte uiteen en honderden sterretjes verspreidden zich over de muren en het plafond tot het er lichter was dan bij tien volle manen.

'Mijn oprechte dank, o machtige heren van Ether. Ik smeek u dit licht tot de dageraad te laten schijnen.'

Van ergens in zijn geest, te diep om te beseffen waar, welde er een gevoel in hem op dat zijn hele lichaam deed tintelen en zijn nekhaar overeind deed staan. De heren hadden toegestemd. Maar het moeilijkste moest nog komen.

Salamander liep naar het raam en legde zijn handen op de vensterbank, naast zijn zelfgemaakte zak. Terwijl hij naar de sterren keek, voelde hij zijn krachten toenemen. Langzaam liet hij de stroom aanzwellen, tot zijn lichaam alleen nog een kanaal was, een omhulsel om die krachten bijeen te houden. In zijn geest vormde hij het beeld van een zwartwitte ekster en stuurde dit beeld door zijn ogen naar buiten, tot het leek alsof de vogel tussen zijn handen op de vensterbank zat. Met een stuwing van wilskracht bracht hij zijn bewustzijn over naar de vogelvorm, tot hij het gevoel had dat hij door de gele oogjes naar de wereld keek.

Nu kwam het belangrijkste. Hij onttrok steeds meer levenskracht aan het lichaam dat achter zijn bewustzijn stond om de vogelvorm ermee te vullen, tot de ekster de werkelijkheid was en het mannenlichaam een illusie. Omdat hij deze kunst in ruim veertig jaar niet had beoefend, moest hij zich enorm inspannen om zijn gedachten erbij te houden. Als hij zich ook maar een tel zou laten afleiden, zou dat zijn dood betekenen. Hij riep de heilige namen van de goden aan en in een moment van hysterische humor zelfs Alshandra terwijl hij steeds meer etherische stof in zijn nieuwe lichaam liet stromen. Ten slotte knalde er, bij het uitroepen van de laatste machtige naam, een soort donderslag achter zijn ogen, en slurpte het etherische het lichamelijke mee. De man Salamander had het vertrek verlaten. Op de vensterbank zat een ekster, een ongewoon grote ekster.

Met een triomfantelijk gekras hopte Salamander op de zelfgemaakte zak en haakte zijn klauwen in de stof. Toen sprong hij de lucht in en vloog klapwiekend omhoog, in grote kringen boven de vesting. Bij zijn laatste rondvlucht zag hij helder licht achter het venster van de torenkamer. Op het binnenplein draafden Paardenvolkfiguurtjes van alle kanten naar de toren en hij hoorde ze schreeuwen van paniek, maar hij kon ze niet verstaan.

Er gaat niets boven een groot wonder om gelovigen bezig te houden, dacht hij. Tegen de wind in zette hij koers naar het zuiden.

Salamander had goed geraden dat Dallandra, toen hij haar in gedachten opriep, met iets heel anders bezig was. Twee boogschutters van Cal hadden dezelfde jonge vrouw het hof gemaakt en hadden uiteindelijk ruzie om haar gekregen. Dallandra was net op het gras naast haar tent in slaap gevallen toen Calonderiel haar alweer kwam wekken. Ze ging met tegenzin zitten en luisterde geërgerd naar wat hij had te melden.

'Waarom moet ik nu nog komen?' vroeg ze, toen hij zweeg. 'Blauwe plekken...'

'Niet alleen blauwe plekken,' zei Cal. 'Een van hen heeft zijn dolk getrokken.'

Vlug kwam ze overeind. 'Even mijn spullen uit de tent halen,' zei ze. 'Hoe groot is de snee?'

'Het zijn er meerdere. De andere partij heeft ook zijn dolk getrokken.'

'Ach, natuurlijk. Hoe kon ik daar niet aan denken?'

Terwijl ze de ergste wonden aan het hechten was, werd ze zich ervan bewust dat Salamander haar probeerde te bereiken. Maar zolang het bloed nog over de arm van haar patiënt stroomde, kon ze zich niet door de troubadour laten afleiden. Nadat de wonden van beide van verliefdheid smachtende krijgers waren verbonden, ze ieder een kruidendrank hadden geslikt en een strenge berisping hadden gekregen, probeerde Dallandra Salamander alsnog op te roepen, maar deze keer was hij het die niet antwoordde. Ze kreeg het gevoel van wind langs haar lichaam en een blik op nachtdonkere bossen die ritmisch op en neer gingen. Bij de donkere zon, hij vliegt! dacht ze.

Nu kon ze alleen maar wachten tot hij weer in zijn eigen lichaam zat.

Naarmate de nacht vorderde, vond Salamander het steeds moeilijker om in de lucht te blijven. Zijn vleugels gingen pijn doen en hij zocht naar luchtstromen om op mee te zweven. Ook zijn poten deden pijn; zijn klauwen waren geschapen als voeten met tenen en dat waren lichaamsdelen die niet voor het dragen van zware zakken waren bestemd. Maar hij dwong zich door te vliegen, want hij kon twee mogelijke gevolgen bedenken als het Paardenvolk hem zou vangen. Rocca zou die woestelingen kunnen overhalen om hem snel te doden, of de pijn die hij nu voelde zou aangenaam zijn vergeleken bij wat zij hem zouden aandoen.

In de diepte liep het ruige tafelland langzaam af naar lage heuvels en vervolgens een grasvlakte. Tussen beboste oevers stroomde een rivier, zilverkleurig in het licht van de dageraad, gestaag naar het zuiden. Hij vloog in een kring om een oude treurwilg, dook door een gordijn van twijgjes en bladeren heen, liet de zak vallen en landde op een dikke tak. Hij werd begroet door ratelende kreten van een andere ekster, die zijn kop liet zakken, zijn vleugels spreidde en dreigend om hem heen hopte.

'Och heden, je bent wel gastvrij, nietwaar?' Salamanders stem klonk als een schorre nabootsing van een menselijke stem.

Het geluid spoorde de andere ekster aan hem goed te bekijken en toen hij zag hoe groot zijn nieuwe buurman was, vloog hij krijsend van angst weg. Salamander had genoeg van de aard van een ekster overgenomen om in de verleiding te komen om het nest van de echte vogel te onderzoeken en eventuele schatten te stelen, maar hij verbood zichzelf ferm zo ver te gaan. Dat de gedachte alleen al bij hem opgekomen was, maakte hem duidelijk hoe moe hij was. Met een paar slagen van zijn pijnlijke vleugels vloog hij naar de grond naast de zak.

Eerst bleef hij een tijdje in het ruisende moerasgras staan uitrusten. Zijn vleugels hingen slap naast zijn lichaam, terwijl hij wist dat hij nu zijn voeten weer nodig had. Hij beoefende de dweomer in omgekeerde volgorde, waarbij hij zich zijn eigen lichaam voorstelde en dat beeld voor zich neerzette. Ondanks zijn angst dat hij in zijn vogelvorm gevangen zou blijven, werd zijn echte lichaam steeds sterker en zoog het de etherische stof uit eigen beweging in zich op. Na een harde klik en een soort roffelend gesis zat hij opeens verdwaasd en naakt op het gras en was er van de ekster niets anders over dan de afdrukken van zijn klauwen in de vochtige grond.

Vlak bij hem ontstak de opkomende zon deinende, glinsterende lichtjes in de rivier. Hij keerde de zak om, knoopte de pijpen los en trok zijn brigga aan voordat hij op verkrampte voeten naar het water strompelde. Nu moet ik zien hoe het met Rocca gaat, dacht hij. Ik zal het mezelf nooit vergeven als ze haar iets aandoen. Hij haalde zich haar gezicht voor de geest en plotseling zag hij het voor zich in het door de zon beschenen water. Hij kreeg het gevoel dat hij een meter of zeven boven de buitentempel zweefde. Rocca stond voor de rots, met uitgestrekte armen en zo'n intens gelukkige uitdrukking op haar gezicht dat hij wist dat ze in het door hem veroorzaakte wonder geloofde. Om haar schouders hing zijn vuile, bezwete hemd. Sidro zat geknield op de grond; haar hoofd met het ravenzwarte haar lag in haar nek en ze hield haar armen gekruist voor haar borst. Achter haar stonden de priesteressen van het Paardenvolk en terwijl Rocca bad, gaven zij Sidro zo nu en dan een schop.

Hij richtte zijn zicht op Sidro om haar beter te kunnen zien. Hij verwachtte dat ze zich vernederd zou voelen en doodsbang zou zijn, maar de uitdrukking op haar gezicht en het trillen van haar schouders verrieden kille woede. Salamander werd er bang van. Doe niet zo dom, maande hij zichzelf. Ze is heel ver hiervandaan en ze beheerst de dweomerkunst niet. Maar was dat wel waar? Wat had ze gezien dat haar ertoe had gebracht hem in te delen bij Vandars gebroed? Hoewel iedereen die het Westvolk goed kende kon zien dat hij gemengd bloed had, zag hij er eerder uit als een mens dan een elf. Toch had Sidro hem in vaste overtuiging beschuldigd. Hij verbrak het visioen, voor het geval dat ze zou beseffen dat hij naar haar keek.

Nu moest hij met Dallandra praten. Op het glinsterende water verscheen algauw haar gezicht, eerst flakkerend, toen helder.

'Waar ben je?' kwam haar vraag naar hem door. 'Je geest heeft nooit eerder zo moe aangevoeld. Waar is je hemd?'

'In Zakh Gral, waar het een heilig relikwie is geworden,' zond hij in gedachten naar haar terug. 'Mijn paarden en al mijn spullen zijn daar ook nog, hoewel ik niet denk dat die ook allemaal op het altaar terecht zullen komen. Maar ik heb met mijn mannelijke borst kunnen ontsnappen, al doen zwarte vliegjes nu helaas hun uiterste best erin te bijten.'

'Wil je alsjeblieft ophouden met onzin uitkramen?'

'Ik zal het proberen. Zoals je ongetwijfeld al hebt geraden, heb ik de vogelvorm aangenomen en ben weggevlogen. Ik heb eraan gedacht bewijzen mee te brengen dat die plek echt bestaat. Helaas kon ik niet veel dragen, dus heb ik niet alleen geen hemd meer, maar ook geen voedsel bij me. Zij hebben mijn tafeldolk, dekens, paarden en de rest. Ik leef nog, maar ik ben straatarm en wanhopig. Ik heb geen idee hoe ver ik bij je vandaan ben en ik denk niet dat ik nog kan vliegen.'

'Ik denk niet dat je dat moet proberen. Heb je soms weer van die vreemde flarden van visioenen?'

'Dat weet ik niet. Ik zal even kijken.' Hij keek om zich heen en zag dat de bomen, het gras en zelfs de koude, grijze stenen die langs de oever lagen, weigerden om scherp in beeld te komen. De randen golfden en ze leken te gloeien. Hij schudde heftig zijn hoofd. 'Inderdaad, de wereld klopt als een hart.'

'Daar was ik al bang voor. Ik voel de spanning in je hoofd. Als je nog zo'n inspanning zou moeten leveren, zou de waanzin van vroeger terug kunnen komen.'

'Waanzin begint beter te klinken dan levend te worden verzwolgen door muggen, vliegen, wilde wolven, beren...'

'Ebañy, hou op! Je behoort tot het Volk. Je weet heel goed hoe je in de wildernis moet overleven. Bovendien hoef je niet de hele weg naar het zuiden te lopen, want ik kom je halen.'

Salamander voelde zoveel hoop in zich opwellen dat het visioen van Dallandra werd uitgewist, en hij was te moe om het terug te halen. Hij liep het ondiepe water in om schoon water te drinken en smeerde zijn bovenlichaam in met modder om de vliegen van zich af te houden. Toen hij daarmee klaar was, leek de kloppende wereld om hem heen te draaien en had hij nog nauwelijks genoeg kracht om terug te kruipen naar de wilg, waar hij onder het kantachtige bladerscherm in slaap viel.

'Kun je Ebañy echt op die manier bereiken?' vroeg Valandario. 'Zijn alle verborgen wegen, toen Evandar de Rivier van het Leven was overgestoken, niet gesloten?'

'De moederwegen wel,' antwoordde Dallandra. 'Dat zijn de wegen tussen de verschillende werelden. Maar de kortere wegen, tussen verschillende plaatsen in onze wereld, zijn nog open. Ik geloof dat ze al heel lang bestaan, al sinds de tijd voor de komst van Evandar, maar ze zijn nu moeilijker te vinden.'

'Misschien danken ze hun bestaan aan de moederwegen.'

'Dat is waar, nog steeds. Dus moet er nog minstens één moederweg open zijn, want anders zouden de dochterwegen ook niet meer bestaan.'

'Misschien zullen ze toch ooit verdwijnen, en dan hoop ik dat jij nog terug kunt.'

'Dat hoop ik ook.' Dalla lachte een beetje schel. 'Maar ik denk dat ze nog lang genoeg zullen blijven. Ebañy is niet zo ver hiervandaan. Een dag of vijf, zes rijden, schat ik.'

'Ligt die vesting zo dichtbij? Bij de zwarte zon zelf! Dat Paardenvolk... Zo brutaal als hermelijnen en ze stinken nog erger.'

'Ebañy is een heel eind naar het zuiden gevlogen voordat hij landde. Maar als we over twee dagen niet terug zijn, moet je Cal en zijn mannen sturen om ons te zoeken.'

Dallandra leende een hemd voor Salamander van zijn vader en stopte dat met wat voedsel in een zak. Ze nam Valandario mee toen ze het kamp verliet en naar de beek liep die in de buurt van de grazende paarden door het hoge gras stroomde. Daar zocht ze naar de bijna onzichtbare tekenen die het begin markeren van een etherische weg. Omdat de aura's van de paarden en de mannen die ze bewaakten de grenzen van de bestaansvlakken deden vervagen, moesten zij en Valandario bijna twee kilometer lopen voordat ze vond wat ze zocht. Op die plek mondde de beek uit in een door hazelaars omringde poel onder een lage rotswand, en daar zag Dallandra het schijnsel van etherische kracht dat een grens markeerde.

'Daar!' Ze wees ernaar. 'Aan deze kant, vlak voor de hazelaars. Zie je het?'

'Nee,' antwoordde Valandario, en ze zuchtte. 'Ik heb jouw gaven niet.'

'Ach, ik kan niet in de toekomst kijken, zoals jij.'

'Dat is waar. Wees voorzichtig. Ik zal hier op jullie wachten.'

Dallandra stapte in de trillende vlek etherische kracht. Heel even dreigde elementaire energie, een etherische stroom van de beek, haar vast te houden. Onzichtbare handen leken haar te grijpen, maar snel rukte ze zich los en even later stond ze op een lage, platte rots van een blauwgrijze kleur, die glansde onder haar voeten. Ze had een weg gevonden.

Ze bleef staan om zich Salamander nauwkeurig voor de geest te halen. Omdat hij ook dweomer had, kostte haar dat geen moeite. Met een laag opgedroogde modder op zijn bovenlichaam lag hij onder een wilg te slapen. Het leek alsof hij maar een paar meter verderop lag, maar toen ze naar hem toe liep, trok het beeld zich terug. Ze volgde het. Niet veel later, zo leek het, bleef het beeld staan, werd helder en ten slotte levensecht toen ze vanaf de etherische weg op een aardse rivieroever stapte. De zon ging vlammend onder. Het astrale wegennet nemen betekende uit de tijd stappen, die op het fysieke vlak sneller verliep dan op het astrale.

Salamander schrok wakker, ging zitten en rekte zich grinnikend uit. 'Alle goden!' zei hij. 'Ben je echt zo snel hierheen gevlogen?'

'Nee,' antwoordde ze. 'Ik heb de geheime weg genomen en zo moeten we ook terug. Ik heb iets te eten meegebracht.'

'Moge de stergodin je zegenen! Ik ben uitgehongerd.'

Maar eerst, zo was hij nu eenmaal, liep hij de rivier in om de modder van zich af te spoelen en trok hij het schone hemd aan voordat hij begon te eten.

Dallandra besloot dat ze zouden wachten tot de maan haar hoogste stand had bereikt voordat ze de terugreis zouden aanvaarden. Een rijzende maan stuurt energiegolven voor zich uit die etherische reizen nog gevaarlijker maken dan ze al zijn. Terwijl ze uitrustten naast de donkere, ruisende rivier, deed Salamander uitgebreid verslag van zijn reis en vertelde hij haar precies waar de vesting lag. Hij scryde, en kon haar daarna vertellen dat de rivier die langs hen heen stroomde inderdaad naar Zakh Gral leidde.

'Die naam betekent in hun taal trouwens "rood fort",' zei Dalla.

'En rood slaat ook op ijzer, kracht en mannelijke deugden,' zei Salamander. 'Tenminste, volgens de lessen voor bekeerlingen.'

'Dat is dan wel een vreemde naam voor die tempel, vind je niet? Een tempel om de waarheid te verspreiden over een nieuwe godin.'

'Inderdaad. Ik vermoed dat Lakanza en haar heilige vrouwen door de rakzanir van die zogenaamde heilige raad worden beetgenomen. Dat verhaal over Vandars gebroed komt natuurlijk goed van pas voor mannen die op zoek zijn naar grasland voor hun paarden.'

'Die wantrouwige gedachte is ook bij mij opgekomen.'

'Bovendien grijpt het Paardenvolk al de minste reden aan om te kunnen moorden, trouwens net als de heren van de Rondoren.' Salamander dacht even na. 'Toch neemt hun aantal toe, terwijl het on-

ze afneemt. Hoe komt dat?'
'Wij hebben niet genoeg mensen voor onze voortplanting. Als het ooit zo ver komt dat het Paardenvolk en de Rondoren geen jongen meer krijgen, worden ze misschien heel wat vredelievender.'
'Laten we dan hopen dat die tijd ooit komt. Maar toen ik met Rocca naar het westen trok, kwam er een gedachte bij me op.'
'Eentje maar?' Dallandra lachte.
Salamander ging er niet op in. 'Het kwam bij me op dat we zeker weten dat een aantal vluchtelingen de Zuidereilanden heeft bereikt, en ik vroeg me af of er misschien ook enkelen naar het westen zijn gegaan. Als dat zo is, dan denken ze beslist dat zij de enige overlevenden zijn, een eenzaam groepje, zoals wij en de eilandbewoners eerst ook dachten.'
'Dat is een boeiende veronderstelling.'
'Misschien kunnen we een aantal van onze jongere mannen overhalen naar het antwoord te zoeken, als we een schipper van de eilanden zouden vinden die bereid is om naar het westen te varen.'
'Een goed idee, maar niet deze zomer.'
'Jammer genoeg niet deze zomer. Eerst moeten we een belangrijke, heel vervelende kwestie oplossen.'
'Een heel vervelende kwestie, zeg dat wel.' Dallandra stond op en keek naar het oosten, waar de maan ver boven de donkere horizon stond. 'Laten we nu maar teruggaan. Hoe eerder we weer in Cengarn zijn, hoe beter. In het kamp maken ze zich vast zorgen om ons.'
'In elk geval om jou.' Salamander kwam ook overeind. 'Ik zal de bewijsstukken die ik heb meegebracht in de zak stoppen. De gwerbret zal moeten toegeven dat dit bord niet zomaar op de markt te koop is.'
'Laten we het hopen. Blijf vlak bij me, of nee, geef me een hand. Deze manier van reizen kan gevaarlijk zijn, dus laat je gedachten niet afdwalen. Denk aan Valandario, zij wacht op ons en ik zal me op haar concentreren. Haal je haar beeld voor de geest.'
'Dat zal ik doen, o prinses van perileuze potenties. Ik hoop alleen dat mijn nederige vaardigheden genoeg zijn om...'
'Hou je mond en concentreer je!'
Ondanks zijn angst kostte het Dallandra geen moeite de weg terug te vinden en reisde hij zonder problemen met haar mee. Nadat ze nauwelijks een kilometer hadden afgelegd, zo leek het, stapten ze vlak bij het elfenkamp van de glanzende blauwgrijze rots, in de morgenstond van een nieuwe dag. Toen ze vlug naar de tenten liepen, kregen de bewakers van de paarden hen in het oog en riepen een groet. Anderen kwamen hen tegemoet, met Zandro voorop. Hij ren-

de naar zijn vader toe en sloeg zo wild zijn armen om hem heen dat Salamander bijna omviel.

'Pas op, jongen,' zei Salamander glimlachend. 'Je arme oude pa loopt een beetje mank.'

Zandro glimlachte terug en begon Salamander als een hond te besnuffelen. Met een vage blik in zijn ogen liet hij zijn snuivende neus langs de arm van zijn vader naar boven glijden en over zijn schouder naar zijn haar.

'Waarom doe je dat?' vroeg Salamander. 'Wat ruik je?'

Zandro dacht even na. 'Thuis,' zei hij ten slotte. Het was voor het eerst dat Zandro een vraag met een duidelijk, verstandig woord had beantwoord.

'Goed zo, jongen,' prees Salamander. 'Bedoel je dat ik nu weer thuis ben?'

Zandro schudde zijn hoofd. 'Blauw huis,' zei hij.

'Ik denk dat hij het etherische vlak bedoelt,' zei Dallandra. 'Wat vreemd, het is nooit bij me opgekomen dat dat ook een geur zou kunnen hebben.'

'Bij mij ook niet,' zei Salamander. 'Maar hij kan het weten.'

Dallandra was te vermoeid door haar dweomerwerk om zich nog in de mogelijkheden van Zandro of wie dan ook te verdiepen. Ze liet het aan Salamander over zijn verhaal te vertellen aan wie het maar wilde horen en ging naar haar tent, waar ze zich op haar dekens liet vallen en zonder nog ergens aan te denken in slaap viel.

Toen ze halverwege de middag wakker werd, zat de krijgsraad bijeen. Drie leden van de alar hadden de kinderen, de normale en de wisselkinderen, meegenomen om in een veld een eind verderop te spelen. De rest van de groep zat voor de tent van Dar. Dallandra zag dat Salamander nog steeds aan het woord was, maar even later zweeg hij, knikte tegen de prins en ging naast Devaberiel zitten. De anderen begonnen met elkaar te praten, eerst fluisterend en langzamerhand harder, tot het geroezemoes klonk als het gebulder van de vloed op een rotsachtig strand. Calonderiel stond op en hief een hand om tot stilte te manen. Nadat er hier en daar nog vlug iets werd gezegd, hield iedereen zijn mond om naar de banadar te luisteren.

'Jullie weten nu allemaal wat Ebañy ons daarnet heeft verteld.' Hij zwaaide met een arm naar Dar, Meranaldar, Devaberiel en Maelaber om te verduidelijken wie hij met 'ons' bedoelde. 'We hebben het volgende besloten: ik wijs een groep boogschutters aan en we nemen ook Dallandra mee om de prins op weg naar Cengarn te beschermen. Het spreekt vanzelf dat Ebañy met ons meegaat. Voor zover we weten, zal een aantal heren in Deverry ons steunen wanneer

we de gwerbret de zaak voorleggen. We hopen dat hij daarna boodschappers naar de Eerste Koning zal sturen.'

'Dat heeft hij zo goed als beloofd,' zei Salamander. 'En tieryn Cadryc zal er beslist voor zorgen dat hij zich aan die belofte houdt.'

'Mooi zo,' ging Cal verder. 'We moeten die vesting van het Paardenvolk vernietigen, wat het ons ook zal kosten. Als onze bondgenoten in Deverry ons in de steek laten, zullen we ons hele Volk te
hulp moeten roepen.'

De luisteraars waren het met hem eens, met een lange, spijtige zucht.
Hoofden knikten instemmend, maar niemand juichte, niemand
sprong op en schreeuwde dat hij meedeed. Hier en daar veegde iemand tranen uit zijn ogen of fluisterde de naam van een vriend of
bloedverwant die in een eerdere veldslag met het Paardenvolk was
omgekomen.

'De rest van jullie, de alarli samen, gaan naar onze vaste graslan-
den,' vervolgde Calonderiel. 'Maar denk eraan dat jullie niet te ver
naar het westen trekken. Prinses Carra zal jullie leiden en Valandario gaat met haar mee. Onze dweomermeesters kunnen berichten
uitwisselen en zo zullen we jullie laten weten wat er gebeurt. Als er
iets gebeurt.'

Opnieuw werd er geknikt en zuchtend ingestemd. De bijeenkomst
werd gesloten. Sommigen stonden meteen op en liepen weg, anderen bleven met z'n tweeën of drieën achter om na te praten of een
paar woorden te wisselen met de prins of met Calonderiel. Salamander had inmiddels donkere kringen onder zijn ogen en liet zich
door zijn vader en zijn zoon meenemen naar hun tent. Dallandra
wachtte tot iedereen weg was en liep toen naar Cal, Dar en Meranaldar.

'Ik stuur morgen boodschappers naar Cengarn,' zei Dar, 'om te laten weten dat ik er met mijn gevolg aankom.'

'Gevolg?' Cal trok afkeurend zijn neus op en keek naar Dallandra.
'Ik neem aan dat jij bereid bent om met ons mee te gaan.'

'Natuurlijk.' Dallandra ging tegenover hem zitten. 'Het wordt een
droevige reis.'

'Inderdaad. Je zult misschien je best moeten doen om onze jonge
Ridvar te overtuigen van de dweomer. Die vervloekte Rondoren willen daar nooit in geloven.'

'O nee?' zei Dar. 'Maar Cengarn is in de oorlog met het Paardenvolk door dweomer gered! Dat weet iedereen.'

'Dat weet inderdaad iedereen,' beaamde Dallandra. 'Maar toch willen ze het niet weten, dus doen ze hun best om het te vergeten.'

'Ik begrijp niet waarom...'

'Ze heeft gelijk,' viel Cal de prins in de rede. 'Ze willen er niets van weten, die heren van de Rondoren. Wil je weten waarom niet? Omdat ze zichzelf en hun onbenullige ruzies veel belangrijker vinden, daarom niet. Ze denken dat alles wat zij doen van het grootste belang is voor hun koninkrijk en de goden, en dat schenkt hun voldoening. Als je hun zou vertellen hoe groot de wereld is, hoeveel andere schepsels en andere vlakken er nog zijn, zouden ze moeten inzien hoe klein en grof en betreurenswaardig zijzelf eigenlijk zijn. Hun koning is de ergste van allemaal. Denk daaraan als je hem ooit ontmoet.'

Meranaldar slaakte een kreet en ging op zijn knieën zitten, terwijl hij van de prins naar de banadar keek alsof hij verwachtte dat ze elkaar te lijf zouden gaan. Maar Calonderiel stond op en keek de schrijver aan.

'Hou alsjeblieft op met dat gesnuif en die verschrikte ogen, misselijke natbroek!' snauwde hij. 'Je hebt een slechte invloed op hem, echt waar. Met dat eeuwige onderdanige gedoe van je en dat eerbiedige "juist, prins" en "goed, prins" en zo.'

'O ja?' Meranaldar stond ook op en keek Cal fel aan. 'Er bestaat ook nog zoiets als goede manieren, niet dat jij daar iets van weet. De oude regels om met het koningshuis om te gaan gelden nog steeds.'

'Ach, bij de zilveren stront van de stergoden! Oude regels, laat me niet lachen! Kijk nou toch eens naar wat er van ons over is: herders en paardenhandelaars, meer niet!'

'En met narrige botteriken zoals jij aan de leiding zullen we nooit meer dan dat worden!'

Calonderiel deed een stap naar voren, Meranaldar een stap naar achteren.

'Zal ik jou eens wat vertellen?' zei Cal. 'Als je nu je mond niet houdt, zal ik je op een andere manier wat verstand bijbrengen.'

Meranaldar verbleekte en ging weer zitten. Dallandra overwoog of ze tussenbeide zou komen, maar ze vond dat Calonderiel niet helemaal ongelijk had. Bovendien moest ze toegeven dat Cal als hij boos was een soort pure energie uitstraalde, een sterke, maar ingetogen mannelijkheid die ze graag zag. Het koninklijke onderwerp van Cals verontwaardiging keek met uitdrukkingsloze ogen naar zijn banadar. Cal draaide zijn hoofd om en keek naar de prins. Even bleef het stil, toen begon Dar te lachen.

'Je hebt gelijk,' zei hij. 'Niet wat je gedrag jegens mijn schrijver betreft, maar voor de rest wel. De hele rest, wat je hardop zei en wat je nog meer bedoelde.'

'Mooi zo,' zei Cal. 'Ik ben blij het te horen.' Hij wachtte even en maakte toen met een overdreven elegante zwaai van zijn hand een buiging. 'Mijn prins.'

Iedereen begon te lachen, behalve Meranaldar, die niet meer dan een waterig glimlachje kon opbrengen. Hij zat bijna te huilen, zag Dallandra, en later, toen ze even alleen waren, gaf Meranaldar dat ook toe.

'Ik ben echt bang,' bekende de schrijver, 'dat de banadar me nog eens de keel doorsnijdt voordat iemand hem dat kan beletten. Als iemand hem dat zou willen beletten.'

'Ach welnee, dat zou hij nooit doen. Maar als hij ooit zo door het dolle heen zou raken dat hij het zou proberen, dan zou iedereen hem tegenhouden. Heus.'

'Dat stelt me een beetje gerust.' Meranaldar trok een lap vol inktvlekken uit de band van zijn kousenbroek en veegde het klamme zweet van zijn gezicht. 'Denk ik. Hij heeft een hekel aan me.'

'Hij heeft geen hekel aan jou, hij heeft een hekel aan wat je vertegenwoordigt: onze oude manier van leven en de terugkeer van de vluchtelingen die in die manier geloven. Maar het Westland is aan het veranderen en wij moeten ook veranderen als we willen overleven, en Cal houdt van ons huidige leven.'

Meranaldar dacht er lang over na en knikte instemmend. 'Dat begrijp ik,' zei hij. 'Degenen die op de Zuidereilanden wonen, haten de veranderingen ook. Vroeger regeerde de hoge raad over een geordende wereld, waarin iedereen zijn plaats wist en zich aan de regels hield. Nu kan iedereen die een schip vindt om weg te varen een nieuwe plaats zoeken, hier op de grasvlakte.'

'Hieruit begrijp ik dat niet iedereen het leven op de eilanden even prettig vindt.'

'Helaas niet.' Meranaldar glimlachte kort. 'Het zijn natuurlijk jongeren die ontevreden zijn en we hebben nog jongeren, al zijn het er niet genoeg. Bijvoorbeeld de vrijwilligers die zich in Mandra hebben gevestigd en daar boerderijen hebben gebouwd. Je hebt vast wel gezien hoe bereidwillig ze hun zware werk doen om de stad in leven te houden.'

'Inderdaad. Ik moet toegeven dat het me verbaasde.'

'Mij ook, maar ik begrijp het wel. Op de eilanden wijden we ons leven aan eerbied voor het verleden. Jij kunt je waarschijnlijk niet voorstellen hoezeer we in het verleden leven.'

'Maar jonge mensen kijken liever naar de toekomst.'

'Juist, en daarom kan onze banadar de toekomst niet tegenhouden. En als we ooit naar de verwoeste steden zouden terugkeren, zouden we ons opnieuw moeten aanpassen. Nee, dat is te zwak uitgedrukt. Dan zou ons leven volkomen anders worden, Dalla. Dat van het Westvolk en van de eilandbewoners. Dan zouden we allemaal een nieuw begin moeten maken, en ik weet zeker dat niemand van ons ook maar enig idee heeft waar dat een begin van zou zijn. Zelfs Valandario met haar edelstenendweomer niet.'

'Je hebt gelijk.' Dallandra kreeg het opeens koud en ze werd overmand door vermoeidheid. 'Ik vind het vreselijk het te moeten toegeven, maar je hebt gelijk.'

De hele avond zat de krijgsraad bijeen voor de tent van prins Daralanteriel. Mannen van de alar kwamen langs om vragen te stellen of om naar Calonderiels plannen voor de aanstaande oorlog te luisteren. Ze beloofden trouw en gingen weer weg. Prinses Carra zat naast haar man op de grond; af en toe maakte ze een opmerking of legde ze iets uit over de verschillende afspraken tussen Cengarn en het Westvolk. Dallandra luisterde alleen maar. Als de bekwaamste heelmeester van het kamp zou ze, als de oorlog uitbrak, mee moeten naar het slagveld, en daar zag ze vreselijk tegen op. Niet omdat ze bang was gevaar te lopen, maar vanwege de stank, de wonden, de pijn en de dood van degenen die ze als haar verwanten beschouwde.

Toen Calonderiel haar die avond zoals gewoonlijk naar haar tent bracht, liet ze zich zo door haar angst beïnvloeden dat ze nog niet alleen wilde zijn en hem uitnodigde op het zachte gras te gaan zitten om nog een poosje met haar te praten.

'Je hebt de arme Meranaldar vandaag de stuipen op het lijf gejaagd,' zei ze. 'Hij dacht echt dat je hem in elkaar zou slaan.'

'Dat wilde ik wel.' Cal wierp uitdagend zijn hoofd in de nek. 'Hij ergert me mateloos met zijn gezeur over koningen en zo. Maar ik denk' – hij glimlachte – 'ik denk dat ik zo langzamerhand inderdaad een narrige, oude man word.'

'Ach, schei uit, je bent nog lang niet oud.'

'Natuurlijk wel, ik ben al een heel eind op weg. We zijn onder dezelfde maan geboren, Dalla, maar toen jij met Evandar vertrok, bleef ik in deze wereld achter. Ik moet al ruim vijfhonderd jaar oud zijn, terwijl jij nog een jonge vrouw bent.'

'Nou, jong... Maar je hebt gelijk wat de tijdstroom betreft.'

Hij knikte, wendde zijn hoofd af en staarde naar de grasvlakte, waar hun hele vertrouwde leven aan verandering onderhevig was, waar hun oude gewoonten net zo snel vergleden als de tijd zelf. Dalla werd zich bewust van een vreemde mengeling van gevoelens, die ze eerst niet kon beschrijven. Medeleven met Cal, misschien, en verdriet.

Weemoed, net als Cal. Maar half verborgen onder haar liefde voor eenzaamheid lag ook een heel bijzonder gevoel.

'Ach, nou ja,' zei Cal ten slotte. 'Ik ga maar eens terug.'

'Is dat nodig?' vroeg ze.

Hij draaide zijn hoofd met een ruk naar haar toe. Zonder te glimlachen, want ze voelde zich zo plechtig als een priesteres, stak ze een hand naar hem uit. Toen hij die aannam, gaf de troost van zijn warmte en de aanraking van een ander haar zo'n intens gelukkig gevoel dat het haar sprakeloos maakte. Was ze dan zo vereenzaamd, vroeg ze zich af, dat alleen al een aanraking haar kon ontroeren? Toen hij zich naar haar toe boog om haar te kussen, sloeg ze met een diepe zucht van opluchting haar armen om zijn hals.

Maar veel later, toen ze in haar tent wakker werd en hij nog steeds naast haar lag, vroeg ze zich af wat ze had gedaan. Er komt oorlog, dacht ze. Wat een dwaas ben je toch! Waarom houd je altijd van mannen die gevaar lopen te worden gedood? Maar het hielp niet meer, het was te laat om haar liefde voor hem nog langer te onderdrukken.

In een kamp van het Westvolk begon de dag meestal met zonsopgang, en omdat de alar van de prins een lange reis voor de boeg had, kropen de meesten al bij het eerste ochtendgloren uit hun tent. Toen Salamander veel later wakker werd, was iedereen al druk in de weer met het klaarmaken van het ontbijt en het opzadelen van de paarden. Bovendien moest er worden bepaald wie er met Daralanteriel en wie met prinses Carra zou meerijden. De zon lag nog op de oostelijke horizon toen er al een windstille hitte boven de vlakte hing.

Salamander pakte een stuk brood en wat honing van zijn vader en at het op terwijl hij nadacht over zijn verarmde staat. Aan zijn ontsnapping uit Zakh Gral had hij wel zijn leven overgehouden, maar niet veel meer.

'Ik neem aan,' zei Devaberiel, 'dat je voor de tocht naar Cengarn een paard nodig hebt.'

'Ik vroeg me af of ik de prins om een paard zal vragen,' zei Salamander. 'En een zadel en teugels.'

'En touw om het vast te binden, zadeltassen, een deken en wat al niet meer.'

'Daar komt het helaas op neer.'

'Gelukkig heb ik meer dan genoeg. Eh... Je hebt altijd een voorliefde gehad voor die voskleurige ruin, dus die mag je hebben. En ik heb gisteravond allerlei spullen voor je bij elkaar gezocht.' Devaberiel gebaarde naar een nette stapel naast zijn tent.

De laatste hap brood bleef Salamander bijna in de keel steken. Hij had een lange, vermanende toespraak verwacht voordat zijn vader hem zelfs maar een stuk touw zou willen afstaan. Devaberiel keek hem grinnikend aan, zich bewust van het effect van zijn gulle daad. 'Wat dacht je dan?' zei hij. 'Dat ik je ervan langs zou geven nadat je je leven voor ons allemaal op het spel hebt gezet?' Hij grijnsde niet meer, maar legde met een bedroefde blik een hand tegen zijn voorhoofd. 'Ik weet heus wel dat ik een slechte vader voor je ben geweest, maar zo slecht ben ik nu ook weer niet.'

'Hou op, pa. Ik wil geen enkel verwijt horen, aan mij noch aan jezelf.' Salamander probeerde opgewekt te glimlachen. 'Niet zo vroeg in de morgen.'

'Afgesproken. Bovendien zul je op de markt van Cengarn vast wel een paar verhalen kunnen vertellen en kom je terug met meer spullen dan je nodig hebt.'

'Dat hoop ik van harte, maar ik zal met mijn goocheltrucs moeten wachten tot ik een nieuw hemd heb. Duizendmaal dank voor het paard en de rest.'

Terwijl Salamander zijn nieuwe bezittingen op orde bracht, dacht hij aan Zakh Gral. Hij besefte dat hij de gwerbret zijn verhaal heel voorzichtig zou moeten vertellen, zowel om Ridvar ervan te overtuigen dat hij de waarheid sprak als om Rocca te beschermen. Zou ze zijn hemd echt bij de andere relikwieën voegen en regelmatig op het altaar leggen? Nou ja, die gelovigen waren zulke vreemde lieden dat zijn hemd er ook nog wel bij kon. Maar als hij de gwerbret kon overhalen Zakh Gral aan te vallen, wat zou er dan met Rocca gebeuren? Hij moest er niet aan denken dat hij haar dood op zijn geweten zou hebben. Je verzint wel iets, hield hij zich voor. Dat doe je altijd.

Hoewel de dun van haar vader maar dertig kilometer van Cengarn lag, had Branna die stad nooit gezien. Tieryn Gwivyr was geen man om zijn dochter mee op reis te nemen, al smeekte ze hem daar nog zo hard om. Branna had zich tevreden moeten stellen met de beschrijvingen van de bedienden die hun heer hadden vergezeld wanneer hij zijn opwachting maakte bij de gwerbret. Op die manier had ze zich een voorstelling van de stad kunnen maken, maar ze verwachtte niet dat die met de werkelijkheid overeen zou komen.

'Ik verheug me erop dat ik eindelijk zal zien hoe Cengarn eruitziet,' zei ze tegen Neb.

Maar toen het gezelschap van de Rode Wolf Cengarn in de verte hoog op de heuveltop zag liggen, schrok Branna bij het besef dat haar beeld wel degelijk overeenkwam met de werkelijkheid. En toen ze door de zuidelijke poort de stad inreden, keek ze als een boerenmeisje met open mond en grote ogen om zich heen. Voor haar lag de groene heuvel met het marktplein, precies zoals ze het voor zich had gezien. In de heuvel zag ze de ingang van de herberg voor dwergen, dat klopte eveneens. Bij de poort die toegang gaf tot de vesting zelf lag een heuveltje met bovenop een bron, waaruit, gezien de ligging, zo overdadig veel water omhoogborrelde dat iedereen aannam dat niet alleen een ondergrondse stroom, maar ook magie daar de oorzaak van was. Ik ben hier eerder geweest, dacht Branna. Deze gedachte kwam plotseling bij haar op en wilde niet uit haar hoofd verdwijnen, hoe vaak ze zich ook voorhield dat het onmogelijk was. Ook de grote zaal van de dun was precies zoals in haar verbeelding, hoewel de gebeeldhouwde draak om de erehaard nu dik was beroet. Opnieuw kwam er een verbijsterende gedachte bij haar op: toen ik die schouw voor het eerst zag, was hij splinternieuw. De trap en de gangen waren zo bekend dat toen bedienden haar en Galla naar hun gastenkamer brachten, zijzelf hun de weg had kunnen wijzen.

De tieryn en de edelen in zijn gezelschap kregen kamers op de verdieping boven de vrouwenzaal. Er was een ruime, fraai ingerichte kamer voor Cadryc en Galla, en een kleine, maar comfortabele kamer voor Branna. De verbleekte gordijnen om haar bed kwamen Branna ook bekend voor, alsof ze er in het patronenboek van een marskramer een voorbeeld van had gezien.

'Heb jij dat patroon van zonnen en draken ooit eerder gezien?' vroeg ze haar dienstmaagd. 'Bij iemand anders, misschien?'

'Nee,' antwoordde Midda. 'Ik denk dat alleen naaste verwanten van de gwerbret het mogen gebruiken, want het lijkt precies op zijn wapenschild.'

Branna ging op de vensterbank zitten om Midda niet in de weg te staan terwijl die het bed opmaakte met de lakens en dekens die ze hadden meegebracht. Langs de westelijke grens kon zelfs de gwerbret het zich niet veroorloven elk vertrek in zijn dun helemaal in te richten.

'We zullen hier een boeiende tijd hebben,' zei Midda. 'De keukenmeid heeft me verteld dat er ook een groep Westvolkers aankomt.'

'Dat verbaast me niets,' zei Branna. 'Zij zijn ook een soort vazallen van zijne hoogheid. Of eigenlijk geen vazallen, eerder bondgenoten.'

'Hun prins heeft een boodschap gestuurd. Hij brengt zijn vrouw niet mee, waarschijnlijk heeft hij haar achtergelaten in hun tent of waar ze dan ook in wonen. Ze is een menselijke vrouw, als je je zoiets kunt voorstellen.'

'Zeker. De mannen van het Westvolk zijn erg knap om te zien.'

'Denk eraan dat je niet naar ze lonkt, hoor.'

'Waar Neb bij is? Natuurlijk niet.'

Midda snoof afkeurend. Hoewel ze nooit iets ten nadele van Neb zei, kon Branna aan haar misprijzende uitdrukking zien dat ze hem te min vond voor haar vrouwe. Toen Midda het bed had opgemaakt, vertrok ze om in het bediendenverblijf haar eigen slaapplaats te vinden en nog wat meer nieuwtjes van de andere bedienden te horen. Branna keek uit het raam naar het uitzicht, dat haar maar al te bekend voorkwam. Er liep een lichte rilling van angst over haar rug, maar ze zou niemand kunnen vertellen waardoor dat kwam.

Nebs positie was hoger dan die van een knecht, maar hij was nog steeds een dienaar van burgerlijke afkomst. Daarom kreeg hij samen met de krijgers van de Rode Wolf een bed toegewezen in de barak en geen kamer in een van de torens van het hoofdgebouw. Om zijn goede wil te tonen, gaf Gerran hem het bed onder een van de twee kleine ramen, waar frisse lucht de stank van zweet en paarden verdunde. Neb bedankte hem op een manier die Gerran duidelijk maakte dat zijn gebaar gewaardeerd werd.

Toen iedereen een plek had gevonden, nam Gerran zijn mannen mee naar de grote zaal, waar hopelijk een kroes bier op hen wachtte. Neb liep naast Gerran. Toen ze het binnenplein overstaken, zagen ze vrouwe Solla uit de keuken komen. Ze bleef staan en zwaaide met een glimlach. Omdat Gerran dacht dat ze naar iemand anders zwaaide, reageerde hij niet. De schrijver gaf hem een por.

'Groet dan toch terug, man,' zei Neb.

'Hoe?'

'Lach en zwaai ook, sukkel!'

Gerran deed wat Neb zei, en hij werd beloond met nog een glimlach van Solla. Maar net toen hij naar haar toe wilde gaan, kwam heer Oth uit de keuken en begon dringend tegen haar te praten. Toen ze samen wegliepen, ving Gerran een deel van hun gesprek op: 'Laat ze dan nog maar een varken slachten.'

'Het arme kind zal het behoorlijk druk hebben met dit huwelijksfeest,' zei Neb.

Gerran gromde ten teken dat hij het had gehoord.

'Alle goden, man,' vervolgde Neb, 'het is je toch wel opgevallen wat een mooie jonge vrouw ze is?'

'Het is me ook opgevallen dat ze van veel hogere afkomst is dan ik.'

'Schei nou toch uit, Gerro! Ik wil wedden dat jij de enige in Cengarn bent die zich bekommert om je afkomst.'

'Huh, ik wil wedden dat haar broer dat ook doet. Bovendien heb ik meer te doen dan babbelen met een vrouw.'

'Babbelen? Nou, volgens mij moet je stapelgek zijn als je een leuk meisje zoals zij negeert. Vooral omdat ze jou zo aardig lijkt te vinden.'

'Wat zij vindt, is geen varkensscheet waard als haar broer het er niet mee eens is. Hij kan een bondgenootschap sluiten door haar uit te huwelijken aan de een of andere heer. Vrouwen zoals zij trouwen om hun clan een plezier te doen, niet zichzelf.'

Neb wilde weer iets zeggen, maar met zijn mond open en samengeknepen ogen hield hij het in, alsof hij ergens van was geschrokken. Gerran werd erdoor aangestoken, tenminste, zo leek het. Zijn laatste bewering, die vaak werd gehoord, kreeg opeens een diepere betekenis en weergalmde als een soort lotsbepaling door de warme zomerlucht. Neb haalde met een rilling als van een door een vlieg gestoken paard zijn schouders op en toen was het moment voorbij.

'Als Ridvar zo graag door middel van zijn zuster een nieuw bondgenootschap had willen sluiten,' zei hij, 'had hij al jaren geleden een geschikte kandidaat voor haar uitgezocht. Ik denk dat ze het niet goed met elkaar kunnen vinden, want waarom behandelt hij haar anders in de dun van haar vader als een dienstmaagd? Ik weet niet wat de oorzaak van hun wrijving is, maar dat die er is, staat vast, en zij heeft niemand op wie ze kan steunen en die haar beschermt.'

'Echt waar?'

'Echt waar. Waarom zou ze anders, zoals Branna me heeft verteld, vrouwe Galla hebben gevraagd haar als gezelschapsdame in dienst te nemen? Dat klinkt niet alsof ze binnenkort een belangrijk huwelijk zal sluiten.'

'Mmm, je hebt gelijk.'

'En de vorige keer dat we hier waren, heb ik haar op haar knieën in de tuin zien werken, als een dienstmaagd.'

'Wat? In de groentetuin?'

'Dat niet, maar ze had rozen geplant en die was ze aan het verzorgen. Het doet me verdriet dat een lief meisje zoals zij zo ongelukkig is.'

'Dat is ook heel erg. Mmm. Goed dan, schrijver, ik zal er eens rustig over nadenken.'

Neb glimlachte tevreden en ook een beetje zelfvoldaan. Hij stak een hand op en liep vlug door naar de broch, die hij via de achterdeur aan de kant van de edelen binnenging. Wat een brutale kerel, dacht Gerran. Langzaam liep hij door en ging de broch via de grote ingang binnen. Maar bij de bediendenhaard kwam hij vrouwe Solla weer tegen, die een paar keukenmeisjes precies uitlegde wat ze met een vat donker bier moesten doen.

Terwijl Gerran naar haar keek, drong het tot hem door dat ze inderdaad heel mooie, grijsbruine ogen had, maar wel met donkere kringen eronder. En hij zag dat haar fluweelzachte huid erg bleek was. Ze werkt te hard, dacht hij, en alleen voor dat huwelijk van haar ondankbare broer. Toen hij een buiging voor haar maakte, duwde ze een lok haar achter haar oor en zei: 'Goedemorgen, hoofdman.'

'Goedemorgen, vrouwe,' antwoordde Gerran. 'Ik heb gehoord dat u over een paar dagen met ons mee naar huis gaat.'

'Dat is zo, en ik blijf een poos.' Ze glimlachte dapper.

'Een poos? Niet lang?'

'Nou ja, misschien zoekt mijn broer een huwelijkskandidaat voor me, zodra zijn eigen leven weer wat op orde is.' Ze deed haar best om te blijven glimlachen. 'Ik vind het erg prettig dat Galla me intussen gastvrijheid heeft geboden.'

'Ongetwijfeld is het vrijpostig van me, maar dat vind ik ook erg prettig. Neem me niet kwalijk als ik u beledig.'

'Beledig?' Haar glimlach werd oprecht blij. 'Waarom zou ik dat als een belediging opvatten?'

Ze wilde nog iets zeggen, maar in plaats daarvan bloosde ze. Het drong tot Gerran door dat niemand ooit zo aandachtig naar hem gekeken had, met grote ogen en een lieve glimlach. Haar vleiende belangstelling warmde zijn bloed als mede. Alle goden, dacht hij, die vervloekte schrijver heeft gelijk!

'Iemand zei onlangs tegen me dat ik me te veel zorgen maak om mijn afkomst,' vervolgde hij. 'Mijn rang is veel lager dan de uwe.'

'Ik heb u altijd beschouwd als de pleegzoon van tieryn Cadryc. Ik wil u niet kwetsen door de herinnering aan uw echte vader te onteren, maar hij is voor mij niet van belang.'

'U kwetst me niet, heus.'

Ze glimlachte opnieuw, en met een schok besefte hij dat hij opeens wist wat hij haar allemaal zou willen vertellen, alsof ze een heel ander soort vrouw was dan de vrouwen die hij tot nu toe had ontmoet.

'Het is een heerlijke middag,' vervolgde hij. 'Ik heb gehoord dat deze dun een tuin heeft en dat u er rozen hebt geplant.'

'Dat is zo. Wilt u ze zien?'

'Graag, vrouwe, als u ze mij wilt laten zien.'

'Met plezier.'

Toen ze bleef staan in plaats van weg te lopen, besefte hij dat ze nog iets van hem verwachtte. Ze loste het beschamende probleem voor hem op door glimlachend een gebogen arm op te tillen en te zeggen:

'U zou me op deze manier uw arm kunnen aanbieden.'
'O. Dank u wel.'
Hij bood haar zijn arm aan, ze stak er een hand doorheen en samen liepen ze naar het binnenplein.

Omdat haar vader nog niet was aangekomen, had Branna die middag niets te doen en ging ze op zoek naar Neb. Hij zat aan een tafel bij de bediendenhaard op een vel perkament te schrijven, terwijl een jonge heer die ze niet kende vlakbij stond. Toen Neb klaar was met schrijven, strooide hij zand over het vel, schudde het eraf en overhandigde de brief aan de jonge heer, die hem in ruil daarvoor een paar munten gaf.
'Dank u, heer,' zei Neb.
De jongeman liep vlug weg. Neb rammelde met het kopergeld in zijn hand.
'Niet slecht voor een paar minuten werk,' zei hij, en hij liet de munten in het zakje glijden dat onder zijn hemd hing. 'Blijkbaar kunnen niet veel mensen hier schrijven.'
'Was het een liefdesbrief?' vroeg Branna.
'Het was een belofte om een speelschuld af te betalen. Huh, meisjes denken altijd alleen maar aan de liefde!'
'Jij niet? Zullen we een eindje gaan rijden om de omgeving te bekijken?'
'Wat een goed idee, dan kunnen we rustig praten. Ik heb zojuist gehoord dat je op de westkant van het klif een prachtig uitzicht hebt, dus zouden we die kant op kunnen gaan.'
In ruil voor een koperen munt was een schildknaap bereid hun paarden te halen. Ze verlieten de dun door de zuidelijke poort en reden naar het westen, terwijl ze hun hakkeneien in de warme zomermiddag stapvoets hun weg lieten kiezen. Het gras om de dun heen was frisgroen en zacht, en stak scherp af tegen de rotswand en de sombere grijze stenen van de stad. Een eindje verderop stroomde een beek onder de muur door.
'Die komt vast uit de bron op de heuvel,' zei Branna.
'Waarschijnlijk wel,' beaamde Neb. 'Maar iedereen gooit er zijn afval in, want hij stinkt behoorlijk.' Hij draaide zich in het zadel om en wees naar het zuiden. 'Daarginds mondt hij uit in de rivier. Laten we daar bij die doorwaadbare plaats oversteken, want ik wil niet dat de paarden door deze viezigheid lopen.'
Branna liet hem voorgaan in zuidelijke richting, waar een rivier ongeveer van noord naar zuid stroomde. De ondiepe plek lag te glinsteren in de zon. Er is iets met die doorwaadbare plaats, dacht ze.

Een doorwaadbare plaats heeft iets dreigends... Toen ze dichterbij kwamen, zag ze dat een rij witte stenen, lichte vlekken op de zanderige bodem, de oversteekplaats markeerde. Haar adem stokte in haar keel. Ze kende deze plek. Ze had deze plek gezien op een heel belangrijk moment in... Niet in haar leven. Ze was hier nooit eerder geweest. Hoe was het mogelijk dat dit haar zo bekend voorkwam, dat ze er zo van schrok, en dat het haar zowel aan gevaar als aan veiligheid deed denken? Hoe kon het dat deze plek haar het gevoel gaf dat ze volkomen hulpeloos was en tegelijkertijd de situatie volledig beheerste?

'Is er iets?' vroeg Neb bezorgd.

'Ja.'

Branna trok aan de teugels om haar paard te laten stilstaan. Toen ze in het zadel naar voren leunde om beter naar de doorwaadbare plaats te kunnen kijken, had ze het gevoel dat ze door de ogen van een ander keek.

'Dat andere meisje...' fluisterde ze. 'Zij is hier gestorven.'

'Wat zeg je? Wie bedoel je?'

'Dat weet ik niet. Ach, laat maar.'

Ze steeg af, liet de teugels uit haar hand vallen en liep naar de rivier. Ze was zich ervan bewust dat Neb haar volgde, maar al haar aandacht was gevestigd op het water. Het wemelde er van het Natuurvolk. IJle zilveren watergeesten rezen als een schuimlaag op en staken verwelkomend hun handjes naar haar uit. Sylfen fladderden om haar en Neb heen, en schoten als lichtflitsen van honderden zilveren spiegels door de lucht. Neb hield met een kreet zijn adem in.

'Deze plek is een en al dweomer,' zei hij.

'Inderdaad, hij stroomt ervan over. Weet je nog dat ik je over dat andere meisje heb verteld? Dat meisje dat in mijn hoofd zit of zoiets? Zij is hier gestorven. Ik weet niet hoe ik dat weet, maar het is zo. En als ze dood is, moet ze een geest zijn en probeert ze me te bezitten.'

Neb sloeg een arm om haar heen en trok haar naar zich toe. 'Dat weten we niet,' zei hij. 'Het kan ook zijn dat ze een boodschap wil doorgeven voordat ze gaat rusten.'

'Ze zeggen inderdaad dat geesten dat wel eens willen, dat iemand een probleem voor ze oplost, meer niet.' Branna deed haar best om dapper te klinken, maar ze hoorde dat haar stem trilde.

'Bovendien kan ze je geen kwaad doen, omdat ik dat niet zou toestaan. Zullen we teruggaan naar de dun? Daar komt ze niet.'

'Wel waar! Daar heb ik haar aanwezigheid ook al eens gevoeld. Alsof ik door haar ogen keek in plaats van de mijne. Ik had zelfs het gevoel dat ik groter was, alsof mijn lichaam ook was veranderd.'

'Ik begrijp er niets van en jij blijkbaar ook niet.'

'Natuurlijk niet! Anders zou ik niet zo bang zijn.'

'Dat is waar. Maar laten we toch maar teruggaan naar de dun, dan kun je bij je tante in de buurt blijven. Als de geest zich op plaatsen waar veel mensen zijn niet wil vertonen, zul je er veilig zijn, en als de geest zich wel vertoont, zullen anderen haar ook zien en zul je zeker weten dat ze een geest is.'

'Dat klinkt verstandig.' Branna glimlachte moeizaam. 'Geen wonder dat mijn tante denkt dat je een goede aanwinst zult zijn voor de hofhouding van een heer.'

'Laten we hopen dat ze gelijk heeft, zodat ik je kan geven wat je verdient. Zullen we nu gaan?'

Branna liet haar waardigheid varen en rende terug naar haar paard. Al voordat Neb bij zijn paard was, zat ze klaar om weg te rijden, maar ze was te bang om dat zonder hem te doen. Neb steeg ook op en kwam naar haar toe.

'Ik heb een idee,' zei hij. 'In de stad staat een tempel van Bel. Ik breng je terug naar de dun en dan loop ik erheen om met de priesters te praten.'

'Ach natuurlijk!' zei Branna. 'Zij weten vast wel welke geesten hier rondwaren.'

'Inderdaad. Maar het kan zijn dat ze niet meteen weten wie deze geest is, want in de oorlog met het Paardenvolk zijn hier een heleboel mensen omgekomen.'

'Maar geen vrouwen. Volgens de verhalen heeft het beleg daar niet lang genoeg voor geduurd.'

'Dat heb ik ook gehoord. Nou ja, ik wil toch wel weten wat de priesters me kunnen vertellen.'

'Ik ga met je mee.'

'Dat zou ik niet doen. Ze zullen je niet binnenlaten.'

'Ach ja, dat is waar. Ik vergeet dat zij me maar een onreine vrouw zullen vinden.'

Toen ze eenmaal de veiligheid van de dun hadden bereikt, had Branna het gevoel dat ze zich een beetje had aangesteld. Het was er een drukte van belang, dus wat zou een geest er te zoeken hebben? Op het binnenplein liepen bedienden heen en weer met brandhout en voorraden voor de keuken, en met bundels beddengoed en kleren die naar de dun moesten worden gebracht. Schildknapen draafden rond om allerlei opdrachten uit te voeren. Twee stalknechten, lachend om een grap, namen de paarden van Neb en Branna over en brachten ze naar een plek waar ook andere paarden, waarvoor in de stallen geen ruimte meer was, waren vastgebonden.

'Ik kom zo gauw mogelijk terug,' zei Neb.

'Dank je wel,' zei Branna. 'Ik zal zorgen dat ik dan in de grote zaal ben.'

In haar kamer waren een kan water en een waskom klaargezet. Branna waste haar gezicht en haar handen en verwisselde haar stoffige rijkleren voor een blauw onder- en bovenkleed. Ze ging op de vensterbank zitten om haar haren te kammen en keek omlaag naar het plein. De aanblik van andere mensen stelde haar gerust, net als de warme bries en het zonlicht. Geesten leken heel ver weg. De grijze dwerg verscheen, sprong op de brede stenen vensterbank en ging tegenover haar zitten. Toen ze hem vertelde hoe ze zich bij de doorwaadbare plaats had gedragen, sloeg hij zijn handen aan weerszijden tegen zijn hoofd en keek haar geërgerd aan.

'Wat bedoel je? Wil je zeggen dat ik haar niet begrijp?'

Hij knikte.

'Maar als ze geen geest is, wat is ze dan?'

De dwerg wees naar Branna.

'Dat kan niet. Ik ben mij en zij is... Zij is zichzelf.'

Hij greep nogmaals misprijzend naar zijn hoofd en verdween.

Soms begrijp ik ze niet, dacht Branna. Dat Natuurvolk. Ze liep de kamer uit en ging naar de grote zaal. Ongeveer halverwege de ronde stenen trap bleef ze staan, opeens weer bang, tot ze haar tante bij de haard zag staan. Galla begroette allerlei heren en vrouwen die naar haar toe kwamen. Toen Branna de vrouw zag die al haar hele leven van haar had gehouden, vatte ze weer moed en liep door naar beneden, de drukke zaal in. Ze baande zich een weg tussen mensen en honden door en ging naast Galla zitten om te wachten tot Neb terug zou komen.

De tempel van Bel stond aan de andere kant van de stad. Op de weg erheen kwam Neb langs een rij lage lemen ovens voor een stevig rond huis met een nieuw rieten dak, dat van de bakker. Met twee van de koperen munten die hij had verdiend met het schrijven van de schuldbekentenis van de jeugdige heer kocht hij een groot rond brood, gebakken van zuiver wit meel en nog warm.

Voor de met koper beslagen poort van de tempel stond een jonge priester tegen de muur geleund te gapen in de zon. Zo te zien was het een leerling, een magere jongen met een kaalgeschoren hoofd en gekleed in een lange tuniek met een stuk touw om zijn middel. Als hij was ingewijd in de dienst van de god zou er een kleine gouden sikkel aan zijn riem moeten hangen, maar die hing er niet. Toen hij

Neb zag aankomen, ging hij rechtop staan en klapte in zijn handen. 'Is dat een offer voor de god?' vroeg de jongen. Aan de manier waarop hij naar het brood keek, zag Neb dat de god er hooguit één hap van zou mogen nemen.

'Inderdaad,' antwoordde Neb. 'En ik wil de priesters iets vragen. Over een voorval uit het verleden.'

'Dat is goed. Kom binnen. Ik zal dat brood wel dragen.'

Neb overhandigde de jongen het brood en volgde hem door de poort naar binnen. Midden op een met keien bestraat binnenplein stond een ronde tempel. Het was een indrukwekkend gebouw van dikke eikenhouten planken, met een leien dak. De dubbele deuren, beslagen met brons, stonden halfopen. De leerling liep met het brood naar binnen. Neb hoorde gemompel van stemmen en toen kwam de jongen weer naar buiten.

'Je boft,' zei hij. 'Zijne heiligheid Lallyn is wakker en hij kan je ontvangen. Ik neem het brood mee naar de eetzaal.'

Neb vond het vreemd dat de jongen had gezegd dat de priester wakker was, maar toen hij de koele, schemerige tempel binnenstapte, begreep hij het.

Eerst dacht hij dat de grote ronde ruimte leeg was. Het enige licht viel door twee smalle vensters aan weerskanten van de deuren. Toen zijn ogen aan het halfdonker gewend waren, zag hij het beeld van de god recht tegenover de ingang tegen de ronde muur staan. Het was wel een meter of zeven hoog, dit beeld van de koning der aarde en heer van de zon, en uitgehakt uit een eik die, naar de omvang van het beeld te oordelen, al heel oud moest zijn geweest toen hij werd omgehakt om de goden te dienen. Bel had zijn armen tot op schouderhoogte voor zich uitgestrekt en aan zijn handen bungelden uit een lichtere houtsoort gesneden mensenhoofden.

Ernaast, op een halfronde stoel met drie poten, zat een priester, die bijna net zo oud leek te zijn als de boom moest zijn geweest. Zijn gezicht was gerimpeld en bruin gevlekt, hij was broodmager en niet alleen was zijn hoofd zo kaal als een ei, maar had hij ook geen wimpers. Toen hij glimlachte, was er aan één kant van zijn mond nog maar één bruine tand te zien.

'Goedemorgen, jongeman.' Hij had een schorre, trillende stem. 'Jij bent?'

'Nerrobrantos, uwe heiligheid. De schrijver van tieryn Cadryc van de Rode Wolf.'

'Aha. Kom eens wat dichterbij, jongen. Ik kan je nauwelijks verstaan.'

Neb liep vlug naar hem toe en knielde voor hem neer.

'Wat wil je me vragen?' vroeg de priester.

'De boeren uit de omtrek hebben me een verhaal verteld over de doorwaadbare plaats ten westen van de dun, uwe heiligheid.'

'Aha.' De oude priester glimlachte. 'De plaats waar het spookt.'

'Dat zeiden ze, uwe heiligheid. Ze vertelden me dat de geest van een meisje er soms rondwaart, misschien omdat ze een boodschap voor iemand heeft of wil dat iemand iets voor haar doet. Ik vroeg me af of u weet wie ze is.'

'Dat deel van het verhaal ken ik nog niet. Ik weet wel dat er op die plaats een vrouw is gestorven.' De priester zoog op zijn tand. 'In de gevechten destijds zijn een heleboel mannen en Paardenvolkers omgekomen. Ik zie nog voor me hoe de rivier rood was van het bloed.'

'Dus het is een afschuwelijk verhaal.'

'Dat is het.' Lallyn knikte langzaam. 'De vrouw die gestorven is, was geen meisje, maar een grijsharige vrouw die bijna net zo oud was als ik nu ben. Ze was een heks, dat moet wel. Anders had ze die duivelin niet kunnen vernietigen.'

'Duivelin?'

'Degene die door het Paardenvolk als een godin wordt beschouwd.'

'Alshandra?'

'Inderdaad, zo heette het kreng.' Lallyn zweeg nogmaals en staarde met zijn waterige ogen voor zich uit. 'De heks had de naam van een pachtboerin, maar ik ben vergeten wat het was. Zij en de duivelin hebben elkaar vernietigd. Heksen kunnen duivels oproepen, moet je weten, maar dat loopt altijd slecht af. Voor de heksen, bedoel ik. Trouwens ook voor de duivels, denk ik. In elk geval voor die duivelin.' Hij zuchtte en knikte. 'Dat is maar goed ook. Inderdaad, maar goed ook.' Zijn kin zakte op zijn borst en even later viel hij in slaap.

Neb hoorde iemand binnenkomen en toen hij zich omdraaide, stond daar de leerling. Het brood was verdwenen, en hij wees naar de deur. Het gesprek was afgelopen.

Terwijl Neb de steile helling beklom terug naar de dun, dacht hij na over het antwoord van de priester. De priesters van Bel beschouwden alle dweomer als duivelse hekserij, dat wist hij. Sommige heksen hadden hun dood op de een of andere manier overleefd, zei men, als geest of als magische vogel, en konden onder bepaalde omstandigheden met de levenden praten. Zoals die raaf? vroeg hij zich af. Misschien was die vogel helemaal geen slecht voorteken, maar slechts een geest die Branna het een of andere geheim wilde vertellen. Het leed geen twijfel dat zijn geliefde een gave had voor dweomer. Daar had hij inmiddels vrede mee, zoals hij er ook vrede mee had dat hijzelf over vreemder vaardigheden beschikte dan het schrijven van brieven.

Wist ik maar waar dat vertrek met die wandkleden was, dacht hij. Hij kon zich twee kamers in een toren voor de geest halen, en in de grootste waren de stenen muren behangen met prachtige Bardekse kleden. Tussen twee van die kleden was een plank aan de muur bevestigd waarop zeven belangrijke boeken stonden, rechtop tussen twee bronzen draken. Ze waren van hem, maar hij kon de weg ernaartoe niet vinden. Hij was de weg naar zijn kamers vergeten. Toen hij hijgend het laatste stukje naar de poort beklom, kwam het bij hem op dat Branna waarschijnlijk wist waar die kamers zich bevonden.

Plotseling was hij er met een vreemde zekerheid van overtuigd hoe het zat. Als hij het raadsel kon oplossen van deze geest, dat andere meisje of wat het dan ook was dat door Branna's hoofd spookte, zou hij ook zijn eigen raadsel kunnen oplossen.

Tegen de tijd dat hij terug was in de dun, hadden alle edelen en hun gezelschap zich verzameld in de grote zaal. Bedienden brachten de krijgers kroezen bier en de edelen bekers mede. Het gepraat en gelach galmde door de hoge ruimte en gonsde over de tafels, die zo dicht bij elkaar stonden dat de dienstmaagden er nauwelijks tussendoor konden. De adellijke vrouwen hadden zich teruggetrokken in de vrouwenzaal, maar nadat Neb eerst beneden had gezocht, vond hij Branna boven aan de trap, waar ze op hem stond te wachten.

'Ben je daar eindelijk,' zei Branna. 'Ik vroeg me al af waar je bleef.'

'Het duurde langer dan ik had verwacht,' legde Neb uit. 'Ik heb de hogepriester gesproken. Hij is stokoud, waarschijnlijk wel een jaar of zeventig. Zijn geheugen is niet zo goed meer, maar hij kon zich het beleg van Cengarn nog herinneren. Toen is er bij die doorwaadbare plaats een vrouw gestorven, een heks, volgens hem. Ze had op de een of andere manier de stad gered uit handen van de duivelin, Alshandra, door haar te vernietigen, maar ten koste van haar eigen leven.'

'Dan is het niet aardig haar een heks te noemen, vind ik.'

'Dat vind ik ook, maar wat kun je anders verwachten van een priester van Bel?'

'Dat is zo.'

'Maar zo'n vrouw zou wel terug kunnen komen als geest, denk je niet? Misschien met een boodschap?'

In plaats van antwoord te geven, draaide Branna zich iets om en keek de gang in, maar Neb betwijfelde of ze de rij deuren en de stenen muur aan het eind ook zag. Plotseling rilde ze en draaide zich met een beverig glimlachje weer naar hem toe. 'Nu moet ik vlug naar de vrouwenzaal. Ik had er allang moeten zijn, om te worden voorgesteld aan de verloofde van de gwerbret.'

Voordat Neb nog iets kon zeggen, liep ze weg. Halverwege de gang opende ze een deur en glipte naar binnen in een van de weinige ruimtes waar hij niet mocht komen. Ze is zich rot geschrokken van dat verhaal over die heks, dacht hij. Maar daar zouden ze later over kunnen praten, hoopte hij, wanneer ze het had laten bezinken.

Vrouwe Drwmigga, de aanstaande vrouw van de gwerbret, maakte een domme indruk, vond Branna, al was ze met haar lange, donkere haar en donkerblauwe ogen best een knap meisje. Ze droeg een prachtig overkleed van blauwe Bardekse zijde, een geschenk van de koningin van Deverry, waarop langs de hals en op de mouwen bloemslingers in de stijl van het Westvolk waren geborduurd. Terwijl ze op een stoel met kussens ontspannen achteroverleunde, met haar blanke handen losjes in haar schoot, glimlachte ze tegen de vrouwen in haar nieuwe rhan alsof ze van alles evenveel genoot, of het nu een in honing gedoopte abrikoos of een overdreven compliment was. Ze sprak met een zachte, gelijkmatige stem en eindigde haar zinnen vaak op een fluistertoon in plaats van met ferme nadruk. Gwerbret Ridvar zal domme zoons krijgen, dacht Branna vervolgens, maar ik wil wedden dat het er een heleboel zullen zijn.

De gesprekken in de vrouwenzaal gingen over de laatste nieuwtjes en kinderen, met zo nu en dan een opmerking over de prijs van Bardekse zijde, glazen drinkbekers of andere kostbare waar. Branna deed haar best om haar gedachten erbij te houden, maar ze betreurde het dat ze geen borduurwerk van huis had meegebracht, waar ze in de uren dat ze verplicht was de nieuwe vrouwe van Cengarn gezelschap te houden, aan kon werken. Toch verveelde ze zich liever dan na te denken over het verhaal van die heks of dweomervrouw die bij de doorwaadbare plaats was gestorven.

Steeds wanneer ze aan die vrouw dacht, had ze het gevoel dat het vertrek zich vulde met ijskoude mist. Maar hoe ze zich ook inspande om aan het gesprek deel te nemen, ze kon wat Neb haar zojuist had verteld niet een poosje vergeten. Uiteindelijk werd ze gered door een dienstmeisje dat binnenkwam en eerst een kniebuiging maakte voor Drwmigga en daarna voor Branna.

'Vrouwe,' zei het meisje, 'uw vader is aangekomen.'

'Dank je.' Branna stond op en maakte een buiginkje voor Drwmigga. 'Mag ik gaan, vrouwe?'

'Natuurlijk.' Drwmigga glimlachte vriendelijk. 'Familie komt op de eerste plaats, vind ik.'

In de grote zaal was het iets minder druk en lawaaiig dan eerder die dag, wat ongetwijfeld het gevolg was van de gulle verstrekking van bier. In het voor burgers bestemde deel van de zaal zat een krijger of knecht met zijn hoofd op zijn armen aan tafel te slapen, en er liepen enkele dienstmaagden rond om kroezen van de vloer op te rapen.

Aan de kant van de edelen stond tieryn Gwivyr bij de deur zijn knecht bevelen te geven. Gwivyr was zelfs voor een man uit Deverry een forse kerel: lang en met een brede borst. Hij had een grote snor en een dikke bos goudblond haar, waar zilveren draden doorheen liepen. Toen Branna de trap afdaalde, voelde ze dat haar hart bonsde van iets wat je bijna angst kon noemen, maar toen ze een diepe kniebuiging voor haar vader maakte, glimlachte hij. Met een handgebaar stuurde hij de knecht weg.

'Goedemorgen, vader,' zei Branna. 'Ik hoop dat u een prettige reis hebt gehad.'

'Dat ging wel,' antwoordde hij. Zijn zware stem paste bij zijn omvang. 'Je ziet er uitstekend uit, dochter.'

'Dank u. Ik heb het bij tante Galla erg naar mijn zin.'

'Mooi zo.'

'Ik wil u iets vragen, vader. Ik heb de man ontmoet met wie ik wil trouwen, en hij wil met mij trouwen.'

'O ja? En wat vindt je oom daarvan?'

'Hij is het ermee eens en tante Galla ook. Maar eh... Hij is niet van adel.'

'Wát zeg je?' Gwivyr trok zijn neus op. 'Het is toch geen boer of zo?'

'O nee, dat niet. Hij is de schrijver van oom Cadryc, en tante Galla zegt dat hij een goede toekomst tegemoet gaat. Zij denkt dat hij uiteindelijk raadsheer van een hoge heer zal worden.'

'O.' Gwivyr wendde zijn hoofd af en keek de zaal in. 'Je stiefmoeder is nog niet beneden, zie ik, dus kunnen we dit net zo goed meteen afhandelen. Wat die schrijver betreft, als Cadryc het ermee eens is, zie ik niet in waarom ik zou protesteren. Trouw maar met wie je wilt, dochter.' Hij lachte kort. 'Hij komt me toch niet om een bruidsschat vragen, hè?'

'Hij heeft het niet eens over een bruidsschat gehad.'

'Mooi zo. Laat me even nadenken... Ja, toen je uit huis ging om bij Galla te gaan wonen, heb ik je een rijpaard met bijbehorend tuig meegegeven en een kar met een trekpaard, en je hebt je bruidskist.

Als hij daar genoegen mee neemt, mag je met hem trouwen.'

'Ik weet zeker dat hij dat genoeg vindt.'

'Mooi zo.' Gwivyr keek naar de trap. 'Daar komt je stiefmoeder aan. Ik kan maar beter vlug naar haar toe gaan, voordat ze weer begint te klagen.' Hij glimlachte nog een keer tegen Branna en beende naar de trap, waar hij zijn vrouw luidkeels en met een armzwaai begroette. De vrouwe kwam naar beneden en liep zonder zelfs maar Branna's kant op te kijken samen met hem weg.

Branna keek hen na en vroeg zich af waarom het huilen haar nader stond dan het lachen. Had haar vader haar niet precies gegeven wat ze wilde hebben? Maar ik wilde ook dat hij het fijn voor me zou vinden, dacht ze. Ik wilde dat het hem iets kon schelen met wie ik zou trouwen, al zou hij het verbieden. Ze schudde zich als een natte hond, bette haar vochtige ogen droog met een mouw en liep de trap op. Halverwege kwam ze Galla tegen, die wilde horen hoe de ontmoeting met haar vader was verlopen.

'Nou, wat zei hij?' vroeg ze.

'Hij heeft toestemming gegeven.' Branna deed haar best om te glimlachen. 'Hij zei dat ik mag trouwen met wie ik wil. Mits Neb genoegen neemt met mijn bruidsschat. Die alleen bestaat uit twee paarden en een kar.'

'Ik kan me niet voorstellen dat Neb dat niet genoeg zal vinden, maar zo niet, dan zijn Cadryc en ik bereid er iets aan toe te voegen. Maar we hebben de slag gewonnen en daar ben ik blij om, echt waar. Weet Neb het al?'

'Nog niet. Ik weet eigenlijk niet waar hij is.'

'Laten we naar beneden gaan en hem door een schildknaap laten zoeken. Ik heb even geen zin meer in de vrouwenzaal, als je het niet erg vindt.'

'Helemaal niet, dank u!'

Ze gingen naar beneden en vonden bij de drakenhaard een lege tafel met echte stoelen eromheen in plaats van banken zonder rugleuning.

'Laat me eens even denken,' zei Galla, toen ze zaten. 'We kunnen jullie verloving hier natuurlijk niet aankondigen, dat zou verschrikkelijk ongemanierd zijn. De gasten horen zich alleen te bekommeren om het huwelijk van de gwerbret, nergens anders om. Maar zodra we weer thuis zijn, geven we een groot feest, waarvoor we al onze vazallen zullen uitnodigen. Ik ben zo blij dat Gwivvo voor rede vatbaar blijkt te zijn.' Ze grinnikte en gaf Branna een knipoog. 'Dat had ik niet verwacht!'

Daar kon Branna om lachen, en haar teleurstelling om het gedrag van haar vader zakte weg.

'Ik weet ook niet waar Cadryc is,' vervolgde Galla, 'maar als we hier blijven zitten, zal hij ongetwijfeld een keer tevoorschijn komen. Aha, daar komt onze Coryn aan. Schildknaap, kom eens hier!'

Coryn kwam op een drafje naar hen toe terwijl hij zijn vuile gezicht afveegde aan een mouw van zijn nieuwe hemd. Te oordelen naar de kruimels die aan zijn kin plakten, had hij honingkoek gegeten, een lekkernij die vooral voor trouwfeesten werd gebakken.

'Weet jij waar Neb is, jongen?' vroeg Galla. 'Ik wil dat hij een brief schrijft aan onze Adranna.'

'Ik zal hem gaan zoeken, vrouwe.'

'Goed zo. Als je hem hebt gevonden, ga dan ook de tieryn zoeken en stuur hem naar me toe.'

Coryn boog en draafde weg.

'Een brief?' zei Branna. 'Kan iemand in de dun van Honelg dan lezen?'

'Natuurlijk niet,' antwoordde Galla. 'In dat afschuwelijke oord? De brief is alleen voor de vorm, en ik zal je oom vragen een paar krijgers mee te sturen om de boodschap over te brengen.'

'U maakt zich zorgen om Adranna, nietwaar?'

'Inderdaad. Zoals je weet, ben ik het nooit met dat huwelijk eens geweest, maar je oom noch iemand anders wilde naar me luisteren. Ik ben alleen maar een moeder, al ben ik van even hoge komaf.' Galla haalde met een boos gezicht diep adem. 'Nou ja, laten we het nu weer over vrolijker dingen hebben. Dit hoort een blijde dag te zijn, geen treurige.'

Galla wees naar verschillende heren in de zaal en vertelde waar ze woonden. Branna moest nog af en toe aan de geest van de heks denken, maar wie of wat ze ook was, ze kwam zich niet op haar vreemde manier melden.

Tegen de tijd dat Coryn Neb had gevonden – Neb zat in de kamer van de schrijver van de gwerbret met de eerbiedwaardige man over inktsoorten te praten – waren de meeste edelvrouwen ook weer naar de grote zaal gekomen. Door hun aanwezigheid waren de krijgers weer tot leven gekomen, en bedienden brachten manden met brood en koud vlees rond om bij het bier en de mede op te eten. Branna zat met haar tante en oom bij de drakenhaard. Toen Neb naast de tieryn neerknielde, gaf Cadryc hem glimlachend een knipoog.

'Gelukgewenst, jongen,' zei Cadryc. 'Onze Branna heeft met haar vader gepraat en hij heeft toestemming gegeven voor jullie huwelijk.'

Voordat hij zich kon beheersen, wierp Neb beide handen in de lucht en slaakte een juichkreet. Cadryc lachte en gaf hem een klap op zijn schouder.

'Ik zie dat het nieuws je niet treurig stemt,' zei Cadryc. 'Sta op, neef, en ga naast je verloofde zitten.'

'Dank u, heer en oom.' Neb stond op en klopte het stro van zijn knieën. 'Ik voel me vereerd, driedubbel vereerd, en erg gelukkig.'

Branna lachte hem toe en toen hij naast haar ging zitten, leunde ze naar hem toe en gaf hem een kus op zijn wang. Hij pakte haar hand, hief hem naar zijn mond en drukte er op zijn beurt een kus op.

'Ik heb nooit gedacht dat ik ooit zo gelukkig zou zijn,' zei Neb. 'Nooit, nog niet één hartenklop lang, heb ik gedacht dat ik ooit zo vervuld van geluk zou zijn.'

'Ik ook niet,' zei Branna, en haar stem klonk verstikt door tranen. 'Ik ben zo gelukkig dat ik bijna moet huilen, en misschien doe ik dat wel.' Tranen welden op in haar ogen en gleden over haar wangen terwijl ze naar hem glimlachte.

Met zijn andere hand haalde Neb een lapje uit zijn zak dat hij gebruikte om pennen mee schoon te vegen en gaf dat aan haar. Toen ze er haar gezicht mee droog veegde, bleef er een streep inkt achter op haar wang.

'Een gepast teken voor de vrouw van een schrijver,' zei vrouwe Galla, die ook haar ontroering nauwelijks meester was. 'Ik ben zo blij dat jullie zo gelukkig zijn met elkaar.'

'Ik ook,' zei Cadryc. 'Raar, hè? Hrmm... Met dit soort dingen weet een man eigenlijk geen raad.'

Ze lachten allemaal. 'Dank u, vrouwe,' zei Neb. 'En u dank ik ook, heer.'

'Nu moeten we het over de bruidsschat hebben,' vervolgde Cadryc. 'Branna's vader geeft je een rijpaard, een trekpaard en een kar, en natuurlijk al die dingen die een vrouw naait voor haar bruidskist. Ik doe daar een rijpaard voor jou bij met alle tuigage.'

'Dat is bijzonder gul van u, edele heer.' Neb besefte dat hij nooit over een bruidsschat had nagedacht. Ongetwijfeld zou zijn moeder onderhandeld hebben om meer te krijgen, maar zijn moeder had nooit liefdadigheid van anderen hoeven aan te nemen. 'Daar ben ik erg blij mee.'

'Goed zo, jongen.' Cadryc hief zijn beker om een dronk uit te brengen. 'Ik...' Hij werd onderbroken door het geschal van zilveren hoorns.

'Wie kan dat zijn?' vroeg Galla. 'Iemand met een hoge rang, te oordelen naar het lawaai dat zijn gevolg maakt.'

Het was inderdaad iemand met een hoge rang, kregen ze te horen toen Clae door de doolhof van tafels en banken naar hen toe kwam rennen. Zowel edelen als bedienden gingen voor hem uit de weg en honden blaften tegen hem.

'Edele heer!' riep Clae opgewonden. 'Het is een prins uit Dun Deverry! Hij heet prins Voran, en hij heeft een heleboel krijgers en bedienden en wagens bij zich.'

'Alle goden!' Cadryc schoof zijn stoel achteruit en stond op. 'Dat is een hele eer voor onze gwerbret.'

'Inderdaad,' beaamde Neb. 'Weliswaar is Voran een jongere zoon, maar hij is van koninklijken bloede.'

Op de voet gevolgd door heer Oth rende gwerbret Ridvar bijna net zo snel de zaal uit als Clae binnen was gekomen. Een tiental honden rende achter hem aan, blaffend van opwinding. Terwijl het nieuws zich door de grote zaal verspreidde, volgde het merendeel van de aanwezigen Cadrycs voorbeeld en stond op, hun nek uitrekkend om zo gauw mogelijk een glimp van de koninklijke gast op te vangen. In het deel van de zaal waar de krijgers zaten, klom een aantal schildknapen en knechten op tafels om beter te kunnen kijken.

'Ik kan niets meer zien,' zei Galla een beetje geërgerd. 'Neb, is Gerran hier ook? Hij is tenslotte ònze pleegzoon, dus hoort hij ook aan de prins te worden voorgesteld.'

'Ik zie hem niet, vrouwe. Misschien is hij in de barak. Zal ik hem gaan halen?'

'Graag, dank je.'

Toen Neb naar de achterdeur van de grote zaal liep, had hij het gevoel dat hij elk moment kon opstijgen om naar de hemel te vliegen. Ze is van mij, dacht hij. Eindelijk is ze echt van mij! Na al die... Hij schrok. Na al die wat? Je kent haar pas een paar maanden, hield hij zich voor. Toch kon hij het gevoel, diep vanbinnen, niet van zich afzetten dat hij haar al veel langer kende, heel veel langer. Maar niets, zelfs niet dat vreemde gevoel, kon zijn vreugde temperen. Fluitend liep hij de zaal uit.

Gerran had de prins zien aankomen en hij was meteen naar de stallen gegaan om ervoor te zorgen dat de paarden van de Rode Wolf door de aankomst van zo'n grote stoet niet in de verdrukking zouden komen. De dikke heer Blethry, de opperstalmeester van de gwerbret, stond op een ton naast de waterbak bevelen te schreeuwen. Stalknechten renden heen en weer om ze zo goed mogelijk uit te voeren en om plaatsen te vinden voor de paarden van de krijgsbende van de prins. Het waren er bijna zeventig, met inbegrip van die van zijn bedienden en de trekpaarden. Gerran wilde voorkomen dat de paarden van zijn mannen ergens in de openlucht op de keien zouden komen te staan.

'Gerro, wacht even!' Gerran herkende de stem van Neb, nauwelijks hoorbaar in alle herrie. 'Ik heb een boodschap voor je!'

Gerran draaide zich om en zag dat Neb door het gedrang van mannen en paarden naar hem toe kwam. Hoewel de schrijver een slanke jongeman van gemiddelde lengte was en niemand op het binnenplein hem kende, ging iedereen voor hem opzij alsof hij een belangrijke heer was. Misschien kwam het door zijn zelfverzekerde manier van lopen, met kaarsrechte rug en zijn hoofd fier omhoog, dacht Gerran.

'Onze vrouwe vraagt of je naar de grote zaal komt,' zei Neb.

'Ach goden, nu meteen?'

'Zo gauw mogelijk. Ze wil je voorstellen aan de prins.'

'Bij de zwartharige kont van de heer van de hel! Waarom?'

'Je bent toch haar pleegzoon?'

'Dat is zo, maar...'

'Ja, ja, dat weet ik, van burgerlijke komaf. Hou toch op, Gerro! Iedereen heeft er schoon genoeg van dat je jezelf steeds weer omlaag haalt.'

Even voelde Gerran aandrang om Neb een klap uit te delen, maar het binnenplein in de dun van een gwerbret was geen taveerne en er mocht niet gevochten worden. Neb wachtte glimlachend op antwoord, met een rozig gezicht alsof hij te veel gedronken had, en stak met een monter gebaar zijn handen in de zakken van zijn brigga.

'Je kijkt erg voldaan, schrijver,' zei Gerran.

'Dat ben ik ook.' Maar Nebs glimlach verdween en hij vervolgde: 'Je zult het binnenkort toch wel horen, dus kan ik het je beter zelf vertellen. Zodra we terug zijn in onze eigen dun, zullen vrouwe Branna en ik onze verloving aankondigen.'

Gerran dacht na over wat hij daarop zou zeggen terwijl Neb op antwoord wachtte, met een ernstig gezicht en zijn hoofd iets schuin, alsof hij Gerran wilde waarschuwen niet te protesteren. Tot zijn grote verbazing merkte Gerran dat de gedachte aan een toekomstig huwelijk tussen Neb en Branna hem minder boos maakte dan de kans dat hun paarden uit de stallen werden verwijderd.

'Mijn gelukwensen voor jullie allebei,' zei hij. 'Dat meen ik eerlijk.'

'Dank je wel! En hoe staat het met jou?'

'Als je vrouwe Solla bedoelt, dan heb ik het daar nu te druk voor,' antwoordde Gerran. 'Zeg maar tegen vrouwe Galla dat ik eraan kom zodra ik weet waar ze met onze paarden naartoe gaan.'

'Dat zal ik doen. Heb jij Clae soms gezien? Ik wil hem het nieuws van onze verloving ook meteen vertellen.'

'Ik denk dat hij in de keuken is. Hij zei dat Solla, ik bedoel vrouwe Solla, hem had gevraagd te helpen met bedienen.'

'Vrouwe Solla, natuurlijk!' Neb knipoogde, draaide zich om en liep naar de keuken.

De prins en de gwerbret kwamen samen de grote zaal in en de gwerbret liep met de prins mee naar boven om hem naar een gastenkamer te brengen. Na hen kwam bijna iedereen die nog op het binnenplein was ook binnen, edelen en bedienden. Degenen die geen zitplaats meer konden vinden, bleven staan, in de hoop een glimp op te vangen van de prins wanneer hij weer beneden kwam. Branna had gehoopt in het gedrang ongemerkt met Neb, die al achter haar stoel stond, te kunnen wegglippen, maar blijkbaar had tante Galla dat al voorzien.

'Ik wil niet dat jullie er nu stiekem vandoor gaan,' zei Galla. 'Dat zou erg onbeleefd zijn, vlak voordat prins Voran bij de gwerbret aan tafel komt zitten.'

'Ach, tante,' zei Branna, 'ik geloof niet dat het een van die twee ook maar een eh... snars kan schelen of een lage edelvrouwe zoals ik een kniebuiging voor hen maakt.'

'Of een schrijver,' zei Neb. 'Dat geloof ik ook niet, vrouwe.'

'Misschien niet,' antwoordde Galla, 'maar mij kan het wel schelen.'

'O, goed, dan blijven we.' Branna gaf een paar klapjes op Galla's hand. 'Bovendien heb ik nog nooit een prins gezien.'

'Ach, ze zien er net zo uit als andere mannen.' Galla rekte zich uit om de zaal rond te kijken. 'Waar blijft Gerran nou? Ik wilde juist graag dat... Ah, daar is hij.'

Gerran kwam door de grote ingang naar binnen, baande zich door de menigte een weg naar de tafel van de tieryn en bereikte die net voordat de zilveren hoorns opnieuw schalden, deze keer onder aan de trap.

Kleding ruiste als de wind door winterse bomen toen iedereen opstond, klaar om diep of minder diep te buigen of te knielen. Eerst kwam een schildknaap de trap af met een kleine banier met het symbool van de koninklijke clan: een staande gouden draak tegen een roomwitte achtergrond. Daarna kwam prins Voran langzaam de zaal in, met een ter begroeting opgeheven hand. Hij had zijn stoffige reiskleren verwisseld voor een schone geruite brigga en een fijn, wit linnen hemd. Over de mouwen liep een rood met blauw geborduurde slinger en op beide schouderstukken was van dik gouddraad een draak geborduurd. De prins was net zo groot als Branna's vader, maar veel slanker. Hij had dik bruin haar dat grijs begon te worden en een fraaie bruine snor.

Bij elke eretafel stond hij even stil om alle buigingen en kniebuigingen in ontvangst te nemen en een paar vriendelijke woorden te zeggen, maar bij de tafel van tieryn Cadryc begroette hij deze met zijn naam. Daardoor kreeg Branna de kans om te zien dat hij grijze ogen had en een heel normaal gezicht, zoals haar tante al had gezegd. De snor was net niet groot genoeg om te verbergen dat hij een brede mond had met dunne lippen, zodat zijn glimlach leek op die van een kikker. Hij had vrij grote oren. Cadryc deed zijn best om, ondanks de eer van de persoonlijke aandacht van de prins, zo kalm mogelijk iets terug te zeggen, en hij stelde Gerran voor als zijn pleegzoon. Toen de prins tegen hem knikte, werd Gerran vuurrood.

Achter Voran stond gwerbret Ridvar met een ietwat strakke glimlach, en hij knikte tegen de tieryn. Toen Voran met zijn gevolg doorliep, stapte heer Oth uit de rij en hurkte neer tussen Calla en Cadryc. Iedereen ging weer zitten en leunde naar voren om te horen wat hij te zeggen had.

'De prins is op de hoogte gesteld van het mogelijke gevaar van een fort van het Paardenvolk,' zei Oth zacht, en op normale toon vervolgde hij: 'Ik hoop dat uw onderkomen naar uw zin is, tieryn Cadryc.'

'Uiterst comfortabel,' antwoordde Cadryc, en hij hief zijn beker ter bevestiging.

'Heel mooi,' voegde Galla eraan toe. 'Het is erg aardig van u dat u het vraagt, terwijl u genoeg te doen hebt.'

'Het eind van deze invasie met al die paarden is in zicht, vrouwe.' Oth stond met een hartgrondige zucht op. 'De prins van het Westvolk is de laatste koninklijke gast, maar ik heb geen idee hoe groot zijn gevolg is. En de vader van vrouwe Drwmigga zal ook binnenkort aankomen.'

'Wat vreemd dat hij er nog niet is,' zei Cadryc.

'Hij moet een malover bijwonen om een vete te berechten. Volgens de boodschapper kan de situatie gevaarlijk worden, daarom wilde hij de twee ruziënde heren niet langer laten wachten.'

'Alle goden,' zei Cadryc, 'dat kan weken duren.'

'Juist.' Oth kreunde zacht. 'Maar hij heeft laten weten dat we niet op hem moeten wachten. Het gaat tenslotte om het huwelijk van zijn dochter, niet dat van een zoon. Maar als hij toch nog komt, zal hij het normale gevolg van een gwerbret meebrengen. Dat betekent waarschijnlijk elke tieryn die ooit trouw heeft gezworen aan de clan van de Arend met zijn eigen erewacht, en dan nog de krijgsbende van de gwerbret zelf. Alle goden, ik hoop dat we iedereen kunnen onderbrengen! We hebben nog twee paviljoens die we bij toernooien gebruiken en die zal ik in een veld buiten de muur laten neerzetten om de krijgers van Cengarn onder te brengen. Ik vind het niet prettig die uit hun barakken te halen, maar de gasten zullen paviljoens voor hun mannen waarschijnlijk een belediging vinden.'

'Ach nee, zo zou ik dat niet opvatten,' zei Cadryc. 'Gerro, zou jij niet een touw kunnen spannen als omheining voor onze paarden ergens in een veld?'

'Goed idee, heer,' zei Gerran. 'Ik wil niet dat ze op keien of aangestampte aarde komen te staan, maar op gras is iets anders.'

Heer Oth glimlachte opgelucht.

'En het Westvolk brengt zijn eigen tenten mee,' zei Galla. 'Zij slapen liever niet binnen stenen muren. Ze kunnen hun tenten opslaan op het marktplein.'

'Nee, dat mag jammer genoeg niet,' zei heer Oth. 'Het marktplein is per koninklijk besluit toegewezen aan de inwoners van de stad en daar wil zijne hoogheid niet aan tornen. Gelukkig heeft het Westvolk inderdaad geen kamers nodig en misschien neemt het genoegen met ons weiland, nu ik erover nadenk. Zodra prins Daralanteriel er is, kunnen we het feest laten beginnen en dat, alle goden in de hemel zij dank, is dan dat.'

Oth draafde vlug achter de prins en de gwerbret aan. Gerran liep ook weg, om zijn krijgers te vertellen dat ze hun kamp zouden verplaatsen, zoals hij het noemde. Galla keek naar Branna en gaf haar een knipoog.

'Als jij en Neb nu een poosje ergens alleen willen zijn,' zei ze, 'zal ik het je vergeven.'

'Dank u, vrouwe,' zei Neb. 'Omdat u onze verloving goedkeurt, is mijn hart zo vervuld van dankbaarheid als maar mogelijk is.'

'Inderdaad, dank u, tante Galla,' voegde Branna eraan toe. 'En ik dank u ook, oom Cadryc.'

Nu de dun zo vol was als een Beltaanse tempel, was Branna's slaapkamer de enige plek waar Neb en zij alleen konden zijn. Branna schoof de grendel op de deur en ging op de rand van haar bed zitten, terwijl Neb bij het raam ging staan.

'Ach, kom toch naast me zitten.' Branna gaf een paar klapjes op het matras. 'We zijn nu immers verloofd.'

Neb keek haar lang aan, glimlachte en ging naast haar zitten, met zijn gezicht naar haar toe. Branna voelde zich heel plechtig en ook een beetje verlegen nu het moment waarnaar ze allebei zo hadden verlangd, was aangebroken. Neb pakte met beide handen haar hand vast en kuste haar vingers.

'Mijn hart is als een fontein,' zei hij, 'die overstroomt van liefde voor jou.' Hij trok haar naar zich toe en boog zijn hoofd om haar te kussen.

In de gang probeerde iemand de deur te openen en begon erop te bonzen. 'Vrouwe?' Het was Midda. 'Bent u daar?'

Neb mompelde een verwensing.

'Ik ben hier!' riep Branna. 'Wat is er?'

'Ik moet het extra linnengoed hebben dat we hebben meegebracht. Vrouwe Solla wil het lenen voor andere gasten.'

'Ik zal het pakken, wacht maar even.'

De lakens lagen op een nette stapel op een wankele stoel die tegen de ronde muur stond. Branna pakte ze, schoof de grendel van de deur en opende die wijd genoeg om Midda de stapel te overhandigen. Midda keek haar verontwaardigd aan.

'Ik neem aan dat die verloofde van je hier zit,' zei Midda.

'O, je weet dus dat we verloofd zijn?'

'In een dun doen nieuwtjes vlug de ronde.' Midda snoof. 'Ik had gehoopt op een betere partij voor je, maar je hebt nooit naar ouderen willen luisteren.'

'Daar heb je gelijk in.' Branna glimlachte.

Midda snoof nogmaals en trok de deur met een klap dicht. Branna schoof de grendel er weer voor en liep terug naar Neb op het bed. 'Wat zei je ook alweer?' vroeg ze grinnikend.

Ze lachten allebei en hij pakte haar bij haar schouders. Ze sloeg haar armen om zijn middel en trok hem naar zich toe terwijl hij haar kuste. Ze lieten zich op het bed vallen en Branna hoorde in haar hoofd het mooiste lied dat ze ooit had gehoord: eindelijk zijn we samen!

'Gerran!' riep heer Blethry. 'Hoofdman! Wacht even!'

Gerran, die op weg was naar de barakken, bleef staan en draaide zich om. De opperstalmeester drong zich door het gedrang van paarden en bedienden heen en stond even later voor hem. Zijn grove, vierkante gezicht was rozig van de mede en van inspanning.

'Ik wil je bedanken omdat je bereid bent je mannen mee naar het veld te nemen,' zei hij. 'De kamerheer laat er door alle knechten die hij kan missen het grootste paviljoen neerzetten, maar dat is nogal een ingewikkeld karwei en duurt dus even.'

'We hebben geen haast, heer,' antwoordde Gerran. 'Ik moet mijn mannen nog bijeenroepen en de paarden uit de stallen halen, en dat duurt ook nog wel even.'

'Dat is zo. De schildknapen die je hebt meegebracht, kunnen die met paarden omgaan?'

'Coryn kan goed rijden, maar Clae moet het nog leren. Ynedd is nog te klein en te mager om een strijdros aan te kunnen.'

'Kan hij een paard aan een halster leiden? Ik heb niet genoeg stalknechten voor de verzorging van al die vervloekte paarden, zelfs als de Rode Wolf zijn paarden meeneemt naar het veld.'

'Ah, nu begrijp ik wat u bedoelt. De drie jongens kunnen allemaal helpen met hooi geven en water bijvullen. Zeg maar tegen de stalmeester dat hij bij mij moet komen als hij klachten over ze heeft.'

'Dat zal ik doen, dank je wel.'

Tegen de tijd dat de krijgsbende van de Rode Wolf zich in zijn nieuwe onderkomen bij de doorwaadbare plaats in de rivier had geïnstalleerd, liep het tegen de avondschemering. Er stak een briesje op, dat de vliegen verjoeg. De vastgebonden paarden graasden vredig tussen hoge bomen, die lange schaduwen wierpen. De ondergaande zon zette de dun op het hoge klif boven het kamp in een gouden gloed.

'Het is een heel eind lopen voor ons avondmaal,' merkte Daumyr op, 'maar verder bevalt het me hier een stuk beter dan in die propvolle barak.'

'Mij ook,' beaamde Gerran. 'Ben je klaar met het graven van de latrine?'

'Dat ben ik, een flink eind stroomafwaarts. Ik heb de schop in het paviljoen opgeborgen.'

'Mooi zo.' Gerran dacht even na. 'Er moet iemand hier blijven om de paarden te bewaken, anders zou er iemand langs kunnen komen die er een paar meeneemt.'

De mannen dobbelden om te bepalen wie bij de paarden de wacht moest houden, en Gerran beloofde de twee die de klos waren dat hij een bediende zou zoeken die tijd had om hun iets te eten te brengen. Daarna liepen de krijgers met hun hoofdman voorop door de zuidpoort de vesting binnen en beklommen ze hijgend de steile helling naar de dun.

Hoewel er buiten de vestingmuur een frisse bries waaide, had Gerran het gevoel dat erbinnen de benauwde lucht als een verstikkende mantel over hem heen viel. Op het binnenplein stonden mannen en paarden zo dicht opeen dat het leek alsof hij zich door een kudde schapen moest wringen. Het lukte zijn krijgers dan ook niet bij elkaar te blijven en hem op de voet te volgen. In de drukte gingen sommigen voor Gerran opzij om hem door te laten, maar anderen staarden hem versuft van het bier met lodderige ogen aan, tot iemand zei:

'Aan de kant, man, daar komt de Valk! Heb je hem nooit zien vechten?' En dan deden ze gauw een stap naar achteren. Zo kwam het dat Gerran eerder dan zijn mannen de grote zaal bereikte.

Op de bovenste trede voor de ingang draaide hij zich om en precies op dat moment hoorde hij een meter of twintig bij zich vandaan tussen hem en de poort luid geschreeuw. Hij zag een golvende beweging in de menigte op het plein toen ruimte werd gemaakt voor een knokpartij. In het gedrang werden verontschuldigingen ontvangen met gevloek. Boze stemmen en gebalde vuisten dreigden het oproer te verspreiden. De paarden begonnen aan hun touw te rukken terwijl ze probeerden te steigeren, stalknechten baanden zich schreeuwend een weg naar ze toe. Mensen werden heen en weer geduwd en vloekten geërgerd. Nog even en een ruzie tussen twee mannen zou ontaarden in een bloedige chaos, besefte Gerran. Maar als hij zijn zwaard trok, zou hij het nog erger maken. Zijn oog viel op een stalknecht die met een dikke rijzweep losjes in zijn hand vlakbij stond. Hij griste de zweep uit zijn hand en stortte zich weer in het gedrang.

'Daar komt de Valk!' riep iemand. 'Pas op, mannen!'

De menigte week zo goed mogelijk uiteen om hem door te laten, maar Gerran was gedwongen een paar keer met de zweep te zwaaien en hem zelfs een enkele maal te gebruiken voordat hij de vechtjassen bereikte. Een stuk of zes mannen stonden met elkaar te knokken, drie of vier lagen op de keien te worstelen, en allemaal brulden ze scheldwoorden en dreigementen.

Gerran hief de zweep naar de enkelen die nog in de weg stonden en riep: 'Opzij allemaal! Schiet op!'

Iedereen die nog achteruit kon, gehoorzaamde. Stalknechten grepen paarden vast en brachten ze weg. Hoewel het rustiger werd op het plein, trokken de vechtersbazen zich nergens iets van aan en gaven ze zich niet gewonnen.

Gerran stapte naar voren, zwaaide met de rijzweep in het rond en schreeuwde zo hard mogelijk een paar keer: 'Hou op! Sta stil!' De vechters die lid waren van de Rode Wolf gehoorzaamden meteen, banger voor hun aanvoerder dan voor hun tegenstander. De anderen probeerden aan de klappen van de zweep te ontkomen en moesten het gevecht op die manier opgeven. Een enkeling wist te ontsnappen.

Toen klonk opnieuw geschreeuw, maar nu ging het niet om een ruzie. 'Het is onze edele heer! Hij wil erdoor! Alle goden, de prins is er ook bij! Ga opzij!'

Het lawaai verstomde. Er bleek toch nog ruimte genoeg te zijn om de gwerbret en de prins door te laten, en even later stonden gwerbret Ridvar en prins Voran bij Gerran. Ridvar sloeg zijn armen over elkaar en keek de vechters woedend aan. Het werd vreemd stil op het plein; zelfs de paarden hielden op met stampen en briesen.

'Ik ben verdomd blij dat dit morgen niet is gebeurd,' zei Ridvar, en zijn stem klonk vol ingehouden woede. 'Het is al erg genoeg dat één prins van koninklijken bloede dit heeft moeten zien, dus herinner ik jullie eraan dat er nog een in aantocht is. Als iemand het waagt om in hun bijzijn opnieuw de rust te verstoren...' Hij liet het dreigement onuitgesproken in de benauwde lucht hangen.

Zo snel als een zomerregen kwamen de betuigingen van spijt. Toen Ridvar niet antwoordde, slopen de mannen weg, naar de barakken, de grote zaal, de stallen... Ergens waar de gwerbret hen niet meer kon zien. Gerran wilde voor de prins en de gwerbret neerknielen, maar Voran gebaarde dat dit niet nodig was.

'Dat hoeft niet,' zei hij. 'Goed gedaan, hoofdman.'

'Dank u, hoogheid. Ik voel me vereerd dat u het zegt.'

Voran glimlachte, Ridvar glimlachte ook. Ze draaiden zich om en liepen terug naar de grote zaal. Dichter bij de poort kroop Warryc met een beschaamd gezicht onder een kar vandaan, stond op en klopte paardenvijgen en modder van zijn kleren. Gerran liep naar hem toe.

'Wat was er eigenlijk aan de hand?' vroeg hij. 'Deed jij ook mee?'

'Eigenlijk niet, hoofdman,' antwoordde Warryc. 'Maar een van de krijgers van het Hert, een forse kerel met een rode baard, greep onze Clae vast en gaf hem zomaar een stomp in zijn gezicht, en hij was wel driemaal zo groot als de jongen. Hij zei dat Clae iets op zijn voet had laten vallen of zo. Ik sta verdomme niet toe dat de een of andere vreemdeling een van onze schildknapen mishandelt.'

'Dus je deed wel degelijk mee.'

'Nou ja, ik moest wel.' Warryc grinnikte schaapachtig.

Gerran sloeg zijn ogen ten hemel, dacht na over een berisping, maar haalde vervolgens alleen zijn schouders op. 'Nou ja, ik ben blij dat iemand de jongen verdedigde,' zei hij. 'Maar laat zoiets niet meer uit de hand lopen, hè? Ik zou het vreselijk vinden als een van mijn mannen in de dun van een gwerbret zweepslagen kreeg omdat hij een opstootje had veroorzaakt.'

'Ik denk dat de man die de zweepslagen kreeg het nog vreselijker zou vinden, maar ik heb het begrepen, hoofdman.'

'Mooi zo, en onthoud het goed. Laten we nu maar naar binnen gaan. Ik moet een bediende zoeken om onze wachtposten iets te eten te brengen. Of nee, dat kan Clae beter doen. Dan kan die vermaledijde bullebak hem tenminste niet meer te grazen nemen.'

'Wat is dat toch voor lawaai?' In bed ging Branna rechtop zitten. 'Het klinkt alsof er op het binnenplein wordt gevochten.'

Neb mompelde iets onverstaanbaars en viel weer in slaap. Branna stapte uit bed, raapte haar onderkleed van de grond, trok het aan en liep naar het raam. Buiten zag ze dat er werd gevochten, hoewel het al te schemerig was en de drukte beneden te groot om de vechtende partijen te kunnen onderscheiden. Wat ze zag, deed haar denken aan een pan havermoutpap op het vuur, golvend en pruttelend. Als een lepel door de pap bewoog een man zich door de massa heen, terwijl die zich weer achter hem sloot. Ze zag zijn rode haar en vroeg zich af of het Gerran was, en ja, toen de mensen uiteen weken, herkende ze hem. Hij lost het wel op, dacht ze. Ik hoef me geen zorgen te maken.

Ze ging weer naar bed en hoopte dat Neb wakker zou worden om opnieuw de liefde te bedrijven, maar hij sliep koppig door. Algauw viel ze zelf ook in slaap, maar wat later werd ze plotseling in het pikdonker wakker.

Door het open venster zag ze de Sneeuwweg helder door de lucht lopen, en het geroezemoes in de grote zaal klonk als een over stenen kabbelende rivier. Ze rook eten en haar maag rommelde. Ze wilde opstaan, maar opeens zag ze dat de kamer zich vulde met Natuurvolk. Ze hoorde hun geritsel en zag hun vormen als levende schaduwen heen en weer schieten. Ze gaf Neb een por in zijn ribben.

'Word wakker!' fluisterde ze. 'Er gaat iets gebeuren!'

'Umfff.' Hij ging zitten, gaapte en keek om zich heen. 'Alle goden, ik heb nog nooit zo'n menigte Natuurvolkers gezien.'

'Ik ook niet. We moeten dweomerlicht maken.'

'Dat hoeft niet. Kijk maar.'

Midden in de kamer verscheen een zilveren schijnsel, dat steeds groter werd. Eerst werd het een stralende bol, die veranderde in een kegel die zo helder als wel twintig lantaarns bleef schijnen, en toen werd het een zuil van zilveren licht van net boven de vloer tot bijna het plafond. De Natuurvolkers weken uit naar de rand van de kamer en drukten zich tegen de muren. In de zuil leek het licht op een rookkolom, die afnam en dan weer met lange slierten toenam.

Plotseling stond Branna's grijze dwerg tussen haar en Neb op het bed. Hij maakte een dansje terwijl hij geluidloos lachte en naar de stralende zuil wees.

'Heb jij dit gedaan?' vroeg Branna fluisterend.

De dwerg knikte bevestigend en ging zitten, met zijn magere armpjes stevig om zijn bottige knietjes geslagen en zijn blik gevestigd op het licht. In de zuil verschenen langzaam twee gedaanten. Eerst waren het alleen twee vormen zoals je in wolken of rook kunt ontwaren, maar hun omtrek werd steeds vaster en uiteindelijk waren het min of meer menselijke gedaanten. Even later stapte een van de twee gedaanten uit de zuil en bleef een stukje boven de vloer zweven.

Hoewel ze een menselijke vorm had, was ze veel te broos om een normale vrouw te zijn en haar huid, als je het dunne vlies huid kon noemen, was spierwit. Haar haren, ogen en lippen waren wedeblauw, net als haar ijle versleten kleed, en glansden zoals stof van die kleur nooit kon glanzen. Toen ze haar mond opendeed om iets te zeggen, onthulde ze puntige tanden.

'Jill.' Haar stem klonk ruisend als de golven van de zee. Het was één stem, maar met de weerklank van vele stemmen erin. 'Je hebt me lange jaren geleden gered en nu ben ik gekomen om je terug te betalen. Je kleintje heeft me opgehaald omdat ik kan praten.'

De dwerg sprong op en klapte in zijn handen. Branna probeerde iets te zeggen, maar ze bracht niet meer uit dan een zucht. Neb slaakte een kreet en legde een hand op haar arm.

'Ken je me niet, meester van de Ether?' zei de geest tegen hem.

De straling van de half zichtbare figuur in de zuil zwol aan en nam af en het leek alsof hij – misschien was het een man – ook iets wilde zeggen. Branna voelde zijn woorden meer dan dat ze die hoorde, maar de witte geest knikte alsof ze hem had verstaan.

'Je weet het niet meer,' zei ze tegen Branna, en toen keek ze naar Neb. 'Jij ook niet.'

'Wat niet?' vroeg Neb.

'Wie je bent.' De geest hief haar twee handvormen en wees naar hen allebei. 'Weet wie je bent en wie je vroeger was.' Ze keek Branna weer aan. 'In je dromen zie je geen geesten, alleen herinneringen.'

'Bedoel je dat mijn dromen waar zijn?' fluisterde Branna.

De geest glimlachte, maar ze vervaagde en even later waren haar haren en handen alleen nog slierten zilveren licht. 'Probeer het je te herinneren!' zei ze dringend. 'Je bent bij de doorwaadbare plaats gestorven. Weet je dat niet meer?'

Het licht in de zuil begon te kolken en de mannelijke vorm draaide mee. De witte geest was nu bijna doorzichtig, en haar handen en haren waren opgelost in het licht. Na een laatste glimlach stapte ze terug in de zuil en werd weer een onvaste vorm omringd door een stralend waas.

'Jill.' Haar laatste woorden weergalmden door de kamer. 'Herinner het je.'

Het zilveren licht doofde, de zuil begon te krimpen. Het leek alsof hij zichzelf opvouwde en plotseling was hij verdwenen en liet alleen een zacht schijnsel achter. Het Natuurvolk kwam van alle kanten weer de kamer in, vloog op en neer en heen en weer en verdween eveneens, uitdovend als de laatste kooltjes van een vuur. De grijze dwerg draaide zich naar Branna toe, boog als een heer en nam het laatste licht mee toen ook hij verdween.

Neb rolde van het bed en liep naakt naar de kist die tegen de ronde muur stond. Hij pakte een kaarslantaarn en stak die met een vingerknip aan. Toen het gouden licht helderder werd, zag Branna dat hij als een dwaas stond te grinniken.

'Die priester van Bel,' zei hij, 'met wie ik vanmiddag heb gepraat, zei dat de heks de naam had van een lijfeigene. Het zou best kunnen dat ze Jill heette.'

'Dat zou kunnen.' Het kostte Branna nog steeds moeite om te praten. 'Betekent die naam niet gewoon "meisje"?'

'Zoiets, geloof ik.'

Neb zette de lantaarn op de vensterbank en liep terug naar het bed. Hij raapte zijn brigga van de vloer en trok hem aan.

'Ik begrijp het nog steeds niet,' zei Branna. 'Hoe is het mogelijk dat ik jaren geleden bij de doorwaadbare plaats ben gestorven en nu weer leef?'

'Dat lijkt me nogal duidelijk.' Neb tuurde naar de vloer, bukte zich en kwam overeind met zijn hemd in zijn hand. 'Het kan maar één ding betekenen.'

'Wat dan? Plaag me toch niet zo!'

'Ik plaag je niet.' Hij trok het hemd over zijn hoofd. 'Weet je nog dat we het bij de doorwaadbare plaats hebben gehad over oude verhalen over dweomermensen die terug kunnen komen als vogels en zo? Nou ja, ik denk dat ze ook terug kunnen komen als mensen die op de normale manier geboren worden en zo.'

'Je bedoelt dat ik voor dit leven een ander leven heb gehad.'

'Jij niet alleen, wij allebei.' Neb ging op de rand van het bed zitten. 'Ik heb het gevoel dat ik altijd van je gehouden heb, terwijl we elkaar pas een paar maanden geleden hebben ontmoet. Jij hebt dat gevoel toch ook?'

Heel even kwam Branna in de verleiding om te liegen, uit een vreemd soort angst, alsof ze op de rand van een hoog klif klaarstond om in een afgrond te springen waarvan ze de bodem niet kon zien. Misschien had ze vleugels om te vliegen, misschien zou ze te pletter vallen. Het flitste door haar heen dat ze wist hoe het was om te vliegen. Nebs gezicht in het flakkerende kaarslicht deed haar denken aan een ander gezicht, dat van de oude man die haar de stralende edelsteen voorhield, een geschenk van onschatbare waarde. Je dromen zijn herinneringen, had de geest gezegd. Geen geesten.

'Dat is zo,' bekende ze. 'Ik heb ook het gevoel dat ik altijd al van je heb gehouden.'

Toen hij haar een hand toestak, klemde ze haar eigen handen eromheen.

'We hebben de weg gevonden,' zei Neb. 'De weg naar iets heel moois. Of eigenlijk moet ik zeggen dat de geest ons de weg heeft gewezen. Ik weet nog steeds niet precies wat ik me herinner, maar ik weet nu wel dat ik me dingen herinneren moet. Weet jij dat nu ook?'

'Als je bedoelt dat we ons onze vorige levens moeten herinneren, dan ben ik het met je eens.'

'Juist. En dat is de sleutel. Nu moet ik alleen nog het slot vinden waar de sleutel in past. Jij hebt je eigen slot, die dromen waarover je me hebt verteld.' Hij lachte zacht. 'Begrijp je het, mijn lief? Ergens ligt een schat voor ons verborgen. Dat weet ik diep in mijn ziel.'

De geestdrift in zijn stem, of liever de vreugde, knetterde als een vuur dat hen verwarmde, maar toch voelde Branna haar angst nog als een ijspegel in haar hart prikken.

'Het zal niet gemakkelijk zijn,' zei ze. 'Het ophalen van al die herinneringen kan zelfs gevaarlijk zijn.'

'Ach, dat zal best.' Neb liet de waarschuwing schouderophalend van zich afglijden. 'Ik wil ontzettend graag dat Salamander terugkomt,' vervolgde hij. 'Ik heb een paar vragen voor hem en hij zal me verdorie eindelijk eens antwoord moeten geven.'

'Ik denk dat hij dat ook zal doen. Sommige dingen die hij tegen me heeft gezegd, waren...' Branna zocht naar de juiste beschrijving, maar haar maag rommelde net zo luid als haar woorden.

Nebs maag gaf antwoord. Ze keken elkaar aan en begonnen te lachen.

'Kleed je aan, mijn lief,' zei Neb. 'Dan gaan we naar de grote zaal. Ik heb zo'n honger dat ik een wolf zou kunnen verslinden, met huid en haar.'

Toen prins Daralanteriel het Westland verliet, nam hij behalve zijn schrijver ook zijn krijgsheer, zijn dweomermeester, vijftig boogschutters als koninklijk escorte en lastpaarden beladen met voorraden mee. En, dat sprak vanzelf, Salamander. Hij was van plan snel te reizen, maar voor alle zekerheid had hij Maelaber met twee boogschutters voor zijn veiligheid en extra rijpaarden vooruitgestuurd, waardoor ze nog beter konden opschieten. Het koninklijk gezelschap naderde Cengarn toen boodschappers hen tegemoetkwamen met belangrijk nieuws, namelijk dat de gwerbret in het huwelijk zou treden en dat de andere gasten voor het feest al in zijn dun waren aangekomen.

'Toen we Ridvar vertelden dat u op weg was naar hem toe, nam hij aan dat u zijn uitnodiging had ontvangen,' zei Maelaber. 'Hij had een heraut met een escorte naar u toe gestuurd, maar die moet ons onderweg misgelopen zijn.'

'Ik hoop niet dat hij nog ergens in het Westen rondzwerft,' zei de prins. 'Wat vind je trouwens van Cengarn?'

'Vanbuiten vind ik het een indrukwekkende vesting, maar vanbinnen stelt hij niet veel voor. Alle goden, wat een stank! Misschien heeft mijn vader wat het volk van mijn moeder betreft gelijk.'

'Alleen als het gaat over een schone omgeving.' Daralanteriel probeerde streng te kijken, maar hij begon te grinniken. 'Laten we niet te hard over anderen oordelen.'

'Het is maar goed dat u boodschappers vooruit hebt gestuurd.' Salamander mengde zich in het gesprek. 'Want als we daar waren aangekomen zonder te weten dat de gwerbret binnenkort gaat trouwen...'

'Inderdaad, dan zou dat op z'n minst een onaangename verrassing zijn geweest,' maakte Daralanteriel de zin voor hem af. 'Gelukkig hebben we een prachtig paard bij ons dat we hem als huwelijksgeschenk kunnen aanbieden, die goudbruine ruin die ik onlangs heb getemd. Als ik zijn halster met wilde bloemen laat versieren, zal hij er heel feestelijk uitzien.'

'Dat is inderdaad een prachtig geschenk, mooier dan onze gwerbret verdient.'

'Nu moet ik gauw mijn eigen paard verzorgen,' zei Maelaber.

'Doe dat,' zei Dar, 'want morgen stuur ik je terug naar het Westen, met berichten en om die heraut en zijn escorte te zoeken. We mogen ze daar niet laten ronddolen tot ze verhongeren.'

Die middag vonden de prins en zijn gezelschap een mooie plek om hun kamp op te slaan: een groene weide naast een ondiepe beek. In het midden van het veld stond een stenen stèle, die de grens markeerde tussen het Westland en de provincie Arcodd. De inscripties op de zuil waren zowel in het Deverriaans als in de Elfentaal, ook al konden niet veel mensen ze lezen. Ter verduidelijking had de steenhouwer er aan de oostkant de zon van de gwerbrets van Cengarn in gekerfd en aan de westkant een roos onder een boog van zeven sterren, het symbool van prins Dar.

Tegen zonsondergang liep Salamander naar de beek om te scryen, omdat hij wilde weten hoe het met Rocca ging. Dallandra ging met

hem mee. Samen knielden ze bij het water, waarin de laatste zonne-
stralen gouden vlekjes wierpen. Net toen Salamander zich wilde concentreren op het verafgelegen fort van het Paardenvolk, voelde hij
dat zijn nek begon te tintelen en dat er een kilte langs zijn ruggen-
graat liep. Hij ging op zijn hielen zitten om het gevoel over zich heen
te laten komen.

'Wat is er?' vroeg Dallandra. 'Je kijkt geschrokken.'

'Dat ben ik ook, en ik kreeg er een heel onbehaaglijk gevoel bij. Ik
denk dat iemand mij scryt en dat voelt als de aanraking van een
klamme hand. Meteen toen ik aan het fort dacht, raakte die hand
me aan.'

Dallandra stond op en ging achter hem staan. Hij hoorde dat ze een
spreuk mompelde. Het gevoel dat er iemand vanuit een ander vlak
naar hem keek, verdween.

'Het is weg,' zei hij. 'Dank je wel.'

'Geen dank.' Ze ging weer naast hem zitten. 'Volgens mij kun je het
scryen beter een poosje uitstellen. Misschien kunnen we die persoon
betrappen.'

'Ik ontdek in mijn binnenste opeens een bron van geduld.'

'Wie zou het kunnen zijn? Volgens wat je me hebt verteld, heeft geen
van die mensen dweomer.'

'Inderdaad. Paardenvolkers met dweomer zijn lang geleden afgeslacht. Maar ik neem aan dat een heel vastberaden mens, iemand
met de gave, het wel zou kunnen verbergen, als... Sidro!'

'Sidro? De vijandin van Rocca?'

'Inderdaad. Ik vertrouwde haar toch al niet. Ze kon zomaar raden
dat ik gemengd bloed heb en ze wist zeker dat de drakendolk zijn
wondertje zou verrichten.'

'Ik wou dat ik die vrouw eens kon zien.'

'Waarom? Het is heus geen genoegen naar haar te kijken.'

'Hoezo? Ziet ze eruit als een echte feeks?'

'Nee, dat niet. Ze is niet lelijk, maar ze heeft iets wat me kippenvel
bezorgt. Haar ogen en de manier waarop ze soms haar hoofd scheef
houdt... Ze deed me denken aan een hagedis, of misschien, als ik
aardig zou willen zijn, wat niet zo is, aan de een of andere vogel.'

'Zei je niet dat ze glanzend zwart haar heeft?'

'Inderdaad. Zoals iemand uit Eldidd, met een blauwe glans.'

'De kleur van een raaf?' Dallandra keek peinzend. 'Volgens de verhalen kan het voorkomen dat iemand die in een vorig leven een gedaantewisselaar was na een hergeboorte op zijn diervorm lijkt.'

'Bij de donkere zon zelf! Heb jij me niet eens verteld van een andere priesteres, Raena?'

'Inderdaad, zo heette ze.'

'Ze staat nu bekend als de heilige getuige Raena. Die dolk en de andere spullen van het heiligdom zijn zogenaamd van haar.'

'Ik wist dat ze de drakendolk te pakken had gekregen, maar niet dat ze ook de benen fluit had meegenomen.' Dallandra dacht een poosje na. 'Het kan zijn dat Sidro de herboren Raena is, maar het hoeft niet. Verdorie, ik kan het pas met zekerheid zeggen als ik goed gezien heb dat...' Dalla zweeg en hief een trillende hand naar haar opeens bleke gezicht.

Salamander ging van zijn hielen rechtop op zijn knieën zitten en leunde naar haar toe om haar op te vangen als ze in een trance op de grond zou vallen, maar ze gebaarde dat dat niet zou gebeuren.

'Het gaat alweer beter,' zei ze. 'Ik voelde alleen maar een ijskoud voorteken.'

'Ah, was dat het. Een voorteken waarvan?'

'Gevaar, natuurlijk.' Ze haalde diep adem en voegde eraan toe: 'Die ijzige kou is altijd een waarschuwing voor iets afschuwelijks.'

'Dan moeten we een dweomerschild over het kamp leggen.'

'Je hebt gelijk, maar dat doe ik wel alleen. Ik wil niet dat jij je geest nog meer inspant.' Ze keek naar de lucht. 'Het wordt donker, dus de astrale getijden zullen zo meteen tot rust komen.'

Salamander ging terug naar het kamp. De prins, zijn schrijver en de banadar zaten voor Dars tent. Hier en daar zaten nog mannen te eten, maar de meesten waren naar de weide gegaan om de paarden dichter bij het kamp te brengen. Ze bonden de dieren ook bij hun achterpoten vast, voor het geval dat er weer een draak zou overvliegen. Alleen al de lucht van een draak bracht een kudde in paniek, laat staan zijn verschijning.

Salamander bleef aarzelend voor de tent staan die hij deelde met Meranaldar en enkele boogschutters. Hij wilde Calonderiel spreken over een gevoelige kwestie, een voorstel dat zelfs onder normale omstandigheden weerstand zou oproepen. Hoewel de banadar, nu hij Dallandra's minnaar was geworden, wat milder gestemd was, besloot Salamander lafhartig toch maar te wachten tot Dallandra erbij kon zijn.

De lucht, die in het westen nog vaag blauwgrijs was, werd vlak voor de invallende duisternis zo zacht als fluweel. Het werd langzaam donker. Aan de oostelijke horizon verschenen de eerste sterren, terwijl in het westen de gloed van de ondergaande zon verbleekte. In de verte, voorbij de paarden, sprong een blauwe vlam van de grond omhoog. Hij bleef even in de lucht hangen en verspreidde zich toen als een grote cirkel om het kamp, tot hij een muur van blauwe vlammen had gevormd. De vlammen werden steeds feller en reikten steeds hoger, tot ze midden boven het kamp bijeenkwamen, als een blauwe koepel. Op de punten van de vier windrichtingen verschenen de stralend gouden zegels van de koningen der elementen, en recht boven het kamp verscheen het zegel van Ether. Dallandra had het kamp beschermd met een astraal schild.

Salamander werd zich ervan bewust dat hij zijn etherische zicht had geopend zonder dat het zijn bedoeling was geweest. Het was een teken van de vermoeidheid waarvoor Dallandra hem had gewaarschuwd. Hij sloot het zicht en slenterde haar tegemoet. Ze liep vastberaden terug naar het kamp en hij zag dat haar krijgshand nog steeds het glanzende zwaard van astraal licht omklemde, maar toen ze tegen hem glimlachte, verdween het.

'Laten we ergens gaan zitten,' stelde ze voor. 'Ik ben moe.'

Ze voegden zich bij het groepje dat voor de tent van de prins zat. Salamander liet zich naast Meranaldar op de grond zakken en Dallandra koos een plek naast Calonderiel. Eerst bespraken ze de rest van de reis, maar ten slotte vermande Salamander zich en keek Cal aan.

'Ik wil je om een gunst vragen, banadar,' zei hij. 'Als we de gwerbret straks op de hoogte brengen van wat we nu weten, wil ik graag dat je de naam van heer Honelg erbuiten laat. Want anders zullen de gwerbret en de priesters hem en zijn hele clan uitroeien, waarschijnlijk met inbegrip van de vrouwen.'

'En?' zei Cal. 'Hij verdient niet beter. Als hij de kans kreeg, zou hij ons allemaal uitroeien, dat besef je toch wel?' Hij spuugde in het vuur. 'Vandars gebroed!'

'Je hebt gelijk.' Dallandra kwam tussenbeide en legde een hand op Cals arm. 'Maar als we hem aan de priesters verraden, zullen zijn verwanten dat dan niet overal rondbazuinen? En dan zullen die gelovigen een nog grotere afkeer van Vandars gebroed krijgen.'

'Dat zou kunnen,' zei Cal, 'hoewel ik niet denk dat iemand ons nog meer kan verafschuwen dan zij al doen.'

'Misschien is dat waar, maar het zou goed zijn als we de kans kregen om hun te laten zien dat ze zich vergissen.'

'Je bent te goed voor deze wereld.' Cal slaakte vol gemaakte bewondering een zucht. 'Helaas blijven zij wat dat betreft ver bij je achter.'

'Ik ben van mening dat het aan de prins is om die beslissing te nemen,' zei Meranaldar ferm.

Cal draaide zijn hoofd om en keek de schrijver aan. Hij keek alleen maar, met ogen zo koud en helder als ijs op een winterse beek. Meranaldar kromp ineen.

'De banadar is heel goed in staat om in deze kwestie zelf een beslissing te nemen,' zei Daralanteriel. 'Een oud gezegde luidt dat te veel pijlenmakers de veren pletten.'

'Dank je, Dar.' Cal keek Salamander weer aan. 'En wat zeg je dan tegen de gwerbret als hij vraagt hoe je die vesting hebt gevonden? Als je zegt dat je die priesteres onderweg toevallig bent tegengekomen, klinkt dat niet erg overtuigend.'

'Nou eh... Je hebt gelijk.' Salamander trok een spijtig gezicht. 'Maar ik bedenk wel iets.'

'Een leugen, zoals je wel vaker doet, bedoel je.'

'Honelg heeft me aan zijn tafel genodigd en me als een geëerde gast behandeld. Ik kan hem niet verraden.'

'Dat kun je wel.' Calonderiel sloeg zijn armen over elkaar en keek Salamander fel aan. 'Ik heb net zoveel respect voor de regels van gastvrijheid als ieder ander in het Westland, maar dit is geen normale tijd. Is het nog niet bij je opgekomen dat het om onze overleving gaat?'

'Natuurlijk wel, maar...'

'Geen gemaar, daar is wat dit betreft geen ruimte voor. Ik weet dat je voor de helft een Rondoor bent, maar denk toch eens na, stomme leuterkop!'

Salamander werd bloedrood en greep naar het gevest van zijn dolk. Dallandra kwam half overeind.

'Hou op!' beval ze. 'Cal, die opmerking over een Rondoor ging te ver. De gave voor tact heb je niet meegekregen, dat weet je zeker wel.'

'Tact? Wat heb je daar nou aan,' zei Calonderiel minachtend. 'Ik heb heus wel eens geprobeerd om tactvol te zijn, maar dan doen ze nog steeds niet wat ik wil.'

Prins Dar begon hard te lachen en even later deed Salamander mee, alleen maar omdat die opmerking kenmerkend was voor de aard van Calonderiel. De banadar keek hen allebei even verontwaardigd aan. Dallandra ging weer zitten, terwijl ze haar lach verbeet.

'Bij de donkere zon zelf!' zei Salamander, toen hij weer kon praten. 'Je bent een wonderlijke kerel, banadar.'

'Ik neem aan dat ik dat verdiende,' gaf Calonderiel een beetje zuur toe. 'Maar luister nu eens goed. Je hébt Honelg toch al verraden? Je hebt in zijn grote zaal bij hem aan tafel gezeten en hebt met leugens gestrooid zo groot als sneeuwvlokken in de winter. Waarom maak je nu dan opeens bezwaar?'

De lach verdween uit Salamanders ogen. Hij opende zijn mond om antwoord te geven en ontdekte dat hij geen antwoord kon bedenken. Het gaat niet om Honelg, maar om Rocca, besefte hij opeens. Je wilt haar beschermen, maar ze zal niet in zijn dun zijn wanneer het leger die aanvalt.

'Je hebt gelijk,' gaf hij toe. 'Ik zal de gwerbret alles vertellen.'

'Bovendien...' Cal zweeg. 'O. Je bent het met me eens.'

'Inderdaad, o bovenmatig begaafde banadar. Je hoeft geen argumenten meer aan te voeren.'

Die nacht droomde Salamander dat Sidro hem achterna kwam met in haar ene hand de zilveren dolk en in haar andere de piramide van obsidiaan. Toen hij wakker werd, was hij opgelucht omdat het maar een droom was geweest. De anderen in de tent lagen nog te slapen en om hen niet te storen, pakte hij zijn kleren en laarzen om zich buiten aan te kleden. Langs de oostelijke horizon liep een baan zilvergrijs licht. Toen hij om zich heen keek, zag hij Dallandra geknield bij de beek zitten en in het water staren. Hij liep naar haar toe.

'Ben je aan het scryen?' vroeg hij.

'Inderdaad.' Dallandra ging op haar hielen zitten en keek hem over haar schouder aan. 'Ik merkte gisteravond dat er iemand rondsnuffelde boven de astrale koepel.'

'Ah, dat vroeg ik me ook al af. Ik heb wel over onze lieve Sidro gedroomd, maar ik denk dat het een gewone droom was, een dans op de harpmuziek van een bezorgd hart.'

'Ik hoop dat je gelijk hebt. Hoewel...' Dallandra keek weer met gefronste wenkbrauwen naar het water. 'Als zij het niet was, wie was het dan wel?'

'Dat is een lastige vraag, maar helaas ook een belangrijke, toepasselijke en vanzelfsprekende.'

'Ik heb het nare gevoel dat we het binnenkort zullen weten.'

'En dat we niet blij zullen zijn met het antwoord?'

'Hoogstwaarschijnlijk niet. Nou ja, laten we eerst maar gaan ontbijten. Ik zie geen reden om de zegels te vernieuwen. De getijden zijn nog te woelig en we vertrekken toch zo meteen.'

Kort na het middaguur bereikte het gezelschap van de prins de rivier van Cengarn. Door de bomen langs de oever heen zag Salamander de witte stenen die de doorwaadbare plaats markeerden. Dallandra spoorde haar paard aan en kwam naast hem rijden.

'Daar is Jill gestorven.' Ze wees naar de ondiepe plek. 'De rivier was dat jaar veel dieper. Ik denk dat het meer geregend had. De etherische sluier heeft daar haar lichtlichaam vernietigd, en vanzelfsprekend ook dat van Alshandra.'

'O.' Salamander voelde dat zijn keel dichttrok en hij depte opkomende tranen met een mouw. 'Neem me niet kwalijk, maar het doet me altijd weer verdriet als ik het hoor.'

'Mij ook, maar ik verheug me erop Branna te leren kennen. Ze is natuurlijk niet dezelfde, en ik vraag me af of ze zich mij zal herinneren.'

'Uiteindelijk wel.'

'Dat is waar. We raakten erg met elkaar verbonden toen we samen dweomer beoefenden om Cengarn te redden. Zoals krijgers in een oorlog, veronderstel ik. Toen ze stierf...' Haar stem haperde. 'Nou ja, het was een moeilijke tijd voor ons allemaal.'

Met de prins voorop staken de paarden van het Westvolk door opspattend water de rivier over. Toen ze op de andere oever de bomen achter zich lieten, zag Salamander de bekende kliffen van Cengarn hoog boven hen uitsteken, en tot zijn verbazing zag hij in het veld onder de zuidpoort een groot paviljoen van tentdoek staan. Vlakbij stond een dertigtal paarden te grazen, en hij zag Deverrianen rondslenteren en in het gras zitten. De prins beval dat ze halt moesten houden en ging in de stijgbeugels staan om het tafereel beter te kunnen zien. Dallandra rilde en ze was bleek geworden.

'Wat is er?' vroeg Salamander.

'Neem me niet kwalijk.' Ze glimlachte moeizaam. 'Ik dacht aan het beleg, toen het Paardenvolk hier overal tenten had staan.'

'Ik denk dat die tent is bedoeld voor bruiloftsgasten voor wie in de dun geen plaats is,' zei Salamander. 'Dit zijn gelukkiger omstandigheden.'

'Dat mogen we hopen.' Daralanteriel kwam te paard naast Dallandra staan. 'Ik vraag me af of het een goed idee is dat we gewoon hier onze tenten opzetten in plaats van alles eerst mee te slepen naar de dun.'

'Ik weet het niet,' zei Dallandra weifelachtig. 'Ik wil de heren van Deverry niet beledigen en ze vinden eer en hoffelijkheid erg belangrijk. Misschien moeten we eerst horen wat de bedoeling is.'

Met een luide groet kwam Gerran haastig naar hen toe. Zijn rode haar glansde in de zon. Als teken van respect raakte hij eerst de stijgbeugel van de prins aan voordat hij zich omdraaide naar Salamander. 'Ik ben blij dat ik je levend terugzie,' zei hij. 'We vroegen ons al af wat er met je was gebeurd.'

'Heel veel en weinig goeds,' antwoordde Salamander lachend. 'Het is een lang verhaal, dat ik beter tot straks kan bewaren.'

'Dat is goed.'

'Mag ik je aan de anderen voorstellen?' vervolgde Salamander. 'Prins Daralanteriel, banadar Calonderiel en dweo... eh... raadsvrouwe Dallandra, dit is Gerran, de hoofdman van de krijgsbende van tieryn Cadryc, bijgenaamd de Valk.'

Gerran maakte voor ieder die werd genoemd een buiging. Toen Calonderiel zijn bijnaam hoorde, trok hij verbaasd zijn wenkbrauwen op. De anderen mompelden een beleefde groet.

Gerran keek op naar de prins. 'Hoogheid, de bedienden van de gwerbret vroegen zich af of u liever uw tenten hier wilt opslaan dan in de dun. Het zal mijn mannen en mijzelf een grote eer zijn u als buren te hebben, en dan kunnen we meteen op uw paarden letten.'

'Dat wil ik inderdaad liever, dank je,' zei Daralanteriel. 'Ziezo, Dalla, nu weten we het meteen. We zullen de meesten van ons hier laten om ons kamp op te slaan.'

'Mijn mannen en ik willen graag helpen,' bood Gerran aan.

Calonderiel spoorde zijn paard aan om een paar stappen naar voren te doen. 'Ik blijf ook hier om met de hoofdman te overleggen.' Hij knikte tegen Gerran en weer keek hij een beetje verbaasd. En Gerran keek net zo verbaasd terug, leek het Salamander. 'We hebben elkaar eerder ontmoet, nietwaar, hoofdman?' vroeg Cal.

'Niet voor zover ik het me kan herinneren.' Maar Gerran klonk onzeker. 'Bent u wel eens eerder deze kant op gekomen, heer?'

'Niet naar de dun van de Rode Wolf, maar ik ben wel een paar keer in Cengarn geweest.'

'Ah.' Blijkbaar begreep Gerran hoe de zaak in elkaar zat. 'Mijn pleegbroer en ik waren hier vroeger schildknaap.'

'Dat zal het zijn.'

Salamander wierp een blik op Dallandra en zag dat ze een glimlach onderdrukte. Hij wilde er heel wat onder verwedden dat Gerran zich Calonderiel herinnerde uit zijn vorige leven en niet uit zijn jeugd.

'Dank je, hoofdman, voor je hulp,' zei Dalla. 'Dan kunnen we nu beter doorrijden naar de dun, prins. En laten we het huwelijksgeschenk voor de gwerbret niet vergeten. Denk eraan, mannen, dat we van nu af aan alleen Deverriaans spreken.'

Toen Daralanteriel aan het hoofd van zijn veel kleinere stoet het binnenplein van de dun van Cengarn opreed, kwamen knechten toesnellen om de man te helpen die de prins van het Westvolk moest zijn, en schildknapen renden naar de grote zaal om te zeggen dat hij er was. Toen de prins en zijn begeleiders afstegen, kwam gwerbret Ridvar persoonlijk naar buiten om hem te begroeten, gevolgd door raadslieden en nog meer bedienden. Salamander had de indruk dat Ridvar sinds de vorige keer dat hij hem had gezien een paar centimeter was gegroeid, of misschien leek dat maar zo omdat hij meer zelfvertrouwen had. In een nieuw linnen hemd met het blazoen van zijn clan op de schouderstukken en met een gouden band om zijn donkere haar zag hij er indrukwekkend uit, als een echte edelman. Ridvar maakte een buiging voor de prins en zei: 'Welkom in mijn nederige dun, hoogheid.'

'Dank u, edele heer, hoewel ik Dun Cengarn niet bepaald nederig vind.' Daralanteriel glimlachte, draaide zich om en wenkte de boog-schutter die de goudbruine ruin bij de teugel hield. 'Ik heb een klein geschenk meegebracht om u geluk te wensen met uw huwelijk. He-laas is het zeer bescheiden.'

'O, wat een prachtig paard!' Ridvar dacht niet meer aan rangen en hoffelijkheid, maar liep vlug naar de ruin. Alsof het paard hem wil-de begroeten, wierp het zijn kop een paar maal omhoog, waarbij zijn zilvergrijze manen golfden. 'Dank u, dank u wel!'

Salamander keek naar Dallandra, zei geluidloos een paar woorden en glipte weg tussen de mensen die zich om de groep elfen verdron-gen. Hij wilde Branna en Neb zoeken, maar toen hij heer Oth in de deuropening van een bijgebouw zag staan, liep hij eerst naar de ka-merheer toe.

'Goedemorgen, troubadour,' zei Oth. 'Ik denk niet dat je nieuws voor me hebt.'

'Over het Paardenvolk, heer? Helaas wel, want het is erg slecht nieuws. Ik heb de vesting die ze ver in het westen bouwen, gevon-den.'

Oth mompelde een verwensing.

'Juist,' beaamde Salamander. 'En nu heb ik uw raad nodig. Wanneer moet ik het onderwerp aansnijden? Ik wil het feest niet bederven, ziet u, maar...'

'Misschien moet het feest worden uitgesteld,' viel Oth hem met een handgebaar in de rede. 'Heb je er bewijzen van?'

'Die heb ik, heer. Een bord met het schrift van het Paardenvolk er-op, een stukje bouwsteen en een paar vreemde amuletten ter aan-bidding van de valse godin Alshandra.' Salamander wees naar Da-ralanteriel en de rest van de elfen. 'De prins vond de bewijzen overtuigend genoeg.'

'Mooi zo. Ik geloof je trouwens ook, hoor. Het kan zijn dat de gwer-bret aarzelt, maar hij weet dat Daralanteriel en jullie cadvridoc nooit tegen hem zouden liegen.' Oth zweeg en kauwde op de punt van zijn snor. 'Hoe zullen we het brengen? Nou ja, daar moet ik nog even over nadenken.'

'Ik vind het echt heel akelig dat ik het huwelijksfeest moet beder-ven. De arme bruid!'

'Ach, ze trouwt met Ridvar omdat ze dat verplicht is aan haar clan. Ik betwijfel of haar geluk op het spel staat. Bovendien is ze de dochter van een gwerbret, dus heeft ze begrip voor dit soort dingen.' Weer dacht Oth na. 'Wacht met je nieuws tot ik je roep, en dat zal ik zo gauw mogelijk doen.'

Ten slotte vond de gwerbret het goed dat een stalknecht zijn nieuwe paard meenam. Net op dat moment waren enkele jongens, onder wie Clae, bezig andere paarden uit de stal te halen, waardoor mannen, elfen, paarden en bedienden elkaar opeens wanordelijk verdrongen. Ridvar maakte er een eind aan door een paar bevelen te schreeuwen en toen werd er een doorgang vrijgemaakt tussen de gasten en de ingang van de grote zaal. Salamander ving Dallandra's blik op en wenkte.

'Heer Oth zegt dat we met ons nieuws moeten wachten tot hij ons roept,' zei hij. 'Wil jij dat tegen de prins zeggen?'

'Natuurlijk. En denk eraan dat ik graag zo gauw mogelijk kennis wil maken met Neb en Branna.'

'Dat weet ik. Ik ga ze meteen zoeken.'

Branna zat met vrouwe Galla en vrouwe Solla aan een tafel in de grote zaal toen ze Salamander bij de deur zag staan, die zijn blik zoekend langs de aanwezigen liet dwalen. Behalve de gasten en hun gezelschap liepen er ook bedienden af en aan om de restanten van het middagmaal op te ruimen. Branna schoof haar stoel naar achteren, stond op en zwaaide om Salamanders aandacht te trekken. Eindelijk zag hij haar staan en kwam vlug naar haar toe, waarbij hij een knecht moest ontwijken die een stapel tafellakens naar de eretafel bracht, de enige tafel waarop een kleed werd gelegd.

'Dus je zit hier,' zei Salamander. 'Goedemorgen, lieftallige dames.' Hij boog voor Solla en Galla, en maakte met een armzwaai een overdreven buiging voor Branna.

'Ook goedemorgen, troubadour,' zei Branna. 'Ik ben blij dat ik je weer zie.'

'Ik ben blij dat ik jou weer zie. Is Neb ergens in de buurt?'

'Mijn verloofde? Hij is even naar onze kamer gegaan.'

'O, dan wens ik jullie van harte geluk.' Salamander keek naar Galla. 'Ik begrijp dat u in het huwelijk toestemt.'

'Van harte,' antwoordde Galla. 'En wat belangrijker is, haar vader ook. Ik hoop dat we, nu je terug bent, in de avonduren weer een paar mooie verhalen te horen krijgen.'

'Zo mooi als ik ze kan bedenken, vrouwe. Maar ach, wee en helaas heb ik ook slecht nieuws voor u.'

'Over het Paardenvolk?' vroeg Branna.

Solla slaakte een kreetje van schrik. Twee dienstmaagden die net langskwamen, bleven staan om te zien of ze hulp nodig had, maar ze gebaarde dat ze door moesten lopen.

'Inderdaad.' Salamanders gezicht werd ernstig. 'En over een zekere heer die betrokken blijkt te zijn bij verraderlijke bezigheden.'

Achter hem hield de knecht met de tafellakens op met zijn werk om mee te luisteren. Je kunt hem niet kwalijk nemen dat hij het wil horen, dacht Branna. Maar toen Salamander haar aankeek, gebaarde ze dat er iemand achter hem stond, en de knecht liep weg.

'Dit is waarschijnlijk niet de juiste plaats en het geschikte moment om uitleg te geven,' vervolgde Salamander, die Branna's gebaar had begrepen, 'maar ik heb al overleg gepleegd met heer Oth.'

'Mooi zo,' zei Galla. 'Doe dan maar wat hij zegt.'

'Inderdaad,' beaamde Solla. 'Want hij is de enige naar wie mijn broer luistert.'

'Dan zal ik hem vertrouwen, dames. Aha, daar komt Neb aan.' Salamander keek langs Branna heen. 'Neb! Fijn dat ik je zie! Gelukgewenst met je verloving!'

Luchtig babbelend loodste Salamander Neb en Branna behendig weg van de tafel en de twee andere vrouwen. De laatste Westvolkers kwamen de zaal binnen, begeleid door de gwerbret zelf. Branna, Neb en Salamander deden een paar stappen achteruit om het koninklijk gezelschap door te laten op weg naar de tafel van de gwerbret, waar prins Voran al op zijn gelijke in rang zat te wachten. Prins Daralanteriel zag er veel meer uit als een prins dan Voran, vond Branna. Dar was verbazend knap, verreweg de knapste man die ze ooit had gezien, ondanks zijn lange oren en vreemde, lichtpaarse ogen. Hij komt me bekend voor... De gedachte kwam als een ijzig koude wind bij haar op en verkilde haar tot in haar botten. Ik ken hem...

Heer Oth liep achter de gwerbret en hij zwaaide veelbetekenend met zijn hand toen hij langs Salamander kwam. Achter heer Oth liep een elfenvrouw met lang asblond haar en grijze ogen. Toen Salamander haar wenkte, kwam ze naar hem, Neb en Branna toe.

'Ben je daar,' zei Salamander. 'Branna, Neb, dit is Dallandra. Een van de belangrijkste dienaren van de prins.'

Dallandra glimlachte vriendelijk en wenste hen zacht 'goedemorgen', maar Branna had het gevoel dat de grijze ogen van de elfenvrouw als dolken in haar ziel prikten. Dienaren? Ik wil wedden dat ze hem dient met dweomer, dacht ze. Hardop zei ze: 'Het doet mijn hart vreugd dat ik met u kennis mag maken.'

'Dank u, vrouwe Branna,' zei Dallandra. 'Ook goedemorgen, waarde Neb.'

Neb knikte glimlachend terug. Het was een heel normale, beleefde kennismaking, maar opeens had Branna het gevoel dat er woorden in haar mond brandden die ze moest uitspugen.

'Dallandra, ik ken je al, nietwaar?' zei ze. 'Of eigenlijk moet ik zeggen dat ik je kende toen... eh... Nou ja, ooit. Vroeger.'

'Alle goden!' Dallandra deed verbaasd een stap achteruit. 'Dat is waar!'

'En ik kende jou ook.' Branna keek Salamander aan. 'Alleen herkende ik je niet meteen.'

Even kon Salamander geen woord uitbrengen – wat bij hem zelden voorkwam, dacht Branna. Een wauwelende elf? Natuurlijk, hij is een halfbloed! Ze herinnerde zich nu ook dat ze heel lang geleden woedend op hem was geweest, al wist ze niet meer waarom. Ten slotte schraapte hij zijn keel en keek zenuwachtig om zich heen.

'Ik denk dat we uitgebreid over deze dingen moeten praten,' zei hij, 'maar dan wel op een rustiger plek.'

'Je hebt gelijk,' zei Neb. 'Maar de enige rustige plek die ik kan bedenken is onze slaapkamer. Helaas staan er niet genoeg stoelen.'

Branna hoorde nieuw gezag in de klank van Nebs stem. Hij herinnert het zich ook, dacht ze. Wat gebeurt er toch met ons? Ze had het gevoel dat ze vlak voordat er onweer zou uitbreken op een hoog punt stond, waar ze bliksem zag flitsen in de verte en de lucht voelde tintelen van buitenaardse energie, een spannende maar ook gevaarlijke combinatie. Ik kan leren zelf over die kracht te beschikken, dacht ze. En Neb ook.

'De slaapkamer is goed genoeg,' zei Dallandra ferm. 'Want ik kan hier met al die mensen om me heen niet goed nadenken. Is dat heer Oth? Die grijsharige man die hierheen komt?'

Inderdaad kwam heer Oth naar hen toe en legde een hand op Salamanders schouder. 'De gwerbret wil je meteen spreken,' zei hij. 'En prins Voran wil je nieuws ook horen. Ik heb een knecht naar prins Daralanteriel gestuurd om hem te halen.'

'Dat is goed,' zei Salamander. 'Wilt u me verontschuldigen, vrouwe Branna?'

'Dat spreekt vanzelf.'

'Ik moet even mijn bewijsstukken halen,' zei Salamander tegen heer Oth. 'Zal ik ook de cadvridoc van prins Dar meebrengen?'

'Graag. Ik wilde eigenlijk dat alle heren die langs de grens wonen erbij zouden zijn, omdat het duidelijk is dat het hen allemaal aangaat, maar daar wilde zijne hoogheid niets van horen. Hij wil eerst zelf weten wat er aan de hand is, maar hij kan er de prinsen natuurlijk niet buiten houden.'

Zonder nog iets tegen de anderen te zeggen, liepen Oth en Salamander haastig weg. Dallandra keek Salamander na tot hij buiten was verdwenen en draaide zich weer om naar Branna en Neb.

'We kunnen straks samen praten,' zei ze. 'Ik denk dat we nu beter hier kunnen blijven.'

'Dat denk ik ook,' beaamde Neb. 'Hij heeft die vesting gevonden, nietwaar?'

'Helaas wel.'

'Wat betekent dat er oorlog komt.'

'Ik zou niet weten hoe we dat kunnen vermijden.' Dallandra keek om zich heen en zag dat aan de verschillende tafels een heleboel mensen naar haar zaten te kijken.

Neb zag het ook. 'Laten we bij Galla en Solla gaan zitten,' stelde hij voor. 'Ik vrees dat ik erg onbeleefd ben.'

'Dat is goed,' zei Branna. 'Neem me niet kwalijk, Dallandra. Je bent vast erg moe van de reis. Ik vergeet ook mijn manieren.' Ze glimlachte. 'Kom bij ons zitten om iets koels te drinken.'

Toen ze terugliepen naar hun tafel, besefte Branna hoe prettig ze het vond dat Neb schrijver was en geen krijger. Ik ben zo blij dat ik hem heb gekozen en niet Gerran, dacht ze. Maar eigenlijk heb ik hem heel lang geleden al gekozen.

Salamander had in zijn leven al heel wat toehoorders moeten boeien, maar nog nooit had hij een belangrijker gehoor gehad dan de groep die zich nu had verzameld in Ridvars raadszaal. Daar waren ze naartoe gegaan omdat ze in de grote zaal niet onder elkaar konden zijn. Het zonlicht viel in lange stralen door de pijlgleuven, die zo smal waren dat het in het halfronde vertrek altijd schemerig was. Twee knechten brachten stoelen en bogen voor de gwerbret.

'Dat is alles,' zei Ridvar. 'O nee, wacht even. Een van jullie moet voor de deur blijven staan om te zorgen dat er niemand binnenkomt.'

'Dat zal ik wel doen, edele heer,' bood de knecht met bruin haar aan. De bedienden verlieten buigend het vertrek en trokken de zware deur stevig achter zich dicht. Gwerbret Ridvar ging op zijn eigen gebeeldhouwde stoel aan de grote eiken tafel zitten. Achter hem hing de banier van Cengarn aan een balk van het plafond, en de van gouddraad geweven zon glinsterde in het zonlicht. Heer Blethry zette vlug een stoel links van de gwerbret voor prins Voran, terwijl prins Daralanteriel rechts van hem plaatsnam. Meranaldar en Neb gingen vlak bij de mannen op de grond zitten, ieder met een stapeltje houten schrijftabletten op schoot en een schrijfpriem in de hand om aantekeningen te maken. Calonderiel, Oth en Blethry leunden tegen de muur. Met zijn zakje bewijsstukken in de hand liep

Salamander naar de prinsen toe.

'Ga je gang, gerthddyn,' zei Ridvar. 'Vertel ons wat je hebt gezien.'

'Ik voel me vereerd, edele heer. Ik zal u uitgebreid verslag doen, want het is een zeer ernstige zaak. Het Paardenvolk bouwt een vesting ver ten westen van uw gebied, een enorme vesting.'

Even zei niemand iets. Hoewel er geluiden binnendrongen vanuit de gang – gelach van voorbijlopende gasten, gepraat van bedienden – leek het alsof de raadszaal opeens in een andere wereld lag dan de rest van de dun. Toen vloekte prins Voran zacht en knikte Ridvar tegen hem. 'Inderdaad,' beaamde hij. Tegen Salamander vervolgde hij: 'Ga door, gerthddyn. Ik neem aan dat je bewijzen hebt meegebracht.'

'Inderdaad, hoogheid.' Salamander haalde het ijzeren bord uit de zak. 'Wilt u vooral naar het schrift langs de rand kijken?' Hij zette het bord voor Ridvar neer en haalde het uitgehakte brok steen tevoorschijn. 'Dit stuk steen komt ook van het fort, en u ziet dat het een heel andere steensoort is dan die we hier gebruiken.'

Ridvar pakte het bord, bekeek het en gaf het door aan Voran. Salamander had het pijlkokertje dat hij van Rocca had gekregen nog niet uit de zak gehaald, maar toen hij toekeek terwijl de heren het bord en de steen onder het uiten van allerlei verwensingen aandachtig bekeken, besefte hij dat hij de amulet liever geheim wilde houden. Hij had Rocca al verraden, moest hij nu haar verhaal over de heilige pijlen ook nog ontwijden? Gelukkig waren de edelen met het bord en de steen tevreden. Toen Ridvar het bord weer in zijn handen had, hield hij het omhoog.

'Gemaakt door het Paardenvolk, dat lijdt geen twijfel,' zei hij, en hij zette het weer op tafel. 'Hoe heb je die dun gevonden?'

'Het geluk heeft me een handje geholpen, hoogheid,' antwoordde Salamander. 'De goden hebben het goed met u voor, want ik heb een verrader gevonden onder uw vazallen.'

'Honelg!' flapte heer Blethry eruit, en hij kuchte om van de schrik te bekomen. 'Eh... Ik wilde zeggen...'

'Ik begrijp dat u hem al wantrouwde, heer,' zei Salamander met een wrang lachje. 'En daar had u gelijk in. Als u het me toestaat, zal ik uitleggen hoe ik erachter ben gekomen en hoe ik de vesting heb gevonden.'

Salamander had inmiddels bedacht op welke manier hij zijn verhaal zou vertellen, en hij slaagde erin de belangrijke punten te benadrukken zonder Rocca een grote rol te laten spelen. Ze werd 'de priesteres die ik naar het fort ben gevolgd', meer niet. Gelukkig hadden deze edelen weinig belangstelling voor priesteressen en wilden ze alleen feiten horen die van belang waren voor de komende strijd: de omvang van de vesting, de afstand erheen, een schatting van het aantal krijgers dat er zou worden gelegd, de bevoorrading, enzovoort. Omdat Salamander op die vragen antwoord kon geven, kon hij ook verzwijgen hoe hij precies was ontsnapt en terug was gereisd naar het kamp van het Westvolk.

'Goed dat we dit weten,' zei de gwerbret ten slotte. 'We moeten snel handelen, voordat ze de tijd krijgen om een groter deel van hun houten muren door steen te vervangen.'

'Inderdaad,' zei Salamander. 'Bovendien ligt de vesting op een plek die erg goed te verdedigen is, hoogheid. Hij ligt boven op een klif, hoog boven een ravijn waar een rivier doorheen stroomt.'

'Boven op een klif?' Ridvar grinnikte. 'Gelukkig hebben we bondgenoten die alles weer naar beneden kunnen halen.'

'Denkt u echt dat zij ons zullen helpen?' vroeg heer Oth. 'Het Bergvolk is erg op zichzelf.'

Calonderiel lachte. Het was een zacht, kil lachje, en iedereen keek zijn kant op.

'Het is al een jaar of veertig geleden gebeurd,' zei Calonderiel, 'maar toen heeft een groep Paardenvolkers enkele boerengehuchten van het Bergvolk aangevallen. Ze hebben er alle boeren en hun families vermoord, op de wreedste manier die je je kunt voorstellen. Veertig jaar geleden, beste raadsheer, maar ik wil er mijn pijl en boog onder verwedden dat het Bergvolk zich de naam van elke dode nog kan herinneren.'

Salamander had het gevoel dat er met de verklaring van de banadar een ijskoude wind door het vertrek was gewaaid. Hij rilde, maar de jonge Ridvar lachte op net zo'n kille manier als Calonderiel.

'Die weddenschap win je met gemak,' zei de gwerbret. 'Goed dan.' Hij wenkte heer Blethry. 'Heer Opperstalmeester, stuur boodschappers naar Lin Serr. Nee, wacht even, het is beter dat u zelf meegaat. We moeten voorkomen dat het Bergvolk zich beledigd voelt omdat ik alleen ruiters van burgerlijke komaf heb gestuurd.'

'Komt in orde, hoogheid,' zei Blethry. 'Ik zal uw opdracht graag uitvoeren.'

'En groet namens mij uw verwanten onderweg.' Ridvar glimlachte, alsof het hem te binnen was geschoten dat hij een beetje kortaf tegen zijn dienaar was geweest. 'Wat mijn vazallen betreft,' vervolgde hij, 'zullen we wachten tot we nieuws hebben uit Dun Deverry voordat we ons verzamelen.'

'U kunt rekenen op mijn boogschutters, edele heer,' zei Calonderiel. 'Ik kan er met gemak vijfhonderd bijeenbrengen.'

'En zwaardvechters,' voegde prins Daralanteriel eraan toe. 'Dat zijn er wat minder, maar het zijn uitstekende vechters.'

'Ik dank u oprecht, koninklijke hoogheid, en u ook, banadar,' zei Ridvar. 'Bovendien hoop ik dat de vader van mijn bruid ons zal helpen.'

'Ongetwijfeld,' zei prins Voran. 'Deze zaak gaat tenslotte iedere heer in de westelijke provincies aan. Ik stuur morgen boodschappers naar onze koning. Ze moeten een langere afstand afleggen dan uw mannen, dus moeten ze zo gauw mogelijk vertrekken. Ik denk dat ik nu al wel kan beloven dat zijne majesteit ons zal steunen. En het spreekt vanzelf dat mijn mannen en ik met u meegaan wanneer u naar het westen gaat.'

'Dat is erg vriendelijk van u, prins,' zei Ridvar, maar zijn stem klonk gespannen. 'Ik dank u nederig.'

'Meer dan vriendelijk, hoogheid,' voegde Oth er nadrukkelijk aan toe. 'Een prinselijk gebaar.' Hij wendde zich tot Voran. 'We danken u hartelijk, koninklijke hoogheid.'

Voran knikte met een wrang glimlachje, alsof hij wist hoezeer zijn aanbod Ridvar tegen de borst stuitte. Dat weet hij donders goed, dacht Salamander. Ik wil wedden dat hem weinig ontgaat, kikkergrijns of niet.

Calonderiel kwam naar de tafel om aan het gesprek deel te nemen. 'Ik stel voor dat we Honelg onmiddellijk aanpakken. Hij is als een dolk gericht op uw rug.'

Ridvar keek hem aan, maar hij antwoordde niet. Blethry schraapte zijn keel. 'Volgens mij heeft hij gelijk, hoogheid,' zei hij. 'Als ik het mag zeggen.'

'Ik zal erover nadenken,' zei Ridvar. 'De man is mijn vazal.' Hij legde licht de nadruk op 'mijn'. 'Als ik me de dun van Honelg juist voor de geest haal, denk ik dat we de hulp van het Bergvolk nodig zullen hebben om er binnen te dringen.'

Calonderiel keek naar Salamander en gaf hem een bemoedigend knikje.

'Honelgs dun wordt inderdaad goed verdedigd,' zei Salamander. 'De banadar heeft gelijk, hoogheid. Honelg beschikt over scherpe punten... IJzeren punten, op pijlen.'

'En...' Cal aarzelde en wierp een blik op Daralanteriel, die licht zijn hoofd schudde. 'Ik leg me bij de besluiten van de hoogheden neer.'

'Ik dank je, banadar,' zei Ridvar. 'En ik dank jou ook, gerthddyn. Je hebt je leven op het spel gezet om ons bewijzen te leveren. Ik dank je uit het diepst van mijn hart.'

Blijkbaar vond de gwerbret dat zijn dank genoeg was om Salamander te belonen, maar raadsheer Oth dacht er anders over. Toen Ridvar Salamander toestemming gaf om te vertrekken, liep Oth met hem mee en stopte hem in de gang een zakje met geldstukken in zijn hand. 'Een bewijs van dankbaarheid,' zei Oth. 'Zilverstukken. Neem het mijn heer niet kwalijk, troubadour. Hij vindt het zo afschuwelijk dat hij ongelijk moet bekennen dat hij vergeet grootmoedig te zijn.'

'Ik dank u.' Salamander maakte een kleine buiging. 'Wat uw heer betreft, het is moeilijk te heersen over mannen die tweemaal zo oud of zelfs ouder zijn dan je zelf bent, dus begrijp ik zijn koppige houding.'

'Mooi zo.' Opeens sperde Oth zijn ogen open van schrik. 'O goden!' zei hij. 'Het schiet me opeens te binnen dat Cadryc een paar dagen geleden een paar boodschappers naar de dun van Honelg heeft gestuurd. Mogen alle goden voorkomen dat ze worden vermoord!'

'Zou Honelg zo'n eerloze daad op zijn geweten willen hebben?'

'Dat weet ik niet. Wie weet waartoe een gek in staat is?'

'Dat is helaas waar.' Salamander zag weer voor zich hoe Honelg met zijn zwaard in de hand in de half geopende poort van zijn dun stond, klaar om hem zo nodig te doden. 'Maar het is ook waar dat hij geen reden heeft om ze te vermoorden, in elk geval nog niet. Hoewel ik opeens een heel vervelende gedachte krijg. Hier in Cengarn zijn waarschijnlijk ook mensen die Alshandra aanbidden. Lijkt het u niet verstandig het nieuws over Honelg voor ons te houden?'

'Misschien een lastige opgaaf, maar wel een goed idee. Ik ben het met je eens. Ik zal het zo gauw mogelijk met de gwerbret bespreken.'

Oth hoefde niet lang te vrezen, want Cadrycs boodschappers kwamen die middag terug, ruim voor het avondmaal. De edelen en alle hoofdmannen en krijgers die een plaats in de grote zaal konden vinden, waren daar al vroeg gaan zitten, deels uit respect voor de aanstaande bruid, maar vooral om alvast met drinken te beginnen. Salamander had zich behendig een zitplaats veroverd aan de tafel van tieryn Cadryc, vanwaar hij de gwerbret en de prinsen goed in het oog kon houden. De hoge heren zaten aan de eretafel met vrouwe Drwmigga, Calonderiel en Dallandra, die de moeite had genomen een blauw linnen kleed aan te trekken. Te oordelen naar de geborduurde spiralen op de mouwen was het een kleed van Branna.

Dienstmaagden waren aan het ronddraven om de kroezen te vullen met bier en de bekers met mede toen er twee stoffige, vermoeid uitziende mannen binnenkwamen: een lange, gespierde man en een kleine, magere. Ze aarzelden, alsof ze niet zeker wisten of ze binnen mochten komen, en Branna waarschuwde tieryn Cadryc. Cadryc stond op en wenkte.

'Mooi zo,' zei vrouwe Galla tegen Salamander. 'Warryc en Daumyr zijn terug.'

De boodschappers baanden zich een weg door de volle zaal en knielden voor Cadryc neer. Toen Daumyr de tieryn een zilveren brievenkoker overhandigde, schoof Neb alvast zijn stoel naar achteren, voor het geval dat hij de boodschap moest voorlezen.

'Wat is dit?' Cadryc bekeek de klodder was op een uiteinde van de koker. 'Dit is mijn eigen zegel.'

'Dat is zo, edele heer,' beaamde Warryc. 'Het was niet mogelijk de brief aan heer Honelg te overhandigen. We hebben hem alleen vanuit de verte gezien. Toen we zijn dorp bereikten, zag alles er normaal uit, maar de poort van de dun werd niet voor ons opengedaan.'

'En toen?' vroeg Cadryc op strenge toon.

'Heer Honelg stond op de muur, edele heer. Hij leunde naar buiten en schreeuwde dat er koorts heerst in zijn dun, een besmettelijke koorts, en dat we beter konden omkeren voordat wij ook werden aangestoken.'

Galla slaakte een kreetje.

Daumyr keek haar aan en zei: 'Ik zou me er niet al te veel zorgen om maken, vrouwe. Honelg zag er kerngezond uit en toen we terug waren in het dorp, hebben we gevraagd waarom ze ons niet voor die koorts hadden gewaarschuwd.'

'Ze draaiden om het antwoord heen.' Warryc nam het weer van hem over. 'Ze wisten niets beters te bedenken dan dat niemand hun had ingelicht. Waren de mensen in de dun echt zo ziek dat ze geen bericht meer naar het dorp konden sturen? Honelgs bedienden komen toch allemaal uit dat dorp? Ik geloof niets van dat verhaal over die koorts, edele heer.'

'Ik ook niet,' zei Cadryc. 'Jullie hebben je best gedaan, mannen. Ga maar gauw iets te eten en te drinken halen.'

De twee krijgers stonden op, maakten een buiging en draafden weg om het prettige bevel van hun heer op te volgen. Toen Salamander naar Neb keek, haalde de schrijver alleen niet-begrijpend zijn schouders op en schoof zijn stoel weer naar voren. Galla legde haar hand op Cadrycs arm.

'Wat heeft dit te betekenen?' vroeg ze. 'Waarom zou Honelg liegen?'

'Ik heb geen flauw idee, lieve.' Cadryc dacht even na. 'Ik begin te denken dat je wat dat huwelijk betreft gelijk had.'

'O ja?' zei Galla snibbig. 'Dan kom je wel laat tot inkeer.'

Plotseling kreeg Salamander het beeld van Honelgs vrouw voor ogen, die hem zo bekend was voorgekomen. O goden, dacht hij, Adranna is hun dochter!

Blijkbaar had Ridvar ook gezien dat de boodschappers terug waren gekomen en had hij gehoord wat ze hadden gezegd. Hij stond op en liep naar Cadryc toe, gevolgd door Oth. Toen ze vlakbij waren, hoorde Salamander Oth zeggen: 'Maar niet hier, hoogheid!' Ridvar negeerde hem.

'Vrouwe,' zei hij tegen Galla, 'ik heb slecht nieuws voor u.'

Aan de tafels om hen heen werd het meteen stil. Salamander hoorde dat diverse heren hun tafelgenoten tot stilte maanden.

'Slecht nieuws, edele heer?' vroeg Galla.

'Inderdaad. Ik heb vandaag gehoord dat heer Honelg een verrader is.'

Galla staarde hem aan en haar mond zakte open van verbazing. Het gesis om stilte verspreidde zich door de zaal, tot iedereen binnen gehoorsafstand verwachtingsvol zijn mond hield. Salamander zag dat iedereen in de richting van de gwerbret leunde om beter te kunnen horen wat hij zou gaan zeggen.

'Hoogheid!' waarschuwde heer Oth zacht. 'Ik dacht dat we hadden afgesproken dat we het stil...'

'Dat wilde jij, maar daar ben ik het niet mee eens.' Ridvar draaide zijn hoofd naar Oth om en keek hem zo kil aan dat de raadsheer een stap achteruit deed. Daardoor besefte Ridvar blijkbaar hoe ongemanierd hij was, want hij vervolgde: 'Hoe kan ik een krijgsraad bijeenroepen als ik de heren niet mag vertellen wat de reden daarvoor is?' Hij glimlachte. 'Denk je nu echt dat we dit in dit grote gezelschap geheim kunnen houden?'

Oth ontspande zich en liet een blafachtig lachje horen. 'Dat is waar, hoogheid,' gaf hij toe. 'Bedienden hebben overal oren.'

Dat is zo, dacht Salamander. Misschien is onze Ridvar niet zo dom als hij lijkt.

'Eh... Hoogheid?' Cadryc klonk alsof hij bijna barstte van ongeduld. 'Wat wilde u geheimhouden? Wat heeft Honelg...'

'Wacht even, heer.' Ridvar wendde zich tot vrouwe Galla. 'Maakt u zich maar geen zorgen. Niemand zal uw dochter de schuld geven van de domme daden van haar echtgenoot.'

Nu werden ook de krijgers stil. De drinkers zetten hun kroezen en kommen met een klap op tafel en draaiden zich op hun banken en stoelen om naar de kant van de zaal waar de edelen zaten. Even bleef het zo stil dat het leek alsof iedereen zijn adem inhield. Toen richtte de gwerbret zich tot alle aanwezigen in de zaal.

'Luister goed!' riep Ridvar. 'Ik verklaar dat heer Honelg een verrader is. Hij is een geheime volgeling van de valse godin Alshandra en hij heeft zich aangesloten bij het Paardenvolk.' Ridvars stem trilde van woede. 'Hiervoor zal ik zijn hoofd op een spies te kijk zetten!' Er werd kort gejuicht voordat iedereen met elkaar begon te fluisteren en er een golf van woede en angst door de zaal ging.

'Gerthddyn!' riep Ridvar. 'Heb jij enig idee waarom Honelg de valse godin wil aanbidden?'

'Ik weet het niet, hoogheid. Ik begrijp het zelf ook niet. Hoewel' – Salamander dacht aan de roodharige jonge vrouw met al die hongerige kinderen om zich heen – 'hoewel ik wel begrijp waarom de boeren daar in het noorden zich tot een nieuwe godin zouden willen wenden. De priesters van Bel die het domein naast dat van Honelg beheren, zijn een inhalig stel. Ze hongeren de dorpelingen bijna uit.'

'O ja?' zei Ridvar. 'Nou, we gaan toch die kant op, dus dan zal ik dat onderzoeken. Calonderiel heeft gelijk. We moeten eerst Honelg aanpakken.' Hij keerde zich weer om naar de zaal en vervolgde op luide toon: 'Heren, ik roep de volledige krijgsraad bijeen. We spreken elkaar bij zonsondergang.'

Galla slaakte een gil en sloeg meteen een hand voor haar mond, alsof ze de volgende gil binnen wilde houden. Ze stond zo haastig op dat haar stoel omviel. Ze probeerde iets te zeggen, slikte het in en liep op een drafje naar de trap.

'Neem me niet kwalijk, tieryn Cadryc,' zei Ridvar. 'Ik vrees dat ik uw vrouwe nogal onhandig van het slechte nieuws op de hoogte heb gesteld. Dat is waar ook, de gerthddyn heeft dat fort van het Paardenvolk gevonden.'

'Alle goden,' zei Cadryc. 'Het wordt steeds erger.'

'Hoogheid?' Raadsman Oth kwam naar voren en fluisterde Ridvar iets in het oor.

Ridvar trok zijn neus op – een misprijzend gebaar dat Salamander eraan herinnerde dat de gwerbret, al beloofde hij veel voor de toekomst, nog steeds een jongen was. Maar Ridvars waardigheid keerde meteen terug. 'Tieryn Cadryc,' zei hij, 'ik wil u mijn verontschuldigingen aanbieden. Ik had al meteen toen u met uw zorgen naar me toe kwam, naar u moeten luisteren.'

'Dat is niet nodig, hoogheid.' Cadryc klonk opeens vermoeid. 'Wat mij betreft, hoeven we er geen woord meer aan vuil te maken.'

'Afgesproken.' Ridvar knikte welwillend. 'Maar ik dank u wel.'

Branna keek op toen vrouwe Galla een gil gaf en rende haar achterna toen ze naar boven vluchtte. In de gang haalde ze haar tante in toen die trillend als een zieke met hoge koorts tegen de muur leunde.

'Ach lieve godin,' zei Branna, 'dit is afschuwelijk.'

'Inderdaad.' Ook vrouwe Galla's stem trilde. 'Mijn arme dochter! En de kinderen!'

'De gwerbret zei dat hij het haar niet kwalijk zal nemen.'

'Als ze de belegering overleeft. En die arme moeder van Honelg is toch al zo'n zwakke vrouw.'

'Dat is waar, maar daar had hij aan kunnen denken voordat hij de valse godin ging vereren.'

Galla wilde weer iets zeggen, maar ze barstte in tranen uit. Branna sloeg haar armen om haar tante heen en liet haar rustig tegen haar schouder uithuilen.

'Stil maar, stil maar,' suste ze. 'Laten we naar uw slaapkamer gaan, daar is het tenminste rustig.'

Galla liet zich meevoeren. In haar kamer ging ze op de rand van het bed zitten en bette haar ogen met haar inmiddels natte zakdoek. Branna schonk water uit de kan die op een tafeltje stond in een beker en liet haar tante ervan drinken. Galla staarde een poosje naar de muur en gaf de beker terug aan Branna.

'We kunnen niets anders doen dan tot de ware godin bidden, nietwaar?' zei ze. Ze haalde diep adem en liet die als een zucht ontsnappen. 'En helaas weet ik niet meer wat we nu ter ere van je huwelijk moeten doen. Ik wilde je een schitterend feestmaal aanbieden, maar nu zullen de mannen al ons voedsel nodig hebben voor de oorlog.'

'Ach lieve tante, maakt u zich daar alstublieft niet druk om! We hoeven nu niet aan mijn huwelijk te denken.'

'Jij misschien niet, maar ik wil aan iets anders denken dan aan onze Adranna.'

'O, goed dan. Maar ik hecht echt niet veel waarde aan een trouwfeest. Ik heb Neb al en dat is genoeg.'

'Je bent erg grootmoedig, kind. In tegenstelling tot sommige mannen.' Galla keek naar haar natte zakdoek en gooide hem met een fel gebaar op de grond. 'Ik denk dat er in de houten kist bij het raam nog wel een schone ligt,' zei ze.

Net toen Branna een schone zakdoek had gepakt, werd er op de deur geklopt en riep vrouwe Solla zacht Galla's naam. Branna ging vlug opendoen en zag Dallandra in haar geleende jurk achter Solla staan.

'Hoe gaat het met onze vrouwe?' vroeg Solla.

'Alweer een stuk beter, lieve kind!' riep Galla. 'Kom binnen. Ach, wat aardig, onze gast is met je meegekomen.'

'Ik maakte me zorgen,' zei Dallandra. 'Het is een heel akelige toestand.'

Branna liet de vrouwen binnen en zette de stoelen die tegen de ronde muur stonden dichter bij Galla. Zijzelf ging op de brede stenen vensterbank zitten. Nu Dallandra erbij was, nam haar angst af – alsof ze een verdwaald kind was dat op een drukke markt haar moeder naar zich toe zag komen. Hoewel ze zich niet kon herinneren wat Dalla's dweomer inhield, wist ze dat ze in gezelschap was van een heel machtige vrouw.

'De mannen houden krijgsberaad,' zei Solla. 'Mijn broer heeft alle heren meegenomen naar de raadszaal en de meeste vrouwen zijn met Drwmigga meegegaan naar de vrouwenzaal. Ik wilde daar niet naartoe, want het is er op warme dagen veel te benauwd.'

'Dat is zo,' zei Galla. 'Bovendien zal het niet gemakkelijk voor je zijn dat je het daar sinds een paar dagen niet meer voor het zeggen hebt.'

'Dat telt ook mee,' gaf Solla met een spijtig glimlachje toe. 'Ik heb de meeste van mijn spullen al ingepakt, dus kan ik na het feest meteen met jullie mee. Drwmigga is zo vriendelijk me een paard en wagen te lenen om alles te vervoeren.'

'Dat is inderdaad erg vriendelijk van haar,' zei Branna, maar het klonk venijnig. 'Ze wil vast zo gauw mogelijk de enige koe in de wei zijn. Je kunt haar nu al triomfantelijk horen loeien.'

'Branna, wat onaardig van je!' Maar Solla glimlachte met ondeugende ogen. 'Je Neb woont het krijgsberaad ook bij en hij zei dat ik tegen je moest zeggen dat hij zo gauw mogelijk verslag zal uitbrengen.'

'Uitstekend,' zei Galla. 'Maar ik weet hoe mannen zijn, dus zal het laat worden vanavond. Branna, ik heb het spel "houten wijsheid" meegebracht. Misschien hebben jullie zin om dat te spelen.'

'Ik wel,' zei Solla. 'En ik zal een schildknaap een kruik Bardekse wijn laten halen. Als jullie willen, kan hij ook iets te eten meebrengen.'

Toen Branna opstond om het spel te pakken, wierp ze een blik op Dallandra's gezicht. De elfenvrouw glimlachte vriendelijk, maar de blik in haar ogen verried dat ze met haar gedachten heel ver weg was. Plotseling kreeg ze kippenvel in haar nek. *Dallandra scrÿt omdat er gevaar dreigt,* dacht ze. *Iemand wil ons kwaad doen.* Hoewel ze geen flauw idee had hoe ze erbij kwam, wist ze het net zo zeker als dat een vis schubben had.

'Om te beginnen,' zei Salamander, 'is de dun van Honelg niet gemakkelijk in te nemen. Een handjevol boogschutters op de muur kan een heel leger tegenhouden.'

'Mits ze genoeg pijlen hebben,' zei Calonderiel.

'Honelg is een vervaarlijke man, we mogen hem niet onderschatten. Ik denk dat hij overal in zijn dun een grote voorraad pijlen heeft klaarliggen.'

Calonderiel uitte zacht enkele verwensingen aan Honelgs adres, in een mengsel van Deverriaans en de Elfentaal. Ze liepen heuvelafwaarts door Cengarn. De stad was donker en de meeste mensen sliepen, hoewel er hier en daar nog kaarslicht door een kier tussen raamluiken naar buiten scheen. De sterren gaven net genoeg licht om met hun elfenogen te kunnen zien waar ze liepen. Af en toe blafte er vlakbij een hond, verder was alles stil.

De hoofdpoort in de stadsmuur was gesloten, maar een gapende schildwacht groette hen en hief zijn lantaarn om hun gezicht te kunnen zien.

'Jullie horen zeker bij de krijgsbende van het Westvolk,' zei hij.

'Dat is zo,' antwoordde Calonderiel. 'Kun je ons nog naar buiten laten?'

'Zeker. De gwerbret heeft opdracht gegeven dat we jullie altijd door de zijpoort naar binnen en naar buiten moeten laten. Kom maar mee.'

Met geheven lantaarn ging hij hen voor langs het wachthokje naar een eikenhouten deur in de muur. Er zaten twee grendels op en er was nog een extra dikke plank voor geschoven. De zijpoort was een smalle doorgang tussen de stenen.

'Wij zijn de laatsten,' zei Salamander, 'dus word je niet meer gestoord.'

'Mooi zo.' De schildwacht knikte tevreden. 'De prins en zijn escorte zijn al een poosje geleden naar buiten gegaan. De vrouw die bij hem was, is dat de prinses?'

'Dat is ze niet,' zei Calonderiel een beetje bars. 'Ze is mijn vrouw.'

'Dan bof je.' De schildwacht deed een stap achteruit, alsof hij een klap wilde ontwijken. 'Welterusten dan maar.'

'Je vrouw?' zei Salamander toen de man hen niet meer kon horen.

'Dat is het enige Deverriaanse woord dat ik ervoor kan gebruiken, of in elk geval het enige dat ik kan bedenken.'

Ze liepen omlaag naar het weiland, waar het paviljoen en de tenten van elfen in het bleke sterrenlicht een spookachtige indruk maakten. In het kamp zaten Dallandra, die zich had verkleed in haar normale tuniek en leren kousenbroek, en de prins bij een vuurtje voor de koninklijke tent. Hoewel het merendeel van de boogschutters van het Westvolk en de krijgers van de Rode Wolf lag te slapen, zat Gerran nog naast Dar.

Toen Salamander en Calonderiel zich bij het groepje om het vuur voegden, zag Salamander dat Cal niet alleen naast Dallandra ging zitten, maar dat hij ook haar hand pakte. Ik begrijp niet waarom hij zo jaloers is, dacht hij. Hij is de enige die haar het hof durft te maken, in elk geval in het openbaar, in tegenstelling tot iemand anders – waar is dat kruiperige ventje eigenlijk?

'Waar is Meranaldar?' vroeg hij. 'We zijn hem toch niet vergeten?'

'Nee, hoor. Ik was mijn aantekeningen aan het uitwerken.' De schrijver kwam uit de tent en ging tegenover de prins zitten.

'Ik heb de hoofdman ingelicht over het krijgsberaad,' zei prins Daralanteriel. 'Of in elk geval over wat ik daarvan heb kunnen begrijpen. Bij alle goden van ons beider volken! Hoe komen jullie in Deverry ooit tot een besluit? Ik heb nog nooit een beraad meegemaakt waar zo veel werd geschreeuwd, geruzied, gevloekt en geharreward.'

Gerran knikte lachend.

'Gelukkig,' vervolgde Daralanteriel, 'maakte prins Voran er ten slotte een eind aan.'

'Maar, hoogheid,' zei Gerran, 'toen wisten hij en de gwerbret intussen precies wat iedere heer van de situatie vindt. En als iemand van plan is problemen te veroorzaken, weten ze dat ook.'

'Daar heb je gelijk in,' gaf Daralanteriel toe. 'Ik krijg de indruk dat het bij jullie belangrijk is om bondgenootschappen te sluiten, maar het zit zo ingewikkeld in elkaar dat ik moet bekennen dat ik er nog niet veel van begrijp. En voor een buitenstaander lijkt het een fragiel raamwerk.'

'Een spinnenweb lijkt ook een fragiel raamwerk, hoogheid, maar als er een vlieg in verstrikt raakt, komt hij niet meer vrij.'

'Waar maakten ze dan eigenlijk ruzie om?' vroeg Salamander. 'Ik dacht dat de gwerbret al had besloten om de dun van Honelg te belegeren.'

'Dat is ook zo,' zei Dar. 'Maar ze waren het er niet over eens wie dat zou gaan doen en hoeveel mannen ze zouden meenemen. Overmorgen gaat de gwerbret met de helft van zijn krijgsbende, onze boogschutters, de mannen van prins Voran en die van Cadryc naar het noorden. De rest van de krijgers blijft Dun Cengarn bewaken. De andere heren gaan naar huis om hun krijgsbenden en hun bondgenoten voor te bereiden op de aanval op Zakh Gral.'

'Die natuurlijk het belangrijkst is,' voegde Calonderiel eraan toe.

'Natuurlijk.' Gerran wendde zich tot Salamander. 'Ik heb de dun van Honelg ooit een keer gezien, toen ik nog een jongen was. Hij stond op een vrij hoge heuvel, maar de wallen eromheen stelden niet veel voor. Zijne hoogheid heeft me net verteld dat Honelg inmiddels zijn vestingmuur heeft versterkt.'

'Hij heeft een soort doolhof om zijn vesting gebouwd.' Salamander kreunde. 'Er loopt een smal, kronkelig toegangspad tussen hoge lemen muren door. Een moordval, zou ik het noemen, want hij heeft boogschutters op de uitkijk staan.'

'Dus kan het nodig zijn de dun te omsingelen en er een leger achter te laten,' zei Calonderiel. 'Dat hebben ook een paar heren voorgesteld.'

'Maar er moeten zoveel mogelijk krijgers mee naar Zakh Gral,' zei Salamander. 'Het Paardenvolk heeft daar een enorm aantal krijgers naartoe gestuurd.'

Gerran vloekte zacht.

'Mag ik even iets zeggen om te weten of ik het allemaal goed begrijp?' onderbrak Dallandra hen, en ze leunde naar voren. 'We kunnen de poort niet bestormen omdat Honelgs boogschutters onze krijgers dan zullen neerschieten. En onze boogschutters zullen niet dicht genoeg bij de dun kunnen komen om Honelgs boogschutters neer te schieten. Zit het zo?'

'Zo zit het precies,' antwoordde Gerran.

'Aha, nu begrijp ik het,' zei Dallandra.

De mannen wachtten tot ze nog meer zou zeggen, maar ze glimlachte kalm en zei niets meer.

'Ik denk, hoofdman,' zei Daralanteriel ten slotte, 'dat we nu maar eens moesten gaan slapen. Ik wou dat we morgen al op weg konden gaan.'

'Ik ook, hoogheid.' Gerran stond op en boog voor de prins. 'Dank u dat u me op de hoogte hebt gebracht van wat de raad heeft besloten.'

Gerran verdween in het donker de kant op van het paviljoen. Calonderiel wachtte tot zijn voetstappen waren weggestorven. Toen keek hij met een opgetrokken wenkbrauw naar Dallandra. 'Voor de dag ermee,' zei hij in de Elfentaal. 'Ik weet dat je iets te zeggen hebt.'

'Misschien wel, misschien niet,' zei Dallandra glimlachend. Ze stond op. 'Ebañy, wil je even meegaan? We moeten het kamp verzegelen.'

Voordat Calonderiel kon protesteren, liep ze haastig in tegenovergestelde richting dan die waarin Gerran was verdwenen. Salamander krabbelde overeind, rende achter haar aan en haalde haar in toen ze op de oever van de doorwaadbare plaats in de rivier stond. Het licht van de brede Sterrenrivier boven hun hoofd weerkaatste glinsterend in het rustig kabbelende water.

'Dit is de slechtste plek voor astraal werk,' zei Salamander. 'En omdat ik ervan overtuigd ben dat jij dat ook weet, kan ik alleen herhalen wat de banadar daarnet ook heeft gezegd. Je hebt iets bedacht, nietwaar?'

'Inderdaad,' antwoordde Dallandra. 'Ik had het kamp meteen toen we uit Cengarn kwamen al verzegeld. Maar ik wilde dit voorstel niet doen waar anderen het ook konden horen, omdat ik niet zeker weet of het zal werken. Ik dacht aan de draken.'

'Ah, je bedoelt dat zij over Honelgs moordval en zijn boogschutters heen kunnen vliegen.'

'Als het zou helpen.' Dallandra draaide zich om en keek naar de hoge muren van Cengarn, die grimmig zwart afstaken tegen de sterrenlucht. 'Rhodry heeft een keer tegen me gezegd dat je op de rug van een draak niet kunt vechten, omdat je niet kunt richten.'

'O, dat klinkt niet hoopgevend.'

'Ik dacht erover het Arzosah te vragen. Zij weet dat het beste.'

'Is ze dan ergens in de buurt?'

'Dat weet ik niet, maar ik kan haar roepen. Ik ken haar ware naam.' Dalla zuchtte diep. 'Ik wou dat het net zo gemakkelijk was om Rhodry te roepen.'

'Ik ook. En nu we het toch over hem hebben, moet ik je bekennen dat ik af en toe scry om hem te zoeken. Dan vind ik hem wel, maar ik denk dat hij dan ergens diep in de bossen zit. Ik weet niet waar, want ik herken geen enkel punt in het landschap. Ik zie alleen bomen, rotsen en velden en zo.'

'Toen ik scryde om hem te zoeken, zag ik ook niets wat ik herkende. Maar als we Arzosah roepen, kan zij hem misschien meebrengen. Zullen we het proberen?'

'Ik sta klaar om je te helpen, o meesteres van machtige magie.'

'Ik wil alleen maar dat je tussen mij en het kamp gaat staan en een goede leugen verzint als iemand naar me toe wil gaan. Na die lange vlucht die je nog maar net achter de rug hebt, wil ik niet dat je risico loopt door meer te doen dan je aankunt.'

'Iemand?' Salamander grinnikte. 'Je bedoelt Cal.'

'Hij ook.' Dallandra lachte terug. 'Maar prins Dar heeft iets van de helderziendheid van de oude koningen geërfd en misschien heeft hij nog meer dweomergaven, dus bestaat de kans dat hij het gevoel krijgt dat hij hiernaartoe moet gaan. Maar ik wil niet gestoord worden.'

'Goed, dan zal ik je trouwe waakhond zijn.'

Salamander liep terug tot halverwege het pad tussen het kamp en de rivier en vatte daar post. Tussen de tenten en voor het paviljoen gloeiden de vuurtjes na. De bomen ritselden in de lichte bries en hij hoor-

de het ruisende water. Even later zong Dalla's stem met de nacht-
muziek mee toen ze Arzosahs ware naam riep. Het was geen gewoon
woord, maar een vreemd, trillend geluid dat recht uit haar ziel leek
te komen, met een metaalachtige klank, maar ook zo melodieus als
een harp. Ze herhaalde de naam drie keer en wierp hem als een pijl
door zowel het etherische vlak als de aardse lucht: Arzosah Sothy
Lore-ez-o-haz.

Toen het laatste geluid wegstierf, keek Salamander achterom en zag
dat Dallandra zich op haar knieën liet vallen. Hij rende terug naar
de rivier en plofte naast haar neer. Toen hij een arm om haar heen
sloeg, voelde ze koud aan.

'Ik ben er niet ziek van geworden, hoor,' zei ze. 'Ik moet alleen even
uitrusten.'

'Dat kan ik me voorstellen. Je hebt die naam met stormkracht uit-
gestoten.'

'Omdat ik geen idee heb hoe ver ze weg is.'

Terwijl ze samen naast het met sterrenlichtjes bespikkelde water zaten, dacht Salamander opeens aan Rocca. Het beeld van Zakh Gral
doemde voor hem op en hij zag het altaar van de buitentempel glanzen van dweomerlicht. Rocca zat er met opgeheven armen voor te
bidden.

'Hou op!' Dallandra's stem sneed dwars door het visioen heen.

Rocca en het altaar verdwenen. Salamander voelde zich zo versuft
als een dronkaard die een emmer koud water over zich heen heeft
gekregen.

'Alle goden,' mompelde hij. 'Ik hoop niet dat ik ons in gevaar heb
gebracht.'

'Dat niet, maar jezelf wel. Je aura danst in de rondte als een druppel water op een bakplaat.'

'Ik deed het niet met opzet, ik dacht alleen... Ach, dat is juist het
probleem, nietwaar?'

'Juist.' Ze legde een hand op zijn schouder. 'Laten we teruggaan naar
het kamp. We hebben allebei behoefte aan slaap.'

Salamander stond op en hielp Dallandra overeind. Samen liepen ze
terug naar het kamp.

'In alle opwinding ben ik bijna vergeten je te vragen of je al met Neb
en Branna hebt gepraat,' zei Salamander.

'Nog niet,' antwoordde Dallandra. 'Neb moest tot laat in de avond
bij het krijgsberaad blijven en Branna moest voor haar tante zorgen.
Die arme vrouw! Haar dochter is getrouwd met Honelg.'

'Ach verduiveld, ik wist wel dat ik nooit zijn naam had moeten noemen.'

'Juist wel, je hebt er goed aan gedaan. Honelg is een gevaarlijke man. Galla heeft me het een en ander over hem verteld. Hij klinkt afschuwelijk.'

'Dat is hij ook.'

'Maar morgen moeten jij en ik Neb en Branna meenemen naar een plek waar niemand ons kan horen. Het lijkt erop dat ze hebben ontdekt hoe het zit, en ik wil weten wat er precies is gebeurd.'

De zon, die op haar hoogste stand stond, viel door het smalle raam van Branna's kamer en gaf Dallandra's lichte haar een zilveren glans, zo hel als een glimmend gepoetst zwaard. Meteen nadat de stadspoort was geopend, was Dallandra naar de dun gekomen, waar Neb en Branna in de grote zaal hadden zitten ontbijten. Ze waren naar de kamer van het jonge paar gegaan omdat het de enige plek in de dun was waar ze rustig en ongestoord over dweomer en al zijn geheimen konden praten. Dat hadden ze al de hele morgen gedaan, besefte Branna, en de tijd was omgevlogen. Dallandra had onder andere bevestigd dat Neb gelijk had met zijn veronderstelling dat ze beiden in een vorig leven dweomermeester waren geweest.

'Maar één ding begrijp ik echt niet,' zei Branna. Ze zocht naar de juiste woorden. 'Als wij die andere mensen zijn geweest, waarom kunnen we ons daar dan bijna niets meer van herinneren? Natuurlijk heb ik in mijn slaap wel een heleboel ontdekt, maar Neb heeft nooit zulke dromen gehad. En ik heb me nooit terwijl ik wakker was dingen herinnerd. Waarom had ik bijvoorbeeld in mijn jeugd nooit het gevoel dat ik niet echt Branna heette?'

'Ik vermoed dat het antwoord leidt tot weer een andere vraag,' zei Neb met een glimlachje. 'Want tot nu toe heeft alles wat je ons hebt verteld dat gedaan.'

Dallandra knikte lachend. 'Ik kan je een eenvoudig antwoord geven, maar daar heb je niet veel aan. Het komt erop neer dat het deel van je geest dat zich alles moet herinneren, nog niet herboren is. Het grootste deel van je geest sterft wanneer jij sterft, behalve als je een heel begaafde dweomermeester bent. Maar zelfs de meesters verliezen een grote hoeveelheid kennis en herinneringen. Ik zal je een voorbeeld geven om het duidelijker te maken. Stel dat je op reis gaat en je neemt twee grote zakken mee met al je bezittingen erin. Maar die zakken worden je afgepakt en dan heb je nog maar een klein zakje over om die dingen mee te nemen waarop je het meest bent gesteld. Dat zou betekenen dat je het grootste deel van je eigendommen kwijtraakte, nietwaar?'

'Dat is waar,' beaamde Branna.

'Wat je meeneemt,' ging Dallandra verder, 'zijn herinneringen aan hevige gevoelens en indrukwekkende gebeurtenissen die je ziel hebben geraakt. Bijvoorbeeld diepe liefde of haat. Maar gevoelens gaan lang niet altijd gepaard met woorden of beelden. Zo komt het dat je iemand kunt herkennen zonder te weten waarom die persoon zo belangrijk voor je is.'

'Zoals ik ook Salamander herkende,' zei Branna. 'Maar ik noemde hem een keer een wauwelende elf zonder dat ik wist waarom en jij zei dat Jill hem altijd zo noemde. Toch zou je niet denken dat dat iets is wat je uit een vorig leven zou onthouden.'

'Dat is waar, maar dweomermeesters hebben een bijzonder geoefende geest en ze herinneren zich meer dan mensen die niet jarenlang bezig zijn geweest hun herinneringen op te halen.'

'Dat klinkt logisch,' zei Neb. 'Maar haar dromen dan? Die waren heel precies, en jij zegt dat alles klopt.'

'Daar is ook een reden voor, maar ik weet niet zeker of ik dat kan uitleggen. Ik betwijfel of jullie nog weten wat de woorden die ik ervoor moet gebruiken, betekenen. Elk vak heeft zijn eigen woorden, of je smid, timmerman of dweomermeester bent. Weten jullie wat het astrale vlak is?'

Branna keek naar Neb, die zijn schouders ophaalde.

'Ik niet,' antwoordde Branna. 'Ik ken geen enkel vlak.'

'We gebruiken het woord "vlak" voor een deel van de wereld dat de meeste mensen niet kunnen zien of waarvan ze het bestaan niet kunnen aanvoelen. Er zijn verschillende vlakken, en het astrale vlak is er een van. Eh... Hoe zal ik het zeggen? In een deel van het astrale vlak worden gebeurtenissen opgeslagen, zoals woorden worden opgeslagen in schrift. Volgens de overlevering is daar een archief waarin alles wat ooit is gebeurd, wordt bewaard. Maar dat archief is niet erg overzichtelijk en niet altijd even betrouwbaar.'

'Kijk ik soms in dat archief wanneer ik slaap?' vroeg Branna.

'Je begrijpt precies wat ik bedoel,' zei Dallandra glimlachend. 'Uiteindelijk zullen jullie leren hoe je die beelden naar believen kunt zien, wanneer je geest helder genoeg is geworden om daar bepaalde hulpmiddelen voor te kunnen gebruiken. Die hulpmiddelen zul je ook leren. En op die manier zul je waarheid en leugen van elkaar kunnen onderscheiden.'

'Het lijkt net zoiets als een echte bard die visioenen kan oproepen uit het verleden,' zei Neb. 'Ik ben blij dat je ons dit allemaal hebt verteld, want ik heb me steeds afgevraagd waarom ik me geen dingen kan herinneren zoals zij dat doet.'

'Dat weet ik eigenlijk niet.' Dallandra hief beide handen met de palmen naar boven. 'Maar ik hoop dat ik het ooit wel zal weten.'

'Dan wil ik het antwoord graag horen,' zei Neb. 'Maar ik begrijp nu al wel dat ik in elk geval mijn herinneringen uit dat astrale gedoe terug kan halen.'

'Inderdaad.' Dallandra keek uit het raam. 'Alle goden, de dag vliegt om! En we moeten over nog veel meer dingen praten, wat ook veel tijd zal kosten. Maar voor vandaag is het genoeg.'

Neb keek met een peinzend gezicht naar de vloer, alsof hij diep nadacht. Branna besefte dat ze eigenlijk erg teleurgesteld was. Ze had stiekem gehoopt dat Dallandra de een of andere magische spreuk zou uitspreken om haar en Neb van het ene op het andere moment in dweomermeesters te veranderen, maar dat was niet gebeurd. Er kwam oneindig veel bij kijken, veel meer dan iemand in een paar uur kon leren, zelfs iemand zoals zij, die zich al stukjes en beetjes herinnerde. Geduld, maande ze zichzelf. Geduld betekent veiligheid.

'Mag ik nog één ding vragen?' zei ze. 'Is dweomerkunst de enige soort herinnering die iemand zelf terug kan halen?'

'Meestal wel, maar er zijn uitzonderingen. Sommige soorten kennis geven vorm aan een etherische dubbelganger – die benaming zal ik later uitleggen – die weer bijdraagt aan de vorming van iemands lichaam en vaardigheden.'

'Zoals zwaardvechten? Gerran is altijd al erg goed geweest met het zwaard.'

'Je bent snel van begrip, nietwaar?' zei Dallandra glimlachend. 'Dat zou inderdaad kunnen.'

In de gang klonken luide stemmen en er werd op de deur geklopt.

'Vrouwe?' Het was Midda, die schreeuwde om zich verstaanbaar te maken. 'Bent u daar?'

'Ja, ik ben hier!' Branna stond op en liep vlug naar de deur. 'Heb je me nodig?'

'Ik niet, maar vrouwe Drwmigga wil dat alle edelvrouwen bij haar komen. Ze wil de handwerken uit haar bruidskist laten zien.'

'Ik kom eraan.' Branna draaide zich om. 'Heb je zin om mee te gaan, Dallandra? Het is iets wat bruiden altijd op hun trouwdag doen, en ik moet er echt bij zijn.'

'Ik ga graag mee.' Dallandra stond op en streek haar geleende kleed glad. 'Ik heb nooit eerder een huwelijksfeest in Deverry bijgewoond.'

'Dit huwelijk wordt veel grootser gevierd dan normaal, omdat Ridvar een heel hoge rang heeft.'

Meestal genoot Branna van dit onderdeel van een trouwerij, maar toen ze in de volle vrouwenzaal zaten, dwaalden haar gedachten steeds af naar dweomer. Ze had het gevoel dat het dagelijks leven in de dun van een voornaam persoon als een rivier langs haar heen stroomde naar een punt waar ze niets te zoeken had. In het verleden had ze bij dit soort gelegenheden zitten dagdromen over haar eigen huwelijk, maar dat deed ze nu niet meer. Als Drwmigga's leven zou voortkabbelen als een brede rivier, zou haar eigen leven meer lijken op de zee, met stormen, verborgen klippen en ondiepten waar de golven als witte schuimvleugels opspatten. Het zou een leven vol gevaren worden, maar ongetwijfeld ook met triomfen.

Toen de edelvrouwen Drwmigga's naaldkunst hadden bewonderd, verlieten ze het vertrek om Drwmigga de gelegenheid te geven zich door haar dienstmaagden te laten aankleden. Een schildknaap had het hemd dat ze had geborduurd voor haar toekomstige man al naar gwerbret Ridvar gebracht. Toen Dallandra op zoek ging naar Salamander, besloot Branna een wandeling te maken over het binnenplein. De gedachte aan de komende veldslag om de dun van heer Honelg liet haar niet los en als ze zich toestond even aan Adranna te denken, die daar met die gek zat opgesloten, werd ze bijna ziek van bezorgdheid.

Terwijl de vrouwen zich bezighielden met de vreugdevolle rituelen die aan het huwelijk voorafgingen, bespraken Ridvar, de twee prinsen, tieryn Cadryc en hun hoofdmannen hun aanvalsplan.

Bij de poort kwam Branna Gerran tegen, die blijkbaar naar de stad ging. Hij bleef staan en begroette haar met een vriendelijk 'goedemorgen'.

'Goedemorgen,' antwoordde Branna. 'Waar ga je naartoe?'

'Naar het kamp op het weiland. Onze heer wil een boodschap sturen.'

'Waarschijnlijk naar Mirryn.'

'Inderdaad,' zei Gerran met een wrang lachje. 'Hij zal het niet leuk vinden dat we niet op de afgesproken tijd terugkomen.'

'Krijgt hij ook te horen waarom niet?'

'Ja, en hij zal woedend zijn omdat hij opnieuw niet mee mag.'

'Ach, dat is voor zijn bestwil. Het is veiliger als hij thuisblijft.'

'Dat mag je nooit tegen hem zeggen, hoor! Hij vindt toch al dat hij een eerloos leven leidt.'

'Zoiets zou ik nooit tegen een krijger zeggen, wees daar maar niet bang voor.'

'Gelukkig.' Gerran knikte en liep de poort uit.

Branna keek hem na, maar ze dacht aan Mirryn. Opeens wist ze dat als hij aan het komende gevecht zou meedoen, hij daarbij zou omkomen en zijn vader zonder erfgenaam zou achterlaten. Ik moet Salamander of Dalla zoeken, dacht ze. Want zij zouden haar kunnen vertellen hoe ze dat zo zeker kon weten. Dat hoopte ze tenminste.

Nadat Gerran twee krijgers van de Rode Wolf opdracht had gegeven de boodschap aan Mirryn over te brengen, keerde hij terug naar de dun om Calonderiel te zoeken. Zodra het huwelijksfeest achter de rug was – het ergerde Gerran dat ze daarop moesten wachten – konden de krijgsbenden en de bedienden de voorbereidingen voor de tocht naar het noorden afronden. Hoewel Ridvar maar de helft van zijn mannen zou meenemen, zou het leger met inbegrip van de escortes van de twee prinsen en de krijgsbende van de Rode Wolf bestaan uit bijna tweehonderd man, terwijl Honelg maar een handjevol mannen tot zijn beschikking had. Zonder zijn doolhof en boogschutters op de vestingmuur zou hij meteen zijn afgeslacht. Maar de boogschutters die hij had, waren zelfs goed. Gerran wilde weten hoeveel schutters het Westvolk had meegebracht en of ze tegen de grimmige werkelijkheid in het noorden bestand zouden zijn.

De banadar was niet in de grote zaal. Een schildknaap had gezien dat hij naar de stallen was gegaan. Onderweg daarheen kwam Gerran Branna en Neb tegen, die achter een van de voorraadschuren stonden te praten, of liever, te redetwisten. Hoewel ze hun stem dempten, had Neb zijn armen over elkaar geslagen en maakte Branna drukke gebaren om haar woorden kracht bij te zetten. Toen ze Gerran zagen aankomen, hielden ze meteen hun mond.

'Wat is er aan de hand?' vroeg Gerran.

'Ze heeft een stom idee,' antwoordde Neb.

'Ach, hou op,' zei Branna. 'Gerro, ik wil met jullie mee naar het noorden. Iemand moet meegaan om Honelg te smeken om Adranna en de andere vrouwen uit zijn belegerde dun te laten vertrekken. En als hij dat doet, moet ik voor Adranna en de kleine Trenni zorgen. Hij zal een smekende vrouw die familie van hem is heus geen kwaad doen, niet als hij wil dat de goden hem ooit weer goed gezind zullen zijn. Neb zegt dat Dallandra ook meegaat, maar naar haar zal Honelg niet luisteren. Zij behoort tot het Westvolk, en Salamander heeft me verteld dat de volgelingen van Alshandra het Westvolk haten.'

'Dat is waar,' zei Neb, 'maar...'

Branna negeerde hem en vervolgde: 'Met Dalla erbij zal ik niet de enige vrouw in het kamp zijn.'

Neb keek haar boos aan en zei tegen Gerran: 'Ik denk dat je het met me eens bent, Gerro, dat het een onzinnig plan is.'

'Dat vind ik niet,' zei Gerran. 'Het is helemaal geen onzinnig plan.

Jij bent haar verloofde, Neb, en je gaat ook mee, want de tieryn heeft zijn schrijver nodig om boodschappen te kunnen sturen. Dus als jij en ik op haar letten, kan haar niets overkomen.' Tegen Branna vervolgde hij: 'Als je wilt, bespreek ik het wel met je oom.'

'Dat wil ik graag.' Branna grinnikte. 'Bedankt, Gerro. Ik dank je uit de grond van mijn hart.'

'Geen dank. Hmm, ik heb die heer Honelg nooit gemogen. Echt waar, Neb, volgens mij is het beter dat...'

'Nou ja, vooruit dan maar.' Het klonk niet bepaald vriendelijk. 'Omdat ik ook meega, kan ik eigenlijk geen bezwaar maken.'

'Had je dat niet eerder kunnen zeggen?' zei Branna bits.

'Daar heb je me geen kans voor gegeven.'

Branna zette haar handen in haar zij en ze keken elkaar boos aan. Alle goden, dacht Gerran, ik ben blij dat ík niet met haar hoef te trouwen! 'Laten we onze tieryn van het plan op de hoogte stellen,' zei hij.

Cadryc en Galla waren allebei in hun kamer. De vrouwe zat op een stoel bij het raam, haar man zat vlak bij haar op de vensterbank. Te oordelen naar Galla's bleke gezicht en de zakdoek die ze als een propje in haar hand hield, had ze gehuild, maar ze begroette hen met een dapper glimlachje.

'Tante Galla, ik wil u iets vragen,' zei Branna. 'Ik wil met de krijgers mee naar het noorden om Honelg te smeken de vrouwen in de dun te laten gaan.'

Galla's glimlach verdween.

'Geen sprake van!' zei Cadryc bars. 'Je tante heeft al zorgen genoeg, kind. Ik laat jou niet het gevaar tegemoet gaan.'

'Gerran vindt het een goed idee,' wierp Branna tegen.

'Dat is waar, heer,' zei Gerran. 'Haar verloofde gaat mee en die vrouw van het Westvolk ook. We zullen goed op haar passen.'

Galla's ogen vulden zich met tranen. Ze probeerde ze droog te betten, maar gooide het kletsnatte zakdoekje geërgerd op de grond. Cadryc gaf haar een paar klapjes op haar schouder.

'Ik vind het niet goed, lieve,' zei hij tegen haar. 'Wees maar niet bang.'

'Oom Cadryc, denk toch eens aan Adranna!' riep Branna uit.

'De gwerbret heeft een uitstekende heraut. Laat hem het verzoek maar aan Honelg overbrengen.'

'De heraut zal veel te formeel en zakelijk zijn, terwijl ik mijn gevoel kan laten spreken. Ik ben tenslotte een bloedverwant.'

'Dat is zo, en daarom blijf je bij je tante.' Cadryc keek naar Neb. 'Wat vind jij ervan?'

Neb aarzelde en keek van Branna naar de tieryn. Gerran kreeg zelfs medelijden met hem. Toen haalde Neb diep adem, alsof hij moed verzamelde, en antwoordde: 'Ik vind dat ze hier moet blijven, heer. Neem me niet kwalijk, Gerran.'

Branna opende haar mond om weer iets te zeggen, maar Cadryc sloeg zijn armen over elkaar en keek haar streng aan, zodat ze bleef zwijgen. 'Je verloofde verbiedt het je en ik verbied het je,' zei hij. 'Nu wil ik er niets meer over horen.'

Gerran overwoog of hij nog iets zou zeggen, maar hij wist hoe Cadryc dan zou reageren. 'Onze heer heeft de knoop doorgehakt,' zei hij tegen Branna. 'Maar het was een grootmoedig aanbod van je.'

Branna wierp een blik op Neb die verried hoe kwaad ze op hem was. Terwijl ze nog nadacht over een fel verwijt, liep Galla naar haar toe en pakte haar hand vast.

'Blijf alsjeblieft hier,' smeekte ze. 'Ik zou het niet kunnen verdragen als ik behalve Adranna ook jou kwijt zou raken, want tijdens zo'n beleg kan er van alles gebeuren.'

Branna slaakte een diepe zucht. 'Vooruit dan maar, dan blijf ik hier,' zei ze. 'Omdat u het vraagt.'

Weer was Gerran blij dat ze Neb had verkozen boven hem. Wat een helleveeg, dacht hij. Ik wil wedden dat onze schrijver een koude nacht te wachten staat. Hij besloot de edelen de zaak onder elkaar te laten uitzoeken.

'Mag ik gaan, heer?' vroeg hij.

'Natuurlijk.' Cadryc glimlachte een beetje zuur. 'Soms wordt het een man iets te veel, nietwaar? Jammer dat ik niet met je mee kan.'

Toen Gerran naar beneden liep, bedacht hij dat Branna wat de heraut betrof best eens gelijk kon hebben, en dat bracht hem op een idee. Hij ging op zoek naar Salamander, die in de grote zaal bier zat te drinken terwijl hij grapjes maakte met het mooiste dienstmeisje. Gerran plofte naast hem op de bank en keek het meisje streng aan.

'Je hebt vast nog heel veel te doen voor het feest vanavond,' zei hij, 'dus ga maar gauw weer aan het werk.'

Met een gepikeerd gezicht draaide ze zich om en liep weg.

'Hé,' zei Salamander grinnikend, 'ik kon de overwinning al ruiken!'

'Je mag je veldtocht straks voortzetten. Moet je horen. Ik heb nagedacht over Honelg. Prins Voran probeert Ridvar over te halen om Honelg vanwege de vrouwen en kinderen in zijn dun genade te schenken of hem een schikking voor te stellen, maar ik denk niet dat Ridvar dat wil. En de prins kan het hem niet gebieden, want hij is niet de Eerste Koning en zal dat ook nooit worden.'

'Dat is waar, maar het doet er niet toe. Honelg zal zich nooit overgeven. Ik wil er koperstukken tegen jouw paardenkeutels onder verwedden dat hij bereid is om voor zijn valse godin te sterven.'

'Dan is hij stapelgek geworden. Als hij sterft, is dat geen verlies voor het rhan, maar ik wil verdomme niet dat hij zijn vrouw en dochter meeneemt de dood in. We moeten iemand hebben die hem kan vragen de vrouwen in de dun te sparen. Branna bood aan om met ons mee naar het noorden te gaan, maar haar oom heeft het haar verboden.'

'Dat is jammer. Ik kan geen enkele invloed uitoefenen op Honelg, omdat ik zijn gastvrijheid heb misbruikt en zowel hem als zijn godin heb verraden.'

'Maar je weet wel een heleboel over Alshandra, nietwaar? Hoe de mensen haar aanbidden en zo. Daarom wil ik graag dat jij met onze heraut praat, hij heet Indar. Misschien kun jij hem vertellen hoe hij Honelg ervan moet overtuigen dat zijn godin wil dat de vrouwen in veiligheid worden gesteld. Want zelfs gekken hebben een reden voor hun bizarre daden.'

'Dat is een uitstekend voorstel, Gerro. Ik zal meteen naar Oth gaan om te vragen of hij me naar de heraut wil brengen.'

Later die middag zag Gerran Salamander en Indar samen aan een tafel in de grote zaal zitten. Indar was een lange, magere man, die altijd met hangende schouders zat, zowel op een stoel als in het zadel. Nu leunde hij met zijn ellebogen op tafel, met zijn langwerpige, smalle gezicht gesteund op zijn lange, benige handen, terwijl hij aandachtig luisterde naar Salamander, die op zijn eigen geestdriftige manier zat te praten. Zo nu en dan knikte Indar, alsof hij de gerthddyn aanmoedigde door te gaan. Gerran wist zeker dat de gezant met zijn geoefende geheugen elk woord dat Salamander tegen hem zei, zou onthouden.

Het grootste deel van de ochtend kon Neb voorkomen dat hij alleen was met Branna. Hij maakte aantekeningen tijdens het krijgsberaad, hij voerde een bespreking over schrijfmaterialen met de schrijver van de gwerbret en hij hielp zelfs de bedienden het middagmaal naar de krijgsbende van de Rode Wolf en het kamp van het Westvolk te brengen. Elke keer dat hij Branna tegenkwam, sloeg ze haar armen over elkaar en keek hem fel aan. Ten slotte drong het tot hem door dat hij de zaak door hun gesprek uit te stellen alleen maar erger maakte. Vlak voor het avondmaal gaf hij een dienstmaagd een koperstuk en vroeg haar of ze een boodschap wilde afleveren bij vrouwe Branna, die in de vrouwenzaal bij de bruid van de gwerbret zat.

'Mijn allerliefste,' had hij geschreven, 'ik weet dat je boos bent, maar het is echt beter dat je hier blijft. Ik ben in onze kamer.'

De dienstmaagd draafde weg met de boodschap en Neb ging naar boven om op Branna te wachten. In hun slaapkamer ging hij op de brede vensterbank zitten en keek naar beneden, waar bedienden voedsel verpakten en in wagens laadden voor de tocht van de volgende dag. Bij de gedachte aan het komende gevecht voelde hij een soort vermoeide angst – hijzelf zou veilig zijn, maar hij zou veel bloedige taferelen zien. Zal het nog erger zijn dan in Trev Hael? vroeg hij zich af. Hij kon de stank van de ziekenzaal nog ruiken en het bleke, vermagerde gezicht van zijn vader nog voor zich zien toen hij 'Zorg voor je moeder' had gestameld. Die zin was nog duidelijk verstaanbaar geweest, maar de volgende was in de door ademnood verstikte klanken van de stervende verloren gegaan.

'Ik heb mijn best gedaan, pa,' fluisterde hij. 'Vergeef me, alsjeblieft...' Toen schudde hij het verdriet van zich af. Hij wist het antwoord op zijn vraag al. De doden die hij binnenkort zou zien, zouden niets gemeen hebben met de doden die hij al had gezien, want de omstandigheden zouden heel anders zijn.

De kamerdeur vloog zo hard open dat hij tegen de muur klapte en Branna kwam binnen, met een strak gezicht. Ze gooide de deur dicht en maakte een kniebuiging.

'Wat verlangt mijn heer en meester van me?' zei ze.

'Ach hemelse goden!' Neb sprong van de vensterbank en liep naar haar toe. 'Ik heb toch gezegd dat het me spijt? Als de tieryn je toestemming had gegeven om mee te gaan, had ik me erbij neergelegd, maar hij vroeg me wat ik...'

'O, dus de mannen spannen samen om over het leven van vrouwen te beschikken?'

'Wie heeft het over je leven gehad? Ik ben alleen maar bang dat je leven in gevaar komt!'

'Ik zou geen enkel gevaar lopen.'

'Dat weet je niet.'

'Dat weet ik beter dan jij. Ik ben de dochter van een krijger. Ik ben opgegroeid met vetes, veldslagen en oorlogen.'

'Ach, dat is waar. Terwijl ik maar een slap schrijvertje ben en daar absoluut niets van begrijp.'

'Dat is ook zo.' Ze wierp als een nukkig paard haar hoofd naar achteren. 'Maar daar gaat het niet om.'

'Waar gaat het dan wel om?'

'Dat je me dingen verbiedt.'

'Ik heb alleen maar tegen de tieryn gezegd wat ik ervan vind. Hij is degene die iets heeft verboden.'

Branna stond op het punt zich over te geven aan haar woede. Dat zag Neb aan haar gebalde vuisten, stijf naast haar lichaam, en aan de blik in haar samengeknepen ogen. Doordat hij enkele ogenblikken geleden aan zijn ouders had gedacht, wist hij opeens wat hij moest zeggen.

'Jij bent de dochter van een krijger,' begon hij, 'maar ik ben de zoon van een schrijver, die erop rekende dat zijn vrouw zijn winkel beheerde terwijl hij zijn schrijfwerk deed. Mijn moeder... Ach, goden, ik wou dat je haar had gekend. Ze kon net zo goed lezen en schrijven als hij, en de boeken bijhouden, en helpen de inkt te maken die hij verkocht, terwijl ze ook nog het huishouden deed. En onze bedienden hielden veel van haar, omdat ze zo eerlijk was.'

Branna wilde iets zeggen, maar ze slikte het in. Haar ogen leken iets minder op die van een boze wolf en iets meer op die van haarzelf.

'Iedereen in de stad had respect voor haar,' vervolgde Neb. 'Na de dood van pa heeft zij de winkel overgenomen. Als ze niet ziek was geworden, had ze helemaal alleen voor haar gezin kunnen zorgen.'

Branna's vuisten ontspanden zich.

'Begrijp je het nu een beetje beter, mijn lief?' vervolgde Neb. 'Ik wil geen vrouw die alleen maar zoons voortbrengt of zoiets, ik wil een vrouw zoals mijn moeder, een sterke, intelligente vrouw die... Nou ja, je weet wel wat ik bedoel. Jouw man is geen krijger, daar komt het op neer. Is dat zo'n ramp?'

'Dat is geen ramp, dat is misschien het beste wat me ooit in mijn leven is overkomen.' Branna's ogen vulden zich met tranen. 'Je hebt gelijk, en ik wou inderdaad dat ik je moeder had gekend. Echt waar.'

Neb liep naar haar toe en sloeg zijn armen om haar heen. Ze snikte zacht tegen zijn schouder.

'Wat is er dan nog meer?' fluisterde hij.

'Ik dacht aan je overleden moeder, verder niets.'

'Maar vergeef je het me?'

'Ach, natuurlijk!'

Ze zweeg even en keek hem toen met een ondeugend lachje aan. 'We hebben nog even tijd voordat het feest begint,' zei ze. 'Ik hoorde de kokkin zonet tegen de koksmaatjes schreeuwen dat ze nog niet helemaal klaar was.'

'O ja?' Neb grinnikte net zo ondeugend terug. 'Laten we dan even gaan liggen.'

Bij de gedachte aan nog zo'n vette maaltijd in de volle, rokerige, lawaaiige grote zaal, al was het een bruiloftsmaal, kwam Dallandra's maag in opstand. Ze ging op zoek naar Calonderiel, vertelde hem waar ze naartoe ging en verliet de dun. In de stad was het een drukte van belang en het stonk er naar bier, rook van de kookvuren en zweet. Het huwelijk van de gwerbret was het gesprek van de dag. Echtparen en hele gezinnen beklommen de heuvel om op het binnenplein van de dun aan het slot van het feest een gift te ontvangen en de bruid toe te juichen. Hier en daar ving Dallandra lovende woorden op, omdat de gwerbret gul had beloofd kopergeld uit te delen. Het duurde een hele tijd voordat ze door de stad was gelopen en die door de poort weer had verlaten.

Ze slaakte een zucht van verlichting toen ze eindelijk op het stille veld stond waar de paarden van de Rode Wolf en het Westvolk in de gouden gloed van de namiddagzon stonden te grazen. Voor het paviljoen zaten twee krijgers van de Rode Wolf en twee boogschutters van Calonderiel op het gras te dobbelen, om de tijd te verdrijven waarin ze de paarden hoorden te bewaken. Toen ze haar zagen aankomen, krabbelden ze overeind en maakten met schuldbewuste gezichten een buiging.

'Wees maar niet bang,' zei Dallandra. 'Ik denk niet dat er nu paardendieven in de buurt zijn.'

Ze grinnikten, maakten nog een buiging en gingen weer zitten om het spel te hervatten. Even later kwamen er een paar knechten vanuit de dun naar het veld met een karretje met allerlei gerechten van het bruiloftsmaal, waarvoor de bewakers de dobbelstenen graag een poos lieten liggen. Dallandra pakte een homp brood en de verplichte honingkoek, en ging voor de tent van de prins zitten om het op te eten. Het feest zou nog uren duren, vermoedde ze, dus kon zij een poos rustig nadenken.

Maar niet lang nadat ze klaar was met eten, kreeg ze bezoek. Toen ze een vrouw door de stadspoort naar buiten zag komen, stond ze op in de veronderstelling dat iemand een dienstmaagd had gestuurd om haar iets mee te delen. Maar tot haar verbazing was het Branna, die door het veld kwam aandraven en vrolijk zwaaide.

'Ik kon de herrie geen ogenblik langer verdragen,' zei Branna ter begroeting. 'Calonderiel zei dat je hierheen was gegaan.'

'Inderdaad, en ik ben blij je weer te zien,' zei Dallandra. 'Komt Neb ook?'

'Helaas kon hij niet wegsluipen, zoals ik, omdat hij voor de tieryn een mooie gelukwens moet schrijven voor de gwerbret en zijn nieuwe vrouw. Mijn tante zal hun die brief morgen bij ons vertrek geven.'

'Gaat de Rode Wolf dan al weer weg?'

'Het leger vertrekt dan ook. Mijn oom stuurt ons met een escorte naar huis.' Branna trok een zuur gezicht. 'Ik wilde met de krijgsbende mee naar het noorden, maar tante Galla vond dat afschuwelijk en daarom heb ik beloofd bij haar te blijven.'

'Je tante houdt veel van je, nietwaar?'

'Inderdaad. Ze heeft vier dochters en twee zoons ter wereld gebracht. Een van die zoons is gestorven toen hij nog maar twee weken oud was, de andere is Mirryn. Een dochter is als kleuter gestorven aan de verstikkende koorts, een andere dochter is gestorven toen haar kind werd geboren en nummer drie is getrouwd met een heer die een domein in Pyrdon heeft geërfd, in het zuiden, te ver om op bezoek te gaan. O ja, en Galla heeft ook nog een miskraam gehad. Ik geloof maar één keer, en ik weet niet meer of dat een jongen of een meisje was. Maar dit alles betekent dat Adranna haar enig overgebleven dochter is en toen ik werd geboren, heb ik een leegte in haar hart gevuld.'

Branna praatte zo kalm over Galla's verliezen en verdriet dat het Dallandra verbaasde. Toen herinnerde ze zich echter dat het in Deverry heel normaal was dat een vrouw een heleboel kinderen baarde en er het merendeel van verloor.

'Wat droevig,' zei ze. 'Geen wonder dat ze zo bezorgd is om Adranna.'

'Inderdaad.' Branna keek om zich heen alsof ze een uitweg zocht, en toen slikte ze moeizaam. 'Ik heb vannacht weer zo'n droom gehad, maar ik kon je er in Nebs bijzijn niet over vertellen. Zou je het erg vinden als ik je nu om uitleg vroeg?' Ze had de laatste zin gefluisterd.

'Helemaal niet. Kom, ga zitten. Ik zal een paar kussens uit de tent halen.'

Dallandra liep vlug de tent in, pakte in het wilde weg een paar kussens en liep vlug weer naar buiten, voordat Branna zich kon bedenken en weglopen. Toen ze zaten, trok Branna haar benen op en sloeg haar armen eromheen, alsof ze zich zo klein mogelijk wilde maken. Daarna staarde ze een hele poos zwijgend voor zich uit. Dallandra moest zich dwingen om geduld te oefenen en te wachten tot Branna het woord zou nemen.

'Nou eh...' begon Branna eindelijk, 'in die droom... Nee, wacht. Ik moet eerst de waarheid opbiechten. Toen ik gisteravond in slaap was gevallen, herinnerde ik me dat Nevyn lang voor zijn dood een groot deel van zijn herinneringen kwijt was geraakt. Hij had zo lang geleefd en zoveel gezien dat het een warboel was geworden in zijn geest. Soms wist hij zelfs niet meer waar we waren of waarom we daar naartoe waren gegaan. Ik vraag me af of dat de reden is dat Neb zich de dingen niet zo duidelijk herinnert als ik doe.'

'Dat lijkt me heel goed mogelijk, zelfs waarschijnlijk.'

'Maar is er in hem nog iets van Nevyn over?'

'O ja, heel veel zelfs. Neb staat net zoals hij, hij loopt zoals hij en zegt soms zelfs dingen die Nevyn vaak zei. Bovendien heeft hij Nevyns gave voor dweomer. Het Natuurvolk weet altijd precies wie die gave heeft en blijft bij zo iemand in de buurt.'

'O. Maar jullie, de mensen van het Westvolk, leven ook heel lang. Hoe beschermen jullie je herinneringen dan?'

'Ik denk dat onze geest heel anders is dan die van de mensen in Deverry.'

'Het gaat dus om de zakken waarin we de dingen meedragen, zoals je ons hebt uitgelegd.' Branna glimlachte zwakjes. 'Jullie zakken zijn groter.'

'Ja, maar we leiden ook een eenvoudiger leven. Hoewel we voor de komst van het Paardenvolk een veel ingewikkelder leven leidden, in de verloren steden, bedoel ik.' Dallandra zweeg toen er iets bij haar opkwam. 'Maar volgens Meranaldar was dat een leven volgens een heel strak patroon. Elke dag van het jaar had een betekenis en moest er een godsdienstig ritueel worden uitgevoerd. Ik vraag me af of dat een gevolg was van onze lange levensduur.'

'Maar hoe hielp dat om dingen beter te kunnen onthouden?'

'Al die rituelen vormden een soort raamwerk om het vlees van ons leven aan te drogen te hangen, denk ik.'

'Ah, dat kan ik begrijpen.'

'Bovendien konden we lezen en schrijven. Schrift is tenslotte niets anders dan bevroren herinneringen. Als je iets hebt opgeschreven, hoef je het niet meer zo precies te onthouden.'

'Dat is waar! Dat was nog niet bij me opgekomen.' Branna glimlachte, maar toen verstrakte haar gezicht en staarde ze opnieuw in de verte. De zon stond al vlak boven de horizon en er vielen lange schaduwen over het veld en over de paarden. In het oosten kreeg de lucht een fluwelige tint.

'Branna?' Dallandra vond dat de stilte lang genoeg had geduurd. 'Waarom ben je zo bang?'

Branna gaf niet direct antwoord en even leek het alsof ze moest huilen. Maar in plaats daarvan verscheen er een onoprecht glimlachje op haar gezicht, wat Dalla eraan herinnerde dat Branna pas vijftien was – volgens de maatstaven van de elfen nog maar een klein meisje.

'Ik wil mezelf zijn,' zei ze ten slotte. 'Jill was zo sterk en machtig dat ze voor mijn gevoel een heel andere vrouw is dan ik. Ze zit binnen in me of zoiets, ik weet niet hoe ik het precies moet uitdrukken, maar soms lijkt het alsof ze mij wil wegdrukken. En dan zal Branna dood zijn, terwijl ik niet dood wil zijn.'

'Geen wonder dat je zo bang bent! Weet je dat dit ook een reden is dat zo weinig mensen zich vorige levens herinneren?'

'Het maakt me doodsbang,' fluisterde Branna. 'Moet ik mezelf uiteindelijk opgeven en weer Jill worden?'

'Ik zal ervoor zorgen dat het niet zover komt.' Dallandra deed haar best om zo geruststellend mogelijk te klinken. 'Je kunt Jills herinneringen hebben zonder Jill te zijn. Beschouw ze als verhalen die je ooit van een bard hebt gehoord, of als dromen, want zo heb je ze gekregen. Ze bevatten veel belangrijke kennis, maar het blijven verhalen en dromen.'

'Blijf je me echt helpen?' Nu glimlachte Branna oprecht. 'Ik dacht dat je... Nou ja, eigenlijk is dat erg dom van me.'

'Ik geloof niet dat het dom is, wat het dan ook is.'

Branna aarzelde nog heel even voordat ze zei: 'Ik dacht dat je zou willen dat ik weer Jill werd. Ik dacht dat ik, als ik zou willen weten wat zij allemaal wist, Jill zou moeten worden.'

'Nee, nee, nee, dat mag je nooit denken! Jill was weliswaar een vrouw met een enorme kracht, maar ze had net als wij haar fouten en beperkingen. Ik ga ervan uit, of dat hoop ik tenminste, dat ze genoeg heeft geleerd om te voorkomen dat jij dezelfde fouten moet maken als zij heeft gedaan. Want jij moet dweomer leren als Branna, niet als Jill.'

'De goden zij dank!' Branna wilde nog meer zeggen, maar ze begon te huilen. Ongeduldig veegde ze met een mouw de tranen van haar wangen – een gebaar dat Dallandra aan Jill deed denken, maar dat zei ze natuurlijk niet.

'We doen dit samen,' beloofde Dallandra. 'Jij en Neb moeten allebei bij mij in de leer komen en ook bij een andere dweomermeester, Niffa, die in Cerr Cawnen woont. Zij is een mens, net als jullie, en ze is ook een leerling van me geweest.'

'Leerling,' zei Branna lachend. 'Dat woord bevalt me wel. Ik ben erachter wat mijn vak moet worden en tot welk gilde ik dan zal behoren.' Ze werd weer ernstig. 'Maar tante Galla zal me missen.'

'Dan heeft zij vrouwe Solla om haar gezelschap te houden, en ik hoop Adranna. We zullen ons uiterste best doen om Adranna en haar dochter veilig uit die dun te halen.'

'Dank je. En dan is de arme kleine Matto er ook nog, maar hem kun je waarschijnlijk niet redden. Ik betwijfel of Honelg hem zal laten gaan en ik ben bang dat de gwerbret hem, als hij toch met de vrouwen mee naar buiten zou komen, zal laten doden.'

'Wat zeg je? Waarom dan?'

'Om te voorkomen dat hij later wraak zal willen nemen. Zo gaat het hier in het grensgebied nu eenmaal.'

'Maar hij is nog maar...' Dallandra zweeg abrupt en slikte haar verontwaardigde protest tegen de gewoonten van de mensen in Deverry in. 'Wat erg. Ik zal proberen hem ook te redden.'

'Duizendmaal dank!' Branna verstijfde en er ging een rilling door haar heen. 'Iemand bespiedt ons, Dalla!'

Toen voelde Dalla het ook, alsof er een ijskoude druppel over haar rug gleed. Ze stond op en keek gespannen naar de lucht. In de avondschemering vloog hoog in de lucht een gevleugeld schepsel langzaam in grote cirkels rond. Heel even hoopte ze dat het Arzosah was, maar plotseling draaide het schepsel zich om en vloog met snelle vleugelslagen weg. Omdat het al halfdonker was, kon Dalla alleen zien dat het een vogel was, waarschijnlijk een heel grote raaf.

'Mazrak,' fluisterde ze. 'Ik wil er heel wat om verwedden dat je geen gewone vogel bent.' Op normale toon vervolgde ze: 'Waarom is Salamander altijd ergens anders wanneer ik hem nodig heb? Ik denk dat hij wel zou weten wie dat was. Wacht even.' Toen ze zich heel sterk op Ebañy concentreerde, kon ze in gedachten zijn geest aanraken, maar na alle mede en de overvloedige maaltijd die hij had genuttigd, was hij te versuft om het te merken. 'Verdorie, hij geeft weer eens niet thuis!'

Branna luisterde met open mond. 'Het was een boosaardige raaf, nietwaar?' zei ze. 'Het was vast dezelfde die ons thuis ook heeft bespioneerd, en nu was hij weer hier.'

'Thuis? Wat gebeurde er dan precies?'

'Nou ja, hij lijkt op een raaf, maar hij is veel groter. Hij heeft al een paar keer boven de dun rondgecirkeld en toen kreeg ik het er ook koud van, ik weet niet waarom.'

'Ik weet het wel. Weet je wat een mazrak is?'

'Nee.'

Dallandra ging weer zitten. 'Dan kan ik je dat maar beter meteen uitleggen.'

'Ik moet toegeven dat de heren in Deverry wel weten hoe ze een feestmaal moeten opdienen,' zei Calonderiel.

'Inderdaad,' beaamde Salamander, en hij boerde luid. 'Ach heden, neem me niet kwalijk! Misschien had ik die laatste beker mede moeten laten staan.'

'Dat had ik je toch gezegd? We verzamelen ons bij zonsopgang voor de rit naar het noorden, dus kun je niet tot het middaguur uitslapen, troubadour.'

'Ach goden, heb medelijden met deze arme dwaas!' Salamander keek naar de lucht en hief smekend zijn handen. 'Laat de zon alsjeblieft wat later opgaan!'

'De goden hebben wel wat beters te doen. Maar het is jammer dat het toernooi nu niet doorgaat. Dat kan natuurlijk niet, maar ik had het graag willen bijwonen.'

Ze liepen over het binnenplein op weg naar de poort. Achter hen klonk het lawaai in de grote zaal als het gebulder en gemurmel van een stormachtige zee. Ongetwijfeld zou het feest nog urenlang doorgaan, maar Calonderiel had er met het oog op de komende strijd op gestaan vroeg te vertrekken. Hij had zijn boogschutters al veel eerder bevolen terug te gaan naar het kamp, en Salamander had gezien dat Gerran ook zijn krijgers naar bed had gestuurd. Maar prins Daralanteriel was verplicht zich aan de regels te houden en bij de gwerbret aan tafel te blijven zitten tot het feest was afgelopen. Meranaldar had aangeboden bij de prins te blijven – om straks zijn laarzen schoon te likken, volgens Calonderiel.

Op het lege plein weergalmde het geluid van hun voetstappen op de keien. Opeens hoorden ze rennende voetstappen dichterbij komen.

'Salamander! Banadar! Wacht even!'

Het was Clae, die hen hijgend inhaalde.

'Wat is er aan de hand?' vroeg Salamander glimlachend. 'Maak me niet wijs dat je in het donker kunt zien, dus hoe wist je dat wij het waren?'

'Ik zag u weggaan en ben u zo gauw mogelijk achternagegaan. Mag ik met u meelopen? Ik moet de hoofdman spreken. Neb zei dat ik u moest vragen hem te helpen zoeken.'

'Hij is beneden op het veld. Ga maar mee.'

Op het veld zaten Gerran, Dallandra en tot hun verbazing ook Branna bij een vuurtje, dat ze hadden aangestoken om elkaar te kunnen zien. Nu de krijgers van de Rode Wolf hun kampeerplaats deelden, durfde Dallandra geen dweomerlicht te maken, al was het veel te warm voor een vuur. Clae boog voor beide vrouwen, maar nogal stuntelig, omdat hij vanuit zijn ooghoeken naar Gerran keek, alsof hij wilde horen of hij het goed deed.

'Neem me niet kwalijk, vrouwe Dallandra en vrouwe Branna,' zei Clae, 'maar er is iets gebeurd en dat moet ik de hoofdman vertellen.'

'Vertel het hem dan maar gauw,' zei Dallandra glimlachend. 'We zullen je niet bijten.'

Clae lachte een beetje onzeker en boog nogmaals, nu voor Gerran. 'Eh... een stalknecht heeft twee paarden gestolen en is ermee vandoor gegaan.'

'Als die paarden in de dun op stal stonden, waren ze niet van ons, jongen,' zei Gerran. 'Dan moet je het tegen heer Blethry zeggen.'

'Heer Blethry is vanmiddag vertrokken om berichten te brengen naar een paar bondgenoten in de bergen en hij komt nog lang niet terug. En ik wilde het niemand anders vertellen, voor het geval dat het een volgeling van Alshandra zou zijn.'

'Hè? Wat zou dat?'

'Ik denk dat de dief naar heer Honelg is gegaan om hem te waarschuwen.'

Gerran vloekte en stond op, zo soepel als een kat en tweemaal zo snel. 'Waarom denk je dat?'

'U weet toch dat we allemaal hebben meegeholpen voor de paarden te zorgen? Coryn en ik en de schildknapen van alle andere heren en de stalknechten?'

'Dat weet ik. Ga door.'

'Toen heb ik van alles gehoord, wat de stalknechten tegen elkaar zeiden en zo, en tegen de knechten die naar de stal kwamen om een paard voor een heer te halen. Sommigen aanbidden Alshandra, dat denk ik tenminste. Dat zeggen ze niet openlijk, maar dat zouden ze ook niet doen, nietwaar?'

'Je hebt gelijk, verdomd als het niet waar is. Dat zouden ze nooit doen, niet als ze nog een beetje kunnen nadenken.' Gerran klonk eerder vermoeid dan boos. 'Ach, bij de zwarte harige kont van de heer van de hel!'

'Die stalknecht, hij heet Raldd, nam twee paarden mee naar buiten om ze te laten grazen, dat zei hij. Ik zag hem weggaan, maar hij had zadeltassen en een opgerolde deken bij zich. En hij is niet teruggekomen. De paarden zijn van prins Voran en ze waren op stal gezet. Daarom heb ik gezien dat ze er niet meer zijn. Ik heb naar ze uitgekeken, maar toen het donker werd, waren ze nog steeds niet terug. Toen heb ik de hele dun afgezocht en omdat ik ze nog steeds niet kon vinden, ben ik hierheen gerend om het u te vertellen.'

'Goed gedaan, jongen.' Calonderiel knikte Clae toe. 'Je hebt goede ogen en je gebruikt je verstand.'

'Dank u, heer,' zei Clae.

'De banadar heeft gelijk.' Op Gerrans gezicht verscheen een van zijn zeldzame glimlachjes. 'Je hebt de juiste beslissing genomen.'

Zelfs in het halfdonker zag Salamander dat Clae vuurrood werd. Hij mompelde: 'Dank u' en keek strak naar de grond.

'Hier was ik al bang voor,' zei Salamander. 'Iedereen in de dun heeft Zaklof zien sterven.'

'Zaklof?' vroeg Gerran. 'Wie is Zaklof?'

'Een profeet en prediker van het Paardenvolk, die de cultus van Alshandra overal verkondigde. Honelg was diep onder de indruk van hem. Zaklof was in feite de oorzaak van Honelgs bizarre voorkeur voor vreemde godinnen. En blijkbaar was onze heer van de Zwarte Pijl niet de enige die zich afvroeg hoe Zaklof zijn dood zo kalm onder ogen kon zien. In de stad heb ik horen zeggen dat Zaklof tegen iedereen predikte die maar wilde luisteren. Waarschijnlijk heeft hij heel wat mensen kunnen bekeren.'

'Dat denk ik wel, de ellendeling,' zei Dallandra. 'Hoofdman, is het mogelijk die Raldd ergens tegen te houden voordat hij de dun van Honelg bereikt?'

'Wanneer is Raldd vertrokken?' vroeg Gerran aan Clae.

'Lang voordat het avondmaal werd opgediend.' Clae dacht diep na. 'De zon stond ongeveer halverwege, tussen het middaguur en zonsondergang, bedoel ik.'

'Toen iedereen druk bezig was met de voorbereidingen voor het feest,' zei Salamander. 'Onze Raldd had het tijdstip goed gekozen. Waarschijnlijk is Clae de enige die hem heeft zien gaan.'

'De poolster staat op zijn hoogste punt,' zei Calonderiel. 'Hoe ver is het vanhier naar de dun van Honelg?'

'Ongeveer vijfenveertig kilometer.' Salamander dacht even na. 'De weg ernaartoe is goed, althans de eerste dertig kilometer, maar hij gaat gedeeltelijk heuvelopwaarts.'

'Raldd heeft twee fitte paarden uit de koninklijke stallen meegenomen, de beste paarden van heel Deverry,' zei Gerran. 'En hij zal niet aarzelen ze kreupel te rijden.'

'Wat betekent dat hij al minstens dertig kilometer heeft afgelegd,' zei Salamander. 'En dat hij voor zonsopgang bij Honelg zal zijn.'

'Je bedoelt dat we hem dus niet kunnen inhalen,' zei Dallandra.

'Inderdaad.' Gerran schudde geërgerd zijn hoofd. 'We hebben nog wel een paar nuchtere ruiters en goede paarden, maar tegen de tijd dat we klaar zijn om weg te rijden, heeft hij zijn doel al bijna bereikt. We moeten eerst om de stad heen naar de weg en die in het donker volgen, terwijl hij de weg ongetwijfeld kent.'

'Ze kunnen ons zelfs in de val laten lopen,' zei Salamander zacht.

'Dit is een ramp,' zei Calonderiel. 'Dit betekent, Dalla, dat de dun van Honelg tegen de tijd dat ons leger er aankomt, zal zijn bevoorraad om een lang beleg te doorstaan. Ik wil wedden dat hij de mannen uit zijn dorp ook oproept.'

'Dat zou ik tenminste wel doen,' zei Gerran.

Branna had stil zitten luisteren, met haar armen om haar opgetrokken knieën geslagen, alsof ze zo onzichtbaar mogelijk wilde zijn. Ze leunde met haar hoofd op haar knieën en Salamander zag dat ze bijna was ingedommeld.

'Branna?' zei hij. 'Moet jij niet terug naar de dun? De stadspoort is gesloten, maar als de banadar met je meegaat, laten ze je nog wel binnen.'

'Ach goden!' Branna was meteen klaarwakker. 'Neb zal zich afvragen waar ik blijf!'

'Inderdaad.' Calonderiel stond op. 'Sta me toe je naar de dun te begeleiden, vrouwe. Ik geloof dat er hier nog ergens een kaarslantaarn staat. Gaan jullie intussen naar bed, want we moeten morgen vroeg op.'

'Zo is het,' beaamde Gerran, en tegen Clae zei hij: 'Kom, jongen.'

'Mag ik nog iets vragen, hoofdman?' Dallandra liep naar Gerran toe. 'Stuurt tieryn Cadryc de vrouwen terug naar zijn dun?'

'Dat doet hij.'

'Hoeveel mannen kan hij missen om ze te begeleiden?'

'Heel weinig. We hebben niet onze hele krijgsbende mee hierheen genomen.'

'Daar was ik al bang voor.'

'Denk je dat ze gevaar zullen lopen?'

'Dat denk ik, maar ik weet niet precies hoe ik moet uitleggen waarom.' Dallandra draaide zich om naar Calonderiel en zei in de Elfentaal: 'Ik wil dat ze hier in Cengarn blijven, maar ik kan niet zeggen dat ik voortekens heb gezien. Kun jij een logische reden bedenken?'

'Jawel, en die kan zelfs gegrond zijn.' In het Deverriaans zei hij tegen Gerran: 'Onze wijze vrouw maakt zich zorgen omdat Honelg nu weet dat we eraan komen. Stel dat hij meteen een stel krijgers op pad stuurt om ons te omsingelen en dat zij de vrouwen tegenkomen en gijzelen? Hij zou geen betere gijzelaars kunnen hebben dan Branna en Galla, en bovendien de zuster van de gwerbret.'

Gerran vloekte hartgrondig en zei: 'Ik ga met je mee terug naar de dun en dan stellen we de tieryn voor dat hij de vrouwen hier laat. Ik weet zeker dat Ridvar bereid zal zijn hun nog wat langer gastvrijheid te verlenen. Clae, ga jij maar naar het paviljoen om een poosje te slapen.'

Zolang de anderen nog binnen gehoorsafstand waren, zeiden Dallandra en Salamander geen woord meer. Dallandra staarde in het donker voor zich uit en Salamander zag aan haar gespannen houding dat ze iets wilde bespreken wat niemand anders mocht horen. 'Denk je dat je kunt scryen zonder er last van te hebben?' vroeg ze ten slotte. 'Je moet het eerlijk zeggen.'

'Ik denk dat ik daar geen problemen mee krijg,' antwoordde Salamander. 'Scryen gaat me altijd gemakkelijk af.'

'Dat is waar. Heb je die Raldd ooit gezien?'

'Niet dat ik weet. Maar waarschijnlijk rijdt hij door donkere bossen.'

'Ach ja, dat is zo. En Sidro? Denk je dat zij licht in de buurt heeft?'

'Wie weet. Ik kan het proberen.'

Ze gingen op hun knieën bij het vuurtje zitten. Salamander gooide er nog wat takjes en stukjes boombast op en gebruikte de oplaaiende vlammen om zich te concentreren. Terwijl hij aan Sidro dacht, kwam weer bij hem op hoezeer hij haar haatte, met haar priemende oogjes die bijna zijn dood hadden veroorzaakt.

Het beeld werd algauw scherp. Ze zat geknield in het schijnsel van een olielamp, die op een stenen altaar stond. Het flakkerende licht weerkaatste in de piramide van obsidiaan, en zo nu en dan nestelde een van de donkere vonken die eraf schoten zich in haar ravenzwarte haar.

'Ze is ergens binnen,' begon Salamander. 'Ik vermoed in de tempel. Ze knielt voor een altaar. Erachter hangt een schilderij van Alshandra, heel levensecht, voor zover ik kan zien, in de Bardekiaanse stijl die ze perspectivisch noemen. Sidro heeft haar armen gespreid en ze mompelt gebeden in de taal van het Paardenvolk.'

'Is ze in Zakh Gral?' vroeg Dallandra met zachte, vlakke stem, om zijn concentratie niet te verbreken. 'Weet je het zeker?'

Salamander vergrootte het visioen en zag de dun liggen onder een sterrenhemel.

'Ja, heel zeker.'

Toen hij zich Sidro weer voor de geest haalde, zat ze nog steeds op haar knieën verzonken in gebed, daar leek het tenminste op. Omdat hij nooit in de tempel was geweest, vervaagde haar omgeving zodra hij probeerde te zien wat er nog meer om haar heen stond.

'Ik kan niet zien of ze alleen is of niet,' zei hij. 'Maar op het altaar staat net zo'n lamp als ze in Bardek hebben, zo'n aardewerken kruikje met olie en een lont erin.'

'In Bardek? Wat raar,' zei Dallandra verbaasd.

'Inderdaad.' Salamander verbrak de verbinding en ging op zijn hielen zitten. 'Zo is het genoeg.'

'Waarom? Denk je dat Sidro wist dat je naar haar keek?'

'Nee, maar ik weet hoe die mensen zijn. Hun gebeden duren uren.

Voorlopig is er niets meer te zien.'

'O. Denk je dat ze die lampen uit Bardek van een koopman hebben gekocht?'

'Niet van iemand uit Bardek zelf, als je dat bedoelt. Ik ben in al die jaren dat ik in Bardek heb gewoond nooit iemand tegengekomen die wist van het bestaan van het Paardenvolk, laat staan dat hij er dingen aan verkocht.'

'Maar het is ook niet waarschijnlijk dat goederen uit Bardek helemaal naar Cerr Cawnen werden gebracht om daar te worden verhandeld.'

'Zelfs al was dat zo, dan nog betwijfel ik of iemand daar iets van een Paardenvolker zou willen kopen.'

'Je hebt gelijk. Ik weet dat de mensen in Bardek hun eigen goden hebben, maar weet jij of zowel mannen als vrouwen daar godinnen aanbidden?'

'Dat doen ze. Is dat van belang?'

'Dat vind ik wel. Blijkbaar vult Alshandra een soort leegte, ook in het godendom van Deverry. Wij hebben onze stergodinnen en natuurlijk de Zwarte Zon, maar alleen de vrouwen in Deverry hebben een godin, terwijl mannen ook behoefte hebben aan een vrouwelijke heilige.'

'Dat moet ik met je eens zijn. Maar ik betwijfel of Alshandra ook in Bardek een plaats heeft veroverd, want ze hebben daar al godinnen genoeg. Al weet je het nooit.' Salamander groef in zijn geheugen. 'Er is daar wel een open plaats, want sommigen in Bardek hebben een godin zonder naam en zonder gezicht. Soms wordt ze afgebeeld als een gesluierde vrouw en soms is haar hoofd een soort kegel. Ze heeft te maken met de dood; ik geloof dat ze de doden beschermt op hun laatste reis, of ze straft ze of zoiets. Niemand wil graag over haar praten.'

'Dat is meestal het geval als het over goden van de doden gaat. Dus er zouden in Bardek mensen kunnen zijn die Alshandra hebben aanvaard.'

'Inderdaad.' Salamander wilde opstaan, maar hij ging weer zitten omdat hij ineens duizelig werd. 'Ik geloof dat ik vermoeider ben dan ik dacht.'

'Kom, leun maar op mij. Je moet naar bed. Als je morgenochtend niet te moe bent, wil ik dat je dan naar de dun van Honelg kijkt.'

'Het scryen zal wel gaan, het tijdstip zal me meer moeite kosten.'

'Laten we dan wachten tot het leger zich heeft verzameld. Ik zal je zo laat mogelijk wekken.'

Dallandra vergewiste zich ervan dat Salamander rechtstreeks naar bed ging, in de tent die hij deelde met Dars boogschutters. Daarna ging ze terug naar het vuurtje om op Calonderiel te wachten. Ze besefte dat ze ervan uit was gegaan dat de mazrak die ze die ochtend had gezien Sidro was, en dat Sidro de herboren Raena was. Het laatste was nog steeds mogelijk, maar zelfs een dweomerraaf kon niet op één avond in het fysieke vlak helemaal terugvliegen naar Zakh Gral. Raena was in staat geweest om over de geheime wegen te reizen, maar alleen omdat Alshandra haar daar de etherische en astrale energie voor had gegeven. Zonder Alshandra zou ze jarenlang hebben moeten oefenen om dat te kunnen en omdat haar sekte niet in dweomer geloofde, was het hoogst onwaarschijnlijk dat ze dat had gedaan.

Maar als die mazrak niet Sidro was, wie was het dan wel? De gedachte dat er in een tempel van het Paardenvolk een lamp uit Bardek op het altaar stond en er een schilderij uit Bardek achter hing, liet haar niet los. In het gunstigste geval was er op de een of andere manier een ontmoeting geweest tussen priesteressen van die naamloze godin in Bardek en volgelingen van Alshandra, maar gezien de enorme afstand tussen de eilanden in Bardek en het land van het Paardenvolk kon ze zich dat niet voorstellen.

De andere mogelijkheid baarde haar zorgen. De meeste Bardekianen waren beschaafde, ontwikkelde mensen, geen godsdienstfanaten of lieden die banden met het Paardenvolk zouden aanknopen. Maar zoals in alle tijden en alle landen waren er onder hen ook schurken en misdadigers, of nog erger, lieden die werden aangetrokken door de duistere kant van dweomer, en die duivelse invloed uitoefenden.

Maar waarom zou een lid van het gilde van aanhangers van duistere dweomer – het bestond alleen uit mannen – banden aanknopen met het Paardenvolk? Waren sommigen van hen op de vlucht geslagen voor het erkende gezag in hun land en hadden ze hun toevlucht gezocht bij het Paardenvolk? In dat geval kon het zijn dat haar geheimzinnige mazrak een van hen was. Maar hoe kreeg hij het voor elkaar in leven te blijven terwijl de cultus van Alshandra beoefenaars van dweomer de doodstraf oplegde?

'Te veel vragen,' zei ze hardop. 'Misschien liggen de antwoorden in Zakh Gral, als we erin slagen die vesting in te nemen. Als? We moeten wel. Er zit niets anders op.'

Even later kwam Calonderiel terug met de mededeling dat de prins en Meranaldar nog steeds een beleefde reden probeerden te bedenken om zich uit het gezelschap van de gwerbret te kunnen terugtrekken.

'Ik heb zelfs medelijden met ons miezerige schrijvertje,' zei Cal glimlachend. 'Het kost hem de grootste moeite om wakker te blijven. Want o, wat zou het ongemanierd zijn aan tafel te zitten snurken, en de goden weten dat ongemanierdheid zijn grootste angst is.'

'Wat ben jij soms toch gemeen!'

'Waarschijnlijk wel.' Met schuin gehouden hoofd keek hij haar onderzoekend aan. 'Je kijkt alsof je slecht nieuws voor me hebt.'

'Al ben je gemeen, je bent ook scherpzinnig. Helaas heb ik inderdaad slecht nieuws. Branna en ik hebben vanavond een mazrak boven het kamp zien rondcirkelen. Het kan geen priesteres uit Zakh Gral zijn, wat betekent dat we worden bespied door een onbekende. Ik heb echt geen flauw idee wie het kan zijn.'

Cal keek haar even verbaasd aan, maar toen uitte hij een paar van de ergste vloeken die ze ooit van hem had gehoord.

'Ja,' zei ze, toen hij zweeg, 'zo voelde ik me ook.'

'Niet helemaal, hoop ik. Je moet er heel zeker van zijn, anders had je het me niet verteld.'

'Heel zeker. Deze mazrak is de reden dat ik niet wil dat Cadryc zijn vrouwvolk naar huis stuurt. Kunnen ze in Cengarn blijven?'

'Ja, de tieryn was het meteen met ons eens en heer Oth ook, toen we het hem vroegen.' Cal slaakte een diepe zucht, die eindigde met een soort gegrom. 'Dat is tenminste geregeld. Hopen dat deze veldtocht niet meer zou zijn dan een geslaagde oefening in de krijgskunst, was waarschijnlijk overmoedig van ons.'

'Blijkbaar wel. Deze hele situatie is doordrenkt van dweomer, en ik ben bang dat de goeden onder de kwaden moeten lijden.'

Salamander werd veel te vroeg naar zijn zin door Dallandra gewekt. De boogschutters waren al weg; hun rumoer toen ze opstonden en hun spullen inpakten, had hem blijkbaar niet gestoord.

'Ze hebben met het afbreken van de tent gewacht tot jij ook wakker bent,' zei Dallandra.

'O, eh... grrmm...' Salamander ging rechtop zitten. 'Ik zal opschieten.'

Hij had het merendeel van zijn kleren nog aan en toen hij ook zijn laarzen had aangetrokken, strompelde hij naar buiten. Boven de oostelijke horizon hing een grijze streep licht. Mopperend en klagend liep hij achter Dallandra aan naar de oever van de rivier, waar het water zilverachtig glansde onder de bewolkte lucht. Het was de beste achtergrond om te scryen die Salamander zich kon wensen, en het kostte hem dan ook geen enkele moeite om even later Honelgs dun voor zich te zien. Eerst leek het alsof hij er vanaf grote hoogte op neerkeek, alsof hij een vogel was. Maar meteen werd hij zich zo sterk bewust van naderend gevaar dat hij voor zijn gevoel een duik maakte naar het binnenplein, waar hij even later om zich heen kon kijken.

Vier mannen waren bezig zakken en beddengoed op twee ezels te laden, en bij de poort wachtten knechten met vier rijpaarden aan de teugels. Heer Honelg stond toe te kijken, met een lange stok in zijn hand. Salamander begreep pas waar die toe diende toen Honelg een van de mannen bij zich riep en met de stok een ruwe kaart in het modderige zand tekende. Hij gaf er uitleg bij, maar die kon Salamander niet horen. Dat hoefde ook niet, want de kaart was duidelijk genoeg. Hij verbrak het visioen.

'Hij stuurt boodschappers naar Zakh Gral, Dalla.'

'Daar was ik al bang voor.' Dallandra trok wit weg. 'Weet je zeker dat ze naar Zakh Gral gaan?'

'Waar in het Westland zouden ze anders naartoe moeten gaan? In elk geval niet naar de vlakte om te overleggen met het gebroed van Vandar.'

'Natuurlijk niet. In een dwaas moment hoopte ik dat alleen maar.' Ze deed vergeefs een poging om te glimlachen. 'Ebañy, ook al wordt het Paardenvolk gewaarschuwd, dan nog kunnen we hun vesting waarschijnlijk vernietigen. Maar hoevelen van ons zullen dat niet overleven?'

Even was Salamander sprakeloos, zo was hij geschrokken van Dallandra's angst. 'Hoor eens,' zei hij toen, 'zo ver zijn we nog niet. Van Honelgs dun naar Zakh Gral is een lange rit. Ze moeten de vlakte oversteken en daar hebben ze geen beschutting. Rocca wist een weg door het bos, maar die was zo ingewikkeld dat de boodschappers, als ze die zouden nemen, binnen een halve dag zouden verdwalen. Dus moeten ze over de vlakte recht naar het westen, en dat geeft ons de tijd en de kans om ze te onderscheppen.'

Dallandra's gezicht kreeg weer een beetje kleur. 'We moeten Valandario en Carra een boodschap sturen.'

'Inderdaad.' Salamander geeuwde. 'Waar zou de dichtstbijzijnde alar zich nu bevinden? Ik denk dat de meeste alarli nog steeds met hun kudden in het noorden zijn.'

'Dat weet Valandario wel. Als jij haar scryt en haar vertelt wat je hebt gezien, weet zij waar ze de boodschappers ongeveer kan verwachten.'

'Of nog beter, als zij met een groep meegaat, kan ik ze de weg wijzen. Ik zal scryen en haar vertellen wat ik heb gezien, en met een beetje geluk kan ze onze mannen rechtstreeks naar de boodschappers brengen.'

'Dat zou kunnen,' zei Dallandra aarzelend. 'Maar we mogen niet afhankelijk zijn van een beetje geluk.'

'Het zou natuurlijk beter zijn als ik met hen meeging. Als ik vlieg, kan ik in een dag bij Valandario zijn.'

'Nee, Ebañy, dat verbied ik je! Ik heb er geen zin in nog eens tien jaar nodig te hebben om je gebroken geest weer te lijmen.' Plotseling glimlachte ze. 'Bovendien hebben we sterkere vleugels dan de jouwe tot onze beschikking, als ze hier tenminste binnenkort aankomen.'

'Natuurlijk! Ik denk dat ik nog half versuft ben van al die mede. Arzosah!'

'Juist. Laten we een eindje verder bij het kamp vandaan gaan. Ik wil haar nog een keer roepen, om haar duidelijk te maken dat het dringend is. En daarna moeten we Cal van de laatste tegenvaller op de hoogte brengen.'

'En de gwerbret, neem ik aan.'

'Nee. Denk je nou echt dat een heer in Deverry en vooral zo'n arrogante jongen als Ridvar ons zou geloven?'

'Och nee, natuurlijk niet.'

'We moeten dit zonder hulp van de Rondoren opknappen en dat is waarschijnlijk maar beter ook. We kunnen het zelf veel sneller.'

Branna zat mokkend op de rand van het rommelig opgemaakte bed. Ze keek hoe Neb bij kaarslicht zijn schrijfgerei in een zadeltas pakte. De weinige extra kleren die hij bezat, lagen al opgerold in een paar dekens bij de deur.

'Ik wou nog steeds dat ik mee mocht,' zei ze.

'Eigenlijk wou ik dat ook.' Neb keek haar aan. 'De hele tijd dat we gescheiden zijn, zal mijn hart pijn doen omdat ik je zo mis.'

Toen ze hoorde dat hun verdriet wederzijds was, trok ze een beetje bij. 'Terwijl je weg bent, zal ik je trouwhemd afmaken. De boodschappers van oom Cadryc vertrekken zo meteen ook en ik heb gezegd dat ze mijn naaiwerk mee terug moeten brengen. Een paar dienstmaagden weten waar het ligt.'

'Dank je.' Neb glimlachte, maar zijn ogen vulden zich met tranen, die hij meteen wegveegde met een mouw. 'Ik weet niet waarom me dat zo raakt.'

'Dat weet ik ook niet, maar ik ben er blij om.'

Hij ging naast haar op het bed zitten, trok haar naar zich toe en kuste haar. Even klemde ze zich aan hem vast, maar beneden op het binnenplein klonken mannenstemmen en het getrappel van hoeven op de keien.

'Ach, vervloekt nog aan toe!' zei Neb. 'Ik wou dat ik niet weg hoefde, maar als ik een dienaar van de tieryn wil zijn, moet ik hem gehoorzamen.'

'Het duurt vast niet lang. Ik bedoel dat je vast niet lang meer een dienaar zult zijn, want we gaan in de leer bij Dallandra.'

'Dat is waar, maar ik heb wel het gevoel dat ik ondankbaar ben. Ik haal jou bij je oom en tante weg en laat hem zonder schrijver achter.'

'Solla kan lezen en schrijven, dan kan zij toch zijn schrijver worden? Bovendien stuurt hij niet vaak een brief.'

'Ja, dat zou kunnen. Daar had ik nog niet aan gedacht.' Neb hief haar hand naar zijn lippen en kuste haar handpalm. 'Ik weet dat je hier in elk geval veilig zult zijn. Ik begrijp niet waarom, maar ik vond het vreselijk dat jij en Galla naar huis zouden reizen.'

'Ik ook. Volgens Dalla werden we gewaarschuwd door dweomer. Je ziet dat we ons daar niet aan kunnen onttrekken.'

'Dat wil ik niet eens.'

Op het binnenplein werd het steeds lawaaiiger. Ze hoorden Ridvar bevelen schreeuwen en mannen antwoorden.

'Ik ga met je mee naar beneden, liefste,' zei Branna. 'Dan duurt onze scheiding minder lang.'

'Goed zo.' Neb grinnikte en wierp een blik uit het raam. Zijn gezicht betrok. 'Neem je mantel mee, want nu ziet het er ook nog naar uit dat het gaat regenen.'

Het weer was prachtig gebleven voor het huwelijksfeest van de gwerbret, maar die nacht had de noordenwind wolken gebracht en toen de dag aanbrak, was het zwaar bewolkt. In het oosten deed de zon eerst nog dapper zijn best en tekende een zilveren rand boven de horizon, maar hij gaf zich algauw gewonnen.

'Een vervloekte tegenvaller,' zei Cadryc. 'Tegen de middag zijn we doornat, jongen.'

'Dat denk ik ook,' zei Gerran. 'We hebben pech, edele heer.'

In het lagergelegen weiland wachtten de krijgers van de Rode Wolf en het Westvolk op de mannen uit Dun Cengarn. De krijgsbende van de Rode Wolf stond al twee aan twee in een slordige rij, klaar om weg te rijden. De mannen van het Westvolk waren nog bezig hun paarden op te zadelen en hun wapens te verzamelen. Ze bevestigden hun lange bogen op de lastpaarden, maar droegen een korte jachtboog aan een leren riem op hun rug. Twee boogschutters stonden met Calonderiel te redetwisten, maar omdat ze de Elfentaal spraken, kon Gerran er geen woord van verstaan.

Knechten uit de dun braken het paviljoen af. Gerran zag hoe ze de stormlijnen losmaakten van de haken, waarna de tent in elkaar zakte. Toen het opbollende witte doek langzaam neerdaalde, zag Gerran aan de andere kant Neb en Branna staan, die met een innige omhelzing afscheid van elkaar namen. Even voelde Gerran minachting in zich opwellen voor de schrijver die, als hij het zo erg vond zijn vrouw achter te laten, duidelijk liet blijken dat hij geen echte krijger was.

'Ik vraag me af waar die verduivelde gwerbret en zijn mannen blijven,' zei Cadryc. 'Ik wil onderweg zijn voordat het verdomme gaat regenen. We willen toch niet op een nat zadel zitten?'

'Wij niet, edele heer.'

'Zijn mannen hadden gisteravond hun spullen moeten pakken. Hoe langer we hier goddomme blijven rondhangen, des temeer tijd geven we Honelg om zich voor te bereiden op een beleg.'

'Dat is zo. Maar u weet dat Ridvar heeft beloofd zijn dun en zijn stad te laten doorzoeken naar volgelingen van Alshandra, omdat we niet willen dat er nog meer spionnen met het laatste nieuws naar het noorden rijden. Ik denk dat hij nog bezig is de jacht in gang te zetten.'

'O ja, dat was ik vergeten. Hij heeft gelijk, al is het net zoiets als waakhonden bij de schapen zetten als de wolven al weg zijn. En ik moet vrouwe Dallandra ook nog bedanken.' Cadryc trok een spijtig gezicht. 'Wat een stommeling ben ik om zelf niet aan de veiligheid van onze vrouwen te denken. Nou ja, misschien kan ik ooit nog eens iets voor haar terugdoen.'

Gerran wist niet goed wat hij van Dallandra moest denken, vooral omdat de prins haar met zoveel eerbied behandelde. En andere Westvolkers noemden haar een wijze vrouw. Hij wist niet of dat een titel was of alleen een compliment. In haar hertenleren kousenbroek en tuniek en met haar haren in nette vlechten leek ze eerder een jongeman dan een vrouw, terwijl je van het Westvolk met hun rimpelloze, mooie gezichten niet kon aflezen hoe oud ze waren.

Dallandra nam de dank van de tieryn tactvol in ontvangst. 'Eerlijk gezegd was Calonderiel degene die eraan dacht wat zou kunnen gebeuren,' zei ze. 'Ik had alleen een raar voorgevoel over eventueel gevaar.'

'Ach ja, vrouwen hebben daar gevoel voor, nietwaar?' zei Cadryc. 'Ik geloof dat jullie dat intuïtie noemen, dingen zien die mannen niet opmerken. Maar ik dank u van harte.'

Dallandra glimlachte vriendelijk en keek naar Gerran. Haar staalgrijze ogen leken in zijn geest te priemen en tot diep in zijn ziel door te dringen. Opeens dacht hij aan alle geruchten over dweomer die hij in de loop der jaren had gehoord en toen hij in haar kalme ogen staarde, vroeg hij zich af of die misschien waar waren. Als er inderdaad mensen bestonden die aan dweomer deden, moest deze vrouw een van hen zijn. Neb ook, schoot hem te binnen. Dat gevecht dat we hadden, als je het een gevecht zou kunnen noemen... En Neb en Dallandra hadden erg veel tijd met elkaar doorgebracht. De minachting die hij had gevoeld voor de schrijver verdween toen hij werd gedwongen te erkennen dat deze oorlog ook iets met tovenarij en duistere machten te maken had. Heel even had hij het gevoel dat hij van een ladder op een hooizolder was gestapt en dat de vermolmde houten vloer het op dat moment begaf. Dallandra wendde met een glimlachje haar hoofd af, en toen stond hij weer stevig met beide benen op de grond.

De donder rommelde. Gerran gaf een gil als een hond die een trap heeft gekregen en hij voelde dat hij rood werd. 'Neem me niet kwalijk,' zei hij. 'Ik schrok ervan, ik weet niet waarom.'

'Ik ook.' Cadryc keek nors naar de vesting, die zo donker als een onweerswolk boven hen uittorende. 'Ik wou dat de gwerbret eindelijk eens kwam opdagen.'

Voordat het begon te regenen, kwamen gwerbret Ridvar en prins Voran naast elkaar aanrijden, gevolgd door hun krijgers. Het leger had Cengarn nog geen vijf kilometer achter zich gelaten toen het hard begon te regenen en iedereen al doornat was voordat ze de bui hartgrondig konden vervloeken. Eerst zag het ernaar uit dat het de hele dag en misschien wel de hele nacht zou blijven regenen, maar niet lang na het middaguur begon het vanuit het westen te waaien. De wind joeg als een schaapshond achter de wolken aan en dreef ze naar het oosten. De regen nam af en hield uiteindelijk op. In een heldere lucht stond de zon laag boven de westelijke horizon.

'Zo, daar boffen we mee,' zei Cadryc. 'Meestal regent het hier de hele dag.'

'Dat is waar,' beaamde Gerran, maar opeens vroeg hij zich af of ze inderdaad boften of dat Dallandra de bui had verjaagd.

De boodschap werd doorgegeven dat de gwerbret halt zou laten houden zodra hij een geschikte plaats vond om te overnachten, gevolgd door instemmend gejuich.

'Laten we hopen dat het morgen droog blijft,' zei Cadryc.

'Dat hoop ik ook, edele heer,' zei Gerran. 'Ik denk dat we op die vervloekte modderige weg nog geen twintig kilometer hebben gereden...' Hij zweeg toen hij merkte dat de tieryn niet luisterde.

Cadryc reed met zijn hoofd achterover om naar de lucht te kijken en toen Gerran zijn voorbeeld volgde, zag hij iets wat op een vogel leek heel hoog boven hen rondcirkelen. Een zwarte vogel, maar hij was te groot voor een raaf.

'Wat in naam van alle goden is dat?' Cadryc wees omhoog. 'Het lijkt wel of dat verduivelde schepsel ons volgt.'

De boogschutters van het Westvolk, die voor hen reden, hadden het ook gezien. Ze begonnen te schreeuwen en grepen naar de kleine boog op hun rug. Dallandra riep over haar schouder iets in de Elfentaal, keerde om en ging naast hen rijden. Ze zei nog iets en de mannen lieten hun boog waar hij was. De vogel zweefde in trage kringen steeds lager en even later bleek dat het geen vogel was. Niet met die groenig zwarte schubben, die glansden van de regen, en die enorme vleugels zonder een enkele veer.

'Het is verdomme weer een draak!' zei Gerran. 'Alsof we nog niet genoeg problemen hebben.'

Cadryc zou dat waarschijnlijk beaamd hebben, maar toen vingen de paarden een vleug op van de zurige lucht van de draak. Zelfs de meest ervaren strijdrossen begonnen te bokken en te steigeren, hinnikend van angst, en het hele leger ontaardde in een chaos. De draak liet een vleugel zakken om een draai te maken en zette klapwiekend koers naar een open veld een eindje naar het oosten. Gerran zou kunnen zweren dat hij het schepsel met een diepe, bulderende stem 'neem me niet kwalijk!' had horen roepen, maar hij had geen tijd om bij die vreemde gedachte stil te staan tot de draak uit het zicht was verdwenen en de paarden waren gekalmeerd.

Dallandra steeg af en bracht haar trillende paard naar Calonderiel voordat ze door het natte gras naar de draak rende, die met de wind mee in een hobbelig veld was geland. Sinds ze Arzosah de laatste keer had gezien, was de draak een heel stuk gegroeid. Zonder haar glanzende zwarte staart, die sierlijk om haar enorme dijen lag, was ze bijna tien meter lang. Haar reusachtige kop glansde kopergroen in het zonlicht. Arzosah begroette de dweomermeester met een vriendelijk brommend geluid, schudde haar grote groenig zwarte vleugels droog en vouwde ze netjes op naast haar vlezige groene flanken.

'Neem me alsjeblieft niet kwalijk,' zei Arzosah in de Elfentaal. 'Ik had niet verwacht dat jullie paarden in paniek zouden raken. De vorige keer dat ik met het Westvolk meereisde, negeerden ze me.'

'Dat kwam door Evandar,' zei Dallandra. 'Hij sprak een soort kalmerende spreuk uit, maar helaas heb ik geen flauw idee wat het was.'

'En natuurlijk heeft hij niet de moeite genomen je dat te vertellen, die akelige klomp teleplasma. Dat had ik moeten weten.' De draak snoof misprijzend. 'Hoe dan ook, hier ben ik. Ik wilde eerder komen, maar ik kon je nergens vinden.'

'Dat vermoedde ik al. Voel je er iets voor ons te helpen met het doden van een aantal Paardenvolkers?'

'Wat een goed idee voor een zomerdag!'

'Mooi zo. Ik was ook niet al te bang dat je zou weigeren.'

'Je hoefde je geen zorgen te maken. Ik heb gezworen dat ik ze voor eeuwig zou haten en ze hebben de laatste tijd niets gedaan om me ertoe te brengen mijn gelofte te breken. Waar zijn ze?'

'Ze bouwen een vesting ver in het westen. Ik dacht dat je dat misschien had gezien.'

'Nee, jammer genoeg niet. Ik zou er met plezier steeds een paar opgepeuzeld hebben.'

'Daar is het nog niet te laat voor, want ze zijn nog lang niet klaar. Wat je hier ziet' – Dallandra wees met een armzwaai naar de troep krijgers op de weg – 'is nog maar het begin. We gaan er met een heel leger op af om die vesting te verwoesten.'

'Geweldig! Mag ik aannemen dat ik me over de dode paarden ga ontfermen?'

'Dat spreekt vanzelf.'

'Dan hoef je als je me roept niet eens meer mijn ware naam te gebruiken. Hoe zeggen ze dat in Deverry ook alweer? Het doet mijn hart vreugd, dat is het, en mijn maag ook, dat ik met jullie mee mag doen.'

'Dat is fijn, dank je wel. Maar eerst moeten we nog wat dingetjes regelen.'

Arzosah slaakte een ontzagwekkende zucht. 'Voor wat hoort wat, dat had ik moeten weten. Dingetjes? Ongetwijfeld iets wat draken ontzettend vervelend vinden. Zo gaat het altijd.' Ze keek langs Dallandra heen. 'Ik denk dat een van die te regelen dingetjes eraan komt.'

Dallandra keek om en zag Salamander op een drafje naar hen toe komen. Hij zwaaide enthousiast en riep: 'Arzosah, dierbare wyrm, o draak der draken!'

'Wat moet ik voor je doen?' Arzosah sloeg haar grote ogen ten hemel. 'Vleierij is aan mij niet besteed, elf.'

Salamander maakte grinnikend een buiging voor haar. 'Je bent weer net zo scherpzinnig als altijd. Nee, niet alleen scherpzinnig, ook schrander en spitsvondig.'

Arzosah gromde, maar heel zacht.

'We hebben bij twee dingen je hulp nodig,' zei Dallandra. 'De krijgsbende die je daar ziet is op weg naar een verraderlijke heer, die is overgelopen naar het Paardenvolk. Eigenlijk hebben we helemaal geen tijd om zijn dun te belegeren, want we moeten zo gauw mogelijk naar de vesting in het westen, maar hij heeft genoeg boogschutters om onze mannen buiten zijn muur te houden.'

'Dus ben je zo brutaal om mij te vragen die boogschutters af te leiden. Maar ik heb er absoluut geen behoefte aan dat de pijlen me om de oren vliegen. Stel dat ik er een in mijn oog krijg...'

'Daar had ik nog niet aan gedacht,' zei Dallandra. 'Ik wil niet dat je gewond raakt.'

'Ik weet niet hoe we die dun moeten innemen als de muur vol boogschutters staat.' Salamander kwam dichterbij. 'En we kunnen daar geen krijgers achterlaten voor een langdurig beleg. We hoopten dat jij iets kon bedenken om die boogschutters van de muur te verjagen.'

'Ik wist wel dat een gratis maal van Paardenvolkers te aanlokkelijk klonk om waar te zijn.' Arzosah gromde misprijzend. 'Wat verlangen jullie nog meer van mij?'

'Heer Honelg heeft boodschappers naar Zakh Gral gestuurd,' antwoordde Salamander. 'Tegen de tijd dat wij bij zijn dun aankomen, zijn zij al twee of drie dagen onderweg naar het westen. We kunnen ze dus niet inhalen, maar jij, de belichaming van snelheid, kan dat wel.'

'Aha, een eenvoudige opdracht, dat valt weer mee!' De draak draaide haar enorme kop om naar Dallandra. 'Ik veronderstel dat je wilt dat deze tetterende troubadour op mijn arme, pijnlijke rug met me meereist.'

'Ja, het spijt me,' zei Dallandra. 'Ik weet dat ik erg veel van je verlang, maar hij is de enige die kan scryen waar ze zijn. Anders moeten we misschien dagenlang over de vlakte dolen.'

'En als we ze vinden, wat dan? Mag ik ze opeten?'

'Nee, de mannen niet!' zei Dallandra streng. 'En je mag ook geen levende paarden eten, behalve als ze te zwaargewond zijn om nog te genezen. Maar zodra we de dun van heer Honelg hebben ingenomen, vinden we daar vast wel een paar koeien voor je.'

'Koeien? Ah, koeien!' Arzosah likte haar lippen af. 'Daarmee kun je me voldoende bedanken. Een varken zou ook lekker zijn.'

'Twee varkens, als we die kunnen vinden. Ik heb een plan bedacht,' zei Salamander. 'Ik heb me vandaag onderweg in verbinding gesteld met een andere dweomermeester en nu je gekomen bent, kunnen we alvast een paar dingen bespreken.'

'Dat lijkt me een goed idee,' zei Dallandra. 'Want het is allemaal erg ingewikkeld.' Ze wierp een sombere blik op Salamander. 'Waarschijnlijk te ingewikkeld.'

'Ik wou oprecht dat ik Evandar nooit mijn ware naam had verteld,' zei Arzosah. 'Dat was heel dom van me. Dom, dom, dom!'

'Dat kan wel zijn, maar nu zit je met ons opgescheept,' zei Salamander grinnikend. 'Het leger slaat zijn tenten op. Dalla, waarom leg jij deze wonderbaarlijke, wonderschone, wijze wyrm niet uit wat we hebben bedacht? Dan ga ik een paar touwen uit de bevoorradingswagen halen, anders val ik beslist van haar rug.'

Arzosah hief haar kop omhoog en jankte als een geslagen hond. 'Touwen! Die voor stinkende oude ezels worden gebruikt! Wat is er met mijn harnas gebeurd? Ooit had ik een mooi leren harnas met juwelen erop! Natuurlijk niet zoveel als ik verdien, maar het waren juwelen!'

'Het ligt ergens in een kist in Dun Cengarn, denk ik,' zei Dallandra. 'Maar we hebben geen tijd om het te gaan halen. Luister alsjeblieft goed naar wat we gaan doen. O ja, en nog iets: ik beveel je bij je ware naam, Arzosah Sothy Lorezohaz, Salamander te gehoorzamen alsof ik het ben.'

'Jij denkt ook aan alles, nietwaar?' Arzosah mompelde nog iets, maar in de Drakentaal, en naar de klank van haar stem te oordelen, was Dallandra blij dat ze het niet kon verstaan. 'Vooruit dan maar,' zei Arzosah weer in de Elfentaal, 'er zit niets anders op dan gehoorzaam te zijn.'

De hele dag had Neb achteraan gereden met de andere dienaren en de knechten die voor de bagage moesten zorgen. Voor hen was de regen een zegen geweest, want ze waren liever nat geworden dan bijna te stikken in de stofwolken die de stoet op een droge weg deed opwaaien. Toen de draak was komen aanvliegen, had de zachtmoedige oude telganger die Gerran Neb had toegewezen eerst een zwakke poging gedaan om net als de andere paarden te steigeren, maar hij had het algauw opgegeven en was trillend blijven staan.

Toen het bevel werd gegeven om af te stijgen en het kamp voor de nacht op te slaan, was Neb daar blij om. Hoewel hij redelijk met een paard overweg kon, was hij geen ervaren ruiter en met een draak in de buurt bleven de dieren onrustig. Bij de bagagewagens werd het een drukte van belang toen de knechten aan het werk gingen om de paarden te verzorgen, de tenten af te laden en ervoor te zorgen dat nat geworden voedsel meteen zou worden opgegeten. Neb hield zich afzijdig en keek toe terwijl hij zich afvroeg wat er van hem werd verwacht. Gelukkig kwam Salamander haastig naar hem toe.

'Geef dat paard aan een knecht,' beval de troubadour. 'Je mag nooit vergeten dat je een hoogopgeleide schrijver bent en daarom te waardevol om lichamelijk werk te doen. Dalla wil je spreken.'

'Dat is goed,' zei Neb. 'Ik neem aan dat zij dat schepsel heeft geroepen?'

'Dat is zo, en dat schepsel is bijzonder intelligent. Je moet haar behandelen alsof ze een voorname vrouw is.' Salamander dacht even na. 'Of eigenlijk ís ze een voorname vrouw, maar dan van de schubbige soort. Ik zal je zo meteen aan haar voorstellen, maar eerst moet ik een paar touwen vinden. Wil jij me helpen?'

'Met plezier. Ik moet toegeven dat dit veel spannender is dan het leven in de dun van de Rode Wolf.'

Met ieder een rol touw over een schouder verlieten ze het kamp. Door alle drukte om zich heen had Neb zich nog geen duidelijk beeld van een draak gevormd, maar toen ze door het weiland naar Dallandra toe draafden, zag hij hoe groot het schepsel wel was. Zo groot als een van de stenen voorraadschuren waarin de tienden werden opgeslagen in de buurt van Trev Hael. Toen ze haar kop ophief en naar hem omdraaide, waren haar geschubde oren en puntige kam ook net zo hoog als zo'n schuur. Ongewild ging hij langzamer lopen en liet de gerthddyn voorgaan, wat de draak blijkbaar opviel.

'Ik zal je heus niet opeten, hoor!' riep ze. 'Je bent veel te mager.' Ze maakte een knorrend geluid en Neb verstijfde.

'Ze maakt maar een grapje,' zei Salamander. 'Dat geknor betekent dat ze lacht.'

'Echt waar?' Neb vermande zich en liep door. 'Ik heb wel van draken gehoord, maar dit is de eerste keer dat ik er een zie.'

'Ze blijven meestal in het grensgebied en vooral in woeste streken. Ze heet trouwens Arzosah. Je moet me helpen een soort harnas te maken om op haar rug te kunnen zitten.'

'Alle goden, je verwacht toch niet dat ík dat doe?'

'Welnee, ik ben degene die straks met haar meegaat. Dallandra zal je alles uitleggen, maar nu moeten we opschieten.'

Nebs voornaamste taak was het strak houden van de touwen terwijl Salamander ze volgens de aanwijzingen van Dallandra aan elkaar knoopte. Ze sloegen het touw als een singel om Arzosahs lichtgroene buik en als een hulpteugel om haar borst, maar ze weigerde een staartriem. Terwijl ze ermee bezig waren, gromde, kreunde en klaagde ze zo dat Neb zijn angst voor haar kwijtraakte. Toen het harnas klaar was, bond Salamander nog een zak met etenswaar en zijn dekens op haar rug.

'Zo zal het wel gaan,' zei hij. 'Voelt het comfortabel genoeg aan, o draak der draken?'

'Nauwelijks.' Arzosah siste zacht. 'Maar zo moet het maar.'

'Ik wil nog even iets zeggen,' zei Dallandra. 'Ik had gehoopt dat de zilveren draak met je mee zou komen. Weet jij soms waar Rori is?'

Arzosah bleef doodstil liggen, alleen haar staart zwiepte hard heen en weer. Die had blijkbaar een eigen wil, want pas toen ze haar kop omdraaide en er kwaad naar keek, bleef hij liggen. 'Daar hebben we het later wel over,' zei ze ten slotte. 'Als dit karwei erop zit.'

'Is er dan iets mis?' vroeg Dallandra.

'We praten er later over.' Arzosah keek de dweomermeester streng aan. 'Wanneer ik terug ben.'

Opeens begreep Neb waarom Salamander de draak een voorname vrouw had genoemd. Met de klank van haar stem gaf ze aan dat ze geen tegenwerpingen meer wilde horen, als een koningin-moeder die een dienstmaagd berispte.

'Goed, handel dit dan maar eerst af,' zei Dallandra gedwee.

'Laat alsjeblieft je kop zakken,' zei Salamander tegen de draak, 'dan kan ik aan boord klimmen.'

'Ik ben geen schip, troubadour,' zei Arzosah beledigd. 'Je mag met me meereizen, maar ik ben en blijf een draak, onthoud dat goed.'

'Allerliefste wyrm, hoe zou ik dat ooit kunnen vergeten?' Salamander maakte een zwierige buiging voor haar. 'Hoe kan een verfoeilijk, verwerpelijk heerschap zoals ik u het beste bestijgen?'

'Zet een voet op mijn nek.' Arzosah legde haar kop op de grond. 'Precies op de grens met mijn schouder. Zwaai je andere been over me heen. Je moet vlak achter mijn kam gaan zitten en je vasthouden aan de laatste tand.'

Salamander volgde haar aanwijzingen op. Toen hij geknield tussen haar vleugels zat, ver naar voren, hief ze langzaam en voorzichtig haar kop. Hij schoof zijn voeten onder de buikriem en pakte met beide handen haar kam vast.

'Denk eraan,' maande Dallandra, 'dat je Salamander net zo goed gehoorzaamt als mij.'

'Ja, ja, dat weet ik. En ik beloof dat hem niets zal overkomen.' Arzosah ging op haar poten staan. 'Achteruit, schrijvertje! Ik heb ruimte nodig.'

Neb sprong naar achteren en ging naast Dallandra staan. Met open mond keek hij hoe de draak haar vleugels spreidde, steeds verder, tot ze een breedte hadden die een grote zaal zou kunnen overkappen. Ze kromde haar rug, haar dijen begonnen te trillen en met een enorme wiekslag sprong ze de lucht in. Haar vleugels klapten zo luid als slagen op een reusachtige trommel toen ze omhoogvloog, een rondje boven het veld maakte en gestaag in westelijke richting verdween. Neb staarde haar sprakeloos na.

'Daar gaan ze dan,' zei Dallandra. 'Ik neem aan dat je graag wilt weten wat dit allemaal betekent.'

'Inderdaad, als je zo vriendelijk wilt zijn het me uit te leggen,' antwoordde Neb. 'Alle goden, ik voel me... Ik ben verbijsterd. Ik had nooit gedacht dit nog eens mee te maken.'

'Je kunt er maar beter aan wennen. Je zult nog veel vreemdere dingen meemaken, en al heel binnenkort.'

Het was duidelijk dat het grootste deel van de krijgers net zo verbijsterd was als hij. Toen ze terugkwamen in het kamp, zei niemand iets tegen hen. De meeste mannen lieten hen met open mond voorbijgaan en kruisten hun vingers, een teken om zich tegen tovenarij te beschermen. Anderen liepen snel weg, op zoek naar iets anders om te doen. Enkele dappere kerels bogen voor Dallandra, en Gerran kwam haar tegemoet.

'Vrouwe.' Gerran maakte ook een buiging. 'Prins Daralanteriel heeft me verteld dat u graag wilt dat onze schrijver in uw kamp overnacht.'

'Als de tieryn het goedvindt,' zei Dallandra.

'Ik heb het hem al gevraagd en hij vindt het goed. Hij is u iets verschuldigd voor de veiligheid van zijn vrouwvolk, zei hij. Maar we vroegen ons alleen af waarom u dat wilt.'

'Moet je dat echt vragen?' Dallandra keek Gerran indringend aan. 'Branna heeft me verteld van die ruzie tussen jou en Neb.'

'O.' Gerran slikte moeizaam, maar kalm zei hij: 'Nu begrijp ik het.'

'Mooi zo. Maar je mag tegen de tieryn zeggen dat ik hulp nodig heb als ik na het gevecht gewonden van het Westvolk moet verzorgen. Onze lichamen genezen op een andere manier dan die van jullie, en ik wil Neb alvast vertellen wat hij moet doen.'

'O,' zei Gerran nogmaals. 'Ik zal je wel helpen je spullen naar hun kamp te brengen, Neb.'

'Dank je wel,' zei Neb. 'Ik heb niet veel bij me, maar ik moet mijn paard ook meenemen.'

Het Westvolk had een plek uitgekozen die iets van het grote kamp met de tenten, wagens en bergen zadels en tuig van de krijgers vandaan lag. Neb kreeg een slaapplaats toegewezen in de tent van Calonderiels boogschutters, en samen met Gerran legde hij zijn spullen op een lege plek bij de ingang. Na een kleine buiging beende Gerran haastig terug naar zijn eigen kamp. Dallandra nam Neb mee naar haar tent, waar ze hem rustig kon uitleggen waarom ze de draak had laten komen.

'Denk eraan dat je dit niet doorvertelt aan je eigen of een andere heer,' waarschuwde ze. 'Zij moeten de dun omringen en ervoor zorgen dat Honelg geen boodschappers meer stuurt. Ik wil niet dat ze meteen doorrijden naar het Westland.'

'Dat is goed,' zei Neb. 'Ik veronderstel dat Salamander de boodschappers kan scryen omdat hij ze een keer heeft gezien.'

'Inderdaad! Kwam dat zomaar bij je op?'

'Ja. Het zijn een paar ongewone dagen voor me geweest, en op de vreemdste momenten herinner ik me opeens iets wat ik vroeger moet hebben geweten. Daar ben ik deksels blij om, want ik wil Branna waardig zijn.'

'Ik weet zeker dat je dat al bent,' zei Dallandra glimlachend. 'Luister goed. Ik denk dat we worden bespied door de een of andere dweomerman, en het kan zijn dat een van de priesteressen van Alshandra ons ook kan zien. Ik wil dat je op je hoede bent. Als je ooit ook maar het minste gevoel hebt dat iemand jou scryt, moet je het mij meteen vertellen. Al vind je het nog zo onbenullig, ik wil het weten.'

'Dat zal ik doen. Maak je maar geen zorgen.'

Salamander ontdekte dat een vlucht op de rug van een draak een veel groter avontuur was dan hij had verwacht, en beslist veel oncomfortabeler. Zoals alle kinderen van het Westvolk had hij al op zo'n jeugdige leeftijd leren paardrijden dat hij zich niet kon herinneren dat hij het ooit niet had gekund. Daarom was hij ervan uitgegaan, zonder erover na te denken, dat een rit op Arzosah wel mee zou vallen.

Hij had het mis gehad. Vanaf de grond gezien, vloog ze rustig en in een rechte lijn, maar met elke slag van haar enorme vleugels deinde ze op en neer. En door haar snelheid gierde de wind langs Salamander heen, zodat hij zo goed mogelijk achter haar hoge kam moest wegduiken. Pas na een aantal kilometers wist hij hoe hij zich bij haar bewegingen moest aanpassen. Maar ze gingen zo snel dat hij daar zijn ongemak graag voor overhad. Als hij omlaag keek, was het alsof het landschap als een Bardeks kleed onder hem werd uitgerold. Lang voor zonsondergang zagen ze de dun van Honelg opdoemen: een donkere stip in de groene velden.

'Naar het westen!' riep hij tegen Arzosah.

'Hou je vast!' Arzosah liet een vleugel zakken en maakte een bocht naar de kant van de ondergaande zon.

Salamander werd misselijk van de draai, maar hij hield zich stevig vast om niet van haar rug te glijden. Even later lieten ze de akkers ten noorden van Cengarn achter zich, waarbij ze een afstand aflegden die een paard een halve dag zou kosten. Net toen de zon de horizon raakte, zagen ze de Twintigstromenrots als een grijs steentje op een groene deken liggen. Smalle streepjes blauw water liepen glinsterend door het gras.

'Daar moet je landen!' riep Salamander.

Opnieuw maakte Arzosah een bocht en even later landde ze zacht in het hoge gras. Salamander liet zich van haar rug glijden en moest zich bedwingen om zich niet op de vaste grond te werpen en die opgelucht te kussen.

'Wat nu?' vroeg Arzosah. 'Ik denk niet dat je die afschuwelijke touwen losmaakt.'

'Dan zou het me niet meer lukken ze vast te maken. Ik dacht dat je wel even wilde rusten en iets drinken, terwijl ik scry om onze prooi te zoeken.'

'Een slok water zou me goeddoen, inderdaad.'

Arzosah waggelde naar het dichtstbijzijnde riviertje en zakte door haar poten om te drinken. Met haar lange, zwarte tong slurpte ze het water op als een hond. Het verbaasde Salamander dat ze op de grond zo'n stuntelige indruk maakte. Haar korte poten knikten naar buiten en hoewel ze haar gewicht konden dragen, kon ze er geen lange stappen mee maken. Maar als ze vloog, bewoog ze zich zo sierlijk als een danser. Een echt luchtschepsel, dacht hij. Maar desondanks heel vurig.

Salamander ging zitten en keek hoe de avondschemering blauwachtige schaduwen wierp in het hoge gras. De avondbries wakkerde aan en de halmen bogen en ruisten. Hij haalde zich Valandario voor de geest, en ze verscheen meteen. Ze stond buiten op het gras en keek naar de lucht in het oosten, waar al enkele sterren twinkelden als achteloos gestrooide edelstenen.

'Waar ben je?' vroeg Salamander in gedachten. 'De draak en ik zijn bij de Twintigstromenrots.'

'We zijn niet ver bij jullie vandaan, ongeveer een halve dag rijden naar het westen. Heb je die boodschappers al gezien? In het echt, bedoel ik.'

'Nee, maar we vliegen door zodra Arzosah uitgerust is. Ik verwacht dat ze vuur zullen maken, want ze weten natuurlijk niet dat wij hen op het spoor zijn. Als ik ze zie, zal ik het je laten weten.'

'Dat is goed. Ik heb acht boogschutters en twee zwaardvechters bij me. Denk je dat dat genoeg is? Het spijt me, maar ik weet niets van krijgskunst.'

'Meer dan genoeg, heus.'

'Waar zijn de prins en de anderen?'

'In het noorden, met de krijgers van de Rondoren. Het duurt nog wel even voordat ze bij Honelgs dun aankomen.' Salamander keek achterom. Arzosah stond nog naast het riviertje en veegde haar kaak af aan een pluk gras. 'Ik zie dat de draak genoeg heeft gedronken, dus gaan we nu verder.'

En inderdaad, terwijl het in het westen nog schemerde, zag Salamander tussen een paar grote rotsblokken ongeveer acht kilometer ten noorden van de Twintigstromenrots een gloeiende stip. Omdat ze de boodschappers niet wilden waarschuwen, vlogen ze er in een grote cirkel omheen. Terwijl de driekwart maan in het oosten oprees, zag Salamander met zijn voor de helft elfenogen een paar bakens om de plaats te markeren: een riviertje met hazelaarstruiken langs de oever, en de vorm en ligging van de rotsblokken.

'Voorlopig hebben we genoeg gezien!' Salamander moest met zijn geoefende stem zo hard mogelijk schreeuwen om zich verstaanbaar te maken. 'Vlieg nu maar recht naar het zuiden!'

'Gaan we naar de andere dweomermeester?' Arzosahs diepe stem was veel beter te horen.

'Inderdaad.'

'Dan zal ik uitkijken naar nog een kampvuur. Hou je vast!'

Salamander sloeg zijn armen om de laatste tand van haar kam. De draak liet een vleugel zakken, maakte een scherpe bocht en vloog naar het zuiden.

Het kostte hen geen moeite om het kamp van Valandario te vinden. Naast een grote tent graasde een groepje paarden, bewaakt door een ruiter. Voor de tent brandde een vuurtje en Salamander kon mannen onderscheiden, vanuit de lucht net poppetjes, die heen en weer liepen. Arzosah landde een eindje verderop om de paarden geen schrik aan te jagen. Opnieuw liet Salamander zich met een stilzwijgend dankgebedje voor de veilige landing van haar rug glijden. Hij was misselijk van alle bochten.

'Ik ga jagen,' kondigde Arzosah aan. 'Ik heb een eindje verderop een paar herten gezien.'

'Dat is goed,' zei Salamander. 'Maar als je er een vangt, breng hem dan eerst hierheen voordat je hem opeet. Ik wil niet dat je ergens in slaap valt waar ik je niet meer kan vinden.'

'Wat slim van je dat je daaraan denkt! Goed, dan zal ik hier eten en slapen. Wanneer gaan we weer weg?'

'Na zonsopgang.'

'Gelukkig wordt het morgen zonnig en warm. Ik ben al dankbaar voor heel kleine dingen.'

Met klapperende vleugels rende de draak een eindje weg en steeg op. Salamander keek haar nog even na. Hij dacht aan de keer dat hij zijn broer scryde en hem in zijn drakenvorm zag terwijl hij een hert doodde. De reusachtige zilverachtige bek had zich met een straal bloed gesloten om de nek van het vluchtende dier, wat Salamander eraan had herinnerd dat zijn broer het rauw zou opeten. Hij schudde zijn hoofd om het beeld te verdrijven en liep vlug naar het kamp van het Westvolk, waar Valandario op hem stond te wachten.

'Tot nu toe gaat alles goed,' riep Salamander haar toe.

'Geweldig! Kom maar gauw, dan gaan we eten. Je bent precies op tijd.'

'Mooi zo.' Maar Salamander besefte dat zijn maag op dat moment anders over een maaltijd dacht dan zijn hoofd. 'Maar eerst laat ik Dallandra weten wat er is gebeurd, anders maakt ze zich misschien zorgen.'

'Je hebt gelijk. Dat doen we allemaal, ons zorgen maken, bedoel ik. Ebañy, ik kreeg een afschuwelijk idee. Je hebt me van die mazrak-raaf verteld, maar die kan toch ook naar Zakh Gral zijn gevlogen om ze te waarschuwen?'

'Wat kan hij ze dan vertellen? Dat we aanvallen met behulp van verboden dweomer en dat hij in vogelvorm helemaal naar ze toe is gevlogen? Ze zouden hem onmiddellijk doden.'

'Ja, dat is waar.' Valandario glimlachte opgelucht. 'Wat fijn als je vijand zijn beste wapen wegdoet, hè? Praat jij nu maar met Dalla, dan maak ik het eten klaar.'

Te midden van de drukte en het lawaai die hoorden bij een legerkamp zat Dallandra geknield bij een vuurtje en wierp er takjes op om het gaande te houden. Ook toen ze haar hand uitstak naar een grotere tak, hield ze haar blik strak op de vlammen gericht en bleef haar lichaam zo gespannen als een boog. Af en toe bewogen haar lippen alsof ze iets zei.

Neb keek vol ontzag toe. Ze sprak met iemand via het vuur. Hij wist het zo zeker dat hij, toen ze ten slotte haar blik afwendde, naast haar knielde en vroeg: 'Heeft Salamander de boodschappers gevonden?'

'Dat heeft hij, en nu zijn ze bij Valandario.' Ze lachte en ging op haar hielen zitten. 'Je verbaast me! Wanneer heb je je dit herinnerd?'

'Toen ik net naar je keek.'

'Dat is erg belangwekkend.' Ze hield haar hoofd schuin en keek hem onderzoekend aan. 'Het kan zijn dat je je veel meer zult herinneren dan we hadden gedacht. Je kunt je herinneringen nog niet benoemen, maar je herkent dweomer wanneer je het ziet.'

'Dat is zo!'

'Daar ben je blij om, nietwaar?'

'Inderdaad.' Hij lachte schaapachtig. 'Ik ben vreselijk jaloers op Branna geweest omdat zij die prachtige dromen had, en tegelijk verachtte ik mezelf om die jaloezie.'

'Ik begrijp het best, die jaloezie, bedoel ik. Maak jezelf maar geen verwijten meer.'

'Dank je, dan zal ik dat niet meer doen. Zou ik kunnen proberen in het vuur te scryen? Ik wil dolgraag weten hoe het met Branna gaat.'

'Nee, nee, nee, langzaam aan! Ik weet hoe verleidelijk het is om nu maar door te gaan met het oprakelen van herinneringen en je nieuwe vaardigheden meteen uit te proberen, maar dat kan heel gevaarlijk zijn.'

'Gevaarlijk? Hoezo?'

'Op allerlei manieren. Ten eerste komt het neer op dat oude gezegde dat je eerst een paard moet kunnen bestijgen voordat je erop kunt rijden. Wacht, ik weet een beter voorbeeld. Toen je vader je leerde schrijven, hield hij je toen meteen een bladzijde uit een boek voor en zei dat je die moest overschrijven?'

'Nee. Eerst moest ik leren om alle letters te schrijven, met op- en neergaande streepjes, gebogen lijntjes en wat al niet meer. Ik heb er een heleboel wastabletten mee moeten vullen. Dat was erg saai, dat kun je je wel voorstellen, maar ik was blij dat ik het had gedaan toen ik eindelijk woorden mocht schrijven.'

'Zo gaat het ook met dweomer. Eerst moet je begrijpen wat het precies is, hoe je je geest moet gebruiken en wat je allemaal moet weten, met inbegrip van de namen van alle geesten en de verschillende bestaansvlakken. Die kennis moet je net zo eigen worden als je vaardigheid om te lopen, zodat je bepaalde dingen kunt doen zonder dat je je daarvoor hoeft in te spannen.'

'O. Dat duurt jaren, nietwaar?'

'Inderdaad. Je moet geduld hebben. En wat dat scryen betreft, stel dat iemand ons in de gaten houdt? Stel dat iemand anders je hoorde in plaats van Branna? Ken je de zegels en de bevelen om anderen buiten te sluiten?'

'Nee, natuurlijk niet.' Neb was diep teleurgesteld. 'Nu begrijp ik wat je bedoelt als je zegt dat het gevaarlijk kan zijn.'

'Mooi zo. Dan zal ik je nog een reden geven. Als je iets doet zonder dat je weet hoe het moet, kun je krankzinnig worden.'

'Echt waar? Hoe dan?'

'Doordat je je openstelt voor onzichtbare krachten zonder te weten hoe je die moet uitschakelen. Wanneer Salamander terugkomt, moet je hem ernaar vragen. Hij weet precies hoe iets, als je niet oppast, vreselijk verkeerd kan gaan.'

'Dat zal ik doen. Hij komt toch gauw terug?'

'Ik hoop het, en ook dat alles morgen goed gaat.' Ze aarzelde en staarde even naar het vuur. 'Als Salamander iets moet doen, kiest hij altijd de meest ingewikkelde manier. Het is soms om gek van te worden.'

Ondanks Dallandra's bezorgdheid had Salamander een voor zijn doen heel eenvoudig plan bedacht. Toen de zon opkwam, werd hij wakker. Hij kleedde zich aan en draafde naar Arzosah in een naburig veld. Ze stond bij het riviertje water te drinken en toen ze genoeg had, doopte ze even haar hele kop onder water en schudde zich droog.

'Ziezo,' zei ze, 'nu ben ik weer schoon. Ik houd er niet van als er opgedroogd bloed om mijn bek zit.'

'Dat kan ik me voorstellen,' zei Salamander. 'Je hebt gisteravond dus een hapje gevonden.'

'Inderdaad, dank je. Ik voel me een stuk beter. Ik neem aan dat je meteen wilt vertrekken, terwijl ik hoopte dat ik mijn arme pijnlijke vleugels nog een poosje in de zon kon opwarmen.'

'Doe dat maar. We kunnen de boodschappers pas pakken als ze weer op hun paard zitten.' Salamander keek naar de bleke lucht, die naarmate de zon verder boven de horizon uit kroop, meer kleur kreeg. 'Hoewel ze zo snel mogelijk in Zakh Gral willen zijn, moeten ze hun paarden eerst nog even laten grazen.'

'Laten we hopen dat ze flink aandikken.' Arzosah gaapte, waarbij ze tanden liet zien die zo groot waren als een zwaard. 'De paarden, niet de mannen. Ik weet heus nog wel wat Dallandra heeft gezegd.'

'Goed zo. Ik ga terug naar het kamp om te ontbijten en met Valandario te overleggen.'

Terwijl ze platte koeken aten en gekruid honingwater dronken, namen Salamander en Valandario het plan nog een keer door. Valandario zou met haar groepje langzaam naar het noorden rijden en op het teken wachten dat aangaf dat ze te voet verder moesten gaan. Twee mannen zouden bij de paarden blijven voor het geval dat ze een vleug van Arzosahs zure lucht zouden ruiken.

'Ik hoop alleen dat we allemaal tegelijk op de juiste plek aankomen,' zei Valandario.

'Daar zorg ik wel voor,' beloofde Salamander. 'Vergeet niet dat ik jullie vanuit de lucht zal kunnen zien. Het is wonderbaarlijk en ook wondermooi hoe ver je vanaf de rug van een draak kunt kijken.'

'Dat geloof ik graag, hoewel ik moet bekennen dat ik er niet naar verlang het ook eens te proberen.'

'Je moet er wel aan wennen. Nu zal ik even scryen om te zien wat onze vijand uitspookt.'

Zoals hij al had verwacht, waren de boodschappers nog niet onderweg. In het zonnige weiland stonden hun paarden met hun voorpoten aan elkaar gebonden te grazen. Af en toe hopten ze als konijnen een stukje verder naar een vers stukje groen. De mannen waren bezig hun dekens op te rollen en hun spullen te pakken. Het zou niet lang meer duren voordat ze zouden wegrijden. Hij verbrak het visioen.

'Ze zijn nog op dezelfde plek,' zei hij.

'Mooi zo. Ik wilde je ook nog vragen waar de zilverdraak is. Helpt hij ook mee met het beleg?'

'Dat weet ik niet. Toen ik wegging, was hij er nog niet en Arzosah wil niet over hem praten.'

'Dat klinkt niet goed. Ik vind het afschuwelijk dat Rhodry nu een draak is.'

'Ik ook, maar laat Arzosah het niet horen.' Salamander deed een poging om te glimlachen, maar hij kon het niet opbrengen. Hij stond op, draaide zich om en keek naar het noorden, waar hij een eind verder Arzosahs glanzende massa in het gras zag liggen. 'Rori is niet ver hiervandaan, denk ik. Ik heb hem de laatste paar maanden steeds geprobeerd te scryen, sinds ik hem heb gezien, maar dan was hij altijd ergens in een onbekende wildernis. Maar toen ik dit gebied gisteren vanuit de lucht kon bekijken, zag ik hier en daar iets wat me bekend voorkwam.'

'Als hij komt, doe je wel je best om hem te helpen, nietwaar?'

'Natuurlijk!' Als iemand hem kán helpen, dacht Salamander. Als hij geholpen kan worden. 'Nu kunnen we beter gaan.'

Salamander wachtte tot Valandario en haar gewapende begeleiders waren vertrokken voordat hij terugliep naar de draak. In de lucht scryde hij nog een keer, waarbij hij zich concentreerde op Arzosahs schubbenpatroon. De boodschappers waren inmiddels bezig met het zadelen van hun paarden, die ze hadden losgeknoopt. Hij verbrak het visioen en schreeuwde tegen Arzosah: 'Tijd voor de aanval!'

Ze knikte met haar grote kop om hem te laten weten dat ze hem had gehoord en ging hoger vliegen. Salamander sloeg beide armen om de tand van haar kam en hield zich stevig vast. Hij voelde zijn benen wegglijden onder het touw om haar buik en besefte dat hij, als hij los zou laten, naar achteren zou glijden, onder het touw door, en naar de aarde zou tuimelen. Ten slotte vloog Arzosah weer rechtdoor, klapwiekte tweemaal en zweefde mee op de wind.

In de diepte was het landschap alleen nog een groen kleed met hier en daar een glinsterende waterstreep of de donkere stip van een rots. Hij kon nog net heel kleine figuurtjes onderscheiden: ruiters.

'Daar zijn ze!' riep Arzosah. 'Zal ik duiken?'

'Ja!' Salamander klemde zich weer stevig aan haar vast. 'Nu!'

In een duikvlucht ging ze recht op de boodschappers af. Salamander zag alleen de achterkant van Arzosahs kop, maar even later hoorde hij de geschrokken paarden hinniken en de mannen schreeuwen. Hij waagde het iets opzij te kijken en zag de velden razendsnel dichterbij komen. Hij mompelde een vloek en keek gauw weer recht voor zich uit. Net zo snel als de draak omlaag was gedoken, maakte ze nu een bocht en sloeg hard met haar vleugels om weer hoogte te winnen.

'Twee ruiters zijn van hun paard gevallen!' riep ze. 'En de lastpaarden hebben zich losgerukt en galopperen naar het zuiden.'

'Mooi zo! Laten we er nog een keer overheen gaan!'

Maar Arzosah bleef doorvliegen. In het zuiden zag hij Valandario en haar groepje ruiters naderen. Toen hij zich concentreerde op het gezicht van zijn oude leermeester in het vak, kwam ze onmiddellijk in beeld.

'Nu, Val!' beval hij haar in gedachten. 'We zijn... O, bij de zwarte zon! We duiken weer!'

Hij vroeg zich af of ze de gil had gehoord die hem was ontsnapt toen Arzosah nog een keer bijna recht naar beneden dook. Opnieuw hoorde hij de mannen schreeuwen en de paarden hinniken. Opnieuw leek het alsof hij te pletter zou vallen in het veld. Opeens bulderde Arzosah van het lachen en ging weer vlak vliegen.

'De laatste twee liggen ook op de grond!' riep ze. 'Zal ik ze naar het zuiden jagen?'

'Ja!' Salamander had nog maar nauwelijks genoeg adem om geluid uit te brengen. 'Naar het Westvolk toe!'

Deze keer daalde Arzosah minder steil. Salamander rechtte zijn rug en keek om zich heen. Een meter of twintig onder hem – de afstand deed er niet toe – renden de vier mannen zo hard als in het hoge gras mogelijk was in zuidelijke richting. Toen een van hen viel, liepen de anderen gewoon door. De man die was gevallen stond op en rende over het platgetrapte gras achter hen aan. Arzosah vloog over hen heen, maakte een bocht en vloog terug.

'Daar heb je Val en haar ruiters!' riep Salamander. 'Ik denk dat we de boodschappers nu wel aan hen kunnen overlaten!'

'Dat is goed!' riep Arzosah. 'Dit was leuk!'

'Bedoel je die boodschappers de stuipen op het lijf jagen of mij?'
'Allebei, natuurlijk.'
'Je hebt beloofd me veilig terug te brengen.'
'Als ik had gemerkt dat je van mijn rug was gegleden, had ik je opgevangen. Vertrouw je me niet?'
Toen Salamander geen antwoord gaf, bulderde ze van het lachen en
zweefde vervolgens met gespreide vleugels een heel eind door. Salamander zag dat de vier boodschappers voor Valandario en haar
boogschutters op de grond gingen liggen om zich over te geven.
'Zet nu maar koers naar het oosten, dan gaan we terug naar het leger!' riep hij. 'Ik zie dat Val het hier nu wel alleen af kan.'
Omdat Arzosah moe was van alle manoeuvres die ze had uitgevoerd,
vloog ze langzaam terug. In de namiddag waren ze weer bij het leger, dat net halt had gehouden om in de buurt van Mawrvelin de
nacht door te brengen. Vanuit de lucht leek de dun van de priesters
van Bel een handjevol stenen. De draak vloog er recht overheen,
waardoor Salamander een blik kon werpen op de ronde tempel met
de muur eromheen, en maakte een bocht over een weiland bestip-
peld met wit vee. Na een laatste vleugelslag om haar lichaam te strek-
ken zette de draak zwevend de landing in.
'Daar bij dat riviertje is het kamp!' riep Arzosah. 'Onder aan de heuvel van de tempel.'
'Mooi zo! Ze zijn een heel eind opgeschoten.'
'Een heel eind? Nog geen twintig kilometer!'
'Voor een in alle haast bijeengebracht leger zoals dit, met bevoorra-
dingswagens met houten wielen en op een omhooglopende weg is
dat een heel eind.'
Arzosah snoof minachtend en zocht naar een landingsplaats die ver
genoeg bij de schichtige strijdrossen vandaan lag. Ze bolde haar vleugels, bleef even hangen en liet zich langzaam zakken in een braakliggend veld. Salamander blies langzaam zijn adem uit. Arzosah liet
haar kop zakken en hij liet zich naar de heerlijk vaste grond glijden.
'Duizendmaal dank, o wonderschone wyrm,' zei hij.
'Je bent erg hoffelijk wanneer je een beklagenswaardige draak niet
uitbuit.' Arzosah keek naar de lucht. 'De goden weten hoe ik lijd,
wat de schuld is van die ellendige Evandar.'
Iemand riep hun namen en ze zagen dat Dallandra wuivend naar
hen toe kwam draven. Salamander rende haar tegemoet.
'Alles is goed gegaan,' zei hij. 'Val en haar boogschutters hebben vier
gevangenen.'
'Geweldig!' Dallandra zweeg even om op adem te komen. 'Ik moet
Arzosah bedanken.'

'En maak alsjeblieft die akelige touwen los!' Blijkbaar had Arzosah haar gehoord. 'Ik ben geen stinkende oude ezel.'
'Daar twijfel ik niet aan!' riep Salamander. 'Ik kom eraan om je te bevrijden.' Hij keek weer naar Dallandra en vroeg: 'Waar is Neb?'
'Met Ridvar en Voran naar de tempel. Cadryc en een paar van zijn krijgers zijn als escorte mee. De edelen zijn het met je eens dat de belastingen die de priesters willen hebben veel te hoog zijn. Neb maakt aantekeningen van het gesprek.'

Niemand zou er de opperpriester van de tempel van Mawrvelin van kunnen beschuldigen dat hij zijn dorpelingen uithongerde om er zelf goed van te kunnen eten. Omdat hij alleen een tot op zijn knieën vallende tuniek en sandalen droeg, kon Neb het grootste deel van het skelet van de heilige Govvin onder zijn bleke huid duidelijk zien. Zijn kaalgeschoren hoofd met de diepliggende donkere ogen leek meer op een dode schedel dan een deel van een levend lichaam, behalve dat hij niet grijnsde. Hij zat zo recht als een ijzeren pook op een bank zonder rugleuning, met zijn benige handen gevouwen in zijn schoot. Tijdens het hele onderhoud keek hij recht naar prins Voran, die op een gammele stoel tegenover hem zat, en wierp alleen af en toe een korte blik op Ridvar. De jonge gwerbret leunde met zijn armen over elkaar tegen de muur en zei nauwelijks iets.
Neb zat op de grond naast de gwerbret, blij dat de priester over hem heen keek. Na hun aankomst had de poortwachter hen naar een ontvangstvertrekje gebracht in een gebouw dat ooit een barak met stallen was geweest. Zoals overal was het een langwerpig houten gebouw dat deel uitmaakte van de stenen vestingmuur. Behalve de bank en de stoel was het vertrek leeg; de muren waren kaal, er lag geen stro op de grond en er stond zelfs geen beeld van Bel. Terwijl Voran de armoedige omstandigheden van de boeren in het dorp beschreef, noteerde Neb, die twee schrijftabletten bij zich had, in het kort wat de prins zei. Achter elk punt liet hij ruimte vrij voor het antwoord van de priester, maar uiteindelijk bleek dat hij zich die moeite had kunnen besparen.
'Laten we eens nagaan of ik u goed heb begrepen,' zei Govvin toen Voran uitgesproken was. 'U hebt een heel verhaal afgestoken, maar wat u wilt zeggen, heeft niet zoveel om het lijf. U maakt zich zorgen om de dorpelingen omdat u wilt dat ze u in oorlogstijd helpen. Dat verbied ik, dus hoeft u zich niet meer om hen te bekommeren. Wat hier gebeurt, gaat u niets aan, prins Voran. De priesters van Bel staan onder een hoger gezag dan dat van uw vader.' Hij stond op,

gaf de prins een knikje en verliet het vertrek. Hij liet de deur open. Voran stond op en klemde zijn handen achter zijn rug ineen om het trillen te stoppen. Hij zag wit van woede. 'Wat een brutaliteit,' was het enige wat hij kon uitbrengen.

'Inderdaad,' beaamde Ridvar. 'Laten we teruggaan naar het kamp, koninklijke hoogheid.'

'Laten we dat doen.' De prins haalde diep adem en vervolgde op normale toon: 'Daar kunnen we vrijuit praten.'

Neb krabbelde overeind en liep vlug achter hen aan. Op het binnenplein stond de jonge poortwachter op hen te wachten. Het enige teken van respect dat hij gaf was een knikje in de richting van de prins, daarna ging hij hen zwijgend voor naar de poort om die voor hen te openen. De twee edelen liepen zwijgend de heuvel af terug naar de weg, waar hun escorte stond te wachten – de priesters hadden niemand anders binnen willen laten. Tieryn Cadryc kwam hen tegemoet en trok vragend een wenkbrauw op.

'Het was nog erger dan we hadden verwacht,' zei Ridvar. 'We zullen het vanavond bespreken. Dank u voor het uitlenen van uw schrijver.'

'Geen dank, hoogheid,' zei Cadryc. 'Nog even iets anders: die draak is terug. Hij is geland bij het kamp van het Westvolk.' Hij keek naar Neb. 'Of is het een zij?'

'Een zij, edele heer,' antwoordde Neb. 'Ze heet Arzosah. Dallandra heeft me verteld dat zij de draak is die Cengarn heeft gered toen de stad werd belegerd door het Paardenvolk. Blijkbaar hebben draken een heel lang leven.'

Cadryc knipperde met zijn ogen en schudde zijn hoofd, alsof hij zeker wilde weten dat hij wakker was en het goed had gehoord.

'Vertel haar dan maar, Neb,' zei prins Voran, 'dat ze net zoveel koeien van de tempel mag opeten als ze wil. Het zal me een waar genoegen zijn en de gwerbret denk ik ook.'

Daar moest Ridvar om glimlachen, al kostte het hem moeite. Neb boog naar de edelen en draafde weg naar Dallandra. Hij zag dat ze met Salamander bij de draak stond, in een veld achter de tenten van het Westvolk. Hij wist niet of de prins die opmerking over de koeien had gemeend of niet, maar hij was zelf ook boos genoeg om hem door te geven aan Arzosah.

'Voran heeft een koninklijk hart!' Arzosah bulderde van het lachen. 'Ik denk dat ik maar eens zal doen wat hij zegt.'

'Toen we over de tempel vlogen,' zei Salamander, 'zag ik in een van de weiden een grote kudde witte koeien.'

'Ik heb ze geroken en ze deden me watertanden,' zei Arzosah. 'Ik neem aan dat de prins boos is omdat de priesters net zo inhalig bleken te zijn als anders.'

'Niet alleen inhalig, het is nog erger,' zei Neb. 'Volgens mij zijn ze van plan in opstand te komen.'

'Wat is er dan gebeurd?' vroeg Dallandra dringend. 'Ik heb het gevoel dat die tempel niet deugt.'

'Als je erbij was geweest, zou je dat zeker weten. Wacht, dan kijk ik even wat ik opgeschreven heb...'

Vlug somde hij de punten op die Voran naar voren had gebracht en toen hij vertelde wat de priester daarop had geantwoord, vloekte Salamander zacht en siste Arzosah als duizend katten. Alleen Dallandra bleef rustig luisteren, en ze keek eerder bedachtzaam dan boos.

'Voran vroeg niet of de priesters zich wilden voorbereiden op een oorlog,' zei Neb aan het eind van zijn relaas. 'En ze hoefden ook geen krijgers te leveren. Hij wilde alleen dat de dorpelingen sterk genoeg zouden zijn om zich zo nodig te kunnen verdedigen.'

'En ze moeten ook een reden hebben om het tempeldomein te verdedigen,' zei Salamander. 'Maar als ik een onderhorige van die tempel was, zou ik er bij het eerste teken van gevaar vandoor gaan.'

'Ik ook,' zei Neb. 'Ik veronderstel dat de heren wel van de priesters mogen verwachten dat ze een leger in tijd van oorlog bevoorraden. Misschien verzetten die vrekken zich daarom.'

Dallandra liep een paar stappen bij hen vandaan en staarde naar de tempel.

'Of gaat het ook nog om iets anders, Dalla?' vroeg Salamander zacht.

'Misschien wel, misschien niet,' antwoordde Dallandra, met haar blik nog steeds op de tempel gericht. 'Ik zie geen astrale zegels.'

'Zouden ze de moeite nemen zegels aan te brengen?' vroeg Arzosah. 'Misschien weten ze niet dat er dweomermeesters in de buurt zijn.'

'Als ze duistere dweomer beoefenen, weten ze dat wel. O ja, dan weten ze dat beslist. Dan hebben ze wachters opgesteld, en die zie ik nergens.'

'Maar stel dat ze heel slim te werk zijn gegaan?' vroeg Salamander. 'Misschien hebben ze ervoor gezorgd dat er niets van hun dweomerwerk te zien is.'

Dallandra blies gefrustreerd haar adem uit.

'We kunnen hier de hele avond blijven staan om ernaar te raden,' vervolgde Salamander, 'maar ach, wee en helaas zullen we het niet te weten komen.'

'Dat is waar,' beaamde Dallandra. 'Toch moet ik het weten.'

'Je gaat er toch niet naartoe, Dalla?' vroeg Neb. 'De priesters zullen je niet binnenlaten.'

'Daar heb je gelijk in.' Dallandra schonk hem een glimlach. 'Maar ik ben niet van plan toestemming te vragen.'

Hoewel Neb niet kon omschrijven wat hem opeens duidelijk werd, wist hij hoe ze het dan wel zou aanpakken. 'Weet je zeker dat dat niet gevaarlijk is? Er hangt daar een sfeer... Het deugt er beslist niet. Het is er zo sinister dat ik bijna in duivelse dweomer ga geloven.'

'Daar moet je ook in geloven, want die bestaat echt,' zei Dallandra. 'Of iemand in de tempel die beoefent... Daar moet ik nu juist achter zien te komen.'

Duivelse dweomer? Neb rilde van afschuw. Hij wilde niets liever dan geloven dat zoiets niet bestond, maar diep in zijn geheugen zag hij herinneringen, niet meer dan flarden van beelden, die het tegendeel bewezen. Het bestond echt, een duivelse versie van dweomer, en hij besefte dat hij daar eigenlijk nooit aan had getwijfeld. Andere herinneringen worstelden zich een weg naar zijn bewustzijn en deze keer vond hij er woorden voor: 'De hogepriester zou zo iemand kunnen zijn. Hij probeerde Voran te betoveren.'

Salamander slaakte een kreetje van verbazing. Arzosah draaide met een ruk haar kop om naar Neb.

'Maar dat lukte niet?' vroeg de draak.

'Dat lukte niet. Maar Govvin keek Voran de hele tijd strak aan en probeerde zijn eh... zijn... Alle goden, dat woord ben ik kwijt! Maar hij probeerde het aan te tasten.'

'Zijn aura,' zei Salamander. 'Maar dan is die Govvin er niet erg goed in.'

'Inderdaad,' zei Dallandra. 'Maar laten we een man die een vijand zou kunnen zijn, niet onderschatten. Hoewel...' Ze staarde weer naar de tempel. 'Misschien kent hij alleen een paar trucs.'

'Van wie zou hij die dan hebben geleerd?' vroeg Arzosah.

'Van iemand die zich voor dweomerlessen laat betalen.' Dallandra wendde haar blik van de tempel af en keek Salamander aan, die instemmend knikte. 'Er bestaan niet alleen zilverdolken van het zwaard, maar ook van de ziel. Die van het zwaard zijn veel rechtschapener, dat spreekt vanzelf.'

'Dat soort geheimen zijn niet goedkoop,' zei Salamander. 'Als de hogepriester zijn belastingopbrengst inruilt voor lessen van een duivelse meester, kan dat de reden zijn voor zijn inhaligheid.'

'Dat zou kunnen,' zei Dallandra. 'Maar als ik het bij het verkeerde eind heb en het zijn echt alleen grote vrekken, dan moet ik er gemakkelijk binnen kunnen komen.'

'En anders?' vroeg Salamander met een opgetrokken wenkbrauw.

'Anders wordt het natuurlijk een stuk moeilijker.' Dallandra lachte met een kort, koel blafje. 'Ik moet zorgvuldig bedenken hoe ik het ga doen.'

'Ik vlieg straks over de tempel heen op weg naar die koeien,' zei Arzosah. 'Ik ben natuurlijk lang niet zo goed als jij of Salamander, maar ik weet wel iets van dweomer en ik kan wel even goed rondkijken, als je wilt. Op onderzoek uitgaan, als je het zo wilt noemen.'

'Dat wil ik graag, dank je wel!' Dallandra grinnikte. 'En veel geluk met de koeienjacht. Neb, Ebañy, laten we teruggaan naar het kamp om ook iets te eten. Ik denk dat Cal overkookt van nieuwsgierigheid naar wat we hier allemaal staan te bekokstoven.'

De zon was allang onder en het sterrenwiel stond halverwege zijn baan toen het leger werd opgeschrikt door een aaneenschakeling van angstaanjagende geluiden: het geloei van koeien, het geschreeuw van mannen en het klapwieken van enorme vleugels in de lucht. Neb trok gauw zijn laarzen aan en rende samen met Salamander en de boogschutters de tent uit. De meeste krijgers gooiden hun dekens van zich af en krabbelden overeind om omhoog te kijken. Bij de tempel op de heuvel bewogen lichtjes zich deinend langs de muur, waarschijnlijk waren dat bedienden met fakkels.

In het bleke maanlicht kon Neb de vorm van een draak onderscheiden, die eerst hoog boven de dun van de priesters een rondje maakte en vervolgens achter de tempel naar de grond dook. Even later steeg Arzosah veel langzamer weer op, terwijl ze zo hard met haar vleugels sloeg dat de krijgers het konden horen. Op grote afstand leek het op het geluid van een kolibri, maar dichtbij moest het oorverdovend zijn. Slappe witte vormen bengelden aan haar poten.

'Ze heeft er twee!' riep Neb lachend. 'Alle goden, wat is ze sterk!'

'Daar staan draken om bekend,' zei Salamander. 'Ik hoop alleen dat ze die koeien niet in de buurt van de paarden gaat verorberen.'

Maar het bleek dat Arzosah aan de paarden had gedacht. Ze vloog met een grote boog om het leger heen en verdween in oostelijke richting uit het zicht. Hoofdschuddend en lachend of vloekend van verbazing kropen de mannen weer tussen de dekens om nog een paar kostbare uren te kunnen slapen, terwijl het geschreeuw in de tempel nog een tijdje aanhield.

Toen het de volgende ochtend licht werd, kwam de hogepriester van Bel, geflankeerd door vier met een gevechtsstok gewapende priesters, vanuit de tempel over de weg naar het kamp van de krijgers. Twee schildwachten renden het groepje tegemoet. Neb, die toevallig in de buurt was, bleef staan toen de hogepriester zei dat hij prins Voran wilde spreken.

'Zijn draak heeft een paar koeien gestolen,' zei Govvin kwaad. 'Ik eis een vergoeding.'

De schildwachten bogen en liepen weg om de prins te halen. Govvin bleef met zijn benen wijd uit elkaar en zijn handen in de zij staan wachten. Even later slenterde Voran met een homp brood en een stuk kaas in zijn hand naar hem toe. Hij vertrok zijn mond tot een kikkerglimlach en knikte ter begroeting.

'Wat is er, heiligheid?' vroeg hij.

'Die draak!' Govvin wees dreigend naar de prins. 'Die draak heeft twee van onze beste koeien gestolen! Dat beest is natuurlijk van jou, dus eis ik dat je ervoor betaalt.'

'Van mij?' Voran nam een hap brood en kauwde er bedachtzaam op. 'Niemand is eigenaar van een draak, heiligheid. Ze houdt ons een poosje gezelschap, dat is alles. Ik heb geen idee waarom.'

Govvin balde zijn handen tot vuisten.

'Bovendien,' vervolgde Voran, en hij slikte de hap vlug door, 'gisteren hebt u tegen me gezegd, heel nadrukkelijk, dat uw zaken ons niets aangaan. Zo heb ik het tenminste begrepen.' Hij wierp een blik op Neb. 'De schrijver heeft het precies opgeschreven.'

'U hebt gelijk, koninklijke hoogheid,' zei Neb. 'Dat heeft de priester gezegd.'

'Dan heb ik het goed onthouden.' Voran zwaaide met het brood naar de priester. 'Waarom komt u dan nu bij me klagen?'

Govvin wilde iets zeggen, maar hij deed het niet. Hij werd vuurrood, kneep woedend zijn lippen opeen, draaide zich om en liep weg, gevolgd door zijn begeleiders. Het kostte Neb moeite om zijn lachen in te houden, maar Voran barstte in lachen uit. Het was weliswaar een soort grommend, mannelijk lachje, maar de hogepriester hoorde het. Hij draaide zich om en keek Voran fel aan. Voran werd stil, maar de hogepriester bleef hem strak aankijken. Langzaam, gevolgd door zijn bewakers, deed Govvin een paar stappen naar de prins toe. Voran bleef als een standbeeld staan en keek glazig terug. De rotzak, het is hem gelukt! dacht Neb. Hij wierp zijn handen in de lucht en meteen verscheen er een zwerm Natuurvolkers om hem heen, spichtige dwergen en heen en weer flitsende luchtgeesten. De dikke gele dwerg was er ook bij en hij schudde zijn vuist tegen de hogepriester.

'Ga je gang!' fluisterde Neb.

Met een gebrul van woede als van een loeiende wind gingen de Natuurvolkers tot de aanval over. Govvin begon te gillen en draaide zich om om de aanval van timmerende vuistjes en scherpe tandjes af te weren. Hij sloeg en kronkelde, zijn bewakers snelden toe, en

Voran ontwaakte met een ruk van zijn hoofd en een reeks vloeken uit zijn betovering. Zijn krijgers kwamen aanrennen en Voran schreeuwde een paar bevelen.

'Haal de heelmeester! Zijne heiligheid heeft last van stuipen!'

Govvins bewakers gingen om de hogepriester heen staan om hem tegen nieuwsgierige blikken te beschermen, maar Govvin bleef luidkeels schelden en van zich af slaan. Twee bewakers lieten hun stok vallen om hem met sussende woorden bij de armen te grijpen, want blijkbaar dachten zij ook dat hij ziek was geworden. 'Kalm nou maar, ga liggen, we helpen u, heiligheid. Ga alstublieft liggen...'

'Zo is het genoeg,' zei Neb zacht.

De Natuurvolkers verdwenen, behalve de dikke gele dwerg, die naar Neb toe huppelde en naast hem ging staan. Govvin slaakte nog een jankend kreetje en verloor in de armen van zijn bewakers het bewustzijn. De heelmeester van Voran kwam haastig aanlopen, op de voet gevolgd door zijn leerling met twee uitpuilende tassen in zijn handen. Achter Neb kwam iemand aan die zijn naam riep. Het was Salamander.

'Kom mee, Neb.' De meestal zo vriendelijke stem van de gerthddyn had een barse klank. 'Nu meteen, voordat dit ellendige misbaksel bijkomt.'

'Maar ik wil zien hoe het verder gaat,' protesteerde Neb. 'Waarom moet ik mee?'

'Zodat hij je niet herkent, sufferd!' Salamander legde stevig een hand op Nebs schouder. 'Dallandra wil je spreken.'

'O.' Neb werd koud van schrik. 'Ik kom al.'

Neb draafde met Salamander mee tot de hogepriester en zijn gevolg hen niet meer konden zien. Toen liepen ze verder, maar nog wel in snel tempo, tot ze bij Dallandra kwamen, die voor haar tent stond te wachten. Ze gingen naar binnen.

'Hij had de prins betoverd,' zei Neb. 'Ik moest hem tegenhouden.'

'Dat weet ik,' zei Dallandra. 'Ik zal zo meteen naar Voran gaan om te zien of ik zijn aura moet herstellen. Maar ik wil niet dat de hogepriester weet wie het Natuurvolk erbij heeft gehaald.'

'Ik hoop alleen maar dat hij dat niet heeft gezien voordat ze hem aanvielen,' zei Salamander.

'Ik ook,' zei Neb. 'Ze zwermden eerst om mij heen, maar het ging allemaal zo vlug dat ik niet weet of hij dat heeft gezien of niet.'

Salamander kreunde zacht.

'Jij kunt jezelf nog niet beschermen,' zei Dallandra, 'maar als hij mij iets zou willen aandoen, weet ik hoe ik me daartegen moet verdedigen. Ik zal een vals spoor trekken.'

Dallandra nam een zakje met geneesmiddelen mee, zodat ze kon doen alsof ze de heelmeester wilde helpen, meer niet. Ze riep het Natuurvolk op. Sylfen en andere luchtgeesten stroomden als een ijzige wolk op de noordenwind met haar mee toen ze haastig door het kamp liep.

Toen ze bij de weg kwam, zag ze een eindje verder een grote kring krijgers en Westvolkers staan. Op bevel van prins Voran week de menigte uiteen om haar door te laten.

In het midden van de kring zat de heilige Govvin op de grond en leunde met zijn rug tegen een andere priester, die hem geknield overeind hield. Govvins gezicht en armen zaten onder de blauwe en paarse plekken. Aan weerskanten van hem zaten de heelmeester en zijn leerling, ook op hun knieën. Voran stond erbij en wenkte Dallandra. De zwerm Natuurvolkers volgde haar.

'Zijne heiligheid weigert onze hulp,' zei Voran. 'De andere bewakers zijn naar de tempel gegaan om een draagbaar te halen.'

'Ik denk dat hij in de eerste plaats moet rusten,' zei Dallandra. 'En hij zou meer moeten eten.' Tegen de twee priesters vervolgde ze op vermanende toon: 'Zijne heiligheid moet vaker voedzame soep of pap eten, en misschien lust hij ook wel een stukje fijngesneden kippenvlees.'

'Ze heeft gelijk,' beaamde de heelmeester. 'Als u niet goedvindt dat ik u onderzoek, heiligheid, luister dan in elk geval naar de raad van de heelmeester van het Westvolk.'

De priesters gaven geen antwoord. Degene die Govvin vasthield, wierp een blik op Dallandra en wendde zijn hoofd weer af, maar hij maakte eerder een onverschillige dan een vijandige indruk. Govvin was zo uitgeput dat Dallandra zijn aura niet kon bestuderen, want het was gekrompen tot een vaag grijsgroen randje vlak om hem heen. Maar hij hief zijn hoofd en keek haar zo boosaardig aan dat ze achteruitdeinsde. Ze zag geen dweomer in zijn blik, alleen haat, pure, kille haat, als een zwaard van ijs. Ze vermoedde dat hij het Natuurvolk om haar heen had gezien en dat hij ervan uitging dat zij hem had aangevallen.

Vanuit de groep omstanders riep iemand: 'De draagbaar is er, heiligheid!' De menigte week opnieuw uiteen om vier priesters door te laten, met een draagbaar van twee lange stokken waartussen een deken was bevestigd.

'Er is niets meer te zien, mannen!' riep de prins. 'We moeten vertrekken.'

De krijgers mompelden instemmend en verspreidden zich om terug te gaan naar hun kamp. Dallandra richtte haar Zicht op de prins.

Zijn aura was sterk en helder, een lichtgeel schijnsel met rode vegen – normale kleuren voor een krijgsheer. Blijkbaar was Neb erin geslaagd de betovering van de hogepriester te verbreken voordat hij de kans had gekregen om blijvende schade aan te richten. Govvin wist dus hoe hij iemand moest betoveren, maar hij kon de betovering niet krachtig genoeg maken. Ze sloot haar Zicht en toen ze zich omdraaide en terugliep naar het kamp, kwam prins Voran naast haar lopen.

'Ik vraag me af waarom die oude man zich uithongert,' zei hij.

'Misschien heeft hij wormen,' zei Dallandra, 'maar ik vermoed dat hij vast als onderdeel van een ritueel. Priesters zijn ervan overtuigd dat ze, als ze maar lang genoeg vasten, visioenen krijgen van hun goden.'

'O, dat wist ik niet.' De prins glimlachte een beetje spijtig. 'Als ik had geweten dat die oude man de vallende ziekte had, zou ik hem wat voorzichtiger toegesproken hebben.'

'Ach, daar zou ik maar niet over inzitten, koninklijke hoogheid. U wist het niet en bovendien was het zijn verdiende loon.'

'Dat vind ik eigenlijk ook. Goed, dan zal ik dit voorval vergeten. Dank je wel.'

Voran wuifde vriendelijk en liep weg. Hij is heel sterk, dacht Dallandra, en dat is maar goed ook. Maar ze nam zich voor op hem te blijven letten, voor het geval dat Govvins poging om hem te betoveren minder onschuldig was geweest dan het leek.

Het leger was klaar met het opbreken van het kamp en was zich op de weg aan het opstellen toen Arzosah eindelijk terugkwam. Ze zweefde boven de lange rij krijgers en landde in een nabijgelegen veld. Dallandra en Salamander renden naar haar toe.

'Neem me niet kwalijk dat ik zo laat ben,' zei Arzosah. 'Ik heb me verslapen. Misschien had ik gisteravond geen twee koeien moeten eten, maar ik houd niet van verspilling.'

'Waren ze lekker?' vroeg Salamander.

'Heerlijk. Gevoerd met graan en zalig vet.' De draak likte haar zwarte lippen af bij de gedachte.

'Gevoerd met graan?' Dallandra trok haar wenkbrauwen op. 'Dan hebben die priesters niet te klagen.'

'Of ze verkopen de koeien,' zei Salamander. 'Hoewel ik niet zou weten aan wie. In grote steden in Deverry, zoals Trev Hael, zijn welgestelde kooplieden en handwerkslieden bereid om goed voor lekker rundvlees te betalen, maar hier...' Hij haalde zijn schouders op.

'Misschien doen ze wel aan ruilhandel,' zei Dallandra. 'Er zijn mannen die rauw vlees eten.'

'Dat is waar.' Salamander trok een afkerig gezicht en hij rilde. 'Maar er schiet me nog iets te binnen. Misschien betalen ze er belasting mee aan de hoofdtempel in Dun Deverry. Heb je die ooit gezien? De muren zijn verguld in een patroon van takken en eikenbladeren. Waarschijnlijk zijn de beelden van Bel van hout, maar ze druipen van het goud en de edelstenen. En de priesters... Ah, die priesters! Hun tunieken en mantels zijn dan wel eenvoudig en gemaakt van aan elkaar genaaide lapjes, maar die lapjes zijn wel van fluweel en zijde. En hun sikkels...'

'Zo is het wel genoeg,' viel Dallandra hem in de rede. 'Ik begrijp wat je bedoelt. Iemand moet voor al die dingen betalen.'

'Zo is het. En zoals meestal in deze wereld is het geld afkomstig van degenen die er het minste van hebben.'

'Dat is waar ook,' onderbrak Arzosah hen. 'Voordat ik naar dat weiland ging, heb ik een paar rondjes gedraaid boven de tempel. Ze voeren daar beslist iets in hun schild. Toen ik er recht boven vloog, voelde ik...' Ze zweeg en de zwarte punt van haar tong hing zoals bij een kat uit haar enorme bek toen ze bedacht hoe ze het zou zeggen. 'Ik weet eigenlijk niet precies wat ik voelde. Een kloppende gewaarwording, alsof het etherische klopte als een hart. Maar ik kon nergens etherische zegels zien en ook geen spoor van een astrale koepel. Ik kon niets verdachts ontdekken.'

'Ook geen misvormde Natuurvolkers?' vroeg Dallandra.

'Hoe kun je in vredesnaam zien of een Natuurvolker misvormd is? Ze zijn allemaal even lelijk,' antwoordde Arzosah.

'Dat is waar, maar in dit geval denk ik aan schepsels met ongewoon grote slagtanden en klauwen, zo zwart als houtskool of glanzend als torren. Soms zien ze eruit alsof ze zweepslagen hebben gehad.'

'Jakkes!' Arzosah sloeg vol walging haar ogen ten hemel. 'Ik heb wel een paar griezels naar binnen zien rennen, maar ik kon niet zien hoe ze eruitzagen. Misschien waren het honden. Ik haat honden. Te veel herrie, te veel botten en te weinig vlees.'

'Dan blijft het een raadsel,' zei Dallandra.

'Een mysterie, een vraagteken, een puzzel en inderdaad een raadsel,' beaamde Salamander. 'Maar ik denk niet dat we hier kunnen blijven om het op te lossen.'

'Helaas niet,' zei Dallandra. 'Want ik raak er steeds meer van overtuigd dat ik die tempel moet onderzoeken.'

'Wat zeg je me nou?' zei Salamander. 'Nu Govvin jou als zijn vijand beschouwt, is dat nog veel gevaarlijker.'

'Misschien wel, misschien niet. Niet als Govvin daar de enige is die dweomer kent.'

'Stel dat er nog iemand is die dweomer kent? Zijn leermeester of zo?'
'Dat is dan zo. Toch moet ik erheen.'
'Maar niet nu. We moeten terug naar het leger, anders vertrekken ze zonder ons.'
'Dat weet ik heus wel,' zei Dallandra bits. 'Wil jij voor ons uit vliegen, Arzosah? Honelg is in staat om ons in de val te laten lopen of in elk geval wanhopig genoeg om het te proberen.'
'Daar zou je wel eens gelijk in kunnen hebben,' zei Arzosah. 'Bovendien zou hij best nog een paar boodschappers naar het westen hebben kunnen sturen, voor het geval dat het eerste groepje het niet heeft gehaald. Ik zal goed opletten.'
'Duizendmaal dank,' zei Dallandra. 'En als we vanavond ons kamp hebben opgezet, zou het mijn hart vreugd doen als je me vertelt wat er met de zilverdraak is gebeurd.'
'O ja?' Arzosah wendde haar kop af. 'Dat betwijfel ik.'
'Hij leeft toch nog wel?' Dallandra's stem was scherp van schrik.
'Dat wel,' antwoordde de draak. 'Ik zal het je allemaal uitleggen. Misschien.'
'Maar...'
Arzosah begon zich om te draaien, zoals altijd heel langzaam en waggelend, maar Salamander moest toch nog achteruit springen om haar zwiepende staart te ontwijken. Ze versnelde haar pas, spreidde midden op het veld haar vleugels, spande haar spieren en sprong de lucht in. Niemand zei iets voordat ze in noordelijke richting uit het zicht was verdwenen, de kant op van Honelgs dun.
'Ik hoop dat je schubben vet worden en gaan jeuken!' mompelde Salamander haar na. 'Zoals ze je steeds afpoeiert, Dalla... Daar maak ik me echt zorgen om.'
'Ik ook,' zei Dallandra. 'Maar ze zal ons dat wat ze kwijt wil vertellen wanneer ze eraan toe is, geen moment eerder.'

Tegen het middaguur bereikte Ridvars leger het dorp van Honelg. Het verbaasde Gerran niet dat er behalve enkele oude vrouwen en kinderen niemand te zien was. De vrouwen, die bijna allemaal versleten zwarte kleren droegen, stonden met de kinderen aan hun rokken bij de bron toen het leger het dorp binnenreed. Niemand juichte of schold, niemand lachte of keek misprijzend, ze keken alleen gelaten toe. Ongetwijfeld hadden ze al heel wat ellende meegemaakt en waren ze niet verbaasd dat hun leven opnieuw overhoop werd gehaald.
Het leger hield midden op de weg halt, met veel geschreeuw en opwaaiend stof. Gwerbret Ridvar wilde doorrijden naar de vrouwen,

maar prins Voran ging met zijn paard dwars voor hem staan om hem tegen te houden.

'Het kan een valstrik zijn,' waarschuwde hij.

'Dat zou inderdaad kunnen, koninklijke hoogheid.' Ridvar keek naar de vrouwen. 'Maar ik betwijfel het.'

Ridvar reed door naar de bron en leunde over de hals van zijn paard heen om de vrouwen toe te spreken. 'Niemand heeft iets van ons te vrezen en jullie huizen worden niet verwoest,' zei hij. 'Waar zijn de andere dorpelingen? In de dun, in afwachting van de belegering?'

De vrouwen keken elkaar aan en gaven geen antwoord.

'Nou ja, dat merken we straks wel. Hebben ze eten voor jullie achtergelaten?'

Een kromme, grijsharige vrouw met nog maar een paar tanden kwam schuifelend dichterbij en antwoordde: 'Genoeg voor de kinderen, hoogheid.'

'Maar niet voor de anderen?' Ridvar draaide zich in het zadel om en riep naar zijn hoofdman: 'Als we zo meteen ons kamp opslaan, moet je wat voedsel naar deze vrouwen laten brengen.'

'Komt voor elkaar, hoogheid.' De hoofdman stak ter bevestiging zijn hand op.

De vrouwen keken elkaar met een zucht van opluchting aan en drentelden wat heen en weer, waarbij hun kleren ritselden als droge takken in de wind.

'Waar zijn de jonge vrouwen?' riep prins Voran. 'Ik beloof jullie dat geen van onze mannen ze zal aanraken. Als iemand dat toch waagt, krijgt hij met mij te doen.'

Weer keken de oudere vrouwen elkaar aan. Het grijze oudje dat het woord had gedaan, keek aandachtig naar het blazoen op het hemd van de prins en de diverse banieren en vaandels van de krijgers.

'Goed, koninklijke hoogheid,' zei ze ten slotte. 'We zullen ze laten weten dat ze terug kunnen komen naar het dorp.'

'Doe dat dan maar gauw.' Tegen Ridvar vervolgde de prins: 'Laten we doorrijden. Ik neem aan dat het niet ver meer is naar de dun van die verrader.'

'Dat zei de troubadour tenminste.' Ridvar draaide zich in het zadel om en gebaarde met een zwaai van zijn arm dat zijn krijgers hem moesten volgen.

Nu het doel van de rit zo dichtbij was, reden de prinsen en de gwerbret in draf aan het hoofd van hun stoet ruiters en lieten ze de knechten met de logge wagens in hun eigen tempo volgen. Niet veel later zagen ze na een bocht in de weg de dun liggen, een lage, lelijke vesting omringd door een doolhof van lemen wallen. Een korst op een zwerende puist, dacht Gerran. Hij zag dat de poort dicht was en dat er achter de kantelen op de vestingmuur boogschutters verscholen zaten.

Met schreeuwende bevelen en armgebaren gaf Ridvar zijn eigen krijgers en die van zijn bondgenoten opdracht de heuveltop te omringen. Iedereen wist dat hij buiten bereik van de pijlen moest blijven. Omdat het leven van zijn dochter op het spel stond, mocht tieryn Cadryc zich met zijn krijgsbende opstellen naast de krijgsbende van de gwerbret, daar waar ze zicht hadden op de poort. Ridvar riep Indar, zijn heraut, die meteen kwam aanrijden. Hij droeg een staf die was omwonden met gekleurde linten – een teken van zijn functie – en een zilveren hoorn. Toen hij drie lange noten blies, werd zijn roep beantwoord door een hoorn in de vesting.

'De rotzak is in elk geval bereid om te onderhandelen,' mompelde Cadryc tegen Gerran. 'Dat valt dan weer mee.'

'Inderdaad, edele heer.' Gerran ging in zijn stijgbeugels staan om het beter te kunnen zien. 'Maar de poort gaat niet open. O, wacht even, de zijdeur wel.'

Met eveneens een staf met linten in zijn hand glipte een heraut door de smalle deur naar buiten en liep even later door de doolhof van muren en greppels de heuvel af. Indar gaf zijn staf aan de gwerbret, steeg van zijn paard en pakte de staf weer aan.

'Ik zal hem tegemoet lopen, hoogheid,' zei hij. 'Ik heb de voorwaarden voor een overgave goed in mijn hoofd. Niet dat ik denk dat het zal helpen.'

'Helaas denk ik dat je gelijk hebt,' zei Ridvar. 'Maar laten we hem toch maar een kans geven om ze af te wijzen.'

Indar ging op weg naar boven, met de staf hoog geheven om de boogschutters op de muur te laten weten wie hij was. Het ingewikkelde stelsel van aarden muren leek beide herauten op te slokken tot ze niet meer waren te zien, en daarna kon het leger niets anders meer doen dan hun rusteloze paarden sussen en wachten.

Na lange tijd, toen iedereen zich ongeduldig begon af te vragen wat er aan de hand was, kwam Indar terug. Hij boog voor de prins en toen voor de gwerbret, en zei: 'Heer Honelg weigert onze voorwaarden. Hij verzoekt u zijn domein te verlaten. Zijn heraut zei dat dat zijn enige antwoord is dat u zijn domein moet verlaten. Daarna zal hij overwegen of hij alsnog wil onderhandelen.'

Ridvar werd rood en vloekte hevig.

'Ik had eigenlijk niets anders verwacht,' zei Voran. 'En de vrouwen?'

'Ik heb zo dringend mogelijk gesmeekt om genade voor de vrouwen,' zei Indar. 'Ik heb precies gedaan wat de gerthddyn me heeft gezegd en benadrukt dat hun godin vooral vrouwen in ere houdt en dat Honelgs dochtertje, als ze blijft leven en daartoe de kans krijgt, in de toekomst de roem en verhevenheid van Alshandra zal kunnen verspreiden. De heraut heeft aandachtig naar me geluisterd en kreeg er zelfs tranen van in zijn ogen, en hij heeft me beloofd dat hij mijn boodschap zorgvuldig aan zijn heer zal overbrengen. Dat is het.' Indar schudde zuchtend zijn hoofd. 'We kunnen alleen maar hopen dat Honelg ernaar wil luisteren.'

Als Honelg inderdaad naar zijn heraut had geluisterd, was daar die middag en avond niets van te merken. Salamander stond aan de rand van het kamp van het Westvolk op de uitkijk. Met zijn normale zicht zag hij achter de kantelen op de vestingmuur overal schildwachten staan en één keer waarschijnlijk Honelg zelf, die met ongeduldige stappen over de muur heen en weer liep. Zo nu en dan scryde hij, maar dan zag hij in de dun zelf alleen dingen die hij en de heren al wisten.

Samen met Honelgs krijgers hielden de mannen van het dorp de wacht of zaten ze in de grote zaal. Salamander zag Marth, de smid, bevelen geven aan een groepje jongemannen dat zakken en tonnen met voorraden moest wegbergen. In de stallen zag hij koeien en varkens in plaats van paarden; blijkbaar had Honelg zijn paarden gestald in een bewaakt veld. Maar nergens zag hij de heraut of zijn staf met linten. De vrouwen hadden zich teruggetrokken in de vrouwenzaal. Hij zag Adranna huilen en het leek alsof de oude vrouwe Varigga haar troostte, maar hij kon niet horen wat ze zeiden.

De lange zomeravond vorderde en het werd langzaam donker. Salamander besefte dat het zinloos was nog langer te wachten en ging op zoek naar Dallandra. De twee prinsen en de gwerbret waren het erover eens geworden dat de boogschutters van het Westvolk zo belangrijk waren dat ze hun tenten ver achter die van de krijgers moesten zetten. Het mocht niet gebeuren dat ze ook maar een van hen zouden verliezen doordat de boogschutters op de vestingmuur hun geduld verloren en in het wilde weg een regen van pijlen zouden afvuren. Ze hadden langs een beekje een stuk vlakke grond gevonden voor de tenten, naast een grote rots waarop een uitkijkpost Honelgs dun in de gaten kon houden. Tussen het Westvolk en de dun lag het kamp van de Rode Wolf, en de krijgers van Ridvar en prins Voran hadden zich verspreid rondom de dun, klaar om aan te vallen.

Salamander liep tussen de tenten door en vroeg hier en daar aan een boogschutter of hij Dallandra had gezien, maar niemand wist waar ze was. Ten slotte ging hij naar Calonderiel, die bij een groot vuur midden in het kamp zat.

'Waar is Dalla?' vroeg Cal. 'Weet jij dat soms?'

'Ik niet,' antwoordde Salamander. 'Ik hoopte juist dat jij het wist.'

Calonderiel gromde iets en zei: 'Een van mijn mannen zei dat ze waarschijnlijk naar het kamp van de Rondoren is gegaan om met Voran en de andere heren te praten. Ik denk dat ik daar maar eens ga kijken.'

'Goed idee. Mocht ik haar toch nog ergens zien, dan zal ik zeggen dat je haar zoekt.'

'Graag. Ik vind het niet prettig als ze zomaar verdwijnt.'

Uiteindelijk, toen het helemaal donker was, kwam Dallandra terug naar het kamp van de elfen. Calonderiel volgde haar alsof hij een schaapshond was en zij een verdwaalde ooi die terug moest naar de kudde. Salamander liep hen haastig tegemoet.

'Ha, ben je daar!' zei hij. 'Dus Cal heeft je gevonden.'

'Ik zat gewoon met Ridvar en de prinsen te praten.' Dallandra wierp een woedende blik op Cal. 'Ik heb hun een paar manieren aan de hand gedaan waarop heer Oth in Cengarn de volgelingen van Alshandra ertoe kan brengen zich bekend te maken.'

'Ik neem aan dat dat nodig is,' zei Salamander.

'Dat spreekt toch vanzelf?' zei Cal. 'Je wilt toch niet dat ze van daaruit iemand naar Zakh Gral sturen?'

'Natuurlijk niet, hoewel ik niet zou weten wie dat zou moeten zijn. De meesten zijn waarschijnlijk bediende, zoals die staljongen, Raldd, en verder wonen er handwerkslieden en zo. Maar die hebben geen paard en ze weten ook niet hoe ze in Zakh Gral moeten komen.'

'Toch wil ik geen enkel risico lopen,' zei Dallandra. 'Als de gwerbret na zijn terugkeer honderd verraders wil ophangen, zou dat vreselijk zijn, maar dan kan ik altijd nog zien wat ik voor ze kan doen.'

'Bij de zwarte zon, wat ben jij opeens hard geworden!'

'Dat moet wel.' Dallandra zette haar handen in de zij en keek Salamander fel aan. 'Besef je dan niet, Ebañy, wat er allemaal op het spel staat? Ons leven op de vlakte! Als wij nu falen en het Paardenvolk de vlakte overneemt, zal de cultuur van de elfen alleen op de eilanden blijven voortbestaan en zullen alleen leden van het Westvolk die erin slagen naar de eilanden te ontsnappen, het overleven.'

Even keek Salamander haar sprakeloos aan. 'Nu begrijp ik het,' zei hij toen. 'Tot nu toe heb ik het niet willen inzien.'

'Ach, dat neem ik je niet kwalijk,' zei Dallandra. 'Gelukkig beseft zowel prins Voran als Ridvar dat als wij ten onder gaan, hun westelijke provincie ons zal volgen. Daarom zullen ze het Paardenvolk met man en macht bestrijden. Voran heeft me zojuist verzekerd dat zijn vader, de Eerste Koning, zal begrijpen dat het een heel dringende kwestie is. Dat is het enige wat me hoop geeft.'

'Hoop?' herhaalde Calonderiel. 'Dat is waar, maar die brengt ook verplichtingen mee. Besef je dat wel, mijn liefste? Van nu af aan zal prins Dar bij de Eerste Koning van Deverry in de schuld staan.'

'En? Je kunt beter bij iemand in de schuld staan dan dood zijn.'

Cal lachte. 'Je hebt gelijk,' gaf hij toe.

'Ik denk trouwens dat Dar je raad nodig zal hebben bij het bepalen hoe wij aan dit beleg kunnen meehelpen. Ik moet naar de tent om nog iets te doen. Ebañy, ga jij met me mee?'

'Wacht even!' zei Cal bars. 'Wat moet je dan doen?'

'Dweomerwerk. Daarvoor moet ik alleen zijn.'

'Alleen? En Ebañy dan?'

Dallandra staarde hem zwijgend aan. Salamander was het liefst hard weggelopen om aan de kille, argwanende blik van Calonderiel te ontsnappen.

'Hou op, Cal,' zei hij, niet op zijn gemak. 'Je bent toch niet jaloers op mij?'

'Natuurlijk niet!' Cal sloeg zijn armen over elkaar en keek Salamander fel aan. 'Ik wil alleen weten waarom jij zo nodig met haar mee moet.'

'Omdat hij ook dweomer kent, sufferd.' Dallandra legde een hand op Cals schouder. 'Ik moet scryen en hij weet wat hij moet doen als er iets misgaat.'

'O.' Cal dacht even na. 'Ik vergeet steeds dat jij ook dweomer kent, Ebañy. Je doet je te vaak voor als een leeghoofdige dwaas.'

'Ik hoop oprecht dat hij die misplaatste aanvallen, stuiptrekkingen, krampen van jaloezie kan leren onderdrukken,' zei Salamander, 'anders wordt mijn leven een hel. Een hel? Dan is de kans groot dat het een stuk korter wordt dan de goden bedoelen!'

'Hij zou het niet in zijn hoofd halen jou iets aan te doen. Hij weet dat we alle dweomer die in onze macht ligt nodig hebben om deze strijd te winnen.'

'Wat fijn om van nut te zijn! Dat komt dus goed van pas!' Hij trok een opgelucht gezicht en veegde met een overdreven gebaar zogenaamd het zweet van zijn voorhoofd. 'Laten we dan maar gauw aan het werk gaan. Ik neem aan dat ik je lichaam moet bewaken terwijl je geest op pad gaat.'

'Juist. We moeten die verdraaide tempel nog eens goed bekijken.'

Onderweg naar haar tent zag Dallandra Neb lopen. Ze riep hem en zei dat hij ook mee moest gaan. Hij kreeg de belangrijke taak voor de ingang van de tent te gaan zitten om iedereen buiten te houden, zelfs Calonderiel. 'Ik zal mijn best doen,' zei hij, 'maar ik vrees dat Cal zich niet door mij zal laten tegenhouden, wat ik ook zeg.'

'Dan moet je opstaan en hem lichamelijk beletten naar binnen te gaan,' zei Dallandra. 'Als het nodig is, mag je het Natuurvolk te hulp roepen. Ik hou veel van hem, maar hij mag me niet storen. Zeg maar tegen hem dat hij, als hij toch naar binnen gaat, mijn concentratie verbreekt en me daardoor kan doden.'

'Is dat waar?' vroeg Neb geschrokken.

'Dat is absoluut waar.'

'Maak je dan maar geen zorgen.' Neb legde zijn hand op het heft van zijn tafeldolk. 'Niemand komt langs me heen.'

'Mooi zo. Kom, Ebañy.'

In de tent maakte Dallandra een lichtbal en wierp die naar het midden van het dak, waar hij bleef hangen. Hij scheen als een zilveren maan en wierp schaduwen op de wanden. Salamander knielde op het gronddoek en staarde naar het flakkerende lichtspel.

'Ik zie Govvin,' zei hij even later. 'Niets anders, alleen Govvin. Hij ligt in een kamertje op een stromatras op de grond. Op een tafeltje naast het bed, als je die armoedige rustplaats een bed kunt noemen, staat een brandende kaarslantaarn. Hij ligt zo stil dat je zou vermoeden dat hij slaapt, maar zijn ogen zijn open.'

'Is hij dood?'

'Nee. Ik zie zijn ribben op en neer gaan.'

'Misschien is hij nog steeds uitgeput van vanmorgen.'

'Of in trance?' Salamander keer Dallandra vragend aan.

'Misschien. Laten we eens kijken.'

Dallandra ging op haar dekens liggen en Salamander knielde bij haar hoofd. Ze sloeg haar armen over elkaar en wachtte tot haar ademhaling regelmatig was geworden. Vervolgens haalde ze zich het beeld van een zilveren vlam voor de geest, tot de vlam zo helder brandde dat het leek alsof ze hem echt kon zien. Langzaam liet ze de vlam groeien tot hij zo groot was als zijzelf, boven haar bleef hangen en via een denkbeeldige zilveren streng vanuit haar borstholte door haar eigen levensenergie werd gevoed. De vlam was haar lichtlichaam geworden.

Ze bracht haar bewustzijn over naar haar lichtlichaam. Ze stelde zich voor dat ze uitkeek van onder een zilveren kap vandaan, alsof de vlam haar mantel was. Ze hoorde een sissend geluid en toen een klik. Ze kreeg het gevoel dat ze in de vlam zweefde en keek neer op haar slapende lichaam, ver onder haar, en op Salamander, die met een bleek gouden aura naast haar zat. Achter haar werd het zilveren koord steeds langer toen ze opsteeg en door het tentdak heen de lucht in vloog.

Boven haar hingen de sterren als zilveren bollen, waarin haar lichtlichaam zich leek te weerspiegelen. Het kamp in de diepte straalde een gouden schijnsel met rode vlekken uit: de aura's van de mannen in de tenten. Boven de vestingmuur van Honelgs dun hing het schijnsel van de aura's van de schildwachten. Alles wat van steen was, of eigenlijk alles wat dood was zowel in de dun als in het kamp, was zwart – zo zwart dat het eerder leek alsof er in al die vormen gaten uit de levensstof waren gesneden dan alsof het voorwerpen waren. Het gras, de bomen en alle andere planten eromheen straalden een dof roodbruin licht uit.

Dallandra zweefde weg van het kamp en volgde de weg naar de vesting van Bel. Toen de tempel op de lage heuvel opdoemde, bleef ze even hangen om hem van een afstand te bestuderen. In het etherische vlak waren de stenen zwart en doods, maar het hout van het heiligdom binnen de muren had een zwakke rode gloed, zoals van de ondergaande zon, wat betekende dat het nog niet zo lang geleden was gekapt. Ze zag geen astrale koepel of blauwe lichtzegels, niets wat kon verraden dat er zich binnen dweomerbeoefenaars bevonden, al dan niet volgers van het licht of de duisternis.

Ze vloog er voorzichtig naartoe. Op het binnenplein zag ze niemand, al maakte ze zich geen zorgen om normale schildwachten, van wie het bewustzijn zich alleen op het fysieke vlak bevond. Als er in de tempel een beoefenaar van zwarte magie woonde, zou hij een etherische barrière hebben opgeworpen, maar ze ontdekte geen omgekeerde pentagrammen om witte magie af te weren. Voor het geval dat er toch nog onverwachts een duistere meester zou verschijnen, in een huiveringwekkend duivelse vorm in plaats van een lichtlichaam, omringde ze zich met een schild van zachtblauwe etherische stof.

Ze vloog steeds dichterbij, heel langzaam, maar ze kwam geen enkele bedreiging tegen. Toch had ze het gevoel dat er iets was. Arzosah had gezegd dat de etherische krachten boven de tempel leken te kloppen als een hart. Dallandra had geen idee wat dat zou kunnen veroorzaken. Voor zover zij wist, konden etherische krachten stromen, wervelen en soms als water omhoogspuiten, maar ze had ze nooit zien kloppen. Maar toen ze over de muur zweefde, zag ze hoog boven de tempel een min of meer ronde vlek waarvan het zilverblauwe etherische licht steeds helder werd en dan weer vervaagde, in een vrij regelmatig ritme. Ze wachtte opnieuw en keek speurend om zich heen op zoek naar een vijand, maar ze vond er geen. Ze steeg op tot ze in haar vlamvormige lichaam vlak onder de kloppende ronde vlek hing, en het bleek de ingang te zijn van een tunnel, die naar een donkerblauwe verte leidde. In de tunnel wervelde van alles rond: vreemde geometrische vormen, menselijke gezichten, mismaakte sterretjes, misvormde schepsels, bloemen, bladeren, ranken... Alles dwarrelde in een paarsblauwe nevel door elkaar. Iemand had de poort geopend naar een lager astraal vlak en het gat was een gevaarlijke valkuil voor etherische schepsels, zoals het Natuurvolk. Dallandra zweefde van de open poort weg en steeg nog hoger, om op de tunnel neer te kunnen kijken. Hij hing onder haar als een lange slurf, die steeds smaller werd en uiteindelijk verdween in de mist. Aan de buitenkant leek hij zo zacht als fluweel of misschien als bont, maar hij zag er erg onnatuurlijk uit. Toen ze hem goed bekeek, zag ze dat het smalle uiteinde heen en weer zwiepte als de staart van een ongeduldige kat, en dat die beweging de oorzaak was van het kloppen van de etherische kracht.

Maar wat was het precies? Het was een te ingewikkeld verschijnsel om alleen maar een astrale poort te zijn. Haar eerste opwelling was dat ze terug moest keren naar haar lichaam om met Salamander en Valandario te overleggen, maar de astrale poort vormde een groot gevaar voor de zwakke schepsels die de wereld waarin hij was opgedoemd, bevolkten. In haar lichtmantel hief ze haar denkbeeldige handen en riep het Licht aan, het zuivere Licht dat achter alle goden schijnt, het Licht dat door alles wat met duistere dweomer te maken heeft meer dan wie of wat ook wordt gevreesd. Wat ze van plan was te doen, deed ze in naam van dat Licht.

Ze werd omringd door de pure krachten van het etherische vlak. Ze liet haar lichtgedaante langzaam rondwervelen en wikkelde het blauwe licht om zich heen zoals een weefspoel een pas gesponnen draad. Van de magnetische kracht die ze op die manier verzamelde, maakte ze een pentagram, en binnen de glinsterende zilveren punten van de binnenste ster van het pentagram plaatste ze de zegels van de elementen: Vuur, Lucht, Water, Aarde en Ether. In het midden zette ze de allerheiligste naam.

'In naam van het Licht verban ik je!' riep ze door middel van een gedachtegolf, en met een harde zet van haar wilskracht stuurde ze het pentagram naar het gat van de tunnel. Ze verwachtte dat de tunnel zodra hij met het pentagram in aanraking kwam, zou verdwijnen, maar toen het pentagram tegen de poort botste, ontvlamde het in een zwarte wolk, waarna de tunnel ontplofte.

Een pure kracht die beet als een zuur overspoelde haar. Ze voelde haar lichtgedaante scheuren toen ze door een hoge golf werd meegesleurd en zich hulpeloos moest overgeven aan onbeheersbare krachten. Haar nutteloze schild viel in stukken uiteen. Uit alle macht concentreerde ze zich op het versterken van het zilveren koord dat haar verbond met haar fysieke lichaam zo ver beneden haar. Als het koord brak, was ze voorgoed dood. Golven brandende energie smeten haar heen en weer, en het zilveren koord werd steeds dunner. Ze had geen andere keus dan ineen te krimpen, weg te wervelen, het koord te volgen voordat het brak en terug te keren naar haar fysieke lichaam. De energiegolven rolden achter haar aan, met verschroeiende uitlopers.

Iemand kwam haar tegemoet, ook in een zilveren vlam... Ebañy. Van zijn eigen stof weefde hij een nieuw lichtkoord, dat hij naar haar toe wierp. Ze ving het op en voelde zijn energie naar haar toe stromen en haar kapotte lichtgedaante herstellen. Samen daalden ze af naar het kamp van het Westvolk. Even later zag ze de aura's van de mannen gloeien en stipjes vuur tussen de tenten. Eindelijk was ze weer veilig. Ze had nog net genoeg kracht om achterom te kijken en te zien dat de tunnel instortte en werd opgenomen door het blauwe licht. Ze had de poort gesloten.

Ze vielen verder en opeens hingen ze boven hun lichamen in de tent. Tot haar verbazing zag ze haar lichaam opgekruld aan de andere kant van de tent liggen. Dat van Salamander lag op zijn rug, met gespreide armen. Hij liet zijn lichtlichaam vallen en de vlam werd kleiner en doofde. Zijn fysieke lichaam ging rechtop zitten en zijn aura kreeg weer een gouden glans, maar minder hel dan eerst.

Salamander stond op, strompelde naar Dallandra's fysieke lichaam en sleepte het terug naar de dekens. Het zilveren koord dat haar lichtlichaam met haar fysieke lichaam verbond, was nog intact, al was het gevaarlijk dun geworden. Hij legde haar op haar rug, als een dode, om ervoor te zorgen dat haar terugkeer in haar lichaam zo min mogelijk pijn deed. Dallandra gleed door het koord en voelde haar bewustzijn vanuit haar lichtlichaam in haar fysieke lichaam terugglijden. Een klik, een sissend geluid en ze was terug, vervuld van dankbaarheid. Haar hele lichaam deed pijn. Salamander stond over haar heen gebogen.

'Dank je wel,' fluisterde ze. 'Je hebt me het leven gered.'

Hij glimlachte, te moe om iets te zeggen.

Buiten hoorde ze de stem van Cal, die Neb in twee talen uitschold en met van alles bedreigde als hij hem niet onmiddellijk binnen zou laten. Ze kwam moeizaam overeind, strompelde naar de ingang en zag dat Calonderiel een hand om Nebs keel had gelegd.

'Hou op!' beval ze. 'Hij doet wat ik hem opgedragen heb.'

'Alle goden in de hemel zij dank!' riep Cal uit, en hij liet Neb los. 'Je leeft nog.'

Neb wankelde achteruit en wreef over zijn keel. Geschrokken zag Dallandra dat zeker de helft van hun kamp voor haar stond en ze met grote ogen naar haar keken, en dat de andere helft kwam aanhollen om te zien wat er aan de hand was.

'We wilden de banadar net beletten hem te vermoorden,' zei een van de boogschutters, en hij wees naar Neb. 'We kwamen net aan toen je uit de tent kwam.'

'O, dank je wel,' zei Dallandra. 'Maar jullie kunnen nu gerust weer naar bed gaan, want alles is in orde. Goed gedaan, Neb. Kom binnen en jij ook, Cal.'

Nu Calonderiel wist dat Dallandra veilig was, wist hij niet hoe hij het goed moest maken. Hij maakte een stapel van een paar zachte kussens, waarop Neb moest gaan zitten, en schonk mede in een zilveren beker om de pijn in zijn keel te verzachten. Daarna zocht hij in alle tentzakken naar een stuk honingkoek dat hij had meegebracht van het huwelijksfeest van de gwerbret en verdeelde het tussen Salamander en Dallandra. Dallandra nam gretig een hap.

'Ik zal water voor je halen,' zei Calonderiel.

Dallandra had het te druk met kauwen om iets terug te zeggen. Salamander en zij moesten hun bewustzijn weer stevig in hun lichaam verankeren en de beste manier om dit te doen, was iets te eten. Neb nipte aan zijn mede en keek verbijsterd van de een naar de ander – ongetwijfeld was er in zijn dagdromen over machtige dweomerkunst nooit sprake geweest van honger. Calonderiel kwam terug met een leren zak met water en vulde voor ieder een kroes. Toen Dallandra haar kleverige handen uitstak, goot hij er een straaltje water overheen en spoelde ze schoon, maar hij gaf de zak aan Salamander om hem zijn eigen handen te laten wassen.

'Duizendmaal dank, liefste,' zei Dallandra in het Deverriaans tegen Cal. 'Je bent wat dweomermeesters betreft wel wat gewend, nietwaar?' Ze glimlachte hem toe. 'Weet je dat Salamander me het leven heeft gered?'

'Dat vermoedde ik al,' antwoordde hij. 'Toen ik naar de tent liep, hoorde ik je gillen, waarna Ebañy begon te vloeken. En toen hoorden Neb en ik een doffe smak, alsof een gevangen vis op de oever werd gesmeten.'

'Ik wist gewoon dat jij dat lawaai maakte,' zei Neb met schorre stem, 'en ik zei tegen de banadar dat wat er met je lichaam gebeurde, een gevolg was van wat je ergens anders aan het doen was.'

'Toch wilde hij me niet doorlaten.' Calonderiel keek oprecht schuldbewust. 'Het spijt me erg, Neb.'

Neb glimlachte zwakjes en nam nog een slokje mede.

'Ik kon je niet langer vasthouden,' zei Salamander, 'dus ben ik je achternagegaan.'

'Dat was maar goed ook,' mompelde Calonderiel. 'Ik was bang dat Dalla haar nek zou breken.'

Dallandra nam nog een slokje water. Ze vroeg zich af in hoeverre Calonderiel begreep wat er zojuist was gebeurd en vooral wat ze wilde dat hij zou begrijpen.

'Wat was dat ding daar, Dalla?' vroeg Salamander. 'Ik kon er nog net iets van zien voordat het instortte. Het zag er niet uit als een normale astrale poort.'

'Dat was het ook niet. Eerlijk gezegd, weet ik niet wat het dan wel was. Ik heb nooit eerder zoiets gezien.'

'Denk je dat Govvin het had gemaakt?' vroeg Salamander.

'Ook dat weet ik niet, maar ik betwijfel het.'

Salamander draaide zich iets om en staarde naar een van de tentzakken aan de wand, maar zijn ogen bewogen alsof hij iets volgde. Hij was lijkbleek geworden en zijn haar plakte op zijn hoofd van het zweet. Onder zijn ogen verschenen donkere kringen.

'Wat zie je?' vroeg Dallandra.

'Govvin. Hij is opgestaan en loopt over het binnenplein. Er lopen een paar priesters achter hem aan.' Salamander wachtte een poosje met open mond. 'Aha, ze lopen door de achterpoort naar buiten.' Plotseling lachte hij, een uitgeput geluidje. 'Hij zet bewakers bij de koeien.'

'Als hij zich met zoiets normaals bezighoudt,' zei Dallandra, 'heeft hij niet het minste idee wat er zich in het etherische vlak boven die verduivelde tempel heeft afgespeeld.'

'Dat denk ik ook.' Salamander gaapte. 'Dus had hij dat ding niet gemaakt. En ik betwijfel of degene die het wel heeft gemaakt, wist dat jij het wilde vernietigen, want anders had hij wel geprobeerd je dat te beletten.'

'Ik begrijp het niet,' zei Neb opeens. 'Bedoelen jullie dat die duistere dweomermeester niet in die tempel woont?'

'Dat vermoed ik,' antwoordde Salamander. 'Helaas weten we het niet zeker.'

'Dat is zo,' beaamde Dallandra. 'Maar we moeten die verwenste tempel wel in de gaten houden. Als hij terugkomt, wil ik zien wie het is. Hij moet wel in de tempel zijn geweest, want waarom zou hij die tunnel er anders recht boven hebben gebouwd? Laten we hopen dat hij voor het eind van de belegering terugkomt.'

Calonderiel gromde van ergernis en machteloosheid. 'Ik wil niet dat je weer zoiets gevaarlijks doet,' waarschuwde hij.

'Ik wil ook niet dat jij zoiets gevaarlijks doet als oorlog voeren, maar daar laat je je toch ook niet door tegenhouden?' zei Dallandra.

Calonderiel opende zijn mond om iets te zeggen, maar hij bedacht zich.

Dallandra keek Neb aan en zei: 'De gwerbret stuurt morgen een boodschapper terug naar Cengarn. Schrijf Branna dat ze elk moment van de dag op haar hoede moet zijn.'

'Dat zal ik doen.' Nebs stem was iets minder schor. 'Je zei tegen me dat ik wat dweomer betreft niet te veel haast moest hebben. Ik vond het helemaal niet leuk om geduld te oefenen, maar nu begrijp ik waarom dat nodig is. Ik weet niet wat er allemaal met je is gebeurd, maar ik begrijp nu wel dat de dweomerkunst veel gevaren met zich meebrengt, veel meer dan ik ooit had kunnen vermoeden.'

'Mooi zo,' zei Dallandra. 'Vertel haar dat ook maar. Alle goden zij dank dat ze kan lezen.'

Sinds Ridvars vertrek had zijn vrouwe de leiding over de dun. Elke morgen nam Drwmigga plaats op zijn stoel aan het hoofd van de eretafel bij de drakenhaard. Galla en haar twee gezelschapsdames, Branna en Solla, kwamen daar bij haar zitten, en natuurlijk ook de vier hofdames die Drwmigga zelf had meegebracht uit de dun van haar vader. Drwmigga zat altijd ontspannen naar iedereen te glimlachen, met een tevreden blik in haar grote ogen, terwijl dienaren en bedienden om beurten bij haar kwamen om te horen wat er die dag van hen werd verlangd. Ze wond zich zelden ergens over op en was geneigd elk verzoek zonder vragen te stellen in te willigen.

'Ik moet nog leren hoe dit rhan wordt bestuurd,' zei ze regelmatig. 'Je bent een grote hulp voor me, lieve Solla.'

Dan glimlachte Solla en zei niets. Eerst dacht Branna dat Drwmigga het uit leedvermaak zei, maar ten slotte drong het tot haar door dat Drwmigga zich oprecht niet bewust was van de moeilijke positie van haar schoonzuster. Daarna kwam ze steeds meer in de verleiding om na zo'n domme opmerking van Drwmigga haar hoofd te schudden.

Vijf dagen nadat het leger was vertrokken, kwam de eerste boodschapper terug. Branna was in haar kamer toen ze buiten een vreemd, klappend geluid hoorde, alsof iemand met een reusachtige stok een enorm wandkleed uitklopte. Ze liep naar het raam en leunde naar buiten. Op het binnenplein stonden enkele bedienden als aan de grond genageld omhoog te kijken. Plotseling slaakte een dienstmaagd een gil, waarna ze hard wegrende de grote zaal in. De anderen bleven nog even als verstijfd staan en renden toen achter haar aan. De honden begonnen te janken en renden nog even in paniek heen en weer voordat ze er ook vandoor gingen.

Branna keek op en zag een draak in een kring om de dun vliegen. In het heldere middaglicht kregen haar zwarte schubben een groenachtige glans toen ze langzaam daalde om op het platte dak van de hoofdbroch te landen. Zonder dat ze ook maar een tel had nagedacht, riep Branna: 'Arzosah! Arzosah Sothy Lorezohaz!'

'Zo heet ik!' riep de draak terug. 'Wacht even tot ik geland ben!'

Branna rende de kamer uit en de trap op, tot ze hijgend onder het luik stond dat naar het dak leidde. Ze beklom de ladder, opende het luik en stapte in het zonlicht, waar de draak al met haar enorme vleugels gevouwen en haar staart netjes om haar dijen op haar zat te wachten. Maar hoewel ze er net zo kalm bij zat als een kat naast de haard, zag Branna de dikke spieren onder haar schubben en toen ze geeuwde, tanden zo lang als haar eigen armen.

'Ik neem aan dat Dallandra je heeft verteld hoe ik heet,' zei de draak. 'Dus jij moet vrouwe Branna zijn.'

'Dat ben ik.' Branna had het gevoel alsof ze een klap in haar gezicht had gekregen. Hoe wist ze die naam? Dalla had haar nooit verteld dat ze een draak kende, laat staan hoe die heette. Ze zocht steun bij haar goede manieren. 'Het doet mijn hart vreugd je te ontmoeten. Ik voel me vereerd.'

'Dank je, ik ook. Ik heb boodschappen bij me van de gwerbret. Wil jij ze pakken?' Arzosah hief haar kop en Branna zag een leren tas om haar nek hangen. 'Ik heb zelf aangeboden ze hierheen te brengen, dan had ik wat te doen. Rondhangen en naar een belegering kijken is ontzettend saai.'

'Dat kan ik me voorstellen. Laat me even deze gesp losmaken, dan haal ik die riem van je hals.'

'Dank je.'

De riem bestond uit een aantal aan elkaar gebonden riemen en stukjes teugel om hem lang genoeg te maken voor de nek van een draak. Om hem los te maken, moest Branna onder Arzosahs kop gaan staan, die de draak zo hoog mogelijk optilde om Branna genoeg ruimte te geven. Pas toen Branna de tas met brieven veilig in haar handen had, kwam het bij haar op dat wat ze had gedaan, wel eens erg gevaarlijk had kunnen zijn. Ze liep naar de rand van het dak en keek naar beneden, waar het binnenplein inmiddels was volgestroomd met schildwachten, bedienden en andere nieuwsgierigen. Tante Galla

leunde zwaar op vrouwe Solla, alsof ze bijna een flauwte had gekregen.

'Ik kom morgenochtend terug om de antwoorden te halen,' zei Arzosah. 'Luister goed, want dit is erg belangrijk. Een van de brieven
is verzegeld met de draak van prins Voran en die moet heer Oth het
eerst lezen, in stilte. In de brief staat waarom.'

'Dat is goed, ik zal het hem zeggen.'

'Mooi zo. Nu ga ik jagen op mijn avondmaal. Je moet naar binnen
gaan voordat ik opstijg, want mijn vleugels maken veel wind.'

'Dat geloof ik graag. Veel succes met de jacht.'

'Je bent een beleefd meisje. Dat doet me deugd bij een jong.'

Omdat Branna niet wist wat ze daarop moest zeggen, maakte ze nog
een kniebuiging voordat ze de riem met de tas een paar maal om
haar middel wond om haar handen vrij te houden om van de ladder te klimmen. Op de overloop stonden heer Oth en twee schildwachten op haar te wachten, en ze bogen met oprechte eerbied voor
haar.

'Alle goden, u hebt ijswater door uw aderen stromen, vrouwe Branna!'

'Ik weet niet waar ik de moed vandaan heb gehaald,' antwoordde
Branna, 'maar op haar manier was ze erg aardig.'

Boven hun hoofden klapwiekten Arzosahs vleugels als donderslag-
gen. Met een windstoot steeg de draak op en toen ze over het trap-
gat vloog, werd het op de overloop heel even donker. Oth veegde
met een mouw het zweet van zijn gezicht en een van de schildwachten
verbleekte.

'De brieven, heer.' Branna maakte de riem los en hield Oth de tas
voor.

Heer Oth nam hem met trillende handen aan. De twee schildwachten liepen alvast de trap af naar beneden, zodat Branna onder vier
ogen aan heer Oth kon doorgeven wat hij volgens Arzosahs instructie
met de brief met het drakenzegel moest doen.

'Dat is goed,' zei Oth verbaasd. 'Laat ik die brief dan maar meteen
lezen.'

Hij bekeek de zilveren brievenkokers, pakte die met het drakenzegel van de prins en schudde het opgerolde perkamentvel eruit. Onder het lezen veranderde de verbazing op zijn gezicht in ernst. 'Ik
heb het begrepen.' Hij rolde de brief weer op en schoof hem terug
in de koker. 'Laten we nu maar naar beneden gaan.'

In de grote zaal was het stampvol. Iedereen wilde het nieuws horen:
bedienden, schildknapen, bewakers en edelvrouwen. Branna liep
door de fluisterende menigte naar de eretafel met de edelen en ging

naast haar tante zitten. Galla keek haar aan en probeerde iets te zeggen, maar ze gaf het schouderophalend op. Ze zal me straks de les lezen, dacht Branna, over de omgang met draken. Ze giechelde al bij de gedachte en Galla legde haar met een vermanende blik het zwijgen op.

Heer Oth was op een traptrede blijven staan en keek speurend de zaal rond. 'Is Varn hier ook?' riep hij.

Varn, de hoofdman van de bewakers van de vesting, kwam door de rumoerige menigte heen naar voren. Toen hij wilde knielen, hield Oth hem tegen. 'Loop even mee, want ik moet je iets vertellen,' zei hij.

Oth en de hoofdman liepen tot halverwege de trap om rustig te praten, terwijl iedereen naar hen keek en fluisterend probeerde te raden wat er aan de hand was. Even later kwam de hoofdman weer beneden. Hij zocht enkele van zijn mannen uit en zette hen hier en daar in de zaal op wacht. Daarna kwam Oth ook weer de trap af.

'Ongetwijfeld willen jullie allemaal graag horen hoe de zaken ervoor staan,' begon hij op luide toon. 'Daarom zal ik de brieven hardop voorlezen.'

Hij klom op een tafel, haalde met overdreven gebaren de brieven uit de kokers en las ze een voor een zo luid mogelijk voor. Hoewel Branna net zo nieuwsgierig naar de inhoud was als de anderen, was ze zich ervan bewust dat ze onder het luisteren zorgvuldig naar de gezichten van de aanwezigen keek. Eerst begreep ze niet waarom, maar toen Oth iets voorlas over de draak, werd het haar duidelijk.

'Zoals jullie inmiddels allemaal beseffen, omdat jullie deze brief lezen, bewijst de zwarte draak de prinsen en de gwerbret grote en heel belangrijke diensten,' las Oth voor. 'We hopen dat haar kameraad, de witte draak, zich bij ons zal voegen om ons te helpen bij het beleg van de vesting van de verrader van de Grote Bel.'

Bij de achterdeur stond een groepje bedienden dicht bij elkaar: twee dienstmaagden, een stalknecht en een koksmaat. De koksmaat sloeg een vuile hand voor zijn mond, alsof hij een kreet of een vloek wilde binnenhouden. Een van de dienstmaagden werd bleek en de stalknecht deed twee stappen achteruit, alsof hij wilde wegglippen. Helaas voor hem werd de uitgang door drie bewakers versperd. Toen wilde de jongen naar voren lopen, maar nog een bewaker greep hem bij zijn kraag. Hier en daar in de menigte werden nog meer aanwezigen vastgegrepen. Het werd lawaaiig; mensen begonnen eerst te fluisteren en toen steeds harder te praten om zich verstaanbaar te maken, en rekten zich uit om te kunnen zien wat er opeens gaande was. De honden werden door de onrust aangestoken en begonnen te blaffen.

'Ontruim de zaal!' riep Oth. 'Later zullen jullie alles begrijpen, mensen. Voorlopig moet iedereen die vrij is om te gaan, zich uit de voeten maken. Bewakers, breng de anderen naar me toe.'

Druk pratend verlieten de meeste aanwezigen de zaal. Een meisje dat door een bewaker stevig werd vastgehouden, begon te gillen. Oth klom van de tafel toen de bewakers hun gevangenen naar voren duwden.

'Eh... Heer Oth?' zei Drwmigga. 'Wat is er opeens aan de hand?'

'Een van de raadslieden van uw echtgenoot heeft een slimme manier bedacht om verraders van getrouwen te onderscheiden,' antwoordde Oth. 'De troubadour Salamander heeft ons verteld dat die twee draken volgens de cultus van Alshandra bovennatuurlijke verschijnselen zijn, een soort duivels, en geen gewone wilde dieren. Heel dom, dat weet ik, maar blijkbaar denken die gelovigen dat draken hun aartsvijanden zijn. Dus toen ik dat stukje over de draken voorlas, begonnen sommigen in de zaal heel vreemd te doen. Dat is in elk geval verdacht.'

Alle verdachten waren intussen naar voren gebracht, en ze moesten op een rij op hun knieën voor de drakenhaard gaan zitten. Het waren er elf. Een dienstmaagd en een keukenhulpje huilden, maar de anderen keken met hun armen over elkaar geslagen verontwaardigd naar Oth of staarden hem onbewogen aan.

Vrouwe Galla stond op en keek naar Branna. 'Ik voel me ziek als ik eraan denk dat Adranna met dit soort mensen opgesloten zit. Ik ga naar mijn kamer,' zei ze.

'Ik ga mee,' zei vrouwe Solla, 'als vrouwe Drwmigga me dat toestaat?'

'We gaan allemaal naar de vrouwenzaal.' Drwmigga stond op en wenkte haar hofdames met een blanke hand. 'Ik weet zeker dat heer Oth deze zaak uitstekend zal afhandelen.'

Branna wilde ook meegaan, maar er was iets wat haar tegenhield. Ze kon het gevoel niet omschrijven, maar ze wist dat ze met eigen oren moest horen wat de verdachten te zeggen hadden. Ze gleed een stukje onderuit op haar stoel en maakte zich zo klein mogelijk, een trucje dat ze als kind had geleerd wanneer ze genegeerd wilde worden.

Oth bleef naar de verdachten kijken tot de grote zaal leeg was. Varn kwam naast hem staan en telde ze.

'Dit zijn ze, heer,' zei hij. 'Voor zover we ze hebben kunnen pakken.'

'Mooi zo.' Oth keek de verdachten een voor een aan. 'Jullie worden ervan verdacht volgelingen te zijn van de valse godin Alshandra. Ik wil jullie...'

'Ze is geen valse godin!' riep een stalknecht verontwaardigd uit. 'Ze is de enige echte godin, en ik ben niet van plan haar te verloochenen.'

'Ik ook niet!' riep een dienstmaagd. 'Als u ons doodt, gaan we naar haar land en dan kunt u ons niet tegenhouden. Dan sterven we als getuigen van haar waarheid.'

Een voor een vielen de anderen haar bij, zelfs het keukenhulpje, hoewel Branna kon horen dat zijn stem trilde van angst. Hij was ongeveer even oud als Matto, schatte ze, en daardoor vroeg ze zich af of haar neefje de volgende zomer nog zou meemaken. Oth luisterde met open mond, deed een paar stappen achteruit en luisterde verder. De hoofdman mompelde ongelovig een paar vloeken en zijn mannen schudden verbijsterd hun hoofd.

'Beseffen jullie dan niet,' vroeg Oth ten slotte, 'dat de gwerbret jullie zal laten ophangen als jullie dit belachelijke idee niet opgeven?'

'Dat moet hij dan maar doen,' zei de stalknecht. 'Het maakt niets uit.'

De anderen mompelden instemmend, behalve het keukenhulpje, dat stilletjes huilde.

'Misschien zal hij jullie genade willen schenken,' probeerde Oth opnieuw, 'maar dan moeten jullie die valse godin afzweren en...'

'Nooit!' riep de stalknecht minachtend.

'Vooruit dan maar.' Oth haalde zijn schouders op. 'Bewakers, breng ze naar de gevangenis. Wanneer de gwerbret terug is, zal hij een malover houden.'

'Wacht even!' Branna strekte zich uit en stond op. 'Ik bedoel, mag ik iets zeggen?'

Oth gaf een kreetje van verbazing en de bewakers keken geschrokken haar kant op.

'Ach heden, vrouwe Branna!' Oth legde een hand op zijn hart, alsof hij het wilde geruststellen. 'Ik had u niet gezien.'

'Neem me niet kwalijk, heer. Maar dat kind, dat keukenhulpje... Hij is nog veel te jong om te beseffen wat hij doet.'

'Misschien wel, maar dat zal zijne hoogheid wel beoordelen wanneer hij terug is.'

'Maar vindt u echt dat hij samen met de anderen naar de gevangenis moet? Dat lijkt me erg hardvochtig.'

'Ik heb instructies gekregen, vrouwe. Uw ruimhartigheid siert u, maar ik kan er niets aan doen.' Oth keek de bewakers aan. 'Breng ze weg.'

Branna hoorde aan de grimmige klank van zijn stem dat het zinloos was nog langer te protesteren. Toen de bewakers de gevangenen meenamen, keek het keukenhulpje met betraande ogen naar haar om, terwijl de volwassenen met opgeheven hoofd en uit volle borst een gebed begonnen te zingen. Ik vraag me af of onze Adranna ook liever zal sterven dan zich over te geven, dacht Branna. Ze voelde tranen opwellen in haar ogen, maar ze slikte en liep vlug de trap op om naar de andere vrouwen te gaan.

Toen ze de vrouwenzaal binnenkwam, zaten de vrouwen op stoelen en kussens in een kring bij elkaar, alsof het een kille in plaats van een warme zomeravond was.

'Ah, ben je daar, kind,' zei Galla. 'We vroegen ons al af waar je was.'

'Ik wilde horen wat de verdachten te zeggen hadden.' Branna keek om zich heen, zag een lege, halfronde stoel en ging zitten. 'Volgens mij zijn ze niet goed bij hun hoofd. Geen van hen wilde de valse godin afzweren.'

'Het is verschrikkelijk,' fluisterde Drwmigga. 'Verraders in de dun! We lopen de kans dat ze ons allemaal in ons bed vermoorden.'

'Dat betwijfel ik, vrouwe,' zei Branna. 'Als er nog enkelen van hen vrij rondlopen, zullen ze vluchten om hun leven te redden. Of als ze hier blijven, zullen ze ervoor zorgen dat ze vooral geen aandacht trekken.'

'Misschien heb je gelijk,' gaf Drwmigga aarzelend toe.

'Ik denk dat onze Branna inderdaad gelijk heeft, vrouwe,' zei Galla. 'Maar het is verstandig om voortdurend op onze hoede te zijn.'

'Dat is altijd verstandig, tante Galla.' Branna glimlachte haar toe. 'Ik...'

Er werd op de deur geklopt. Branna ging opendoen en daar stond Midda. De vrouw gluurde vanuit haar ooghoeken naar beide kanten de gang in, zichtbaar genietend van alle geheimzinnigheid. 'Heer Oth wil u spreken,' fluisterde ze. 'Hij wacht in de raadszaal van de gwerbret.'

'Schei uit, Midda, je hoeft heus niet te fluisteren, hoor.'

'O nee? Stikt het hier in de dun dan niet van de verraders? Stel dat ze ons vermoorden...'

'... in ons bed?' maakte Branna de zin af. 'Ik betwijfel of er hier nog meer verraders vrij rondlopen en als dat toch zo is, gaan ze er binnenkort vandoor of houden ze zich heel stil in plaats van aandacht te trekken.'

'Misschien wel, misschien niet,' zei Midda op sombere toon. 'Je weet maar nooit.'

Maar ik weet het wel, dacht Branna. Ik weet alleen niet hoe ik het weet. 'Dank je voor de boodschap,' zei ze hardop. 'Ik ga meteen naar hem toe.'

In de raadszaal zat heer Oth aan de lange tafel, in een lichtbundel die door een hoog raam achter hem viel. Voor hem op tafel lagen de brieventas, allerlei documenten en de zilveren kokers. Toen Branna hem daar zag zitten, kreeg ze opeens heel sterk het gevoel dat ze hem ook in een ander leven had gekend. Ze zag het beeld voor zich van een tafel ergens in een volksherberg, waaraan een kale, dikke man met zijn handen een geroosterde kip uit elkaar trok. De man was zo anders dan de slanke, elegante heer Oth dat Branna besloot dat ze zich vergiste. Oth stond op en boog voor haar.

'Vrouwe Branna,' zei hij, en hij hield haar een brievenkoker voor. 'Een brief van uw verloofde.'

'Dank u!' Ze trok de koker gretig uit zijn hand. 'Ik hoopte al dat hij me had geschreven.'

'Dat heeft hij dus. Wat dat keukenhulpje betreft, ben ik het met u eens dat het nog een kind is en dat hij in een droevige situatie terecht is gekomen. Het is goed dat een edelvrouwe mededogen toont, maar dit is een kwestie die de gwerbret moet oplossen.'

'En ik mag me er niet mee bemoeien?'

'Inderdaad.' Oth glimlachte om wat milder over te komen. 'Bovendien bent u nog erg jong. Ik stel voor dat u er met uw tante over praat en luistert naar wat zij er met de wijsheid van een oudere vrouw van zegt.'

Branna wenste dat het mogelijk was om iemand met behulp van dweomer in een kikker te veranderen, net als in een oud verhaal. Maar dat kon niet, dus glimlachte ze braaf en zei: 'U hebt het in deze dun voor het zeggen, dus spreekt het vanzelf dat ik doe wat u zegt. Maar ik vraag me iets af. Als de volgelingen van Alshandra geen bondgenoten van het Paardenvolk waren, zouden we hun geloof dan nog steeds slecht kunnen noemen?'

'Natuurlijk! Begrijpt u het dan niet? Het zijn ongelovigen, daar komt het op neer. Ze beweren dat die ellendige duivelin de enige ware god is en dat andere goden niet bestaan.' Oth, die heen en weer was gaan lopen, stond stil en keek haar aan. 'Als wij toestaan dat ze hun misplaatste geloof verspreiden, bestaat de kans dat de echte goden zich tegen ons keren. En wat moeten we dan?'

'Dan ziet het er niet goed voor ons uit.'

'Zo is het.' Oth schonk haar een welwillende glimlach. 'Morgen stuur ik een boodschapper met brieven terug naar zijne hoogheid. Wilt u daar ook een berichtje voor Neb bij doen?'

Het was een beloning omdat ze had toegegeven, besefte Branna. Even overwoog ze of ze dat hardop zou zeggen, maar ze wist dat hij vanwege zijn functie en de wetten van het land elk argument van haar zou winnen.

'Graag, dank u wel,' zei ze. 'Ik zal vrouwe Solla vragen me te helpen schrijven. Ik heb hem een heleboel te vertellen.'

Maar nadat ze Nebs brief had gelezen, met zijn waarschuwingen en zijn relaas over duistere dweomer, besefte ze dat ze hem geen dingen kon schrijven die echt belangrijk voor haar waren. Ze kon hem niet vertellen dat ze had geweten hoe Arzosah werkelijk heette, dat ze het gevoel had dat ze Oth vroeger ook had gekend en dat ze steeds meer inzicht kreeg in wat dweomer met alles te maken had. Ze zou Solla moeten vertellen wat ze wilde schrijven, bovendien bestond de kans dat de schrijver van prins Daralanteriel haar brief het eerst onder ogen zou krijgen en per vergissing zou lezen. Uiteindelijk liet ze Solla een kort briefje schrijven waarin ze Neb vertelde dat ze het goed maakte, dat ze zijn waarschuwingen ter harte had genomen en dat ze hem heel belangrijke dingen te vertellen had wanneer hij terug zou zijn. Ze eindigde met te zeggen dat ze van hem hield en hem miste.

'Ik zou het erg fijn vinden als ik ook kon schrijven, Solla,' zei ze, toen de brief klaar was. 'Zou jij het me kunnen leren?'

'Met plezier,' antwoordde Solla. 'Dan hebben we iets te doen om het wachten gemakkelijker te maken.'

'Maak je je zorgen om Gerran?'

'Natuurlijk!' Solla werd vuurrood. 'Al zul je het wel dom van me vinden dat ik zoveel genegenheid voel voor een man die zo weinig belangstelling heeft voor mij.'

'Ach, Gerran laat niet zo gauw merken wat hij voelt, maar dat betekent niet dat hij geen hart heeft. Wacht maar tot het winter is en we allemaal thuis moeten blijven in de dun, dan doet hij zijn mond wel open, dat wil ik wedden. Hij is heus niet blind, hoor.'

Solla glimlachte, maar de glimlach trok meteen weer weg. 'Als hij dan nog leeft,' zei ze. 'Ik zit vreselijk in angst, Branna.'

'Zijn lot ligt in handen van de goden.' Branna pakte Solla's hand en gaf er een kneepje in. 'En we hebben machtige bondgenoten.'

'Dat is waar.' Solla liet een zenuwachtig lachje horen. 'Maar die draak, Branna! Hij had je kunnen doden!'

'Waarom zou ze dat willen doen? Ze had boodschappen bij zich van de prins en de gwerbret. Ze kan praten. Ze is beslist geen van maden krioelende wilde beer of zoiets.'

Solla wilde weer iets zeggen, maar ze zweeg en begon te trillen. Met sussende geluidjes en geruststellende woorden kwamen de andere vrouwen naar haar toe.

'Kalm maar, arm kind,' zei Galla. 'Het is voor ons allemaal een heel inspannende dag geweest, ik denk dat je doodmoe bent. Dat ben ik tenminste wel.'

'Ik ook,' bekende Branna. 'Zal ik een dienstmaagd vragen ons warme kruidenwijn te brengen, Solla?'

Solla knikte met een moeizaam glimlachje.

'Ik heb in de achttien jaar van mijn leven nog nooit zo'n dag meegemaakt als vandaag,' zei Drwmigga. 'Alle goden! Verraders in de dun, gemene, rebelse bedienden! En dan nog die draak! Ja, laten we een beker wijn drinken.'

'Een goed idee,' beaamde Galla. 'Maar in het vervolg, lieve Branna, moet je je niet meer met draken bemoeien, hoor. Al doet deze zich nog zo tam voor, met wilde dieren weet je nooit wanneer ze je aanvallen.'

Aha, die vermaning had ik al verwacht, dacht Branna, maar ze zei: 'U hebt vast wel gelijk, tante Galla. Neem het me niet kwalijk.'

Toen ze de vrouwenzaal uit liep, probeerde ze te bedenken hoe het kwam dat ze Arzosah zo kalm had verwelkomd. En hoe had ze geweten hoe de draak heette? Ze werd een beetje duizelig en om niet te vallen, bleef ze halverwege de trap naar beneden staan tot het over was. Ik wou dat Dalla en Salamander er waren, dacht ze. Maar ze verlangde nog sterker dat ze naar Neb toe kon gaan en dat hij zijn armen om haar heen kon slaan, als tastbare troost in een wereld die steeds vreemder en gevaarlijker werd.

In de namiddag van de volgende dag keerde Arzosah terug naar het leger met een opnieuw gevulde brieventas om haar nek en nog een witte koe van de tempel in haar klauwen. Dallandra zat Neb de genezende eigenschappen van bepaalde kruiden uit te leggen toen ze de draak zagen aankomen, die vanwege het gewicht van haar prooi langzaam naar een naburig veld vloog om te landen.

'Een andere keer leg ik je uit wat smeerwortel nog meer doet,' zei Dallandra. 'Laten we eerst die brieven gaan halen.'

Salamander liep met hen mee door het drukke kamp van het Westvolk naar het open veld, waar Arzosah ver uit de buurt van de paarden een rustig plekje had gevonden. Een groepje granieten rotsblokken stak als de knokkels van een vuist in een leren handschoen uit boven de hobbelige grond. Uit een bron ertussenin kabbelde water naar een vlak, zonnig weiland, waar de draak zich kon warmen. Toen Dallandra en de twee mannen voor haar stonden, lag ze op het gras en bestudeerde een kuil naast het koele beekje. Aan de modder die aan haar klauwen kleefde, was te zien dat ze de kuil zelf had gegraven. De dode koe moest op zijn rug in de kuil liggen, want haar poten staken meelijwekkend slap boven de aarde uit.

'Ik eet liever 's nachts,' zei Arzosah. 'Het water houdt het dier koel. De rotsen zijn vrij warm.'

'Wat een goed idee,' zei Salamander. 'Eh... Wat ruik ik toch? Ligt er hier nog ergens een koe te verrotten?'

'Nee. Ik lik de huiden schoon en bewaar ze voor onze schrijver. Ze leveren niet het beste soort perkament op, maar ik wil wedden dat hij er, als ze zijn gelooid of wat lieden zoals hij er ook mee doen, prima op kan schrijven.'

'Dat weet ik zeker,' zei Neb. 'Ik dank je nederig. Ik stel het bijzonder op prijs.'

'We zullen straks een paar knechten sturen om ze op te halen,' zei Salamander. 'Het verbaast me dat je van dergelijke dingen op de hoogte bent, o toonbeeld van drakendom.'

'Ik heb heus wel eens een boek of zo gezien,' zei Arzosah. 'Ik ben geen wilde.' Ze draaide haar reusachtige kop naar Dallandra. 'Ik neem aan dat je de tas met brieven komt halen. Of liever, de antwoorden op de brieven.'

'Dat is zo,' zei Dallandra. 'Ebañy, wil jij de riem van haar nek halen?'

Arzosah hief haar kaak om hem de tas te laten pakken.

'Dat is waar ook, Neb,' zei ze even later, 'ik heb je verloofde ontmoet en ik was erg van haar onder de indruk.'

'Ze is een schoonheid, vind je niet?' Neb grinnikte.

Arzosah bulderde van het lachen. 'Een schoonheid? Wat zegt mij dat nou? Ze is heel dapper, dat bedoel ik. In die tas zit ook een brief van haar aan jou.'

Neb draaide zich om naar Salamander en maakte een gebaar dat meer leek op de aanval van een slang dan een beleefd verzoek. Lachend gooide Salamander hem de tas toe.

'Haal die van jou er maar uit en breng de rest naar de gwerbret,' zei hij.

'Dat zal ik doen,' zei Neb. 'Neem me niet kwalijk dat ik zo onbeleefd deed.'

Met de tas veilig in zijn armen draafde Neb terug naar het kamp. Arzosah keek hem na en wendde zich toen weer tot Dallandra.

'Nu hij ons niet meer kan horen,' zei ze in de Elfentaal, 'heb ik een appeltje met je te schillen, Dalla, en het heeft niets met de avondmaaltijd te maken. Het is niet aardig van je dat je iedereen vertelt hoe ik werkelijk heet.'

'Wat zeg je me nou?' Dalla keek Arzosah stomverbaasd aan. 'Dat doe ik helemaal niet.'

'Hoe wist Branna dat dan?'

'Wist Branna hoe je heet?' Dallandra dacht even na. 'Alle goden, dan moet ze zich dat herinnerd hebben, waarschijnlijk in een van haar dweomerdromen.'

'Kende ze me dan in haar vorige leven?'

'Jill kende je eigenlijk niet, maar zij was wel degene die je ware naam heeft ontcijferd.'

Arzosah legde voorzichtig haar kop op de grond tussen haar poten. 'Weer een arme draak die is geveld door de slagen van het wyrd,' zei ze. 'Ik had me al jaren geleden in een vuurberg moeten storten om van het hele gedoe af te zijn.'

'Ach, bij de donkere zon!' zei Dallandra. 'Wat is er nu weer?'

'Het is vreselijk dat een draak zo door het geknoei van een klomp teleplasma, een klodder etherische drab, een kwak astraal slijm, wordt gekleineerd! Die verduivelde Evandar, met andere woorden. Ik vervloek hem omdat hij mijn ware naam op ringen heeft geschreven, zodat dweomermeesters erachter konden komen. Zo vernederend, en vooral dat doet pijn.'

Dallandra zette haar handen in de zij en keek Arzosah een poosje aandachtig aan. 'Het kost moeite om medelijden met iemand te hebben die groter is dan de tent van een banadar,' zei ze toen.

Arzosah gromde, maar ze hief haar kop op en sloeg haar ene voorpoot over de andere.

'Dat is beter,' zei Dallandra. 'En nu we het toch over de rozenring hebben, het is echt tijd dat we een babbeltje maken over Rori. Wat is er gebeurd? Iets wat niet deugt, nietwaar?'

Arzosah gromde. 'Als ik het je niet vertel, zul je me het waarschijnlijk met mijn ware naam bevelen,' zei ze.

'Dat is wel bij me opgekomen, maar die vernedering wil ik je graag besparen.'

'Vooruit dan maar. Waar draken een grotere hekel aan hebben dan aan wat ook, is ongelijk bekennen. We hebben natuurlijk zo zelden ongelijk dat we geen kans krijgen om te leren hoe dat moet, dus misschien vinden we het daarom zo erg.'

'Misschien wel,' zei Dalla. 'Ongelijk waarover?'

'Ik had naar je moeten luisteren, toen in Cerr Cawnen. Je had gelijk. Ik had Rhodry moeten laten sterven en alleen weg moeten gaan om te rouwen. En laat me, nu ik toch door het stof ga, ook mijn verontschuldigingen aanbieden omdat ik destijds heb gedreigd de hele stad te verwoesten. Ik wist niet meer wat ik deed van verdriet.'

'Dat weet ik. Ik was woedend op je, maar ik heb het je nooit kwalijk genomen en dat zal ik ook nooit doen.'

'Dank je. Nadat Evandar Rhodry een nieuwe gedaante had gegeven, was ik bijna in staat om hem zijn zonden te vergeven. Toen Rori de mijne was geworden, was ik niet meer alleen en een tijdje ging alles goed. Maar toen... ach, toen is alles veranderd. O bitter, bitter wyrd!'

'Wil je alsjeblieft ophouden met dat gewentel in zelfmedelijden en ons vertellen wat er is gebeurd?'

'Huh, je bent wel hard hoor, maar ja, dat schijnt bij lieden die aan dweomer doen wel vaker voor te komen. Vooruit dan maar. Rori is gek geworden. Dat komt door die wond. Die is nooit genezen.'

'Je bedoelt toch niet die wond die Raena hem heeft bezorgd?'

'Die bedoel ik.'

'Maar hoe... Dat kan toch niet! Dat is al vijftig jaar geleden!'

'Dat weet ik, maar die wond is nooit genezen. Het is geen grote wond, voor een draak eigenlijk maar een schrammetje, zoals we toen ook al zeiden, maar er sijpelt nog steeds vocht uit en dat houdt hem uit de slaap. Hij likt erover en likt erover tot ik brul dat hij moet ophouden, maar dat kan hij blijkbaar niet en hij wordt er razend van. Soms vliegt hij weg en komt maandenlang niet terug. En dan is hij er weer en gaat alles een poosje goed, tot die ellendige, vervloekte wond hem opnieuw tot waanzin drijft.'

Salamander gromde van afkeer.

'Dat doet me verdriet,' zei Dallandra. 'Maar Rori zou naar mij toe kunnen komen, Arzosah. Misschien kan ik die wond nu behandelen. Destijds had ik daar niet genoeg tijd voor, omdat hij anders zou doodbloeden.'

'Ach, ik heb al jaren geleden voorgesteld dat hij naar jou toe zou gaan, maar daar wilde hij niets van weten.' Arzosah dacht even na. 'Ik denk dat hij zich schaamt. Hij wilde die dag in Cerr Cawnen net zomin naar je luisteren, maar nu weet hij ook dat je gelijk had.'

'Daar zou ik me nooit op laten voorstaan.'

'Dat weet ik en dat weet jij, maar dat wil hij niet weten. Die wond zal nooit vanzelf genezen, nietwaar? Waarschijnlijk rust er een vloek op.'

'Dat hoeft niet. Die zilveren dolk had een long geraakt, daarom ging hij bijna dood aan dat kleine sneetje.'

'Och heden, wat erg! Maar de wond is veel minder diep geworden. Misschien gaat hij niet dicht omdat onze huid zo dik is.'

'Inderdaad, jullie hebben heel stevige schubben.'

'Dat is waar, en daaronder zit nog een laag huid.' Arzosah hief haar kop op om haar hals te laten zien, die een lichte, grijsgroene kleur had. 'Dat kun je onder mijn kaak zien, maar de huid is daar veel dunner. Op onze flanken is hij veel dikker.'

'Daarom is hij destijds niet aan die wond gestorven, denk ik.' Opeens schoot Dallandra iets te binnen waar ze van schrok. 'Maar als we hem weer een menselijke gedaante kunnen geven en die wond dan weer doordringt tot in zijn long, kan hij alsnog doodgaan! Och goden, ik weet echt niet wat ik hieraan moet doen.'

'Zeg dat alsjeblieft niet!' Arzosahs stem schoot omhoog. 'Als jij hem niet kunt genezen, wat moet er dan van hem terechtkomen?'

Dallandra zuchtte alleen maar en keek naar Salamander, die bleek was geworden.

'Ik weet niets van heelkunde af,' zei Salamander. 'Daar heb ik nooit iets van geleerd, ook niet toen ik nog in Bardek woonde. Misschien zou Nevyn kunnen helpen, maar ik denk niet dat Neb zich nog iets van geneeswijzen herinnert.'

'Dat is inderdaad geen kennis die je meeneemt naar je volgende leven,' zei Dallandra. 'Maar hij heeft wel een gave om het weer te leren. De kruidenvrouw in Trev Hael heeft hem een paar dingen bijgebracht over de meest voorkomende kruiden, als dank omdat hij etiketten voor haar schreef en zo, en ik ben begonnen hem meer te leren, maar pas sinds kort. Ik wou dat Rori niet zo koppig was. Tot ik die wond kan bekijken, weet ik niet of ik hem kan helpen. Het is jammer dat ik hem niet kan roepen, maar ik weet zijn ware naam niet.'

'Misschien niet, misschien wel,' zei Arzosah. 'Als ik ernaar mag raden, denk ik dat hij Rhodry tranDevaberiel heet. Of misschien Rhodry Aberwyn tranDevaberiel. Ik betwijfel of de clan van de Maelwaedd er ook nog aan te pas komt, maar je weet nooit. Het moet de een of andere samenstelling van die namen zijn.'

'Ach goden!' Dallandra begreep niet dat ze zo dom was geweest. 'Ik dacht steeds dat hij een echte drakennaam zou hebben!'

'Ach welnee! Wat ik inmiddels weet, is dat hij diep vanbinnen, in zijn ziel en zijn hart, nog steeds een bastaardelf is. Hij is geen echte draak, Dalla, en dat zal hij ook nooit worden. En dat is de kern van de zaak, het knelpunt, de kwestie waar het om draait, zoals onze wauwelende troubadour zou zeggen.'

'Mag ik je erop wijzen dat ik nooit wauwel?' zei Salamander verontwaardigd.

'Dat mag je niet, want je wauwelt wel. Maar ik word zo langzamerhand gek van Rori, Dalla. Bij alle heilige vlammen van het vuur! Als jij zou kunnen helpen, dan zou ik... Nou ja, ik weet niet wat ik zou doen, maar het zou beslist iets goeds zijn.'

'Ik wil alles doen wat ik kan om hem te helpen. Maar als hij geen echte draak is, heeft zijn ware naam dan wel dezelfde macht over hem als bij jou het geval is?'

'Vlammend hellevuur!' Arzosah sloeg met haar staart op de grond. 'Daar had ik nog niet aan gedacht! Waarschijnlijk niet.'

'We zouden het kunnen proberen.'

'Dank je wel.' Arzosah aarzelde en klapte een paar keer met haar kaken op elkaar. 'Ik hoop dat ik zijn ware naam goed geraden heb, anders moet ik twee keer op één dag toegeven dat ik ongelijk heb en dat zou ik niet kunnen verdragen.'

Die vernedering bleef Arzosah bespaard. Met haar normale stem sprak Dallandra een aantal combinaties van mogelijke namen uit: Rhodry tranDevaberiel, Rori tranDevaberiel, Rhodry Aberwyn tran-Devaberiel... Toen ze ten slotte 'Rhodry tranDevaberiel o'r Aberwyn' zei, voelde ze een lichte trilling door zich heen gaan, een zwak branddend gevoel in haar mond en een zachte tinteling om haar longen. 'Deze zou het kunnen zijn,' zei ze. 'Ik zal proberen hem te roepen, maar laten we er niet te veel van verwachten.' Ze keek naar de zon, die al laag in het westen stond, en liet haar geest wegzweven van het aardse vlak. 'Het astrale getij van de Lucht is nog erg sterk, dus zal ik wachten tot het plaatsmaakt voor dat van het Water.'

Hoewel Branna hem maar een kort, oppervlakkig briefje had gestuurd, las Neb het drie keer. Aan de slordige krabbel eronder, heel anders dan het nette schrift van Solla, zag hij dat ze het zelf had ondertekend. Hij kuste een paar keer haar naam en rolde het briefje op om het weg te bergen in zijn zadeltas, waar hij het gemakkelijk zou kunnen vinden als hij het nog een keer wilde lezen. Terwijl hij wachtte tot Dallandra terug zou komen, slenterde hij door het kamp op zoek naar tieryn Cadryc. Die was blij met het bericht dat zijn vrouw en zijn nichtje gezond en veilig waren.

'Als je weer schrijft,' zei Cadryc, 'zeg dan tegen mijn vrouwe dat ik nog niets van onze dochter heb gehoord, maar dat ik blijf hopen.' Hij dacht na terwijl hij op de punt van zijn snor kauwde. 'Ik ben bang dat die schoft onze Adranna niet zal laten gaan, maar dat mag je natuurlijk niet zeggen.'

De volgende morgen, toen de koele ochtendschemering overging in een warme dag, verscheen de heraut van heer Honelg eindelijk weer op de vestingmuur. Hij blies drie tonen op zijn hoorn en zwaaide met zijn staf, waardoor de bonte linten wapperden in het bleke licht. De roep om Indar ging door Ridvars kamp.

Neb rende met de Westvolkers de heuvel op om samen met de krijgers van de gwerbret een meter of vijftig voor de ingang van de aarden doolhof te wachten terwijl de herauten berichten uitwisselden. Allerlei veronderstellingen deden fluisterend de ronde: hoop dat Honelg zich zou overgeven, maar ook vrees dat hij de prinsen en de gwerbret nogmaals zou bevelen zijn domein te verlaten.

Uiteindelijk bleek dat Honelgs antwoord ertussenin lag. Indar kwam terug met een mager glimlachje van voldoening. Hij knielde voor Ridvar neer en zei zo luid mogelijk, om voor iedereen verstaanbaar te zijn: 'Heer Honelg wil de vrouwen naar buiten sturen, edele heer. Hij wacht op uw belofte dat hen niets zal overkomen.'

'Wat een brutaliteit!' riep Ridvar kwaad uit. 'Alsof ik ze niet zou beschermen! Bovendien is de vader van vrouwe Adranna ook hier.'

'Hier ben ik al!' Cadryc baande zich een weg door de menigte om naast de gwerbret te gaan staan. 'Als iemand probeert mijn dochter of haar gezelschapsdames iets aan te doen, krijgt hij het met mij aan de stok!'

'Met die belofte moet Honelg het doen,' zei Ridvar.

Indar stond op, boog voor de edelen en draafde met geheven staf terug naar de dun, waar hij in de doolhof verdween. Terwijl hij opnieuw met Honelgs heraut sprak, haalden de krijgers van Ridvar en Cadryc snel hun wapens, voor het geval dat Honelg van plan was hen in de val te laten lopen. In het verleden had een eerloze heer wel eens misbruik gemaakt van een gesprek tussen herauten om, wanneer de poort daarna openging, een verrassingsaanval uit te voeren.

'Laten we naar voren lopen,' zei Salamander tegen Neb. 'Ik wil erbij zijn wanneer de vrouwe naar buiten komt.'

'Dus je denkt dat er niets zal gebeuren.'

'Dat denk ik. Ik kan me echt niet voorstellen dat een volgeling van Alshandra zijn vrouwen zou misbruiken om een vijand in de val te laten lopen.'

Schuifelend, duwend en met een heleboel verontschuldigingen slaagden Salamander en Neb erin naar voren te gaan tot ze naast Gerran stonden. De hoofdman had zijn maliënkolder aangetrokken, maar hij had zijn pothelm nog onder zijn arm. Hij knikte tegen beide mannen en keek toen weer vlug naar de dun.

Eindelijk klonken de tonen van beide hoorns. Indar kwam uit de doolhof en werd gevolgd door een vrouw die zo sterk op Galla leek dat Neb wist dat het Adranna moest zijn. Ze had een klein meisje bij de hand en achter haar liepen drie vrouwen in zulke vuile, versleten kleren dat het dienstmaagden moesten zijn. Die drie vrouwen droegen dekenbundels – ongetwijfeld de eigendommen van de vrouwe en het weinige dat zijzelf bezaten.

'Het meisje heet Treniffa,' fluisterde Salamander tegen Neb. 'Ik weet niet hoe de dienstmaagden heten. Maar ik vind het vreemd dat vrouwe Varigga, de moeder van heer Honelg, er niet bij is.'

Tieryn Cadryc wilde de vrouwen tegemoet gaan, maar Ridvar pakte hem bij een mouw om hem tegen te houden.

'Je kunt beter hier blijven,' zei Ridvar, 'voor het geval dat een van die boogschutters vindt dat je een te belangrijk doelwit bent om te negeren. Per slot van rekening zijn dat lui uit het volk, waarvan je niet kunt verwachten dat ze zich eervol gedragen.'

'U hebt gelijk, hoogheid.' Cadryc bleef staan waar hij stond.

Toen Adranna al die krijgers zag staan, aarzelde ze even, maar toen liep ze met opgeheven hoofd waardig door. De dienstmaagden draafden met benauwde gezichten achter haar aan en de kleine Treniffa keek doodsbang.

'Nog steeds geen teken van Varigga,' zei Salamander. 'Ik vrees het ergste, want de poort gaat dicht.'

'Hoe weet je dat?' vroeg Neb. 'Dat kan ik vanhier niet zien.'

Salamander keek hem met een vermoeid glimlachje aan en Neb begreep eindelijk dat de gerthddyn de dun had gescryd. Adranna aarzelde nogmaals, keek speurend langs de menigte voor haar en liep rechtstreeks naar Salamander toe.

'Ah, ben je daar,' zei ze, en ze keek hem fel aan. 'Raldd heeft ons verteld dat je ons verraden hebt. En nog wel nadat je als een gast bij ons aan tafel hebt gezeten.'

'Het spijt me erg,' begon Salamander, 'maar...'

Adranna spuugde hem in zijn gezicht en met een rukje van haar hoofd liep ze kaarsrecht verder. Neb haalde een doekje vol inktvlekken uit zijn zak en gaf dat aan Salamander, die het met een bedankje aannam.

Nu liep tieryn Cadryc zijn dochter tegemoet en toen Treniffa hem zag aankomen, riep ze: 'Opa! Opa!' Ze trok haar hand uit die van haar moeder en stortte zich huilend in zijn gespreide armen. Toen Adranna dat zag, begon ze ook te huilen. Nog even bleef ze trillend staan, terwijl ze naar haar vader keek alsof ze verwachtte dat hij haar een draai om haar oren zou geven.

'Addi!' riep Cadryc. 'Alle goden zij dank! Eh... of eigenlijk moet ik de godinnen bedanken, nietwaar? Je moeder is gek van bezorgdheid en ik moet toegeven dat ik verdomd blij ben dat je heelhuids uit die dun bent gekomen.'

'Ik...' Adranna huilde zo hard dat ze niets meer kon zeggen. Ze rende het laatste stukje naar haar vader toe, met de dienstmaagden op een sukkeldrafje achter zich aan. De krijgers van de Rode Wolf vormden een kring om hen heen en zo liepen ze de heuvel af, naar de veiligheid.

Na een kort gesprek met zijn dochter en zijn hoofdman besloot Cadryc de vrouwen meteen terug te sturen naar Cengarn. Gerran wees vijf mannen aan om hen te begeleiden en gaf strenge bevelen: breng de vrouwen in veiligheid en kom meteen terug. Maar twee van de aangewezen mannen, Warryc en Daumyr, protesteerden.

'Met alle respect, edele heer, en u ook, hoofdman,' zei Warryc, 'maar we willen liever hier bij het leger blijven. Kunt u geen anderen aanwijzen om naar Cengarn te gaan?'

'O, is dat zo?' zei Cadryc met een twinkeling in zijn ogen. 'En waarom zouden we dat doen?'

'Omdat wij degenen zijn tegen wie Honelg heeft gelogen, edele heer, over ziekte in zijn dun. We willen het gevecht niet missen.'

'Dat is waar, dat was ik vergeten.' Cadryc keek Gerran aan. 'Jij mag het zeggen.'

'Waarom denken jullie dat jullie iets zullen missen?' vroeg Gerran. 'Misschien moeten we hier de rest van de zomer wel blijven rondhangen.'

'Dat zou kunnen, maar' – Warryc keek naar de dun – 'hij heeft de vrouwen weggestuurd, nietwaar? Dat heeft hij vast niet voor niets gedaan.'

'Nou, vooruit dan maar,' zei Gerran met een norse blik, maar hij wist dat ze zouden begrijpen hoeveel respect hij voor hen had. 'Geef die paarden dan maar aan Allo en Bryn en zeg dat zij met de vrouwen mee moeten gaan.'

'Dank u wel!' Warryc maakte een buiginkje voor Cadryc. 'Ik dank u ook, edele heer.'

Grinnikend liepen de mannen met de paarden weg.

'Ik hoop dat vijf mannen genoeg zijn,' zei Cadryc. 'Ik vraag me steeds af of Honelg een bondgenoot heeft ergens in de buurt, iemand die mijn dochter zou willen gijzelen.'

'Als hij al bondgenoten heeft,' zei Gerran, 'dan zijn dat geen heren in Deverry.'

'Daar maak ik me nog meer zorgen om.'

'Dat begrijp ik. Maar als er ergens Paardenvolkers op de loer liggen, zou de draak ze hebben geroken, ook al hadden ze zich nog zo goed verstopt.'

'Dat is waar ook, ik vergeet steeds dat dat schepsel ons een handje helpt. Hmm, ik denk dat ik oud word, als ik overal vijanden zie.'

Maar de tieryn was niet de enige die zich zorgen maakte om de veiligheid van Adranna. Nu Gerran het escorte had geregeld, ging hij naar het weiland waar de paarden stonden om gewillige rijdieren voor de vrouwen uit te zoeken. Prins Daralanteriel en Dallandra kwamen daar naar hem toe.

'Ik heb een verzoek, hoofdman,' zei de prins. 'De Wijze Vrouw wil graag dat ik vier boogschutters met het escorte van de vrouwen mee terugstuur naar Cengarn. Hebt u daar bezwaar tegen?'

'Een gul aanbod, koninklijke hoogheid,' zei Gerran. 'Ik heb geen enkel bezwaar.'

'Maar je wilt ook graag weten waarom,' zei Dallandra met een goedmoedig glimlachje. 'Niet alle draken in dit deel van de wereld zijn aardig, dus dacht ik dat een paar boogschutters misschien van pas zouden komen. Dat heb ik tegen de prins gezegd.'

Wat kun je met pijl en boog tegen een draak beginnen? dacht Gerran. Maar hij maakte alleen glimlachend een buiging voor Dallandra, want hij vermoedde dat ze aan een heel ander soort vijand dacht. Wie dat precies zou kunnen zijn, wist hij niet, maar hij twijfelde er niet aan dat zij het wel wist en dat was genoeg.

Nadat hij de paarden had uitgezocht, gaf hij een paar knechten opdracht ze te zadelen. Bovendien liet hij etenswaren inpakken en op een ezel laden, omdat de tocht twee dagen zou duren. Tijdens de voorbereidingen zat vrouwe Adranna op een lege ton die op zijn kant was gelegd, met Trenni in kleermakerszit tussen haar benen. Haar dienstmaagden zaten achter haar op het gras. Gerran had de vrouwe graag gerust willen stellen, maar hij wist niet wat hij moest zeggen. Het leger was van plan om haar heer en meester te doden, dat wist zij net zo goed als alle anderen.

Toen de kleine stoet klaarstond om te vertrekken, knielde Cadryc voor zijn dochter neer en vroeg: 'Hoe is het met Matto?'

'Wat denkt u? Honelg weigerde hem met me mee te laten gaan.' Adranna's stem siste en knetterde van woede, zoals een verse tak op het vuur. 'Hoe hard ik ook smeekte.'

'Hmm.' Cadryc dacht even na. 'Zo, zo. Hoor eens, we zullen al het mogelijke doen om hem levend in handen te krijgen. Matto, bedoel ik.'

'O pa, alsjeblieft!' Een snik ontsnapte haar en met verstikte stem vervolgde ze: 'Misschien wil mijn godin...'

'Hou je mond!' beval Cadryc. 'Ik wil niet dat je de naam van die leugenachtige duivelin noemt als de mannen je kunnen horen.'

Adranna sloeg haar armen over elkaar en keek haar vader fel aan. 'En ik wil niet dat je haar zo noemt.'

Ze staarden elkaar grimmig aan, zonder nog iets te zeggen. Op dat moment leek Adranna sprekend op haar vader, vond Gerran. Trenni zat roerloos tussen hen in, met een strak, bleek gezichtje en grote ogen. Adranna verbrak de spanning door het haar van haar dochtertje te strelen, voorover te buigen en geruststellende woorden in Trenni's oor te fluisteren tot het kind zich ontspande.

'Goed dan, pa,' zei Adranna. 'Als ik haar naam zou noemen, zou ik toch alleen maar verwensingen naar mijn hoofd krijgen.' Ze haalde diep adem. 'Binnenkort ben ik weduwe en ik denk dat ik dan naar de tempel van de Maan ga. Maar dat doe ik dan met een leugenachtig hart, want ik zal stiekem mijn eigen godin aanbidden.'

'Alle goden! Voor die beslissing is het nog veel te vroeg. Dit vervloekte beleg kan maanden duren.'

'Nee, nee, nee! Je begrijpt ons niet en je weet niets van haar denkwijze. Hoewel...' Ze aarzelde. 'Hoewel ik eigenlijk niet weet wat mijn heer zal doen. Hij gedraagt zich de laatste tijd erg vreemd. Toen hij ons wegstuurde, zei hij iets over zijn laatste getuigenis, maar ik weet niet of hij dat meende of niet.'

'Zijn wat? Waar heb je het voor de drommel over?'

Adranna schudde haar hoofd en waarschuwde geluidloos: 'Niet waar het kind bij is!' Cadryc knikte, om te laten weten dat hij het begreep. 'Vraag die troubadour, die verrader met zijn gespleten tong, maar wat het betekent,' zei Adranna. 'Hij weet blijkbaar alles van ons, te oordelen naar de manier waarop hij ons leven heeft verwoest.'

Toen de vrouwen vertrokken, reed Cadryc met hen mee, maar hij zei dat hij na een paar kilometer om zou keren. Gerran keek de stoet na en liep daarna door naar het kamp van het Westvolk om Neb te zoeken. Neb zat samen met Salamander geknield voor de tent van Dallandra op een schoon stuk hertenleer repen linnen op te rollen om als verband te gebruiken. Gerran liet zich op zijn hurken voor hen zakken.

'Waarom heeft de prins boogschutters met die vrouwen meegestuurd?' vroeg hij.

'Als je me op je erewoord belooft dat je het niet verder zult vertellen, zal ik je dat uitleggen,' zei Neb.

'Dat beloof ik.'

'Dalla denkt dat we worden gevolgd door een wisselgedaante, een die kan vliegen. Als ze gelijk heeft, voorspelt dat niet veel goeds.'

Gerran dacht werkelijk dat hij zou stikken. Hij kuchte, haalde diep adem en zei moeizaam: 'Een wisselgedaante? Ach heden, bij de zwarte harige kont van de heer van de hel! Bestaan die dan?'

'Die bestaan.' Neb klonk zo grimmig dat Gerran hem geloofde. 'Het zijn niet alleen maar figuren uit verhalen die Salamander op het marktplein vertelt.'

'Dat is waar,' zei Salamander. 'Gerro, als je een vogel ziet, vooral een raaf, die veel te groot lijkt voor een normale vogel, zeg dat dan meteen tegen Dalla of tegen mij.'

'Dat zal ik doen. Ik heb nog een vraag. Vrouwe Adranna zei tegen haar vader dat Honelg van plan was zijn laatste getuigenis af te leggen en dat jij zou weten wat dat betekent.'

Salamander trok een gezicht en keek naar het verband in zijn handen. 'Ik weet het niet zeker,' zei hij ten slotte, 'maar ik weet wel dat het een ongunstige betekenis heeft. Als deze mensen het over een laatste getuigenis hebben, heeft dat altijd met doodgaan te maken. Daarom denk ik dat hij bedoelt dat hij zal doorvechten tot in de dood.'

'Maar dat zou hij toch al doen,' zei Gerran. 'Ik kan me niet voorstellen dat hij zich zou willen overgeven, want dan zou Ridvar hem laten ophangen. Nu hij vrouwe Adranna heeft laten gaan, heeft hij niets meer om mee te onderhandelen.'

'En zijn krijgers dan?' zei Neb. 'En de dorpelingen?'

'Zijn krijgers hebben gezworen hem tot in de dood te volgen, als dat nodig zou zijn. Dat zullen ze dan ook beslist doen. De dorpelingen... Ik denk dat degenen die hadden willen vertrekken, wel met de vrouwen mee naar buiten zouden zijn gekomen. Ridvar zou hen niet hebben gestraft. In zijn ogen zijn zij niet belangrijk.'

'Hm,' snoof Neb. 'Dat kan ik me voorstellen.'

Toen Cadryc terugkwam, legde Gerran hem uit wat volgens Salamander de betekenis was van een laatste getuigenis. Wat Neb hem had verteld over de wisselgedaante hield hij voor zich. Als Cadryc het zou geloven, zou hij zich ook nog zorgen maken om een bedreiging waaraan hij niets kon doen. En geloofde hij het niet, dan zou hij denken dat zijn schrijver en zijn hoofdman niet goed wijs waren geworden. Gerran vond geen van beide een aantrekkelijk vooruitzicht, bovendien waren de twee mensen in het kamp die zo'n soort vijand konden verslaan allang op hun hoede.

Toen Gerran later die avond aan de rand van het kamp van de Rode Wolf op de uitkijk stond, zag hij achter een raam ergens boven in de dun licht flikkeren. Iemand die niet kon slapen, had blijkbaar een kaars aangestoken. Maar het licht verdween en even later scheen het door een pijlgleuf een verdieping lager, waarna het opnieuw verdween. Weer een poosje later dacht hij dat de dun in brand stond, want het licht scheen tussen de losjes opgestapelde stenen van de vestingmuur door naar buiten.

Maar daar bleef het bij. Dan is het toch een lantaarn, dacht Gerran. Maar waarom is er iemand buiten bij de muur gaan zitten? De schildwachten staan op de loopbrug, die zie ik bij het licht van de sterren af en toe heen en weer lopen. Toen zijn wacht er bijna op zat, verdween het licht en zag hij het nergens meer opdoemen.

De volgende morgen vertelde hij Dallandra wat hij had gezien. Ze bedankte hem, maar leek het tot zijn opluchting niet belangrijk te vinden. Hij was bang geweest dat het licht betekende dat er iemand duistere dweomer had beoefend.

'Dat betwijfel ik,' zei Dallandra. 'Ik denk eerder dat Honelg niet kon slapen, zoals je al vermoedde. Salamander zei dat hij ergens in de dun een altaar voor zijn godin heeft staan, misschien is hij daar gaan bidden.'

'Ah, dat zou kunnen,' zei Gerran.

'Ik wilde je vragen of Honelg volgens jou binnenkort tot de aanval over zal gaan,' vervolgde Dallandra. 'Of zou hij gewoon wachten?'

'Ik heb geen idee, vrouwe. Die man heeft zijn verstand verloren, dat blijkt, dus wie weet wat hij zal doen? Maar het betekent dat wij alleen maar kunnen afwachten wat er gebeurt.'

Degenen die in Cengarn waren achtergebleven, wilden net zo graag weten waar ze aan toe waren als Dallandra. Nieuwe berichten lieten niet lang op zich wachten. Toen de namiddag overging in de lange zomeravond, verscheen Arzosah voor de tweede keer boven Dun Cengarn. Branna zat in de vrouwenzaal Nebs bruidshemd te naaien en toen ze geschreeuw hoorde op het binnenplein, legde ze het hemd terug in haar werkmandje. Op dat moment kwam Midda haastig binnen.

'Ze is terug!' zei Midda buiten adem. 'Die draak, bedoel ik. Heer Oth wil dat jij met haar gaat praten.'

'Wát zeg je?' Vrouwe Galla vloog overeind uit haar stoel. 'Hoe durft hij! Branna, ik wil niet dat je gaat.'

'Ik zal heel voorzichtig zijn, tante Galla, dat beloof ik u,' zei Branna. 'Omdat ze mij inmiddels kent, is het beter dat ik ga dan iemand anders.'

'Blijkbaar vindt Oth dat ook,' zei Galla misprijzend. 'Het is duidelijk dat hijzelf niet dapper genoeg is om te gaan, en dat zal ik hem bij de avondmaaltijd zeggen ook.'

Voordat Galla nog verder kon protesteren, glipte Branna de vrouwenzaal uit en liep haastig naar boven. Toen ze de ladder naar het dak beklom, rook ze Arzosahs geur van verschaalde wijn. Ze stapte op het zonnige dak van de broch, waar Arzosah op haar gemak

zat te wachten. Branna maakte een kniebuiginkje, wat de draak goed-
keurend deed grommen.

'Goedenavond,' zei Arzosah. 'Is alles hier in orde?'

'Alles is in orde,' antwoordde Branna. 'Ik zie dat je ons nieuwe berichten komt brengen.'

'Dat is zo, en er is goed nieuws bij. Je nichtje en haar dochter zijn
veilig op weg hierheen. Ze komen binnenkort aan, ruim voor zonsondergang. Ik ben zonet over ze heen gevlogen.'

'De ware godinnen zij dank!' Branna kon wel juichen van blijdschap.
'Ik kan je niet vertellen hoe blij ik daarom ben.'

'Dat dacht ik wel.' Arzosah hief haar kop om Branna ruimte te geven om de brieventas los te maken. 'Als je me van deze lastige zak
kunt verlossen, kan ik op jacht gaan.'

'Met genoegen. Wist je dat Oth de volgelingen van Alshandra in deze dun heeft ontmaskerd? Maar we weten niet of er in de stad ook
nog aanhangers van haar wonen.'

'Dat wist ik. Terwijl ik aan het jagen ben en zo, let ik ook op of ik
iemand de stad zie verlaten en naar het westen zie gaan.' De draak
kromde een poot en bestudeerde haar klauwen. 'De prins heeft me
persoonlijk gevraagd of ik dat wilde doen.'

'Welke?'

'Voran. Hij is ongewoon slim voor een mens. We willen niet dat iemand naar Zakh Gral gaat om die lui daar te waarschuwen.'

Toen Branna de tas had losgemaakt, gooide ze hem door het luik
naar beneden en klom de ladder weer af. Boven haar hoofd hoorde
ze dat Arzosah met harde slagen van haar reusachtige vleugels het
luchtruim koos. Ze raapte de tas op en liep haastig naar beneden.
In de gang van de eerste verdieping aarzelde ze, en toen besloot ze
dat Oth nog wel even kon wachten. Ze duwde de zware deur naar
de vrouwenzaal open en rende naar binnen.

'Tante Galla!' riep ze. 'Hij heeft haar vrijgelaten! Honelg, bedoel ik.
Adranna en Trenni komen eraan!'

Galla keek haar aan, glimlachte aarzelend en barstte opgelucht in
tranen uit, maar de glimlach week niet van haar gezicht. Solla liep
vlug naar haar toe en sloeg een arm om haar heen.

'Ik moet even deze berichten naar heer Oth brengen,' zei Branna. 'Ik
kom zo gauw mogelijk terug.'

'Nee, laten we allemaal naar de grote zaal gaan,' zei Drwmigga, 'zodra Galla weer zichzelf is. Dan kunnen we vrouwe Adranna met z'n
allen op het binnenplein verwelkomen.'

Zoals de draak had gezegd, kwamen Adranna, Trenni en hun escorte ruim voor zonsondergang aan. De schildwacht boven de noor-

delijke poort zag de kleine stoet naderen en gaf het nieuws luidkeels door aan een van zijn kameraden, die naar de dun rende om de vrouwen te waarschuwen. Voorafgegaan door vrouwe Drwmigga, omdat zij de meesteres van de dun was, verlieten de vrouwen de grote zaal om bij de open poort te wachten. Vanwege de steile helling en de bochtige straatjes van Cengarn duurde het nog een poos voordat ze Adranna konden zien. Zij en de kleine Treniffa zaten nog op hun paard, maar de dienstmaagden en de mannen waren afgestegen om hun paarden te sparen. De schildknapen van de dun renden de stoet tegemoet om de vrouwen te helpen, en de overgebleven stalknechten namen de paarden van de reizigers over.

Toen Adranna en Treniffa waren afgestegen, bleven ze staan. Adranna had een arm om haar dochtertje heen geslagen en het leek alsof ze niet rekende op een hartelijke ontvangst. Haar dienstmaagden stonden angstig achter haar. Drwmigga hoorde het woord te nemen, maar blijkbaar wist ze niet wat ze moest zeggen. Branna had haar graag een duw gegeven, maar in plaats daarvan liep ze naar haar nichtje toe.

'Ik ben blij dat je veilig bent aangekomen,' zei ze. 'Je kunt je niet voorstellen, Addi, hoeveel zorgen ik me om je hebt gemaakt.'

Adranna glimlachte, maar ze keek langs Branna heen naar haar moeder. Vrouwe Galla veegde met de rug van haar hand nog een paar tranen weg.

'Je bent erg ondeugend geweest, Addi,' zei Galla. 'Maar ik was er altijd al op tegen dat je met die vreselijke man zou trouwen, dus neem ik aan dat je er niets aan kon doen.'

'O mama!' Eindelijk liet Adranna haar terughoudendheid varen. Ze rende naar Galla toe en sloeg haar armen om haar moeder heen. 'Ik ben zo blij dat ik je zie!' Haar stem brak, maar ze slikte haar tranen in. 'Ik ben zo moe...'

'Laten we naar binnen gaan,' stelde Drwmigga voor. 'Naar de vrouwenzaal, daar is het comfortabeler dan beneden.'

Die avond aten de vrouwen in hun eigen vertrek en hadden de bewakers onder leiding van heer Oth in de grote zaal het rijk alleen. Iedereen behalve Adranna babbelde eerst opgewekt over allerlei onbelangrijke dingen, en uiteindelijk werd een belangwekkender onderwerp aangeroerd: Branna's verloving. Maar hoewel haar nichtje oprecht genoegen leek te scheppen in het nieuws en zelfs een paar vragen stelde over Neb, begon Branna algauw weer over iets anders te praten. Adranna zou binnenkort weduwe zijn, dus wilde Branna niet uitweiden over haar eigen geluk. Wel vroeg ze zich af of Adranna om het verlies van haar man zou rouwen. Branna wist, door wat ze destijds van de oudere vrouwen van hun clan had gehoord, dat Adranna zonder protest met het huwelijk had ingestemd. Maar was ze in al die jaren dat ze met Honelg aan de rand van de wildernis had gewoond van hem gaan houden of was ze hem gaan haten? Terwijl het gekeuvel om haar heen stroomde zoals water om een rots in de rivier, liet Adranna daar niets van blijken.

Pas laat in de avond kreeg Branna de kans om even alleen met haar kleine nichtje te praten. Omdat er geen andere adellijke kinderen in de dun waren en er dus geen kindermeid beschikbaar was, sliep Treniffa op een bedje bij haar moeder. Hoewel ze doodmoe was, was ze te bang om alleen naar bed te gaan. Branna stak twee kaarslantaarns aan, gaf er een aan Trenni en ging samen met haar naar de slaapkamer van haar moeder, waar Midda het stromatrasje al met schone linnen lakens en een deken had opgemaakt. Branna zette de lantaarns neer op een plek op de met rietmatten bedekte vloer waar ze niet konden omvallen. Trenni schrok van de dansende schaduwen op de ronde muur.

'Het is te warm voor een deken,' zei Branna, 'dus vouwen we die op tot een kussen.'

Trenni knikte. In het flakkerende kaarslicht keek ze met grote ogen rond. 'Blijf je hier tot ik slaap?' vroeg ze.

'Dat doe ik.'

'Laat je de kaarsen branden?'

'Dat doe ik ook.'

'Komt mama zo meteen?'

'Dat denk ik wel. Zij is ook erg moe.'

'Blijf je dan tot ze komt?'

'Dat zal ik doen, liefje. Wees maar niet bang, je bent hier veilig.'

Branna hielp haar bij het uittrekken van haar kleed, dat hier en daar was gescheurd en dat vuil was van de reis. Eronder droeg ze een dun linnen onderkleed, geel en glanzend van ouderdom.

'Heb je nog schone kleren bij je?' vroeg Branna.

'Nee. We hebben niet veel meegenomen. Mama was bang dat papa van gedachten zou veranderen en ons toch niet zou laten gaan. We hebben vlug wat spullen gepakt en zijn naar beneden gerend.'

'O. Dan maken we morgen een nieuw kleed voor je.'

Trenni ging op de rand van haar bed zitten. 'Tante Branna?' vroeg ze. 'Maken ze Matto dood als ze onze dun innemen?'

Branna aarzelde; ze wilde niet de waarheid zeggen, maar ook niet liegen. De waarheid zou op dit moment te erg zijn, maar een leugen zou later veel meer schade aanrichten.

'Je denkt het wel, hè?' zei Trenni zelf, op vlakke toon. 'Ik wil niet dat hij doodgaat.'

'Ik ook niet. Mijn Neb heeft me beloofd dat hij zijn best zal doen om Matto te redden, en hij heeft heel belangrijke vrienden.'

Trenni ging liggen en drukte haar gezicht in de opgevouwen deken. Eerst dacht Branna dat ze huilde, maar het bleek dat ze ineens in slaap was gevallen.

Even later kwam Adranna binnen en verloste Branna van haar taak als bewaakster, zoals ze het bij zichzelf noemde. Omdat het een benauwde avond was, nam ze een van de lantaarns mee naar het dak van de broch. De sterrenhemel was half bedekt door wolken die binnendreven uit het zuiden, en een briesje blies de grootste hitte weg. In het westen hoorde ze onweer donderen, maar toen het geluid aansterkte en steeds dichterbij kwam, herkende ze het klapwieken van de vleugels van Arzosah. Ze speurde de lucht af in de hoop dat ze de grote draak zou zien overvliegen.

Even later zag ze inderdaad vanuit het westen een draak aankomen, maar tegen de achtergrond van donkere wolken glansde hij zo helder als de maan. Het moest Rori zijn, de vriend van Arzosah, vergezeld door het Natuurvolk van Ether. Hij vloog met grote snelheid recht naar het noorden, waarschijnlijk om deel te nemen aan het beleg van Honelgs dun. Opeens moest Branna aan haar vinnige stiefmoeder denken, die haar had uitgelachen omdat ze had gezegd dat ze een draak had gezien. Volgens haar stiefmoeder was het een zilverkleurige uil geweest. Wat ben ik blij dat ik niet meer in de dun van mijn vader woon, dacht ze. Mogen de goden tante Galla voor eeuwig zegenen!

Maar de grootste zegen zou de veilige terugkeer van haar neefje Matyc zijn, en alleen de goden wisten of die in het verschiet lag.

In Dallandra's tent had Salamander het gevoel dat de verstikkend hete lucht als een wollen mantel over hem heen lag. Maar binnen, uit het zicht van de Deverrianen – behalve Neb, natuurlijk – konden ze vrijuit praten over dweomer en het zelfs beoefenen. Dallandra had een zilveren dweomerlicht naast het rookgat gehangen, waar muggen en motten omheen zwermden en een drietal luchtgeesten zich vermaakte door ze met hun dunne vingertjes te vangen.

'Ik moet steeds aan die zwarte magiër denken,' zei Dallandra. 'Mijn grootste angst is dat hij zich op de een of andere manier toegang heeft verschaft tot Honelgs dun.'

'Dat betwijfel ik ten zeerste, o prinses van perileuze potenties,' zei Salamander. 'Toen ik daar was, heb ik geen spoor van hem gezien.'

'Dat stelt me wel een beetje gerust, maar heb je onlangs de dun nog gescryd?'

'Dat heb ik, en ik heb niets kunnen ontdekken.'

'Ik ook niet in de tempel. Niemand heeft dat astrale bouwsel, wat het dan ook was, herbouwd en de priesters doen alleen maar hun uiterste best om hun vee uit handen van Arzosah te houden. Ze halen hun koeien nu 's avonds binnen.'

'Dat zal onze wyrm wel jammer vinden.'

'Dat denk ik ook, maar daar heb ik het niet over. Als ze tijd hebben om zich zorgen te maken om hun kostbare koeien, zijn ze niet bezig met duistere dweomer tegen ons. Maar al die dieren stralen een grote wolk etherisch magnetisme uit, dus moet ik heel voorzichtig zijn als ik daar nog eens wil rondkijken. In mijn lichtlichaam, natuurlijk.'

'Daar had ik nog niet aan gedacht, maar je hebt gelijk. Zo'n sterke magnetische wolk kan een grote belemmering vormen voor dweomer.'

'Heb je nog iets verdachts gezien in Zakh Gral?'

'Nee. Ik scry die plek steeds wanneer ik eraan denk, maar ze bouwen er gewoon door, alsof ze zich nergens anders om hoeven te bekommeren. En die mazrakraaf is ook niet meer langs geweest.'

'Ik hoop niet dat hij naar het westen vliegt om het Paardenvolk te waarschuwen.'

'Dat kan hij niet doen, o meesteres van machtige magie, want dan doden ze hem ter plekke. Rocca heeft me nadrukkelijk verteld dat Alshandra van alle soorten dweomer de grootste hekel heeft aan mazrakir.'

'Laten we daar dan maar van uitgaan. Maar Zaklof dan? Je hebt zelf gezegd dat zijn voorspelling over de zoon van Cadryc juist was.'

'Dat was hij, maar die gelovigen beschouwen elk teken van dweomer als een geschenk van hun godin. Als Zaklof hier was, zou hij ons ernstig uitleggen dat hij Alshandra alleen even zijn stem had geleend. Maar zoiets kan een mazrak niet zeggen.'

Vanwege Neb spraken ze Deverriaans, want Neb en Meranaldar zaten recht onder het dweomerlicht te werken. Neb leerde de schrijver van het Westvolk het Deverriaanse schrift. Hoewel ze zacht spraken, ergerde Salamander zich steeds meer aan wat ze zeiden, onbenullige dingen zoals 'je moet de staart aan deze letter iets verlengen' of 'probeer die letter helemaal rond te maken'.

'Alle goden,' zei hij, 'ik ben vanavond helemaal van streek. Ik kan die opmerking van Adranna over de laatste getuigenis niet uit mijn hoofd zetten. Gerran heeft al een paar keer gezegd dat Honelg zijn verstand heeft verloren, en zo langzamerhand denk ik dat hij gelijk heeft. Die aanbidding van Alshandra heeft iets smerigs.'

'Natuurlijk! Ze was immers helemaal geen godin! Die verering heeft tot gevolg dat mensen sterven voor een handjevol leugens en dat ze doden voor nog een handje erbij.'

'Wat een mooie manier om het te zeggen. Kort, kernachtig en krachtig.'

Buiten hoorden ze stemmen in de Elfentaal. Calonderiel sloeg de tentflap open en stak zijn hoofd naar binnen. 'De draak wil je spreken, mijn lief,' zei hij in de Elfentaal tegen Dallandra. 'Ze zegt dat ze een idee heeft.'

'Waarover?'

'Dat wilde ze me niet vertellen,' antwoordde Cal met een beledigd gezicht. 'Ik ben tenslotte maar een heel gewone banadar.'

'Ze is tamelijk eigenzinnig, nietwaar?' Dallandra sloeg haar ogen ten hemel. 'Waar is ze?'

'Bij dat beekje in het weiland. Je ruikt het vanzelf. De stank van rottend vlees wijst je de weg.'

Vooral om de benauwde tent even te kunnen verlaten, bood Salamander aan om met haar mee te gaan. Uit het zuiden naderden regenwolken en zelfs voor elfenogen was het donker geworden. Toen ze veilig een eind buiten het kamp waren, maakte Dallandra nog een lichtbal, een kleintje, dat net genoeg licht gaf om het stenige pad naar Arzosahs tijdelijke verblijfplaats te kunnen volgen. De draak zat bedachtzaam op een witte koeienstaart te kauwen, met het haar er nog op, maar toen ze vlakbij waren, spuugde ze hem uit.

'De banadar zei dat je me wilde spreken,' zei Dallandra.

'Is hij echt de banadar?' zei Arzosah. 'Als ik dat had geweten, was ik iets vriendelijker tegen hem geweest. Nou ja, hij was ook erg onbeleefd tegen mij.'

'Hij is inderdaad geneigd op andermans tenen te trappen,' gaf Dallandra toe. 'Maar ja, dat ben jij ook.'

'Ik ben een draak, dus dat spreekt vanzelf. Hoe dan ook, ik heb een idee wat die boogschutters betreft. Ik zat net te denken dat het misschien gaat regenen. Toen dacht ik dat ik het haat in de regen te zitten en dat ik wou dat draken hun eigen weer konden maken. En toen kreeg ik dat idee.'

'Wat dan? Ik kan je niet volgen.'

'Dat komt omdat ik nog niet uitgesproken ben. Wat ik wil weten, is of pijlen zwaar zijn. Ze zien er nogal dun en licht uit.'

'Ze hebben een houten schacht, ja. Maar wat ze dodelijk maakt, is de kracht die ontstaat als de boog wordt gespannen door de pees naar voren te trekken.'

'Mooi zo, dat dacht ik al, maar ik wilde het zeker weten.' Arzosah sloeg haar ene voorpoot over de andere en dacht even na. 'Lang geleden, tijdens het beleg van Cengarn, toen Rori nog Rhodry was, zei hij een keer dat hij vanaf mijn rug geen pijlen kon schieten, omdat de wind die mijn vleugels maken ze wegblaast. Ik weet nog dat hij ook heeft geprobeerd om vanaf mijn rug een werpspies te gooien, maar dat lukte net zomin.'

Salamander liet een schel, triomfantelijk lachje horen.

'Ik geloof dat je begrijpt waar ik naartoe wil,' zei Arzosah. 'Stel dat ik wild klapwiekend boven die vestingmuur zou gaan vliegen, hoeveel pijlen denk je dan dat hun doel raken?'

'Heel weinig,' antwoordde Dallandra lachend. 'Wat een geweldig idee.'

'Dat vind ik ook,' zei Arzosah met een bulderlachje. 'Maar er is één probleem. Ik ben maar alleen en als ik een bocht maak, moet ik die heel ruim nemen.'

'Je bedoelt dat de pijlen aan de kant van de broch waar jij even niet bent, wél hun doel zullen raken,' zei Salamander. 'Was Rori ook maar hier...'

'Je hebt hem nog nergens in de buurt gezien?'

'Dat weet ik niet. Elke keer dat ik hem scry, zit hij ergens in de wildernis en ik kan de ene wildernis niet van de andere onderscheiden.'

Arzosah hief verbaasd haar kop. 'Ik denk dat dat komt omdat jij niet op jacht hoeft voor een maaltijd,' zei ze, toen ze even had nagedacht. 'Nou ja, Dalla, je hebt je best gedaan om hem te roepen en je roep heeft heel grote dweomerkracht, dus moeten we maar hopen dat hij binnenkort komt.'

Midden in de nacht begon het te regenen. Het was een stortbui, die zo hard op het tentdak kletterde dat Salamander ervan wakker werd. Om hem heen sliepen de boogschutters van Calonderiels krijgsbende door, zo rustig als alleen schepsels die eraan gewend waren altijd dicht op elkaar in een tentenkamp te leven dat konden doen. Salamander bleef wakker en dacht bezorgd aan zijn broer, het aanstaande gevecht en vooral aan de zwarte magiër die al dan niet ergens in de buurt rondwaarde en een bedreiging vormde. Hij overwoog of hij zou scryen, maar door de etherische storing van de regen was dat niet mogelijk. Ten slotte viel hij weer in slaap, en de zon kwam op toen hij abrupt wakker werd.

Het regende niet meer, maar door het rookgat van de tent zag hij jagende wolken. Toch was het droog genoeg om een poging te wagen om te scryen. Deze keer zag hij een wazig beeld van een zilverwyrm die over de tempel van Bel vloog voordat het visioen vervaagde en oploste in etherische waterdamp. Hij trok zijn laarzen aan, stond op en verliet de tent zonder de anderen te wekken. Hij ging naar de tent van Dallandra, waarvan de ingang open was, zodat hij wist dat hij geen intiem moment zou verstoren.

'Dalla?' riep hij zacht. 'Ben je wakker?'

Hij hoorde dekens ritselen en even later kwam Dalla naar buiten.

'Ik wilde net opstaan,' zei ze zacht. 'Cal slaapt nog. Wat is er?'

'Rori is op weg naar ons toe.'

'De Stergodinnen zij duizendmaal dank! Wacht even, dan ga ik Cal wekken om het hem te vertellen.'

Hoger op de heuvel werden de mensen ook wakker. Salamander zag dat knechten bezig waren vuren aan te steken met vochtig hout en dat er overal mannen stonden te gapen of in groepjes met elkaar te praten. Er flitste iets door zijn geest – het gevoel was te zwak om een voorteken te zijn, maar te sterk voor alleen maar een vermoeden. Hij hief zijn hoofd en keek aandachtig naar de bewolkte lucht. En ja, ver in het zuiden zag hij iets vliegen, iets heel groots, met glinsterende zilveren vleugels.

'Dalla!' riep hij. 'Daar komt hij aan!'

Dallandra sloeg de tentflap opzij en kwam haastig weer naar buiten om ook te kijken. Salamander verwachtte dat Rori bij Arzosah in het veld zou landen. Ook al stonden ze een meter of vierhonderd bij haar vandaan, ze konden haar brullende groet duidelijk horen. Toen Salamander zich omdraaide naar het geluid, zag hij de zwarte draak de lucht in springen om Rori tegemoet te gaan. Naast elkaar vlogen ze in oostelijke richting en maakten een bocht, waarna ze ergens achter een groep bomen landden.

'Ik denk dat ze even met elkaar willen praten voordat ze naar ons toe komen,' zei Dallandra.

'Dat denk ik ook.'

Maar niet veel later kwam Arzosah alleen terug. Ze vloog laag over het kamp van het Westvolk en riep in het voorbijgaan tegen Dallandra: 'Kom daarginds naar me toe!'

'O goden,' zei Salamander, 'ik hoop dat hij bereid is ons te helpen.'

'Wanneer heeft Rhodry ooit een gevecht geweigerd?'

'Je hebt gelijk.' Salamander kreeg weer moed. 'Laten we dan maar gaan horen wat onze edele vrouwe ons wil vertellen.'

Calonderiel rende met hen mee naar de plek waar Arzosah was geland. Ze keek zijn kant op, trok minachtend haar bovenlip op en richtte zich tot Dallandra.

'Hij verheugt zich op het gevecht en hij keurt mijn plan goed. Hij stelt voor dat je die banadar van jullie opdracht geeft een krijgsberaad te houden om te bepalen wat we precies gaan doen.'

Calonderiel gromde hoorbaar. Arzosah negeerde hem.

'Waarom wil hij niet met ons praten?' vroeg Dallandra.

'Omdat hij zich schaamt. Voordat Evandar hem met zijn dweomer een andere gedaante gaf, was hij een man van eer, nietwaar? En nu is hij een draak, met evenveel trots. Zodoende.'

'Toch begrijp ik het niet,' zei Salamander. 'Hij schaamt zich? Waarvoor?'

'Dat weet ik niet.' Arzosah tilde haar gevouwen vleugels een klein stukje op, zoals mensen hun schouders ophalen. 'Ik vind het absoluut niet beschamend om een draak te zijn, dus begrijp ik niet waarom hij dat wel vindt.'

'Maar jij bent als draak geboren en hij niet,' zei Dallandra. 'Ik wou dat hij ook tot de ontdekking was gekomen dat hij naar me had moeten luisteren, maar dat is niets voor Rhodry.'

'Zo koppig als een heer hoort te zijn,' zei Arzosah. 'Dat verwachten ze in Deverry immers van hun miserabele edelen? Ze zijn zo koppig als een ezel, hard voor hun gelijken maar gul voor hun onderdanen, en verder zo gemeen als wat. Zoiets.'

'Zoiets, ja.' Dallandra wendde zich tot Calonderiel. 'Je hoort het, banadar. Een krijgsberaad lijkt me een goed idee. Jou ook?'

'Mij ook.' Calonderiel wierp een geërgerde blik op de draak. 'Zelfs dwazen spreken zo nu en dan de waarheid.'

Arzosah wilde net iets terugzeggen toen Dallandra tussen hen in ging staan en riep: 'Zo is het genoeg! Hou je mond, allebei! We gaan terug naar het kamp.'

'Dat lijkt me het beste,' beaamde Calonderiel. 'De prinsen en de gwerbret zullen de hele dag nodig hebben om een aanvalsplan te bedenken, dus hoe eerder we beginnen, hoe beter.'

Toen ze de draak en de stank van dode koeien niet meer konden ruiken, liet Salamander Dallandra en Calonderiel doorlopen en bleef zelf staan om met zijn blik op de jagende wolken te scryen. Hij zag heer Honelg voor de erehaard in zijn dun heen en weer lopen, zoals hij vaak deed, maar deze keer was hij alleen. Op het binnenplein wachtten zijn krijgers, de boogschutters uit zijn dorp en zijn knechten. Sommigen stonden in groepjes druk te praten, anderen huilden en enkelen zaten geknield op de natte keien, met hun handen geheven in gebed.

Paniek, dacht Salamander. Dat is begrijpelijk, maar waarom nu pas? Toen zag hij dat zo nu en dan iemand naar de lucht wees en dat de rest dan zweeg en ook naar boven keek. Aha, de draken, de twee duivelse gezanten van de duistere heer Vandar! Een schildwacht op de vestingmuur moest hebben gezien dat Rori over de dun vloog en dat Arzosah hem tegemoet ging. Salamander wist niet meer of draken voor hen betekenden dat het einde van de wereld nabij was of alleen maar dat Vandar zich persoonlijk met de vernietiging van Honelg ging bemoeien. Hoe dan ook, degenen die vastzaten in de dun waren ervan overtuigd dat hun laatste uur had geslagen.

'En daar hebben ze gelijk in,' zei hij hardop. 'Ik hoop van harte dat de Groten onze lieve Alshandra te pakken hebben gekregen, want ik wil dat ze ziet hoeveel kwaad ze heeft aangericht.'

Hij liep met grote stappen terug naar het kamp, maar opeens werd hij overmand door zo'n groot verdriet dat hij op zijn knieën op het natte gras viel. Zo bleef hij heel lang zitten, vechtend tegen zijn medelijden en zijn schuldgevoel jegens de zielen die als gevolg van zijn daden verdoemd waren, tot Dallandra hem kwam zoeken.

'Wat is er?' vroeg ze.

'Dat weet ik niet precies.' Salamander stond op. 'Maar ik wou dat ik nooit naar Honelgs dun was gegaan.'

'Wát zeg je? We moesten toch weten hoe het zat met Zakh Gral?'

'Natuurlijk, maar ik wou alleen dat ik daar op een andere manier achter was gekomen.'

Niet-begrijpend keek Dallandra hem aan, alsof ze wachtte tot hij meer uitleg zou geven. Salamander probeerde te bedenken hoe hij zijn gevoel beter kon beschrijven, maar hij wist dat het geen zin had. Dallandra hield zich alleen nog maar bezig met de bescherming van haar volk en ze haatte alle vijanden, hoe beklagenswaardig ze ook waren.

'Kom mee, dan gaan we ontbijten,' zei ze toen. 'Je moet sterk zijn.'

Nu ze ook twee draken onder hun bondgenoten telden, stond Gerran zichzelf toe iets hoopvoller te zijn en alvast vooruit te denken aan de reis naar Zakh Gral, wanneer het beleg voorbij was. De andere krijgers waren nog niet zover. Het gerucht ging door het kamp dat de draken alleen maar deden alsof ze Ridvar wilden helpen, maar dat ze eigenlijk spionnen van het Paardenvolk waren. Het zouden ook geen echte draken zijn, maar dweomervormen van duivelse menselijke tovenaars, die mensenvlees eisten als beloning voor hun hulp. Omdat de edelen de hele dag in Vorans tent doorbrachten om te bespreken hoe ze de dun precies zouden innemen, was het de taak van Gerran en Salamander om iedereen tot bedaren te brengen.

'Alle goden,' zei Salamander, 'als ik een zilveren muntstuk zou krijgen voor elke keer dat ik vandaag "dat is niet waar" heb gezegd, zou ik nu even rijk zijn als prins Voran.'

'Dat is zo,' beaamde Gerran. 'We hebben heel wat paardenstront weggeschept.'

Het liep tegen zonsondergang en ze genoten van een welverdiende rust bij het vuur in het kamp van de Rode Wolf. Een paar knechten waren stukjes gezouten varkensvlees en handenvol gesneden uien aan het bakken in een ijzeren pan, en aan een driepoot boven een ander vuurtje hing een pan gerstpap. Clae en Coryn roerden om beurten in de pap, die te oordelen naar de moeite die het kostte om de houten lepel rond te draaien, al heel dik was.

'Ik neem aan,' zei Salamander, 'dat de koks straks de inhoud van de ene pan bij die van de andere zullen doen en dat zullen opdienen als avondmaal.'

'Zo is het,' zei Gerran. 'Je mag best mee-eten, als je wilt.'

'Ik zat heus niet te vissen naar een uitnodiging, hoor.' Salamander deed zijn best om zijn walging te onderdrukken. 'Ik vroeg het me alleen maar af.'

'Wat ik me afvraag, is hoe het zit met dat krijgsberaad. Hebben ze nog steeds geen aanvalsplan bedacht?' Gerran stond op en staarde door de schemering naar Ridvars witte tent een stukje hoger op de heuvel. Op dat moment kwamen de mannen een voor een naar buiten, met tieryn Cadryc als een van de eersten. 'Aha, eindelijk!'

Tieryn Cadryc kwam met grote stappen de heuvel af naar Gerran en Salamander toe. Hij snoof. 'Hm, dat ruikt lekker, mannen,' zei hij. 'Als je honger hebt, ruikt niets zo lekker als gebakken uien.'

Salamander opende zijn mond om iets te zeggen, maar toen glimlachte hij alleen.

'Gerran, jij wilt natuurlijk weten wat we bij het krijgsberaad hebben besloten, nietwaar?' vervolgde Cadryc. 'Het plan is om de draken de boogschutters te laten afleiden terwijl wij met onze krijgers de poort openrammen.'

'Dat was toch al het plan voordat het krijgsberaad begon?' zei Salamander.

'Dat is zo, maar het doel van een krijgsberaad is erachter komen of iemand een beter idee heeft, of zwakke plekken vinden in het idee dat je al hebt.' Cadryc glimlachte vermoeid. 'En als twee prinsen en een gwerbret moeten overleggen, kost dat tijd. Prins Voran was van mening dat we moesten wachten tot we werklieden konden laten komen om een tunnel onder de vestingmuur door te graven, maar prins Dar zei dat hoe langer we hier blijven, des temeer tijd het Paardenvolk heeft om die vervloekte stenen muur om hun vesting af te maken. En zo ging het door.'

Uiteindelijk bleek dat een deel van hun plan toch niet geschikt was. De volgende morgen was het bij het aanbreken van de dag half bewolkt. De meeste mannen aten hun ontbijt terwijl ze naar de lucht in het noorden staarden en zich afvroegen of ze uit die richting regen, draken of allebei konden verwachten. Er hing een gespannen stilte in het kamp. Zelfs Gerran had een onbehaaglijk gevoel. Hij kon de gedachte niet van zich afzetten dat er die dag iets heel belangrijks zou gebeuren – een overwinning, een nederlaag of anders iets wat minstens zoveel indruk zou maken.

Halverwege tussen zonsopgang en het middaguur verscheen de heraut van Honelg weer op de vestingmuur. Hij zwaaide met zijn staf om te laten weten dat zijn heer wilde onderhandelen. Indar werd geroepen, en even later kwam hij met wapperende linten aanrennen. In plaats van in de doolhof van aarden wallen ontmoetten de mannen elkaar deze keer vlak daarbuiten, in het zicht van de krijgers van de gwerbret. Gerran liep achter Cadryc aan toen de tieryn door de menigte drong om achter Voran te gaan staan, waar hij kon horen wat er werd gezegd.

'Ik zie geen reden om de plechtige omgangsvormen in acht te nemen, hoogheden en edele heer,' begon de heraut van Honelg. 'Heer Honelg heeft besloten zijn poort te openen. Als u het aandurft dichterbij te komen, heet hij u welkom.'

De heraut draaide zich om en gebaarde naar de dun. Toen Gerran omhoogkeek, zag hij tussen alle kantelen op de loopbrug boogschutters staan.

'Mijn heer stelt voor,' vervolgde de heraut, 'dat u, als u hem geen bezoek wilt brengen, zo gauw mogelijk vertrekt.' Hij maakte een buiging naar de edelen, draaide zich om en verdween in de doolhof om terug te gaan naar de dun.

Even viel er een vreemde stilte over zowel de dun als het veld, die werd verbroken door geratel en geknars toen de zware dubbele poort werd geopend. De boogschutters op de muur begonnen te lachen en schaterden steeds harder, een geluid tussen hysterie en vrolijkheid in. Ridvar en Voran keken elkaar aan en leken iets te willen zeggen, maar ze wachtten tot het gelach was weggestorven. Prins Dar stond met zijn handen in de zij naar de vesting te kijken. Op zijn gezicht, zo anders dan dat van mensen en zo onaards knap, was niet te zien wat er in hem omging.

'Ze zijn gek,' zei Voran. 'Dat kan niet anders.'

'Dat weet ik nog zo net niet,' zei Daralanteriel. 'Misschien zijn ze inderdaad gek, maar ze zijn ook heel slim. Hoeveel krijgers zouden de poort kunnen bereiken, heren, als we het zonder onze gevleugel-de bondgenoten zouden moeten doen?'

'U hebt gelijk, koninklijke hoogheid,' was het eerste wat Ridvar zei. 'Ze zouden ons een hoge prijs laten betalen, veel meer dan ze waard zijn, de ellendelingen.'

'Ik stel voor dat onze mannen zich wapenen en hun posities inne-men' – Voran knikte tegen Daralanteriel – 'terwijl een van uw men-sen de draken waarschuwt.'

'Daar zal ik voor zorgen,' zei Daralanteriel. 'En mogen al onze go-den vandaag met ons zijn.'

Terwijl de krijgers hun wapens haalden, twistten prins Voran en gwerbret Ridvar op een gemoedelijke manier over de volgorde van de aanval, als een bestorming door een doolhof een aanval kon wor-den genoemd. Ridvar was nog jong en droomde er nog van dat hij aan het hoofd van zijn krijgers als overwinnaar door de poort zou gaan, maar daar wilden de prinsen niets van horen.

'Tot uw vrouw u een zoon schenkt, hoogheid,' zei Voran, 'bent u aan het rhan verplicht in leven te blijven. Bovendien zou het prettig zijn als u het nog wat langer dan dat zou volhouden.'

Uiteindelijk werd degene die de aanval zou leiden iemand aan wie de edelen geen moment hadden gedacht. De zon stond ruim boven de horizon en zette de wolken in een zilveren gloed toen het leger zich vier aan vier opstelde onder aan de heuvel. Omdat Honelg in opstand was gekomen tegen de gwerbret, zouden Ridvars krijgers voorop gaan, maar Cadryc, Gerran en hun tien krijgers van de Ro-de Wolf kregen een eervolle plaats vlak achter hen. Prins Voran en zijn krijgers stonden achteraan, omdat zij de gwerbret als hoffelijk gebaar te hulp waren gekomen en niet rechtstreeks bij de kwestie waren betrokken.

De boogschutters van het Westvolk vormden een aparte groep. Be-halve de pijlkoker aan hun gordel en de boog op hun rug hadden zij ook nog een opgerold lang touw over hun schouder hangen.

'Om de vestingmuur te beklimmen zodra Honelgs boogschutters weg zijn,' zei Warryc tegen Gerran. 'Ik heb het gevraagd.'

'Dank je, ik vroeg het me ook al af.'

'Ik heb met Ridvars krijgers gepraat en die zijn deksels blij dat ze die vervloekte stormram niet de heuvel op hoeven te slepen.' War-ryc grinnikte.

'Wacht maar, dat komt nog wel. Hierna ligt Zakh Gral op ons te wachten. Het gevecht van vandaag is pas het eerste van een lange oorlog.'

Warrycs gezicht werd ernstig. Gerran zette over zijn dikke muts zijn helm op en draaide hem recht om de neusbeschermer goed te zetten. Hij trok zijn zwaard uit de schede en keek naar de hoofdman van Ridvar, die een zilveren hoorn in zijn hand had. Maar voordat hij erop kon blazen, hoorde Gerran iets heel anders: het geroffel van reusachtige vleugels, dat gestaag dichterbij kwam. Brullend dook de zilveren draak vanuit de bewolkte lucht omlaag naar de dun.

Honelgs mannen op de vestingmuur begonnen te schreeuwen en doken naar alle kanten weg. De draak bulderde als een kolkende rivier en overstemde hun paniek. Klapwiekend met zijn enorme zilveren vleugels steeg hij weer op en maakte een bocht om nog een keer over te vliegen. De boogschutters op de muur vermanden zich en toen de draak zijn volgende duikvlucht inzette, kwam een regen van pijlen hem tegemoet. Maar hij klapte wat sneller met zijn vleugels en de pijlen bogen naar alle kanten af, zonder hem te raken.

Van de muur stegen kreten van woede op, en van angst. De zilveren draak vloog steeds hoger en verdween in het felle licht van de opgaande zon. Toen Gerran zag dat de draak het opgaf, voelde hij zich diep teleurgesteld, maar dat duurde niet lang. Bulderend en loeiend als een winterse storm kwam de draak terug om opnieuw aan te vallen. Duizelingwekkend snel dook hij naar de dun toe en net toen het leek alsof hij tegen de toren van de broch te pletter zou slaan, maakte hij een bocht, scheerde over de muur en steeg op met een gillende boogschutter in zijn klauwen. Een zwerm pijlen vloog achter hem aan, maar ze vielen nutteloos ter aarde.

Geen van de belegeraars juichte of brulde een strijdkreet. Al was de boogschutter een vijand, hij was ook een mens, en hij gilde nog steeds van doodsangst terwijl de zilveren draak met hem wegvloog. Maar onverwachts draaide de draak zich om, vloog terug en liet de man boven de dun vallen. Met nog een laatste kreet tuimelde de man met wapperende armen omlaag tot hij verdween achter de muur die hem niet had kunnen beschermen. De kreet hield abrupt op. Even werd het overal stil, zowel in als buiten de dun, en toen klommen de boogschutters zo snel mogelijk naar beneden. Gerran kon wel raden dat ze hun toevlucht zochten in de broch.

'Nu!' brulde hij. 'Aanvallen!'

Als eerste rende hij naar het pad dat naar de dun leidde. Achter zich hoorde hij strijdkreten en gejuich toen zijn mannen achter hem aan renden, en nog meer strijdkreten van de mannen van de gwerbret. Toen hij de eerste bocht van het pad nam, keek hij om en zag dat Ridvars hoofdman met zijn krijgers achter hem aan kwam. Onder aan de vestingmuur klonken de tonen van zilveren hoorns. Toen Gerran bij de volgende bocht omkeek, zag hij de boogschutters van het

Westvolk aankomen, niet over het pad, maar over de zachte bermen aan weerskanten. Als herten sprongen ze van de ene naar de andere kant op weg naar de muur. Gerran raakte in ademnood, maar na nog een bocht stond hij voor de poort.

'Hij staat open!' riep hij. 'De rotzak meende het!'

Hij stond stil om op adem te komen en te wachten tot zijn mannen hem hadden ingehaald. Door de poort zag hij dat de zilveren draak opnieuw kwam aanvliegen, laag over de dun, alsof hij een nieuw slachtoffer zocht. Door de gleuven hoog in de muur van de broch werden pijlen afgeschoten, maar de draak veroorzaakte zulke harde windvlagen dat ze halverwege hun vlucht naar de grond tuimelden. Bulderend als een overvolle rivier dook Arzosah vanuit de wolken omlaag om met haar kameraad mee te doen. Achter elkaar aan vlogen ze rondjes om de broch en zorgden ervoor dat geen enkele pijl zijn doel raakte. Hun vleugelslagen klonken als geroffel op reusachtige trommels.

'Nu, mannen!' schreeuwde Gerran. 'Voordat de draken moe worden!'

Gevolgd door zijn strijdkreten brullende krijgers stormde Gerran het binnenplein op. Nog even viel er hier en daar een pijl op de grond en toen stopte de houten regen. De deur naar de grote zaal stond open. Gerran wist dat de eerste die naar binnen zou gaan, zou sterven, maar er zat niets anders op. Als hij nu terugdeinsde, zouden zijn krijgers dat ook doen en als hij ze niet meer zou leiden, zouden ze een gemakkelijke prooi voor de tegenpartij zijn. Zijn hele leven had hem voorbereid op deze laatste krijgsdaad, en voor het eerst liet ook hij een strijdkreet horen.

'Voor de Rode Wolf!'

Hij rende naar de open deur, maar voordat hij die bereikte, kwamen er mannen naar buiten, met heer Honelg en zijn hoofdman Rhwn voorop. Blijkbaar hadden ze ervoor gekozen om in plaats van binnen laf hun overgave af te wachten, nog één keer strijd te leveren. Ze werden gevolgd door dorpelingen met knuppels, dorsvlegels, pieken of wat ze ook maar als wapen konden gebruiken nu hun pijlen niets hadden uitgericht. Hun enige lichaamsbescherming was een leren hes, en dat droegen ze lang niet allemaal. Heel even had Gerran medelijden met hen, maar dat vergat hij meteen toen Rhwn naar hem toe kwam.

'Valk!' riep hij. 'Jij bent voor mij!'

De troepen van beide partijen stormden op elkaar af en er ontstond een hevig gevecht. De slecht bewapende dorpelingen maaiden wild met hun wapens om zich heen om iemand, wie dan ook, te kunnen raken. De zwaardvechters kozen een vijand met hetzelfde wapen uit. Gerran dook onder een onhandige zwaai van een zeis door en liep naar Rhwn toe. Net toen hij een harde klap op Rhwns schild had gegeven en op dezelfde manier een slag van Rhwn had ontweken, viel er van achteren iemand tegen Rhwn aan, waardoor de hoofdman wankelde. Gerran deed een stap achteruit om hem de kans te geven weer op te staan. Rhwn vloog op hem af en zwaaide tegelijk van laag naar hoog met zijn zwaard. Gerran sprong weg en sneed toen met een harde slag de keel van zijn aanvaller door. Bloed welde op, hij zakte door zijn knieën en viel op de keien. Gerran draaide zich vlug om en zocht een nieuwe tegenstander uit.

Plotseling begonnen de dorpelingen te gillen. Pijlen suisden langs Gerran heen, maar ze kwamen niet uit de broch. De boogschutters van het Westvolk hadden de vestingmuur beklommen. Gerran hoorde dat Honelgs onderdanen in doodsangst de naam van Alshandra riepen. Vol ontzetting zag hij hoe de pijlen van het Westvolk zich door de maliënkolders van Honelgs krijgers heen boorden, waarna de slachtoffers naar hun borst grepen terwijl ze vielen.

Met nog een laatste brullende kreet vlogen de twee draken weg. Het Westvolk bleef schieten. Dorpelingen in hun nutteloze leren jakken vielen dood of gewond neer, schreeuwend en kronkelend van pijn, terwijl hun hooivorken en zeisen op de keien kletterden. Gerran liep dichter naar de slachtpartij toe, maar opeens dacht hij aan de dorpelingen die door het Paardenvolk waren vermoord. Heel even vroeg hij zich af of hij zich anders gedroeg dan die plunderaars, door mannen te doden die niet in staat waren om op een fatsoenlijke manier terug te vechten. Hij bleef staan en keek toe.

Het merendeel van Honelgs krijgers was hun hoofdman al gevolgd naar de Andere Wereld. Nog een paar stonden er met hun rug tegen de muur van de broch, waar krijgers van Ridvar hen velden. Gerran liep naar het dode lichaam van Rhwn en knielde erbij neer. Deze man had zich wel kunnen verdedigen. Terwijl de vechtlust uit Gerran wegebde, besefte hij dat hij zojuist een man had gedood die hij vroeger als bondgenoot had beschouwd, al waren ze geen vrienden geweest.

'Het spijt me,' zei hij. 'Het gevecht stelde niet eens veel voor, nietwaar?' Hij vroeg zich af waarom hij dat hardop had gezegd, terwijl Rhwn hem niet meer kon horen. Met zijn zwaard nog in de hand stond hij op, en toen zag hij de man die tegen de hoofdman aan was gevallen.

Warryc lag op de grond, gedood door een steek in zijn rug. Gerran knielde naast hem neer en drukte zijn ogen dicht. Een van zijn eigen mannen, en hij was van achteren aangevallen.

'Gerro!' Neb kwam vlug naar hem toe. 'Ik zal je helpen hem naar binnen te dragen. Het gevecht is afgelopen. De heelmeesters zijn in de grote zaal.'

'Het hoeft niet meer,' zei Gerran. 'Hij is dood.'

Neb blies sissend zijn adem uit. 'Moge hij rust vinden in de Andere Wereld,' zei hij. 'Ik vind het heel erg dat we hem hebben verloren. Ik hoopte dat het alleen een wond was.'

'Ik ook. Wie heeft dit gedaan? Heb jij dat soms gezien?'

'Een van Ridvars mannen zei dat het Honelg zelf was.'

'Waar ligt Honelgs lichaam? Ik wil erop spugen.'

'Dat weet ik niet.'

Gerran ging ernaar zoeken, maar niemand kon hem vertellen waar Honelg was gebleven. Sinds het begin van het gevecht had niemand hem meer gezien, levend of dood. Het resultaat van de chaos lag verspreid over het binnenplein. Gerran liep langs gewonde, huilende mannen, stapte over doden en schopte hier en daar allerlei gebroken wapens uit de weg. Uiteindelijk kwam hij prins Voran tegen, die met een paar van zijn krijgers ook op zoek was naar Honelg.

'Ik wil hem fatsoenlijk begraven,' zei Voran. 'Niet voor hemzelf, maar voor zijn vrouw. Zijn zoon is ook nog niet gevonden.'

'Zijn zoon is pas zeven zomers oud, koninklijke hoogheid,' zei Gerran.

Voran trok een spijtig gezicht. 'Laten we dan hopen dat hij nog leeft. Ik begin te vermoeden dat zijn vader dat ook nog doet.'

'Ik ook, koninklijke hoogheid, want hij is onvindbaar. Ik moet hem dringend spreken. Hij heeft een van mijn mannen in de rug gestoken.'

'Misschien moeten we die begrafenis dan maar vergeten. Ik vraag me werkelijk af waar hij kan zijn.'

Opeens dacht Gerran aan het geheimzinnige licht dat hij in de dun had gezien, en aan wat Dallandra had gezegd over Honelgs heiligdom voor zijn godin. 'Ik heb een idee, koninklijke hoogheid,' zei hij. 'Ergens in de vestingmuur zit een verborgen ruimte en de troubadour weet waar die is.'

'Koninklijke hoogheid?' Het was een van Vorans krijgers. 'Ik heb gezien dat de troubadour meehielp de gewonden naar binnen te dragen, dus denk ik dat hij in de grote zaal is.'

Ze liepen achter Voran aan naar de ingang van de grote zaal, waar Salamander net naar buiten kwam. Zijn hemd was doordrenkt van het bloed van de gewonden.

'Gerro!' Salamander kwam op een drafje naar Gerran toe, maar toen hij de prins zag, wilde hij knielen.

'Blijf staan, man,' zei Voran. 'We hebben geen tijd om hoffelijk te zijn.'

'Dank u nederig, koninklijke hoogheid. Gerro, Daumyr heeft me verteld wie Warryc heeft gedood. Ik denk dat je Honelg zoekt.'

'Inderdaad. Hoe weet je dat?'

'Dat zie ik aan de uitdrukking op je gezicht. IJskoude moordlust.'

'O. Kun jij ons vertellen waar dat heiligdom van hem is? Ik wil wedden dat hij zich daar heeft verstopt.'

'Dat zou best kunnen. Maar het zal niet meevallen hem naar buiten te lokken, want er is maar één smalle deur en het is er half donker.'

'Als jij me wijst waar het is, krijg ik hem wel naar buiten. De mannen van de prins mogen de andere verraders aanpakken, als hij er een paar mee naar binnen heeft genomen.'

Salamander ging hen voor de vestingmuur langs tot ze bij een deur van ruwe planken kwamen. Gerran zou hebben gedacht dat er een soort voorraadschuur achter lag als Salamander er niet naar had gewezen en geluidloos 'daar is het' had gezegd.

Hij liep naar de deur toe en trapte hem in. Het hout versplinterde krakend en het zonlicht viel door het gat naar binnen. Aan de andere kant van het vertrek lag een man languit op zijn rug op een stenen altaar. Honelg? vroeg Gerran zich af. Maar een andere man zat er op zijn knieën voor en toen hij opstond en zich omdraaide, zag Gerran dat dit Honelg was. Aan zijn linkerhand bengelde een pothelm.

'Honelg!' schreeuwde Gerran. 'Ik daag je uit! En als je denkt dat die godin van je, die leugenachtige hoer, je zal beschermen, heb je het mis! Kom naar buiten!'

'Ik neem je uitdaging aan, Valk,' riep Honelg terug, 'als je me één ding op je erewoord belooft.'

'En dat is?'

'Dat jullie me niet zodra ik buiten sta met z'n allen zullen vermoorden.'

'Vooruit dan maar. Ik beloof je dat je alleen tegenover mij komt te staan.'

'Dan is het goed.'

Gerran hoorde dat prins Voran zijn mannen beval achteruit te gaan om ruimte voor het duel te maken. Honelg kwam naar hem toe en toen hij halverwege het vertrek bleef staan en zijn helm op de grond gooide, zag Gerran dat hij alleen een linnen hemd en een brigga droeg.

'Alle goden!' riep hij uit. 'Waar is je maliënkolder? Als je dat niet hebt, kun je er een van ons lenen.'

Honelg lachte, een vreemd, vrolijk geluid. 'Ik heb Alshandra, jij hebt je wapenuitrusting,' zei hij. 'Ik verklaar hierbij dat het een eerlijk gevecht zal zijn.'

'Goed dan, maar als jij geen helm draagt, zet ik de mijne ook af.'

Achter Gerran drongen de mannen er mompelend op aan dat hij zijn helm op zou houden. Maar hij zette zijn helm af en overhandigde die samen met zijn schild aan Salamander, die de spullen aanpakte en er een eindje mee wegliep.

'Ik waarschuw je' – Honelg klonk zo kalm alsof hij een normale dagelijkse handeling besprak – 'dat je dit niet zult winnen. Mijn godin zal ervoor zorgen dat jij het onderspit delft, of anders zal ze me meenemen naar waar ik werkelijk thuishoor.'

'O ja? Laten we haar dan niet langer laten wachten.'

Honelg trok met zijn rechterhand zijn zwaard, pakte met zijn linkerhand zijn dolk en liep naar de deur van het heiligdom. Gerran deed een stap achteruit om Honelg de kans te geven aan het zonlicht te wennen.

'Op het altaar ligt een van mijn bedienden,' zei Honelg. 'Hij wilde zich overgeven aan je prins, dus heb ik hem voor háár gedood. Wil je zijn lijk ophangen zodat de raven zich eraan te goed kunnen doen?'

'Ik zal ervoor zorgen dat hij fatsoenlijk wordt begraven.' Gerran hield zijn zwaard losjes in zijn hand, met de punt naar de grond, alsof hij absoluut niet op zijn hoede was. 'Kom nu naar buiten, armzalig hondsvot dat je bent!'

Honelg werd vuurrood en terwijl hij 'Alshandra!' brulde, hief hij zijn zwaard en rende naar Gerran toe. Gerran deed een stap opzij en trok met een brede armzwaai de punt van zijn zwaard door het bovendeel van Honelgs rug. Er verscheen een grote bloedvlek op Honelgs hemd en met een kreet draaide hij zich om. Toen trok Gerran met een lage, achterwaartse armzwaai zijn zwaard door Honelgs buik, die als een rijpe perzik openspleet. Door de kracht van de slag tolde Honelg op zijn benen en zijn bloedende, grijzige ingewanden kwamen door zijn gescheurde hemd heen naar buiten puilen. Hij viel op zijn knieën en liet zijn zwaard vallen om met beide handen zijn bebloede hemd tegen de wond te drukken. Hij wierp zijn hoofd in de nek en snakte hijgend naar adem, in te veel pijn om nog te kunnen schreeuwen.

'De eerste slag was voor je bediende,' zei Gerran, 'en de tweede voor Warryc. Je bent een dolle hond, Honelg, geen man.'

Hij zette een voet op Honelgs borst en duwde zo hard dat de stervende man achterover in het zand viel. Honelg kreunde en zijn ogen flitsten heen en weer terwijl hij naar de lucht keek, alsof hij op iets wachtte.

'Waar bent u?' fluisterde hij. 'Vrouwe! Te donker...'

Hij haalde nog één keer rochelend adem en stierf.

Het bleef lange tijd stil. Prins Voran rilde en begon zacht te vloeken. Alsof dat een teken was, begonnen de anderen tegen elkaar te mompelen, maar niet omdat er nog een man was gesneuveld. Gerran liep naar de bleek geworden Salamander toe om zijn helm en schild terug te halen.

'Kun jij me vertellen, troubadour,' vroeg hij, 'of hij soms die leugenachtige, duivelse hoer van hem aanriep?'

'Inderdaad,' antwoordde Salamander. 'Ze wordt geacht haar getrouwen bij hun dood te komen halen. Ik wou dat hij de waarheid had ingezien voordat hij stierf, maar ja, als dat zo was, dan was hij niet gestorven.'

'Niet dat mij dat ook maar een varkensscheet kan schelen,' zei Gerran. 'De heer van de hel mag hem hebben.'

Salamander keek alsof hij nog iets wilde zeggen, maar omdat Gerran de gerthddyn niet wilde verwensen, liep hij weg. Vanuit zijn ooghoeken zag hij iets bewegen en toen hij naar de top van de broch keek, zag hij iemand op het dak staan, iemand die te klein en mager was om een krijger te zijn.

'Is dat soms de zoon van Honelg?' vroeg hij, en hij wees met zijn zwaard.

'Het lijkt er wel op,' antwoordde Salamander. 'Anderen hebben hem blijkbaar ook gezien. Kom mee!' Hij rende naar de broch toe.

Een groepje Westvolkers en Deverrianen, waaronder tieryn Cadryc en gwerbret Ridvar, stond op het binnenplein omhoog te kijken. Toen Gerran en Salamander eraan kwamen, was de jongen over de borstwering geklommen in een poging om te ontsnappen. Hij hing vlak onder de dakrand, een heel eind boven de grond.

'Nu hebben we hem,' zei Ridvar.

'Hebben we hem?' herhaalde prins Daralanteriel. 'Hij hangt ver buiten ons bereik.'

'Ik bedoelde dat een boogschutter hem nu gemakkelijk kan raken, koninklijke hoogheid.'

'Wát?' Calonderiel stapte naar voren en zette zijn handen in zijn zij. 'Begrijp ik dit goed? U wilt dat een van mijn mannen in koelen bloede een bang kind doodschiet? Hoe oud is die jongen? Acht zomers? Zeven?'

'Zijn leeftijd doet er niet toe,' zei Ridvar. 'Hij is Honelgs erfgenaam, de erfgenaam van een opstandeling. Als hij meerderjarig wordt, zal hij wraak zweren en daarom vormt hij een bedreiging voor ons. Het is niet zo dat ik hem wíl doden.' Ridvar klonk oprecht. 'Maar als ik een opstandeling spaar, kan ik er niet meer op vertrouwen dat mijn mannen me blijven respecteren.'

'O nee?' Calonderiel keek Ridvar minachtend aan. 'Nou ja, als u dat zo belangrijk vindt, schiet hem dan zelf maar neer.'

Ridvar werd vuurrood, kneep zijn lippen opeen en keek Daralanteriel met een opgetrokken wenkbrauw vragend aan.

'De banadar heeft zeggenschap over zijn mannen, ik niet,' zei de prins.

'Wacht even!' Cadryc ging tussen Calonderiel en Ridvar in staan. 'Die jongen is mijn kleinzoon, hoogheid.'

Ridvar wilde antwoorden, maar hij aarzelde. Cadryc sloeg zijn armen over elkaar en keek de jonge gwerbret strak aan. Zo bleven ze even staan.

'Ik denk dat ik u niet goed heb verstaan, gwerbret Ridvar.' Prins Voran liep naar beide mannen toe. 'Als we de jongen levend in handen krijgen, stuur ik hem als onderpand naar Dun Deverry, waar hij geen kwaad kan.'

'Tot hij opgroeit,' liet Ridvar zich ontvallen. 'Eh... koninklijke hoogheid.'

'Blijkbaar moet ik aannemen, hoogheid,' zei Cadryc rechtstreeks tegen Ridvar, en zijn stem klonk zo gespannen als een boog, 'dat mijn erewoord voor u niet genoeg is. Terwijl een van mijn mannen bij dat gevecht is gesneuveld, beledigt u...'

'Daar is geen sprake van!' Voran pakte Cadryc bij de arm voordat hij zijn zin kon afmaken en een tweede opstand veroorzaken. 'Denk toch eens na, man! Een bloedverwant aan het hof kan voor de Rode Wolf immers alleen maar een voordeel zijn?'

Gerran wist wat hem te doen stond. Hij liet de edelen de zaak uitzoeken en rende naar de broch. Op tafels in de grote zaal waren heelmeesters druk bezig de gewonden te verzorgen. Bij de erehaard lagen de doden op een rij, aan de andere kant van de zaal lagen de gewonden en de stervenden. Het stonk er naar van bloed doordrenkt stro, braaksel en de ontlasting van de stervenden. Onder aan de trap stond Neb zijn bebloede handen te wassen in een emmer water.

'Gerro!' riep hij. 'Is Honelgs zoon al gevonden?'

'Hij hangt aan de muur van de broch,' zei Gerran. 'Onze bijzonder edele gwerbret wil dat een boogschutter hem zonder meer doodschiet. Ik wil proberen hem te redden.'

'Ach goden!' Dallandra keek op van haar werk. 'Maar dat wil toch geen enkele boogschutter doen, Gerro?'

'Niet in het bijzijn van de banadar.'

'Mooi zo. Probeer die jongen alsjeblieft te redden.'

'Dat zal ik doen, vrouwe. Als ik op het dak sta, kan ik hem misschien pakken.'

'Hij zal je niet vertrouwen.' Neb schudde het rood gekleurde water van zijn handen en veegde ze droog aan zijn hemd. 'Jij bent degene die zijn vader heeft gedood.'

'Ik...' Gerran zweeg toen, zo scherp als een pijlwond, de gedachte door hem heen flitste dat hijzelf niet had hoeven zien dat het Paardenvolk zijn vader doodde.

'Laat mij het maar proberen,' stelde Neb voor. 'Gaat deze trap helemaal naar het dak?'

'Ik denk het wel.' Gerran was blij dat hij ergens anders over moest nadenken. 'Laat mij maar voorgaan, voor het geval dat er nog iemand op de trap staat, iemand met een zwaard, bedoel ik.'

Toen Neb achter Gerran aan de trap opliep naar het dak van de broch, hoopte hij dat er niet ergens nog een zwaardvechter op de loer lag, en dat bleek niet zo te zijn. Het luik naar het dak stond open, de ladder stond eronder. Hij klom naar het dak en toen hij weer in de buitenlucht stond, hoorde hij in de diepte, waar de edelen nog steeds luidkeels stonden te redetwisten, twee talen door elkaar. Blijkbaar riep de banadar de Elfengoden te hulp terwijl hij de gwerbret in het Deverriaans van zijn standpunt probeerde te overtuigen.

De lucht werd steeds grijzer. Hij moest opschieten, besefte Neb. Als de stenen glad werden van de regen, zou de jongen zijn greep verliezen en doodvallen, of hij wilde of niet.

'Daarginds ligt een touw.' Gerran stond op de ladder; zijn hoofd en schouders staken boven het dak uit. 'Ik had al verwacht dat er hier ergens touw zou liggen, voor het geval dat er iemand langs deze weg wilde ontsnappen. De jongen heeft daar natuurlijk niet aan gedacht.'

'Waarschijnlijk niet. Denk eraan dat je onzichtbaar bent wanneer ik de jongen over de muur hijs.'

'Komt voor elkaar. Ik ga weer naar beneden, naar buiten.'

Neb pakte het langste touw, liep ermee naar de borstwering en boog zich eroverheen. Matto klampte zich een meter of drie onder hem met gespreide benen trillend vast aan de ruwe stenen van de broch van zijn dode vader. Neb bond een uiteinde van het touw om een kanteel en trok er hard aan om te zien of het zou houden. Van het andere uiteinde maakte hij een lus.

'Matto!' riep hij. 'Doodgaan is nergens voor nodig! Beneden staat een prins van het koninklijk huis en hij heeft je genade geschonken!' De woordentwist in de diepte hield op; blijkbaar hadden de edelen hem gehoord. Maar wat de jongen nu zou doen, was belangrijker. Toen Neb tussen twee kantelen door omlaag keek, zag hij dat de donkerharige jongen zijn betraande gezicht naar hem had opgeheven en dat zijn mond half open hing.

'Je kunt geen kant meer op, nietwaar?' zei Neb glimlachend.

'Wie ben jij?' Matto's jeugdige stem klonk gespannen, maar trilde niet. 'Je ziet er niet uit als een krijger van de prins.'

'Ik ben schrijver, en ik heb de heelmeesters geholpen. Ik ben niet gewapend, kijk maar.'

Matto zei niets, maar hij liet niet los.

'Eigenlijk ben ik familie van je,' vervolgde Neb. 'Ik heb me onlangs verloofd met een nichtje van je moeder, vrouwe Branna.'

Matto leek iets te willen zeggen, maar hij deed het niet.

'Ik ben bovengekomen om je in veiligheid te brengen,' ging Neb verder. 'Ik beloof je op mijn erewoord dat ik je geen kwaad zal doen.' Hij liet het touw zakken. 'Laat die lus om je heen glijden. Steek er eerst je ene en dan je andere arm doorheen, trek hem strak om je borst en grijp het touw stevig vast.'

'Matto!' riep Cadryc vanuit de diepte. 'Geen domme dingen doen, jongen! Doe precies wat hij zegt!'

Even hingen het touw en Matycs wyrd voor het grijpen en net toen Neb de jongen opnieuw wilde aanmoedigen, stak hij een hand uit om het touw te pakken.

'Goed zo!' riep Neb. 'Doe nu de lus over je hoofd en steek je armen erdoorheen, een voor een. Hou je met je andere hand stevig vast aan de muur, zo, ja. Trek die lus iets hoger, goed zo. Pak nu het touw vast, dan trek ik je naar boven.'

Terwijl Neb het touw stevig vasthield, gebruikte Matyc zijn benen om langs de ruwe stenen muur omhoog te klimmen. Boven trok Neb hem tussen twee kantelen door op het veilige dak. Beneden begon het Westvolk te juichen. Matyc bevrijdde zich van het touw en gooide het van zich af.

'Doen ze me echt niets?' vroeg hij.

'Natuurlijk doen ze je niets,' antwoordde Neb. 'Als iemand het waagt een vinger naar je uit te steken, krijgt hij het met je grootvader aan de stok.'

Matto glimlachte. 'En niemand kan het van mijn grootvader winnen.' Hij keek weer ernstig. 'Is mijn moeder in veiligheid gebracht?'

'Dat is ze, en je zusje ook. Ze zijn bij je grootmoeder in Cengarn.'

'Dat is fijn.' Matyc staarde naar de mannen ver beneden hem op het binnenplein. 'Dank je wel. Ik...' Zijn stem brak en hij sloeg zijn handen voor zijn gezicht en begon hard te huilen, met schokkende schouders.

Neb haalde een nog tamelijk schone doek uit de zak van zijn brigga en gaf die aan Matto. 'Hier. Ik weet dat de wereld er op dit moment heel akelig uitziet, maar over een poosje zal het een stuk beter gaan, heus.'

'Niet waar.' Matto's stem was schor van snot en tranen. 'Mijn pa...'

'We gaan allemaal een keer dood, Matto. Je vader is gestorven in een gevecht voor de godin van wie hij hield. Het was een eervolle dood, eervoller dan van een heleboel anderen.'

'Er is iets wat je niet weet,' stamelde Matto tussen het snikken door. 'Pa wilde me doden. Dat heeft hij geprobeerd. Hij zei dat ik beter dood kon zijn dan in handen vallen van Vandars gebroed. Hij trok zijn zwaard en probeerde me te pakken, maar ik ben weggerend. Ik ben naar boven gerend en toen begon het gevecht, en hij is me niet achternagekomen. Ik wist niet waar ik naartoe moest, dus heb ik me in de broch verstopt.'

'En daarna ben je naar het dak geklommen?'

'Ja.' Matto slikte. 'En toen heb ik gezien dat hij doodging. Ik heb het gevecht gezien.'

'Vond je het erg dat hij stierf?'

Matto knikte. Hij huilde niet meer, maar veegde zijn gezicht met de doek droog en snoot zijn neus.

'Ik heb mijn vader ook zien sterven,' zei Neb. 'Hij was erg ziek; zijn darmen werkten niet meer.'

'O. Dan weet je hoe het is.'

'Inderdaad.'

'Maar hij heeft niet geprobeerd jou te doden.'

'Dat is zo, en daar zul je over moeten nadenken om ermee in het reine te komen. Zeg het tegen je grootvader en vraag of hij je daarmee wil helpen.'

'Dat zal ik doen. Nu ben ik erg moe.' Matto gaf Neb de doek terug. 'We konden de afgelopen nacht niet slapen, omdat we wisten wat er zou gaan gebeuren.'

'Vannacht slaap je bij je grootvader in de tent en kan je niets overkomen. Kom nu maar mee naar beneden, dan gaan we met prins Voran praten.'

De prins stond nog steeds met tieryn Cadryc en gwerbret Ridvar te praten, bij de ingang van de broch. Neb bleef een eindje bij hen vandaan staan, omdat hij de edelen niet wilde storen, maar Voran keek met een vermoeide glimlach zijn kant op en wenkte dat hij dichterbij moest komen. Matyc rende naar zijn grootvader, die een arm om hem heen sloeg en hem naar zich toe trok.

'Mooi zo,' zei de prins. 'Ik ben blij dat je de jongen hebt kunnen overhalen mee naar beneden te komen. Je hebt vandaag een goede daad verricht.'

'Dank u, koninklijke hoogheid. Maar Gerran heeft me op het idee gebracht.'

'Dan geldt mijn waardering ook voor hem.' Voran keek naar Matyc, die stijf rechtop naast Cadryc stond. Blijkbaar was hij niet van plan voor de veroveraar te knielen. 'Heer Matyc,' begon de prins, 'zweert u dat u de opstand van uw vader tegen zijn wettige opperheer niet zult voortzetten?'

Matyc aarzelde, maar nadat hij zijn grootvader even had aangekeken, nam hij een besluit. 'Dat zweer ik, koninklijke hoogheid,' zei hij.

'Doet u afstand van zijn domein, in het bijzijn van getuigen van uw eigen en van hogere rang?'

'Dat doe ik. Ik word liever zilverdolk dan heer van dit domein.'

Neb wierp een blik op Ridvar, die zijn armen over elkaar had geslagen en met een strak gezicht toekeek.

'Ik denk dat we wel iets beters voor u kunnen bedenken dan u de wijde wereld in te sturen, heer Matyc,' zei Voran. 'Van nu af aan bent u mijn gijzelaar en sta ik persoonlijk in voor uw veiligheid. De schrijver zal een formele afstandsverklaring opstellen, die u binnenkort moet tekenen en verzegelen. Bent u het daarmee eens?'

'Daar ben ik het mee eens, koninklijke hoogheid. Maar ik denk niet dat iemand genoeg geld heeft om me vrij te kopen.'

'Dat zien we later wel,' zei Voran. 'Ga nu maar met je grootvader mee, want hij staat borg voor je.'

'Coryn is hier ook,' zei Cadryc. 'En je hebt er een aangetrouwde neef bij, hij heet Clae. Dus heb je gezelschap van je eigen leeftijd. Weet je dat je zojuist bent gered door de verloofde van je nichtje?'

'Dat weet ik.' Matyc keek naar Neb. 'Dank je wel.'

'Graag gedaan,' zei Neb.

Matyc boog voor prins Voran en met nog een blik op de zwijgende Ridvar liet hij zich door Cadryc meenemen de dun uit.

Nu Matyc in veiligheid was gebracht, moest alleen het raadsel van Honelgs moeder, vrouwe Varigga, nog worden opgelost. Salamander had verwacht dat zij ook haar toevlucht zou hebben gezocht tot het heiligdom van Alshandra, maar dat was niet zo. Hij liep de broch in om haar te zoeken. Boven vond hij wat de vrouwenzaal moest zijn, want er hing een vaal wandtapijt aan de muur, op de vloer lag een versleten Bardeks kleed en er stonden twee met linnen bespannen borduurramen, waaraan was gewerkt. Maar Varigga zag hij er niet.

Met een kil gevoel in zijn borst begon hij de slaapkamers te doorzoeken en toen vond hij haar ten slotte in haar weduwenkamer boven in de toren. Ze lag op haar van al gedeeltelijk opgedroogd bloed doordrenkte bed met een dolk onder haar slappe rechterhand. Ze had haar polsen doorgesneden.

'Haar laatste getuigenis,' bracht Salamander met verstikte stem uit. 'Ik denk dat we nu wel weten wat dat betekent.' Hij liep naar de dode vrouw toe en sloot haar ogen. 'Ik hoop dat u vrede hebt gevonden, vrouwe. Vergeef me dat ik misbruik heb gemaakt van uw gastvrijheid.'

Omdat niemand van het Westvolk gewond was geraakt, hielp Dallandra de heelmeesters met de verzorging van de gewonde Deverrianen. Ze dwong zich alleen te denken aan waar ze mee bezig was, om stevig verankerd te blijven in het fysieke vlak en geen moment het Zicht te openen. Maar ondanks haar inspanning bleef ze zich bewust van de doden. Hun etherische dubbelgangers zweefden door de zaal, hingen boven hun lichaam of klampten zich vast aan vrienden die nog leefden. Ze wilden wanhopig graag worden gezien en herkend door de levenden, in de vergeefse hoop dat ze alsnog zouden ontwaken uit een droom en zouden ontdekken dat ze ook nog in leven waren.

Ze kon niets voor hen doen. Na eerdere gevechten had ze wel eens geprobeerd Deverrianen te helpen, maar geen enkele dode had haar ooit willen geloven wanneer ze zei dat hij haar meteen moest volgen naar de rivier van leven en dood, met velden vol witte bloemen langs de oevers. Uiteindelijk moesten alle doden die toch oversteken, en ze hadden zich veel verdriet en paniek kunnen besparen als ze bereid waren geweest om naar de stem uit de zilveren vlam te luisteren. Soms overwoog ze een tweede lichtlichaam te bouwen, in menselijke vorm. Maar dat zou verschrikkelijk veel moeite kosten en misschien haar eerste lichtlichaam, waaraan ze de voorkeur gaf, onstabiel maken.

Behalve Warryc waren er nog twee krijgers van Ridvar gesneuveld. Verder waren er onder hen zes gewonden, van wie er een zijn arm had gebroken toen hij op de bebloede keien was uitgegleden. Het merendeel van de slachtoffers had aan Honelgs kant gestaan. Zijn krijgers waren, zoals ze aan hun eed van trouw verplicht waren geweest, allemaal gestorven. De meeste bedienden en dorpelingen leefden nog. Niet alle boogschutters van het Westvolk hadden hun best gedaan om mannen die nauwelijks in staat waren om zich te verdedigen, te doden. Dallandra wist hoe ze een pijl uit een lichaam moest snijden zonder de wond te vergroten, een vaardigheid waarvoor veel belangstelling was.

Toen de heelmeesters klaar waren met hun werk, kwam Ridvar binnen. Hij liep naar zijn eigen krijgers toe om met hen te praten. Soms knielde hij bij iemand neer, pakte zijn hand en bedankte hem. Bij de twee doden hief hij zijn handen en bad voor hen, met slechts enkele woorden, maar het was genoeg om de gewonden dankbaar te laten glimlachen om het eerbewijs aan hun kameraden. Ridvar bedankte ook de heelmeesters voor wat ze voor zijn mannen hadden gedaan.

'Ik heb ook een vraag,' zei hij. 'Hebben jullie soms iemand behandeld die Raldd heet? Hij was stalknecht en hij is de verrader die Honelg heeft gewaarschuwd dat we eraan zouden komen.'

Niemand kon zich een Raldd herinneren. Een stalknecht was niet iemand aan wie geleerde mannen zoals heelmeesters of zelfs krijgers aandacht besteedden.

'Misschien heeft een van de schildknapen hem gezien,' opperde een heelmeester. 'Zij hielpen in Dun Cengarn vaak mee in de stal.'

'Vraag het dan aan Clae,' zei Dallandra. 'Hij heeft Raldd die dag zien ontsnappen en het ons verteld.'

'O ja? Dat wist ik niet,' zei Ridvar. 'Ik zal hem bedanken. Wie is zijn vader?'

Dallandra dacht na. Ongetwijfeld ging Ridvar ervan uit dat Clae een normale schildknaap was, de zoon van een edelman. Als ze hem de waarheid vertelde, dat Clae alleen maar de broer was van een schrijver, zou Ridvar hem niet meer de moeite waard vinden. 'Hij is een jongere zoon, edele heer, en zijn vader is dood,' zei ze. 'Tieryn Cadryc heeft zich over hem ontfermd.'

'Aha, dan zal ik iemand naar Cadryc sturen.'

De jonge gwerbret zwaaide naar iedereen en liep weer naar buiten. Dallandra vond een emmer met niet al te vuil water en begon het bloed en de stukjes vlees van haar armen en handen te wassen. Ze was bijna klaar toen Salamander de trap afkwam. Hij zag zo bleek dat ze even bang was dat hij ook gewond was geraakt.

'Nee, nee, nee, maak je maar geen zorgen, o prinses van perileuze potenties,' zei hij in de Elfentaal. 'Ik heb alleen nóg iets afschuwelijks ontdekt. Vrouwe Varigga heeft zichzelf van het leven beroofd.

Ik weet niet of ze het gevecht tussen haar zoon en Gerran heeft gezien. Heb jij het gezien?'

'Een van de heelmeesters heeft me erover verteld.'

Even later kregen ze er meer over te horen, toen Neb en Clae samen de grote zaal binnenkwamen, vergezeld van een krijger van de gwerbret. Clae hield de hand van zijn broer vast en hij verbleekte toen hij de doden zag liggen, maar even later liep hij kalm langs de rij om ze een voor een te bekijken.

'Daar ligt hij.' Clae wees naar het lichaam van een jongeman met rossig haar, die niet veel ouder kon zijn dan Neb. Hij had een pijl door zijn hals gekregen. 'Dat is Raldd.'

'Ach, paardenstront!' zei de krijger. 'Ik had gehoopt dat we hem levend in handen hadden gekregen, want ik wilde hem spreken voordat de gwerbret hem zou ophangen.'

'Mag ik nu weer naar buiten?' vroeg Clae.

'Natuurlijk, jongen,' zei de krijger met een grimmig lachje. 'Jij hebt je best gedaan.'

'Wacht buiten op me,' zei Neb. 'Ik wil nog even met je praten.'

Clae liep langzaam en kaarsrecht de zaal uit.

Hij wordt een van hen, dacht Dallandra, en ze moest er bijna om huilen.

'Ik wilde je nog gauw even vertellen,' zei Neb tegen Dallandra, 'dat Honelg Matto wilde doden voordat hij naar de tempel vluchtte.'

'Wát zeg je?' riep Salamander uit. 'Och, bij de zwarte zon zelf!'

'Afschuwelijk, nietwaar?' Neb knikte tegen Salamander. 'Hij zei tegen de jongen dat hij beter dood kon zijn dan in handen vallen van Vandars gebroed.'

'O.' Salamander zweeg en zag er opeens niet alleen ziek, maar ook oud uit. 'Blijkbaar is mijn medelijden met Honelg volkomen misplaatst geweest.'

'Dat denk ik wel.' Neb draaide zich om, maar zei over zijn schouder: 'Ik ga even kijken hoe het met Clae is. Straks kunnen we verder praten.'

Salamander en Dallandra liepen achter hem aan de buitenlucht in. Hier en daar raapten krijgers van Ridvar wapens op van de vuile keien en gooiden ze naast de poort op een hoop. De boogschutters van het Westvolk zochten naar pijlen die ze opnieuw konden gebruiken, maar de eenvoudige bogen van de vijand lieten ze liggen. De mannen van prins Voran haalden koeien van stal, en knechten zeulden met zakken graan en armenvol hooi om de levende buit te voeren. Later zouden de bedienden de rest van de dieren uit de dun halen, vermoedde Dallandra. De overwinnaars zouden die avond overvloedig te eten krijgen.

'We moeten ervoor zorgen dat Arzosah en Rori ook een paar var-kens krijgen,' zei Salamander. 'Waar zouden ze trouwens zijn?'

'Dat weet ik niet,' antwoordde Dallandra. 'Ik kom nu pas buiten.'

Ze verlieten de dun en liepen door de doolhof naar het open veld onder aan de heuvel. De stank van een groot kamp kwam hen te-gemoet, maar in elk geval stonk het niet naar vers bloed, dacht Dal-landra, zoals in de grote zaal. Te oordelen naar het zilveren licht ach-ter de wolken stond de zon nog een heel eind boven de horizon, hoewel het middaguur al voorbij was.

'Wat vreemd, nietwaar,' zei ze, 'dat het maar zo kort heeft geduurd.'

'Zo gaat het meestal met gevechten in Deverry,' zei Salamander. 'Maar ik heb het akelige gevoel dat het er in Zakh Gral heel anders zal toegaan.'

'Ik ook. Helaas wel.'

'Maar laten we die zak met problemen nog maar even dicht laten.'

'Inderdaad. De gewonden verzorgen was voor vandaag al erg ge-noeg.'

'Ik wilde je ook nog vertellen,' vervolgde Salamander, 'dat ik heb ge-hoord dat Ridvar de gevangenen mee terug wil nemen naar Cengarn om ze daar als rebellen te laten ophangen.'

'Wát zeg je?' vroeg Dallandra geschrokken. Ze haalde diep adem. 'Weet je dat zeker?'

'De hoofdman van Ridvar heeft het me verteld. De gwerbret wil ze in het openbaar doden. Hij denkt dat volgelingen van Alshandra in zijn stad daar zo bang van zullen worden dat ze hun geloof zullen afzweren.'

'Moge elke god op deze aarde en erboven Ridvar tot diep in zijn ziel vervloeken.'

'Dalla!' Salamander pakte haar arm vast. 'Wat...'

'Ik heb mijn uiterste best gedaan om die mensen in leven te houden en nu zie ik in dat ik ze beter dood had kunnen laten gaan, want dat zou menslievender zijn geweest. Bovendien begrijpt die snotneus van een gwerbret helemaal niets van wat volgelingen van Alshandra beweegt.'

'Maar jij zei juist dat we genadeloos moesten zijn! En die verraders in Cengarn dan?'

'Daar zal ik me later wel om bekommeren. Waar is hij?'

'Wie? De gwerbret? Dalla, je kunt niet zomaar...'

'O nee?' Dallandra trok haar arm los.

Op de hielen gevolgd door Salamander, die nog allerlei dingen riep die ze niet wilde horen, liep ze met grote stappen door het kamp.

Ridvar stond met de twee prinsen voor zijn tent, terwijl een knecht zijn maliënkolder en zijn helm wegbracht. Boven zijn hoofd wapperde de banier met de goudgele zon van Cengarn, die ook zijn hemd versierde.

Dallandra beende recht op Ridvar af en greep hem bij de schouders. Vaag hoorde ze iemand roepen dat de gwerbret werd lastiggevallen. Schildwachten kwamen aanrennen, maar ze bleven staan toen ze zagen dat het om een vrouw ging. Een van hen greep Salamander bij zijn kraag en trok hem weg. Dallandra lette nergens op.

'Ik heb gehoord dat je van plan bent de gevangenen dood te martelen,' zei ze woedend tegen Ridvar.

Ridvar was sprakeloos van schrik. Prins Daralanteriel liep naar Dallandra toe en trok Ridvars hemd uit haar handen.

'Je bent doodmoe, Dalla,' zei hij in de Elfentaal, en in het Deverriaans vervolgde hij: 'Het spijt me, hoogheid. Mijn heelmeester...'

'... laat zich niet zomaar het zwijgen opleggen.' Dallandra trok haar handen los uit die van de prins. 'Nu moeten jullie eens goed naar me luisteren.' Ze keek de drie edelen een voor een aan. 'De andere heelmeesters en ik zijn urenlang bezig geweest om de levens te redden van de mannen die jullie straks willen doden. Ik zal het niet toestaan. Ik heb niet vijfhonderd jaar heelkunde beoefend om beul te worden.'

'Beste vrouwe,' zei Ridvar, die inmiddels van de schrik was bekomen, 'die mannen zijn verraders tot in...'

'Waag het niet mij zo neerbuigend te behandelen, dom...' Ze kon zichzelf nog net beletten hem een dom kind te noemen. 'Begrijp je het dan nog steeds niet? Die gelovigen willen niets liever dan sterven! Dat noemen ze de laatste getuigenis afleggen voor hun godin. Waarom wil je ze precies geven wat ze willen hebben? Als mensen hen zingend de dood in zien gaan, zullen ze zich ook bekeren in plaats van dat geloof te verachten.'

Opnieuw kon Ridvar haar alleen maar aanstaren.

'Ik moet toegeven dat ze gelijk heeft,' zei prins Voran.

Prins Daralanteriel knikte instemmend. Toen de schildwachten zagen dat de prinsen het met Dallandra eens waren, trokken ze zich terug. De man die Salamander nog steeds vasthield, liet hem met een gemompelde verontschuldiging los.

'Ik heb vandaag een grimmige waarheid onder ogen moeten zien,' vervolgde Voran. 'De volgelingen van Alshandra zijn een ander soort mensen dan wij, en dat baart me zorgen. Ons volk laat zich toch algauw door hartstochtelijke ideeën en hevige emoties meeslepen, en dit vreemde geloof...' Hij schudde zijn hoofd en rilde. 'Doven we een vuur door er olie op te gooien?'

Ridvar keek van de ene koninklijke prins naar de andere en zei niets.

'Bovendien, hoogheid' – Salamander kwam naar voren en knielde soepel voor de gwerbret neer – 'zijn de gevangenen gewone boeren. Is het eervol hen te doden?'

Ridvar blies sissend zijn adem uit. 'Ik zal over al deze dingen nadenken,' zei hij, 'want ik zie heus in dat wat jullie allemaal hebben gezegd, waar is.'

Daralanteriel draaide zich om naar Dallandra en zei zacht in de Elfentaal: 'Ga weg en laat hem verder aan ons over.'

Ze nam hem het verzoek niet kwalijk. Salamander stond op, stak zijn arm vriendschappelijk door de hare en zei tegen Dar: 'Ik dank u nederig, koninklijke hoogheid,' waarna hij haar ferm meetrok.

Dallandra verzette zich niet meer. Haar woede was verdwenen, en nu was ze moe en een beetje duizelig. Toen ze door het kamp van de Deverrianen liepen, hoorden ze zeggen dat de gwerbret bewakers bij de vesting zou achterlaten voor het geval dat het Paardenvolk hun inmiddels overleden bondgenoot wilde bezoeken.

'En die priesteres is er ook nog,' zei een krijger. 'Als zij weer langskomt, staat haar een verrassing te wachten. We moeten haar arresteren en naar Cengarn brengen.'

Salamander verbleekte en bleef stokstijf staan. Hij slikte, knikte tegen de man en liep vlug door. Beseft hij dat hij verliefd op haar is geworden? vroeg Dallandra zich af.

'Wat is er?' vroeg ze, toen de krijger hen niet meer kon horen.

'Niets, niets.' Salamander glimlachte met een vrolijk gezicht. 'Maar ik denk niet dat Rocca een bedreiging voor het gwerbretrhyn is.'

'Natuurlijk niet, maar ze zou natuurlijk wel een geschikte gijzelaar zijn om mee te onderhandelen.'

Weer werd hij bleek, en het viel Dallandra op dat hij zijn handen diep in de zakken van zijn brigga stak om te voorkomen dat ze zag hoe ze trilden. Nee, hij beseft het niet, dacht ze. Opeens voelde ze zich doodmoe. 'Ebañy, ik moet liggen. Ik moet slapen. Ik haat gevechten waarbij mensen sterven en ik hun verwarde zielen overal om me heen zie.'

Ze wankelde, en de zee van tenten lager op de heuvel leek als een golf smerig water op haar af te komen. Ze dreigde te vallen en Salamander pakte haar bij een arm om haar te steunen.

'Kom gauw mee naar je tent,' zei hij. 'Ik zie hoe moe je bent.'

'Maar ik wil wel weten waar de draken...'

'Zodra je in bed ligt, zal ik ze scryen.'

In het visioen zag Salamander de draken in een landschap van rotsachtige heuvels en naaldwouden, dus moesten ze ver naar het noorden zijn gevlogen. Arzosah zat op een grote grijze rots, met haar vleugels stijf tegen haar lichaam aan en een van woede slaande staart. Rori ging steeds even bij haar zitten en vloog dan weer op, cirkelde rond en landde weer op de rots. Salamander zag dat Arzosah aan het woord was, maar hij kon haar niet horen. Hij vroeg zich af of ze Rori probeerde over te halen om Dallandra naar zijn wond te laten kijken. Wat ze ook zei, hij kon zien dat Rori niet naar haar wilde luisteren.

Hij verbrak het visioen en draaide zich om naar Dallandra om haar te vertellen wat hij had gezien. Maar ze lag al te slapen, in een nest van rommelige dekens. Hij bleef nog even in haar tent zitten en dacht aan Rocca. Zou ze terugkomen en dan in de val lopen? Hij kon haar op geen enkele manier waarschuwen zonder zijn eigen volk te verraden, dat wist hij heel goed. Opnieuw opende hij het Zicht en dacht aan Rocca. Ze stond naast het stenen heiligdom te praten met twee mannen van het Paardenvolk. Ze lachten alle drie, misschien om een grapje, maar hij kon het niet horen. Hij bleef naar haar kijken tot ze de tempel binnenging en nam vervolgens een kijkje in de rest van de vesting.

De poort stond wijd open en in het zand tussen de twee deuren zaten twee schildwachten te dobbelen. Zijn gedachten gingen naar Sidro en meteen verscheen haar beeld. Ze zat in de groentetuin met een priesteres van het Paardenvolk onkruid te wieden tussen een rij kolen. In het zonlicht hadden haar haren net zo'n blauwzwarte glans als de veren van een raaf. Ze maakte een te zorgeloze indruk om te kunnen weten dat er in het oosten een leger op de been werd gebracht met de bedoeling hun vesting te verwoesten. Hij verbrak het visioen. Blijkbaar vermoedde niemand in Zakh Gral dat ze binnenkort zouden worden aangevallen. Wie die mazrakraaf ook was, hij was beslist niet naar het Paardenvolk gegaan om het te waarschuwen.

Salamander stond zachtjes op en verliet de tent om Calonderiel te zoeken. De banadar stond met zijn boogschutters om zich heen voor de tent van de prins toe te kijken terwijl Daralanteriel hun aandeel in de buit – pijlen, dekens, kippen en dat soort armzalige dingen – in gelijke porties verdeelde. Iedereen die had meegevochten, kreeg zijn deel.

'Dalla is in jullie tent,' zei Salamander tegen Calonderiel. 'Ze is uitgeput.'

'Dat verbaast me niets, nadat ze zich zo voor de Rondoren heeft uit-

gesloofd,' zei Calonderiel. 'Ik ga even kijken hoe het met haar gaat.'
'Dat lijkt me een goed idee.' Salamander keek hem even na, draaide zich weer om en keek naar de verzameling spullen op de grond.
'Misschien is het beter om gebruiksvoorwerpen achter te laten, Dar.
Zoals die tinnen kommen. Want de gwerbret zal deze dun uiteindelijk aan een andere heer geven.'
'Dat is dan jammer,' zei Dar opgewekt. 'Ridvar ontvangt meer dan genoeg geld en goederen als belastingen en daar kan hij best iets van missen. Laat hem die dun maar helemaal opnieuw inrichten.'
'Ik neem aan dat je hart niet overstroomt van genegenheid voor de gwerbret.'
Daralanteriel snoof hard en ging door met sorteren.
Niet lang daarna werd bekend wie de gwerbret had aangesteld als nieuwe heer van de dun. Salamander verwisselde zijn met bloed bevlekte hemd voor een hemd dat minder vuil was en liep naar het kamp van de Rode Wolf. Knechten hadden boven een groot vuur in het midden een ijzeren spit gehangen, op twee verse, dikke takken met een V-vormig uiteinde. Een jong zwijn had zijn lot ondergaan en werd al geroosterd. Toen Salamander het rook, begon zijn maag te rommelen. Even verafschuwde hij zichzelf omdat hij honger kon hebben na wat hij die dag allemaal had meegemaakt.
'Zoekt u Neb, heer?' vroeg een knecht.
'Inderdaad, en de hoofdman.'
'Ze zijn bij de tent van de tieryn. Die grote grijze daar.'
'Is Warryc al begraven?'
'Ja, heer, in een apart graf. Daar ben ik blij om, want hij was een vriendelijke man, al was hij een krijger.'
'Ik vond het ook geen prettig idee dat hij met de opstandelingen in één graf zou worden gegooid.'
'Hebt u gehoord wat ze met Raldd gaan doen?' De knecht keek schichtig om zich heen en liet zijn stem zakken. 'Ze snijden hem als een kip open en hangen hem met uitpuilende darmen en zo aan de hoofdpoort, als voer voor de raven.'
'Echt waar? Nou ja, hij is dood, hij zal er niets meer van merken.'
Salamander liep door naar de tent van tieryn Cadryc, waar Neb en Gerran voor de ingang op de grond zaten. Gerran begroette Salamander met een vermoeid glimlachje en een handgebaar. Salamander liet zich bij hen op de grond zakken.
'De edele heer zit binnen met zijn kleinzoon en de schildknapen,' zei Neb. 'Matyc vertelt de anderen dat zijn vader heeft geprobeerd hem te doden.'
'Alweer?' zei Gerran.

'Het is goed voor hem het steeds opnieuw te vertellen, nog een hele tijd.'

'Ik denk dat je gelijk hebt, Neb,' zei Salamander. 'Hoe gaat je broer met dit soort dingen om? Al die doden en zo, bedoel ik. Ik heb bewondering voor de manier waarop hij Raldd aanwees. Het verbaasde me dat hij niet huilde.'

'Mij ook.' Neb glimlachte wrang. 'Maar vergeet niet dat we in Trev Hael de pest hebben overleefd. Helaas is de dood geen vreemde voor ons.'

'Ach, dat was ik vergeten. Neem me niet kwalijk.'

'Bovendien is er heel wat gebeurd sinds Clae en ik uit dat bos kwamen strompelen, nietwaar?' Neb schudde verbijsterd zijn hoofd. 'Als ik daaraan denk, kan ik het nauwelijks geloven.'

'Dat is waar. Deze zomer is een keerpunt in jullie leven geworden.'

'Dat geldt voor ons allemaal,' zei Gerran. 'Door het gevecht van vanmorgen ben ik gaan nadenken over het Westvolk en hun boogschutters. Oorlog zal nooit meer hetzelfde zijn. Tegenwoordig is het gemakkelijker iemand van veraf te doden dan van dichtbij.' Hij wendde zijn hoofd af en spuugde in het zand. 'Alle goden!'

'Ik begrijp niet waarom je dat zo erg vindt,' zei Neb.

'Bij de zwarte harige kont van de hellevorst! Je staat op de muur, je schiet een pijl af en je vijand sterft zonder dat hij zich heeft kunnen verdedigen! Is dat eervol?' Gerran haalde diep adem. 'Iedereen heeft me altijd geprezen omdat ik zo vaardig ben met het zwaard, maar dat is nu niet belangrijk meer, nietwaar? Zwaardvechters tellen niet meer mee. Niet als de vijand boogschutters heeft.'

'Je hebt gelijk, daar had ik nog niet aan gedacht en...' Salamander zweeg abrupt en vervolgde: 'Daar komt prins Voran aan! Op je knieën, mannen.'

Haastig kwamen ze half overeind om vervolgens te knielen toen niet alleen de prins, maar ook gwerbret Ridvar eraan kwam, vergezeld van hun hoofdmannen. Salamander veronderstelde dat ze tieryn Cadryc wilden spreken.

Maar de prins zei: 'Goedenavond, Gerran. Ik wil mijn waardering uitspreken voor de manier waarop je vandaag hebt gevochten.'

'Ik, koninklijke hoogheid?' Gerran werd vuurrood. 'Ik heb alleen mijn plicht gedaan voor mijn heer.'

Cadryc stak zijn hoofd uit de tent, zag wie zijn bezoekers waren en kwam naar buiten om een buiging voor hen te maken.

'Ik ben blij dat ik u ook zie, tieryn,' zei de prins. 'Want wat ik tegen uw hoofdman wil zeggen, gaat u ook aan.'

'O ja?' zei Cadryc. 'Wat heb je uitgespookt, Gerro? Hebben ze je betrapt toen je je een deel van Honelgs enorme voorraad goud en zilver toe-eigende?'

Iedereen lachte, behalve Ridvar, die met zijn armen over elkaar geslagen strak voor zich uit keek. Salamander zag dat Cadryc een blik op de gwerbret wierp en met een onoprecht glimlachje, als een veegje vuil, zijn hoofd afwendde. De goden zij dank dat de prins erbij is, dacht hij, anders zou ons nog een gevecht te wachten staan.

'Ik heb wel een paar koperen munten opgeraapt, koninklijke hoogheid,' zei Gerran grinnikend. 'Maar u mag ze best hebben, hoor.'

'Welnee, hou die maar,' zei Voran. 'Maar je verdient een grotere beloning dan dat. Ik zou het erg op prijs stellen als we nu meteen een verklaring konden opstellen die je het recht geeft op een domein in Deverry, maar het spreekt vanzelf dat' – hij keek Ridvar veelbetekenend aan – 'dat de gwerbret mannen zoals jij liever in het grensgebied wil hebben.'

Ridvar ontspande zich. Hij liet zijn armen zakken, knikte tegen de prins en draaide zich om naar Gerran. Toen hij begon te spreken, klonk zijn stem kalm, maar vriendelijkheid was blijkbaar nog te veel gevraagd. 'Gerran, of moet ik nu heer Gerran zeggen?' begon hij. 'Je zou me een genoegen doen als jij het land en de dun van Honelg zou willen overnemen. Ik denk dat jij een van de weinigen in het koninkrijk bent die ervoor kunt zorgen dat dit domein me trouw blijft.'

'Hoogheid...' Gerran slikte moeizaam. 'De eer is groter dan ik verdien.'

'Dat is niet waar. Het is een eer die je verdient, vind ik. Sta op, heer Gerran.'

Gerran verroerde zich niet, maar staarde Ridvar met open mond aan.

'Mooi zo!' Voran wreef zich als een koopman in de handen. 'Ik zal een boodschapper naar Dun Deverry sturen met een opdracht voor de Raad van Herauten, dan kan die de benodigde documenten met de bijpassende zegels en zo opstellen. Eh... Gerran, je mag opstaan, hoor.'

'Dank u, koninklijke hoogheid, voor uw uitstekende voorstel.' Eindelijk kon er bij Ridvar een glimlachje af. 'Ik wil wedden dat ik al weet welke naam Gerran voor zijn nieuwe clan zal kiezen.'

Gerran zat nog steeds op zijn knieën verbijsterd om zich heen te kijken. Cadryc deed een stap naar voren om hem tot bezinning te brengen.

'Dat weten we allemaal al, nietwaar?' Cadryc trok Gerran aan zijn arm omhoog. 'De Valk. Zo is het toch, jongen?'

'Zo is het.' Gerran stond eindelijk op, maar hij keek nog steeds alsof de gwerbret hem een draai om zijn oren had gegeven in plaats van hem in de adelstand te verheffen. 'Tenzij er in Deverry al een clan met die naam bestaat.'

'Ik geloof dat die vroeger wel heeft bestaan,' zei prins Voran, 'en dat het daar niet goed mee afgelopen is. Maar dat weten de herauten van wapenen natuurlijk wel. Je zou er ook de Rode Valk van kunnen maken, of wat vind je van de Gouden Valk? Dat laatste klinkt nog het mooist.'

'Dat vind ik ook.' Gerran klonk schor, alsof hij zojuist uit een diepe slaap was gewekt. 'Ik... ik... Alle goden!'

'Maar nu moet ik verdomme een nieuwe hoofdman zoeken, nietwaar?' zei Cadryc. 'Ach nou ja, geen voorjaarsregen zonder modder, zeg ik altijd.'

Deze keer lachte zelfs Ridvar mee. Salamander dacht aan vrouwe Adranna en vermoedde dat hij op dat moment de enige was die zich afvroeg hoe ze het zou vinden dat ze niet alleen haar man had verloren, maar ook haar thuis.

De uitkomst van het gevecht werd deze keer niet door draken, maar door ruiters te paard aan Cengarn gemeld. Toen iedereen naar de grote zaal was gekomen, vertelde heer Oth Drwmigga, en dus alle vrouwen, dat de draken na de aanval weer hun eigen weg waren gegaan.

'Het zijn tenslotte dieren,' zei Oth. 'Ik neem aan dat ze terug zijn naar de wildernis. Misschien hebben ze daar wel ergens een nest jongen.'

Misschien wel, dacht Branna, maar echte dieren zijn het niet.

Behalve het officiële verslag hadden de ruiters brieven meegebracht voor Adranna en Branna. Maar terwijl Branna het zegel van haar brief meteen verbrak en begon te lezen, liet Adranna haar brief ongelezen op schoot liggen en hield ze haar ogen gericht op Oth. Hij las een lange boodschap van de gwerbret door terwijl hij af en toe iets mompelde, en keek daarna glimlachend op.

'Goed nieuws, vrouwe,' zei hij tegen Adranna. 'Uw zoon leeft nog en komt met uw vader mee naar huis.'

Blijdschap flitste op in Adranna's ogen en ze glimlachte even voordat ze kalm vroeg: 'En mijn man?'

Oth keek haar somber aan en antwoordde: 'Het spijt me, maar uw man is dood.'

'De dun?'

'In beslag genomen en geschonken aan een andere heer.'

'Wie?'

'Alle goden!' Oth keek opnieuw naar het bericht. 'Prins Voran heeft Gerran in de adelstand verheven en hem aangesteld als hoofd van een nieuwe clan! De Gouden Valk!'

'Ik ben blij dat hij het is en niet iemand anders.' Adranna schoof haar stoel naar achteren en stond op. 'Willen jullie me verontschuldigen, vrouwen?'

'Natuurlijk,' zei Drwmigga met een wapperend gebaar van haar hand. 'Maar wil je niet...'

Adranna was al op weg naar de trap.

'Ik kan me niet voorstellen dat ze van die afschuwelijke man heeft gehouden,' zei vrouwe Galla. Ze stond op, maakte een kniebuiginkje voor Drwmigga en liep vlug achter haar dochter aan.

Branna gunde zich geen tijd voor een kniebuiging en draafde met haar mee. Op de overloop haalde ze Galla en Adranna in en samen gingen ze naar Adranna's kamer, waar Midda op Trenni paste en haar vermaakte met een spelletje carnoic. Toen Trenni haar moeder hoorde binnenkomen, keek ze op van het bord.

'Trenni, liefje,' zei Adranna, 'ik heb het beste nieuws van de wereld voor je. Matto leeft nog en komt met opa mee naar huis.'

'Dat doet mijn hart vreugd,' zei Trenni ongewoon plechtig. 'Is pa dood?'

'Hij is dood,' antwoordde Adranna.

'Goed zo.' Trenni vestigde haar aandacht weer op het spelbord.

Adranna werd bleek en wankelde even. Branna pakte haar nichtje bij een elleboog om haar te steunen. 'Laten we naar de kamer van je moeder gaan,' zei ze zacht. Adranna kon alleen nog maar knikken.

Galla ging voorop naar haar kamer. Branna schoof de grendel voor de deur. Adranna liet zich op een stoel vallen en sloeg haar handen voor haar gezicht. Haar schouders schokten en Branna dacht dat ze huilde, maar even later zag ze dat Adranna lachte en nauwelijks kon stoppen. Galla stond naast haar en zei niets. Ten slotte gaf Adranna haar poging om haar lachen in te houden op. Ze liet haar handen zakken en met een lijkbleek gezicht bleef ze schaterlachen, een soort verstikt, hoog geklater, terwijl haar handen trilden als die van een zieke oude vrouw.

'Goed zo,' bracht ze tussen de lachstuipen door uit. 'Zijn eigen dochter. Goed zo, zei ze.'

Op een tafeltje stond een halflege kruik Bardekse wijn. Branna pakte het kommetje dat naast de waskom stond, schonk er wijn in en duwde het in de trillende handen van haar nichtje. Galla ging achter haar dochter staan en begon met kalmerende bewegingen over haar schouders te wrijven. Adranna nam voorzichtig een paar slokken wijn en langzamerhand hield het lachen op. Ze haalde diep adem en dronk in één teug de kom leeg.

'Ik geloof niet dat ik ooit van hem gehouden heb,' zei ze, 'maar ik dacht dat hij beter was dan eventuele andere huwelijkskandidaten. En toen we onze godin hadden gevonden, was ik ervan overtuigd dat ik de juiste keus had gemaakt en begon ik soms te geloven dat ik toch van hem was gaan houden. Maar als dat zo was, dan kwam daar een eind aan toen hij weigerde Matto samen met mij en Trenni te laten gaan.'

'In Nebs brief staat dat Honelg heeft geprobeerd Matto te doden,' zei Branna. 'Hij had tegen Matto gezegd dat dat beter was dan gevangen te worden genomen.'

'Wát?' Galla verbleekte.

'Dat verbaast me niets.' Adranna hield Branna het lege kommetje voor. 'Ik ben blij dat hij dood is en dat Matto nog leeft.'

Branna schonk de kom weer vol en ging op de rand van het bed zitten. Met een diepe zucht liet Galla zich op de andere stoel zakken. Het kwam bij Branna op dat ze allebei naar Adranna keken alsof ze een zieke was die elk moment een stuip kon krijgen of een ander angstaanjagend symptoom zou vertonen.

'Waar is die andere brief?' vroeg Galla. 'De brief die Oth aan jou heeft gegeven?'

'Hier.' Adranna haalde de zilveren koker uit de zak van haar overrok en gooide hem naar Branna. 'Lees jij hem maar voor. Ik herken het zegel niet eens.'

'Een roos,' zei Branna. 'Ik wil wedden dat het een brief van Dar of Dallandra is.'

Het was inderdaad een brief van de prins van het Westvolk, geschreven door zijn schrijver. Het schrift was een beetje bibberig, viel Branna op, lang niet zo mooi als dat van haar Neb. Maar de brief zelf was een uiterst hoffelijk blijk van medeleven met de vrouwe vanwege haar verlies. Verder deelde hij haar mee dat hij zich had ontfermd 'over enkele juwelen die in de vrouwenzaal zijn gevonden, plus wat borduurwerk, een paar kledingstukken en een pop, die waarschijnlijk van uw dochter is. Ik zal alles meenemen en in Dun Cengarn aan u teruggeven.'

'Wat een aardige man!' zei Adranna, en haar ogen werden weer vochtig. Geërgerd bette ze ze met een hand.

'Dat is hij,' beaamde Branna. 'Het doet mijn hart vreugd dat je je juwelen terugkrijgt.'

'Niet dat ze erg veel waard zijn.' Adranna glimlachte zwakjes. 'Maar ik ben eraan gehecht.'

Branna beet op het puntje van haar tong om zich te beletten de vraag te stellen die meteen bij haar was opgekomen: zijn het symbolen van je godin? Tot nu toe hadden ze het vermeden over Alshandra te praten, maar het leek Branna beter dat pas te doen wanneer Adranna een beetje bijgekomen was. Ze rolde Dars brief op en stopte hem terug in de koker.

'Wil je nu gaan slapen, lieverd?' vroeg Galla.

'Graag,' zei Adranna. 'Maar mag ik hier bij jou slapen, mama?' Haar stem klonk zo ijl als die van een kind.

'Natuurlijk! En ik zal bij je blijven.'

Branna legde de brievenkoker op tafel en verliet de kamer.

Veel later die avond kwam vrouwe Galla naar Branna toe om haar te vertellen dat Adranna wakker was geworden en dat ze veel meer de oude leek. Ze was naar haar eigen kamer gegaan om met Trenni te praten.

'Dat is het beste voor het kind,' zei Galla. 'Jij of ik kunnen nu weinig voor haar doen. Haar moeder is degene die haar moet troosten.'

'Ik heb de indruk dat Trenni niet veel behoefte heeft aan troost, tante Galla.'

'Niet vanwege het verlies van haar vader, dat is waar. Ze is een verstandig meisje. Maar ze zijn ook al hun bezittingen kwijt, behalve wat prins Daralanteriel zal meebrengen. Wat ik ontzettend aardig van hem vind.'

'Neb schreef in zijn brief dat hij ook wat van de buit heeft achtergehouden, zoals een bord van gekleurd glas en een zilveren beker. Die zal hij ook aan Adranna geven.'

'Mooi zo. Dat is waarschijnlijk het bord dat de vorige gwerbret, de vader van Ridvar, hun als huwelijksgeschenk heeft gegeven.' Galla zuchtte en toen glimlachte ze. 'Maar ik moet zeggen dat ik heel blij ben met het nieuws over Gerran.'

'U bedoelt dat het plan dat u voor hem had beraamd, is gelukt.'

Galla begon te lachen. 'Je bent veel te scherpzinnig, kind,' zei ze. 'Maar er komt dus een clan bij, die van de Gouden Valk. Ach nee, geen spiksplinternieuwe clan, want er moet ooit een clan van de Valk zijn geweest, als Gerran er een Gouden Valk van moest maken.'

'Dat is zo,' beaamde Branna. 'De bard van mijn vader kende een ballade over de clan van de Valk. Hij ging over een broer en zuster die veel te veel om elkaar gaven, als u begrijpt wat ik bedoel.'

'Er zijn wel meer ballades over dat onderwerp. Vroeger lagen de duns zo ver uit elkaar dat ik veronderstel dat er voor meisjes niet veel mannen van hun eigen rang in de buurt waren om verliefd op te worden.'

'Dat geloof ik graag. Volgens de ballade die ik wel eens heb gehoord, heette dit paar Brangwen en Gerraent. Hé, dat is vreemd! Dat klinkt bijna als Branna en Gerran, dat is me nooit eerder opgevallen! Nou ja, zij moest trouwen met een prins van het hof, maar haar broer onteerde haar en toen heeft ze zich verdronken.'

'En wat is er met de broer gebeurd?'

'De prins heeft hem bij een duel gedood. De clan is uitgestorven, omdat er geen andere erfgenamen waren.' Branna keek Galla niet-begrijpend aan. 'Nee, dat is niet juist. Dat komt in een ander lied voor, denk ik. Gerraent doodde zijn vriend om zijn zuster en toen heeft de broer van die vriend Gerraent gedood. Of zoiets. Verdorie! Die oude liederen gaan allemaal over hetzelfde als je ze wilt navertellen.'

'Dat komt ook omdat de melodie vaak hetzelfde is. Nou ja, laten we hopen dat de nieuwe clan van de Valk een beter lot wacht dan dat van de oude.'

'O, dat weet ik wel zeker. Per slot van rekening is die ballade van heel lang geleden. Ik ben erg blij voor onze Gerran.' Branna grinnikte ondeugend. 'Nu moeten we nog een geschikte vrouw voor hem vinden, maar ik denk dat uw nieuwe gezelschapsdame degene is die we zoeken.'

'Ik dacht precies hetzelfde, is dat niet gek?' Galla glimlachte terug.

In het noorden was het nooit langdurig droog, en het regende dan ook weer toen het leger omstreeks het middaguur terug werd verwacht in Dun Cengarn. Ondanks het slechte weer wilde Branna Neb bij de poort opwachten, maar Galla verbood het haar.

'Ik wil niet dat je als een boerenmeisje op het binnenplein rondhangt om de krijgers te verwelkomen,' zei ze ferm.

'O, nou ja, dat zou inderdaad een beetje vreemd zijn,' gaf Branna toe.

Alle vrouwen in de dun, van Drwmigga tot het laagste keukenmeisje, gingen naar de grote zaal om daar te wachten. Heer Oth kwam naar Drwmigga toe om de plannen voor het overwinningsfeest te bespreken, hoewel een groot deel van de voedselvoorraad was opgegaan aan het huwelijksmaal.

'In een van de brieven staat dat ze varkens meebrengen,' zei Oth.

'En koeien, dus over het vlees hoeven we ons geen zorgen te maken. Wat de dranken betreft, hebben we bier en nog wat Bardekse wijn, maar geen druppel mede meer.'

'Dan moeten we het doen met vlees en bier,' zei Drwmigga. 'Plus al het brood dat de koks nu nog kunnen bakken. Ik wou dat mijn heer ons zijn nieuws eerder had laten weten.'

'Ik ook.' Oth slaakte een zucht. 'Dan ga ik nu gauw met de hoofdkok praten.'

Het duurde nog een hele tijd voordat de vrouwen aan het geschreeuw op het binnenplein en het gekletter van een heleboel paardenhoeven op de keien hoorden dat het leger terug was. Drwmigga stond op, wenkte dat de andere vrouwen haar moesten volgen en liep vlug de grote zaal uit om haar heer en zijn koninklijke gasten te verwelkomen. Branna zag dat Adranna achterbleef en naar de trap liep.

'Laat haar maar,' zei Galla. 'Dit is voor haar geen blijde gebeurtenis.'

'Dat is zo,' beaamde Branna. 'Ik heb ook liever niet dat ze ziet dat het dat voor mij wel is.'

Maar Branna moest nog lange tijd wachten voordat ze Neb kon begroeten. Het leger kwam in gedeelten naar binnen. Eerst kwamen de prinsen en hun escortes het binnenplein oprijden, gevolgd door de andere edelen. Pas nadat zij waren afgestegen, hun rijdieren aan schildknapen en stalknechten hadden overhandigd en hun vrouwen en keffende honden hadden begroet, mochten de burgers hen volgen. Eindelijk zag Branna Neb met zijn paard aan de teugel langzaam achter een kar door de poort komen. Ze zwaaide uit alle macht, maar hij zag haar niet en toen was haar geduld op. Ze baande zich zo snel mogelijk een weg tussen de menigte mensen en dieren door om naar hem toe te rennen. Met een kreet van blijdschap liet hij de teugels los, sloeg zijn armen om haar heen en omhelsde haar zo innig dat ze naar adem snakte.

'Wat ben ik blij dat ik je weer zie,' zei hij, en hij kuste haar.

Neb gaf zijn paard aan Clae en gearmd liepen ze naar de grote zaal. De gwerbret, zijn vrouwe en de twee prinsen zaten al aan de eretafel. Cadryc en Galla zaten met Solla en Salamander aan hun eigen tafel. Van het Westvolk was alleen prins Daralanteriel aanwezig.

'Waar is Dalla?' vroeg Branna.

'Het Westvolk slaat zijn kamp op in het veld onder aan de heuvel,' antwoordde Neb.

'En Gerro? Ik wil hem gelukwensen.'

'Dat weet ik niet.' Neb keek speurend de zaal rond. 'Ik zag hem net nog op het binnenplein.'

'Nou ja, hij zal zo wel komen. Laten we bij de anderen gaan zitten. Liefste Neb, ik kan je niet zeggen hoe blij ik ben dat je terug bent.'

Branna was niet de enige vrouw die zich afvroeg waar Gerran bleef. Toen ze iedereen aan tafel hadden begroet en aan een uiteinde waren gaan zitten, zag Branna dat Solla steeds haar blik door de zaal liet gaan. Elke keer dat er iemand de trap afkwam of door de deur naar binnen kwam, rechtte ze haar rug om beter te kunnen zien wie het was. Eindelijk, toen de dienstmaagden bier rondbrachten, kwam Gerran binnen, samen met heer Oth. Solla begon te glimlachen en wilde opstaan om hem te begroeten, maar Oth en Gerran liepen zonder haar kant op te kijken rechtstreeks door naar de trap. Met een zucht zakte Solla terug op haar stoel.

'Ik zal straks eens met Gerran praten,' zei Branna zacht tegen Neb. 'Nu hij een heer is, moet hij een vrouwe hebben.'

'Elke man moet een vrouwe hebben,' zei Neb glimlachend. 'Die les heb ik geleerd toen ik het zo lang zonder je moest doen.'

Branna gaf hem een kneepje in zijn hand. 'Straks kunnen we wel een poosje weggaan,' zei ze. 'Dat zal in de drukte niemand opvallen.'

'Dat is zo, maar we hoeven toch niet te wachten? Laten we meteen naar boven gaan.'

Nu de huwelijksgasten en hun escortes vertrokken waren, was er in de kazerne weer ruimte genoeg voor de krijgsbende van de Rode Wolf. Gerran had aangenomen dat hij daar ook zou slapen, maar nu hij een hogere rang had gekregen, had heer Oth een kamer in de broch voor hem klaar laten maken. Weliswaar was het een vertrekje waar al veel ongetrouwde jonge edelen hadden geslapen, zonder haard en hoog in de toren, maar Gerran had het voor zichzelf. Hij legde zijn zadeltassen op de grond en zijn dekens op de oude matras en ging voor het smalle raam staan, dat uitzicht bood op de stallen, en hij vroeg zich af wat hij nu moest doen. Hij zag ertegen op naar de grote zaal te gaan, besefte hij, omdat hij dan bij de edelen moest gaan zitten. Maar het zou ongemanierd zijn als hij zich weer net als vroeger bij de krijgers van de Rode Wolf aan hun tafels zou voegen. Uiteindelijk loste Clae het probleem op door binnen te komen met een waskom en een kruik water. Omdat er geen tafel of kist in de kamer stond, zette hij ze op de vensterbank van het raam, waarin geen glas was gezet.

'Heer Oth heeft me opgedragen u dit te brengen,' zei Clae.

'Goed zo. Ik moet me inderdaad opfrissen voordat ik naar de grote zaal ga.'

Terwijl Gerran zijn gezicht en handen waste, knoopte Clae de dekenrol los en spreidde de dekens over het matras. Gerran herinnerde zich dat hij vroeger, als schildknaap in Dun Cengarn, voor allerlei heren hetzelfde had gedaan. Het kwam bij hem op dat hij, nu hij een edelman was, zowel bedienden als een krijgsbende zou moeten onderhouden, maar hoe hij dat zou moeten doen, was hem een raadsel.

'Wil jij soms mijn schildknaap worden, Clae?' vroeg hij.

'Graag, heer. Dat zou ik een grote eer vinden. Ik wilde het u al vragen, maar Neb zei dat ik niet zo vrijpostig moest zijn.'

'Dat was je dan misschien ook, maar dat had ik niet erg gevonden. Ik ben niet echt het soort man voor een heer. Maar besef je wel dat je dan je broer moet achterlaten?'

'Dat zei Neb ook, maar dat vind ik niet erg. Nou ja, wel een beetje, maar niet erg genoeg dat ik niet bij u in dienst wil treden.'

'Dan ben je van nu af aan mijn schildknaap.'

'Dank u, heer. En ik heb een boodschap voor u. Calonderiel heeft gevraagd of u naar zijn tent wilt komen. Hij zei dat ik tegen iedereen die het zou vragen, moest zeggen dat hij een goede verstandhouding wil met de clan van de Gouden Valk, maar dat hij vooral denkt dat u trek hebt in mede en dat hij die heeft.'

'Geweldig! Dan gaan we meteen naar hem toe. Misschien kan ik daar vanavond eten en dan bedenken wat ik hierna moet gaan doen.'

Hoewel Branna en Neb het liefst in hun kamer wilden blijven, kregen ze zo'n honger dat er niets anders opzat dan terug te gaan naar de grote zaal. Als iemand hen de hele middag had gemist, werd daar niets van gezegd en toen ze weer aan Cadrycs tafel gingen zitten, werden er geen betekenisvolle blikken gewisseld. Adranna was met Trenni beneden gekomen en zat er ook bij. Haar twee kinderen waren op de smalle bank dicht tegen haar aan geschoven. De tieryn vertelde de vrouwen van zijn familie hoe de prins erin geslaagd was Ridvar zo ver te krijgen dat hij Gerran het vrijgekomen domein aanbood.

'Ik heb nog nooit iemand zo verbaasd zien kijken,' zei Cadryc. Plotseling drong het tot hem door dat het voor enkelen aan tafel een pijnlijk relaas was. 'Ach, lieve Addi, ik zal mijn verhaal wel een andere keer afmaken.'

'Dank u, pa.' Adranna glimlachte moeizaam. 'Ik ben nog niet toe...' Ze zweeg even. 'Ik ben nog niet toe aan een uitgebreid verslag.'

'Dat kan ik me voorstellen.' Cadryc nam een slok bier uit zijn kroes en trok een vies gezicht. 'Alle goden, dit is zo verdund dat het nauwelijks meer naar bier smaakt! Ik neem aan dat de dun na het huwelijksfeest bijna droogstaat. Maar zoals ik al zei, hebben die draken wonderbaarlijk goed werk gedaan. Heb ik jullie al verteld wat er daarna met de koeien van de priesters van Bel is gebeurd?'

Galla en Solla keken elkaar aan en mompelden opgewekt: 'Nee hoor, vertel het ons maar.' Alles is beter dan dat hij over Honelg en de dun praat, dacht Branna, maar toen ze naar het verhaal over de koeien luisterde, vond ze het prachtig. Ze kon zich voorstellen hoe zelfvoldaan Arzosah zich had gevoeld toen ze die inhalige priester een lekkere maaltijd had afgetroggeld. Ze lachte met de anderen mee, maar Neb leunde naar haar toe en fluisterde: 'Er steekt meer achter dit verhaal dan onze heer denkt en de rest is lang niet zo grappig. Ik vertel het je straks wel.'

'Ik wou dat je me niet zo plaagde,' fluisterde Branna terug. 'Vooral niet hier.'

Vrouwe Galla schraapte haar keel en keek Neb met opgetrokken wenkbrauwen aan.

'Neemt u me niet kwalijk,' zei Neb. 'Het is ongemanierd om te fluisteren, maar het waren alleen minnewoordjes.'

Iedereen lachte, zelfs Adranna, en Branna zei opgewekt: 'Wat is er met die andere draak gebeurd? Heeft hij zich ook een paar koeien toegeëigend?'

'Misschien wel,' zei Cadryc. 'Maar hij is niet lang genoeg in de buurt gebleven om hem zelfs maar te kunnen bedanken. Het zijn vreemde dieren, draken, en die zilveren draak is volgens mij nog het vreemdst van allemaal.'

Dat wilde Branna graag geloven. Sinds ze de zilverwyrm over Cengarn had zien vliegen, welde er steeds wanneer ze aan de draken dacht een raar, knagend gevoel bij haar op, zoiets als de ergernis die ze wel eens had gevoeld wanneer ze de naam was vergeten van iemand die ze hoorde te kennen. Ze had gehoopt dat ze een herinneringsdroom zou krijgen waarin dat gevoel zou worden verklaard, maar dat was nog niet gebeurd. Nu Dallandra terug was, hoopte ze dat zij haar uitleg zou kunnen geven.

Na het eten liep Branna naar Dallandra toe, die bij de drakenhaard stond te wachten tot ze heer Oth kon spreken. Ze gingen samen op een iets rustiger plek bij de deur op een bank zitten. Branna probeerde Dallandra uit te leggen wat voor uitwerking de zilveren draak op haar had gehad, maar ze kon het nauwelijks beschrijven. Het leek wel of ze twee dingen door elkaar probeerde te zeggen, of dat twee kanten van haar persoonlijkheid tegelijk iets wilden zeggen. Het is Jill, dacht ze opeens, en ze rilde. Die andere stem is van Jill.

'Heb je hier al een droom over gehad?' vroeg Dallandra ten slotte.

'Nee,' antwoordde Branna. 'Ik heb al een hele tijd geen herinneringsdromen meer gehad. Ik wist niet dat ik daar zo op was gaan rekenen.'

'Het is tijd dat je je vorige levens bewust gaat herinneren,' zei Dallandra. 'Daarom komen die dromen niet meer. Die ellendige oorlog! Ik kan je pas echt onder mijn hoede nemen wanneer dit op de een of andere manier allemaal voorbij is.'

'Maar je gaat toch niet met het leger mee naar het westen?'

'Dat doe ik wel. Het Westvolk heeft een heelmeester nodig die hen kent. We zijn anders dan de mensen in Deverry.'

'Dat geloof ik graag. Maar die zilverwyrm...'

Voor het eerst sinds Branna Dallandra had leren kennen, had ze het gevoel dat de dweomermeester een vraag uit de weg wilde gaan. 'Mag ik hier niets over vragen?' vroeg ze.

'Dat mag wel, maar het is moeilijk er antwoord op te geven.' Dallandra bleef een poosje stil. 'Het is een ingewikkelde kwestie.'

'Kende Jill die draak of zo?'

'Ze kende hem voordat hij een draak was. Salamander heeft je vast wel verteld dat Rori zijn leven als zijn broer is begonnen.'

'Dat is zo, maar dat kon ik nauwelijks geloven.'

'Het is waar. Jill is gestorven voordat hij van vorm veranderde.'

'Was hij dan een mazrak? En is hij toen eh... vast komen te zitten of zo?'

Dallandra lachte, maar het was een zenuwachtig blafje, geen vrolijk geluid. 'Hij was geen mazrak, hij was een zilverdolk. Dat heeft Salamander je verteld. Maar ik denk niet dat ik het je op zo'n manier kan uitleggen dat je het kunt begrijpen. Je moet eerst meer van dweomer weten voordat ik het duidelijk kan maken.'

Branna staarde Dallandra verbijsterd aan. Dus ze had die draak in haar vorige leven gekend, maar toen was hij nog geen draak. Blijkbaar was hij iets heel bijzonders, een man die was veranderd in een ander schepsel zonder dat hij dat zelf met behulp van dweomer had veroorzaakt. Het beeld dat bij haar opkwam, was dat van een vlinder die als gevolg van een natuurlijke ontwikkeling uit een cocon was gekropen.

'Goed, jij weet het beter dan ik,' gaf ze berustend toe.

'Ik wou dat we meer tijd hadden, maar we gaan morgen bij zonsopgang weg.'

'En wij gaan zo gauw mogelijk naar huis.'

'Ik heb gehoord dat het hele leger wordt opgeroepen om naar jullie dun te komen.'

'Naar een plek dicht in de buurt, denk ik. Ons binnenplein is niet groot genoeg voor een heel leger.' Opeens werd Branna ongerust. 'Als we tenminste veilig thuiskomen. Moet ik blijven uitkijken naar mazrakir?'

'Dat is waar ook... Heb je, toen we weg waren, die raaf nog gezien?'

'Nee, en daar ben ik blij om.'

'Dat kan ik me voorstellen,' zei Dallandra glimlachend. 'Maar voor alle zekerheid zal ik Salamander eraan herinneren dat hij ook moet blijven opletten. Hij en Arzosah gaan met jullie mee.'

'Wat een opluchting! Niemand zal ons lastigvallen als we door een draak worden bewaakt.'

'Daarom heb ik haar ook gevraagd met jullie mee te gaan. Je hoeft je geen zorgen te maken om haar eten, want ze gaat liever op jacht naar vers wild.'

'Dat is goed. Weet zij meer over Rori?'

'Ja, maar het is beter dat je haar niet naar hem vraagt, al zou ze dan toch geen antwoord geven. Het is een gevoelig onderwerp voor haar. Maar het is echt niet mijn bedoeling je met een kluitje in het riet te sturen.' Dallandra wendde haar gezicht af. 'Als deze ellendige oorlog niet was uitgebroken, zou ik tijd hebben om je alles uit te leggen.'

Toch had Branna het gevoel dat Dallandra haar wel degelijk met een kluitje in het riet had gestuurd.

Toen heer Oth eindelijk tijd had om met Dallandra te praten, kwam ze erachter dat prins Daralanteriel en prins Voran haar voor waren geweest. Oth luisterde geduldig terwijl ze om genade smeekte voor de volgelingen van Alshandra en onderbrak haar toen met een glimlach.

'Ik heb genoeg tijd gehad om over deze kwestie na te denken,' zei hij, 'en ik heb met beide prinsen gepraat. Ik ben het met u eens, vrouwe Dallandra, en ik zal zijne hoogheid aanraden genadig te zijn. Ik weet zeker dat hij zal inzien waarom dat de beste oplossing is.'

'Dat doet mijn hart vreugd, raadsheer,' zei Dallandra. 'Maar wat zal hij dan met ze doen?'

'Ik kan niets beloven. Zijne hoogheid zal de beslissing moeten nemen, maar de gevangenen hebben een schuld aan de ware goden die niet in geld kan worden betaald. De wet staat toe dat ze tot lijfeigenen worden verklaard en als zodanig worden gebrandmerkt.'

Dallandra keek hem vol afschuw aan.

'Dat is beter dan te worden opengesneden en opgehangen, dat kan ik u verzekeren,' zei heer Oth vlug. 'Ik heb ooit gezien dat een moordenaar op die manier werd gestraft en zoiets hoop ik nooit meer mee te maken.'

'Dat geloof ik graag.'

'Bovendien heeft heer Gerran mannen nodig om zijn land te bewerken.' Oth legde een vinger naast zijn neus en trok een sluw gezicht.

'Het merendeel van de gevangenen komt uit dat dorp, maar daar zal ik zijne hoogheid niet aan herinneren. Ook al zijn ze dan gebrandmerkt als lijfeigene, ze gaan in elk geval terug naar hun familie.'

'Ik weet zeker dat de ware goden u hiervoor rijkelijk zullen belonen, heer. Maar iemand vertelde me dat er onder de gevangenen ook een kind is. Hem zullen ze toch niet martelen met een gloeiend ijzer?'

'Hij is een koksmaatje, nog een jongen. Vrouwe Branna heeft me al gesmeekt hem vrij te laten. Ik denk dat ik haar zal vragen of de Rode Wolf bereid is hem mee naar huis te nemen.'

'Dat zou erg aardig van u zijn.' Dallandra schonk hem een stralende glimlach. 'Ik dank u uit het diepst van mijn hart.' Ze stond heer Oth ook nog toe haar hand te kussen voordat ze wegliep.

Toen ze over het binnenplein naar de poort liep, zag ze Gerran met een kaarslantaarn in zijn hand in de richting van de lage stenen gevangenis lopen. Ze riep hem en hij kwam naar haar toe.

'Heer Oth heeft al met me gepraat,' zei hij, 'en nu ben ik op weg om dat koksmaatje uit de gevangenis te halen.'

'Daar ben ik blij om. Hij heeft dus woord gehouden.'

'Dat doet hij meestal.'

'Mooi zo. Weet jij soms waar Salamander is?'

'Hij is een tijdje geleden naar jullie kamp gegaan om zijn paard en andere spullen op te halen.'

'Dan zie ik hem daar wel. Ik wens je een goede reis naar huis.'

'Dank je, hetzelfde. We zien elkaar binnenkort weer, wanneer het leger zich verzamelt.'

Onder aan de heuvel van Dun Cengarn had het Westvolk een overnachtingsplaats ingericht en alleen de tent van Dallandra opgezet. Het was een warme, heldere nacht en iedereen, ook de prins, sliep in de buitenlucht om de volgende morgen zo vroeg mogelijk te kunnen vertrekken.

Salamander zat met Calonderiel en enkele boogschutters bij het vuur. Toen hij Dallandra zag aankomen, stond hij op en keek haar met een opgetrokken wenkbrauw aan.

'Inderdaad, ik wil met je praten,' zei ze. 'Kom mee naar de rivier.'

Omdat de zomer al een heel eind was gevorderd, stond het water laag. De doorwaadbare plaats, waar Jill was gestorven, was nu erg ondiep en de stenen glansden wit in het zwakke licht van de maanschijf.

'Weet jij waar Rori en Arzosah zijn?' vroeg Dallandra.

'Min of meer. Arzosah is op weg naar ons toe en Rori is ergens in het westen.'

'Dan veronderstel ik dat hij niet wil dat ik naar die wond kijk.'
'Niet meteen, blijkbaar. Arzosah zal ons wel meer kunnen vertellen. Zodra ik iets weet, zal ik via het vuur met je praten.' Salamander bukte zich, raapte een platte steen op, ging weer rechtop staan en wierp hem met een vlugge draai van zijn pols over het water. De steen sprong maar tweemaal op voordat hij zonk. 'Geen goed teken.'
'Gelukkig is het alleen maar een kinderspelletje,' zei Dallandra glimlachend. 'We hebben al meer dan genoeg slechte voortekens gehad.'
'Inderdaad, ach, wee en helaas. Maar gelukkig heeft Zakh Gral blijkbaar geen enkel voorteken gekregen, want daar gaat alles nog steeds rustig zijn gang.'
'Mooi zo. Heb jij die mazrakraaf nog gezien?'
'Geen spoor, streep of schaduw.'
'Ik moet alsmaar denken aan die poort die ik heb gesloten. Waarom zou de maker die open hebben gelaten? Het moet hem ontzaglijk veel inspanning hebben gekost om die tunnel te bouwen, dus waarom had hij hem dan zo achtergelaten? Misschien was hij op dat moment wel binnen.'
Salamander lachte klaterend. 'Laten we dat hopen, o prinses van perileuze potenties. Want dan zouden we antwoord hebben op de vraag waarom we hem sindsdien niet meer hebben gezien.'
'Inderdaad, maar je moet op je hoede blijven. We weten het niet zeker; bovendien kan iemand die genoeg kracht heeft om zoiets te maken, ongetwijfeld weer naar buiten komen.'
'Je hebt gelijk, maar laten we uit alle macht hopen dat hij daar heel lang over doet.'
Maar al voordat Salamander uitgesproken was, voelde Dallandra een koude rilling over haar rug lopen, wat betekende dat er gevaar dreigde.
'Het zal niet lang genoeg zijn,' zei ze. 'Lang niet lang genoeg.'

De volgende morgen werd Branna vroeg wakker. Ze ging meteen naar beneden, maar een slaperige dienstmaagd vertelde haar dat het Westvolk zijn kamp al had opgebroken en was vertrokken.
'Maar de troubadour is er nog,' zei het meisje. 'Hij is in de keuken en vraagt de kokkin nu al om zijn ontbijt.'
Even later zag Branna Salamander langzaam de grote zaal binnenkomen met een homp brood in zijn ene en een appel in zijn andere hand. In het deel van de krijgers ging hij op een bank tegen de ronde muur zitten. Ze besloot een berisping van tante Galla te riskeren en ging naar hem toe.

'Ik ben blij dat je met ons mee teruggaat,' zei ze. 'Want ik wil je een heleboel vragen.'

'En ik hoopte nog wel dat je blij zou zijn vanwege mijn betrouwbare aard en boeiende gezelschap,' zei Salamander grinnikend.

'Je bent inderdaad boeiend gezelschap, maar wat die betrouwbare aard van je betreft...'

'Aha, heel verstandig.' Salamander nam een hap brood.

'Mag ik iets vragen? Rori, de zilveren draak, is echt je broer, nietwaar?'

Salamander knikte met volle mond.

'Eerst dacht ik dat het weer zo'n verhaal van je was, maar Dallandra zei dat het waar is. Maar ze wilde me niet vertellen hoe het komt dat hij nu een draak is, omdat ik dat niet zou kunnen begrijpen. Waarom niet?'

Salamander slikte de hap brood vlug door. 'Waarschijnlijk omdat je nog niet genoeg weet van dweomer. Weet je bijvoorbeeld al wat een etherische dubbelganger is? Of een lichtlichaam? En wie zijn de Wachters?'

'O.' Branna liet haar schouders hangen van teleurstelling. 'Dat weet ik allemaal niet.'

'Dweomer, mijn tortelduifje, is een heel ingewikkelde zaak. Ingewikkelder dan alles wat je ooit van je leven hebt willen leren. En net zoals met andere dingen moet je bij het begin beginnen, niet in het midden en zeker niet aan het eind.'

'Verdorie! Daar was ik al bang voor.'

'Maar over Rori kan ik je één ding vertellen, en dat is dat hij stapelgek is geworden. Dat heeft Arzosah me verteld en zij kan het weten. Hoewel...' Salamander staarde met gefronste wenkbrauwen naar de homp brood. 'Hoewel ik moet toegeven dat Rori al gek was voordat hij veranderde in een draak.'

Opnieuw kreeg Branna het onbehaaglijke gevoel dat ze twee soorten gedachten had. Ze hoorde precies te weten wat Salamander bedoelde, terwijl ze tot een paar weken geleden nog nooit van Arzosah had gehoord.

Toen de andere vrouwen beneden kwamen, liet Branna Salamander, hoe graag ze hem ook mocht, achter om met hen bij de erehaard te gaan zitten. Drwmigga's plaats was rechts van de gwerbret. Adranna was er nog niet, maar Trenni kwam met haar grootmoeder mee de trap af en samen gingen ze bij Cadryc aan tafel zitten. Solla had zich aangesloten bij de vrouwen van de Rode Wolf, omdat ze Dun Cengarn zou verlaten en Galla's gezelschapsdame zou worden. Branna nam de stoel naast Solla, en even later kwam Neb beneden, die naast haar ging zitten.

'Waar is Gerran?' vroeg vrouwe Galla aan de tieryn.

'Hij heeft toestemming gevraagd om bij zijn mannen te eten.' Cadryc gebaarde in de richting van het deel van de zaal waar de burgers zaten.

'Dat zie ik, lieverd, maar waarom?'

'Eh... Nou ja...' Cadryc dacht even na en haalde zijn schouders op. 'Hij zei dat hij het moeilijk vindt Matto onder ogen te komen. Omdat de jongen het heeft gezien.'

Niemand zei iets, maar Branna was zich ervan bewust dat iedereen aan tafel of naar Trenni keek, of juist niet.

'Ik weet wat Matto heeft gezien,' zei Trenni. 'Maar het kan me niet schelen en hij zou het ook niet erg moeten vinden.'

'Ach, lieve schat...' zei Galla op sussende toon, 'daar moet je toch niet aan denken?'

'Natuurlijk moet ik eraan denken, oma!' Trenni haalde hoorbaar adem, alsof ze moed vergaarde. 'Maar Matto komt hier niet eten, dat heeft hij tegen me gezegd. Hij komt pas beneden wanneer we naar huis gaan.' Zacht voegde ze eraan toe: 'Hij wil de gwerbret niet zien.'

'Nog een verhaal om voor een andere keer te bewaren,' zei Cadryc ferm. 'Laten we nu ons ontbijt opeten. We vertrekken morgen, en dan hebben we dit weer gehad.'

Branna en Neb keken elkaar bezorgd aan. Omdat Neb haar precies had verteld wat er tijdens het beleg en daarna was gebeurd, wist Branna dat de gwerbret Matyc had willen doden. Ridvar heeft een gemeen web om mijn oom gesponnen, dacht ze. Ridvar had inderdaad het recht om de zoon van een verrader uit de weg te ruimen, maar Cadryc was verplicht zijn kleinzoon te beschermen en dat wilde hij ook doen. Clan en opperheer, dat waren de hoofddraden in het leven van een edelman, en vaak liepen ze in tegengestelde richting of dreigden ze hem te wurgen. Als prins Voran er niet bij was geweest... Branna weigerde verder te denken. Niet op deze zonnige ochtend, dacht ze, niet nu iedereen van wie ik houd veilig is, voorlopig tenminste.

Na het ontbijt bleven Cadryc en Neb aan tafel zitten. Neb moest een brief aan Mirryn schrijven, met het laatste nieuws en om hem te vertellen dat ze over een paar dagen thuis zouden komen.

De vrouwen gingen naar de vrouwenzaal. Solla liep als laatste de trap op en keek nog even achterom naar de tafel waar ze Gerran met zijn rode haar duidelijk kon zien zitten.

'Ik zal met Gerro praten,' zei Branna. 'Voortaan moet hij aan onze tafel eten, en ik wil wedden dat tante Galla ervoor zal zorgen dat hij naast jou komt te zitten.'

'Waarom?' zei Solla. 'Het was erg dom van me dat ik dacht dat hij...' Ze aarzelde. '... dat hij belangstelling voor me had.'

'Je mag de moed niet zo gauw opgeven. Gerran is eraan gewend zijn gevoelens te onderdrukken en hij praat niet gemakkelijk.'

'Je hebt gelijk.' Solla wendde haar hoofd af. 'Helaas.'

Later die dag zag Branna Gerran aan een uiteinde van een van de tafels van de krijgers zitten. Met zijn voeten op een bank leunde hij gevaarlijk ver achterover op zijn stoel en staarde naar het haardvuur, met een kroes bier in zijn hand. Branna besloot dat ze als bijna zijn zuster het recht had met hem over een eventueel huwelijk te praten. Ze liep vastberaden naar hem toe, en hij zette vlug zijn voeten op de grond en ging rechtop zitten.

'Vertel me eens, heer Gerran, waarom je hier zit en niet bij de erehaard,' zei ze.

Gerran glimlachte een beetje beschaamd. 'Dat weet ik niet,' antwoordde hij. 'Misschien voel ik me aan deze kant thuis.' Hij dacht even na. 'Bovendien ben ik nog steeds de hoofdman van je oom.'

'Dat is waar. Ik vroeg me af of je al denkt als een edelman, maar dat doe je blijkbaar niet.'

'Waarom vroeg je je dat af?'

'Vanwege vrouwe Solla.'

Hij keek haar stuurs aan.

'O, gaat me dat niets aan?'

'Inderdaad.'

'Het gaat me wel iets aan, want ze is mijn vriendin en jij blijft in onze dun tot oom Cadryc een andere hoofdman heeft gevonden en je aanstelling bevestigd is door Dun Deverry.'

'Ik kan me niet voorstellen dat ze met mij zou willen trouwen.'

'Ach, Gerro, doe toch niet zo dom!' Branna had geen geduld meer om beleefd te blijven. 'Natuurlijk wil ze dat, en ik wil wedden dat je dat heus wel weet. Zo stom ben je nu ook weer niet.'

Gerran opende zijn mond, sloot hem weer en deed dat nog een keer. 'Wat wil je zeggen?' vroeg Branna.

'Ik zal je de waarheid vertellen als je me belooft dat je het niet tegen haar zult zeggen, of tegen iemand anders, zelfs niet tegen Neb.' Hij grijnsde zo zelfvoldaan dat Branna zin had hem door elkaar te rammelen, maar haar nieuwsgierigheid won het van haar eergevoel. 'Goed, dat beloof ik,' zei ze.

'Ik wil graag met haar trouwen,' zei hij, en op zachte toon ging hij verder: 'Maar stel dat ik, als ik haar vraag en zij stemt toe, word gedood bij de slag om Zakh Gral? Dan is ze verloofd met een dode, net zoiets als een weduwe, en wie zal er dan nog met haar willen trouwen?'

Branna was zo verbaasd om zijn zorgzaamheid dat ze een poosje niet wist wat ze moest zeggen. Gerran nam een paar slokken bier en staarde weer in het vuur.

'Nu begrijp ik het,' zei ze ten slotte. 'En je hebt gelijk. Als je dit tegen Solla zou zeggen, zou zij zeggen dat het niet belangrijk is en zou je waarschijnlijk je verloving aankondigen, maar het is wel belangrijk. Ik zal het tegen niemand zeggen, en ik zal al die tijd bidden dat je veilig van Zakh Gral naar huis zult komen.'

De laatste nacht van het verblijf van de Rode Wolf in Dun Cengarn was het zo benauwd in de broch dat Branna niet kon slapen. Zonder Neb wakker te maken stond ze op, trok iets aan en klom op blote voeten naar het dak. Een koele bries blies hier en daar een wolkensliert naar het oosten. Het leek alsof de maan, die in het laatste kwartier stond, meeging, terwijl hij kiekeboe speelde met de wolken. Ver in het westen hoorde Branna rollende donder, zo klonk het tenminste. Maar ze had inmiddels vaak genoeg een draak horen vliegen dat ze wist wat het werkelijk was. Ze tuurde naar de lucht en even later zag ze Rori aankomen, die met het Natuurvolk van Ether om zich heen helderder glansde dan de maan. Ze verwachtte dat hij op een afstandje langs zou vliegen, maar hij koerste recht af op de toren, alsof hij van plan was daar te landen. Maar op het laatste moment liet hij een vleugel zakken en vloog in een kring om de toren heen, alsof hij haar wilde groeten. Op dat moment, hoog boven Cengarn en terwijl ze de rondcirkelende draak met haar ogen volgde, herinnerde Branna zich dat ze daar lang geleden ook had gestaan en dat ze toen naar een man had gekeken op de rug van een andere draak, die in het voorbijgaan naar haar zwaaide. Het beeld was zo sterk dat ze zich omdraaide om iets tegen Dallandra te zeggen, maar deze keer stond de elfenvrouw niet naast haar.

Heel even had Branna het gevoel dat ze op het punt stond in trance te raken of flauw te vallen, en ze wankelde. Ze begon te rillen en verkilde toen ze een ander visioen kreeg, van twee levens, het ene als een nevelige herinnering, het andere als een helder beeld. Eerst lagen ze over elkaar heen en toen gleden ze uit elkaar en leek het alsof ze gescheiden een rondedans maakten door haar hoofd. Ze zag de zilverwyrm boven Cengarn vliegen. Ze zag een man in een deuropening, met achter hem helder zonlicht en boven hem de schaduw van reusachtige vleugels, zijn duistere wyrd. De twee beelden gingen in elkaar over.

'Rhodry!' riep ze. 'Rhodry, ik ben teruggekomen! Ik ben hier!'
Meteen had ze het gevoel dat ze iets heel doms had geroepen, maar de draak gooide zijn kop omhoog en brulde, en ze hoorde blijdschap in zijn groet. Hij maakte nog een rondje en vloog toen naar het noorden. Branna keek hem na tot hij achter de donkere horizon was verdwenen.

'Vooruit dan maar, Jill,' zei ze hardop. 'We moeten er allebei aan werken, maar je hebt gezworen dat je hem zou terughalen uit dat wyrd, en ik zweer bij elke god en godin dat ik die belofte zal houden.'

Woordenlijst

Alar – (Elfentaal) Een groep elfen, al dan niet familie van elkaar, die voor onbepaalde tijd met elkaar rondtrekken.

Alardan – (Elf.) Ontmoeting van verschillende alarli, gewoonlijk aanleiding tot een dronkenmansfeest.

Astrale, het – Het bestaansvlak binnen of boven het etherische (q.v.). Wordt in andere magische stelsels vaak het Akasisch Denken of de Schatkamer van het Denkbeeldige genoemd.

Banadar – (Elf.) Krijgsheer, equivalent van het Deverriaanse 'cadvridoc' (q.v.).

Betoveren – Door manipulatie van het aura iemand in een staat brengen die lijkt op hypnose. (Bij echte hypnose wordt alleen het bewustzijn gemanipuleerd, waardoor iemand zich gemakkelijker kan verzetten.)

Blauw Licht – Andere naam voor het etherische vlak (q.v.).

Cadvridoc – (Dev.) Legeraanvoerder, maar geen generaal in de moderne betekenis van het woord. Hoewel hij wordt geacht de opmerkingen en adviezen van de edelen onder zijn bevel in overweging te nemen, heeft hij het laatste woord.

Deosil – De richting waarin de zon zich beweegt door de lucht, met de wijzer van de klok mee. Bij de meeste dweomerhandelingen die cirkelvormig worden uitgevoerd, gebeurt dit deosil. Het tegenovergestelde, dus tegen de draaiing van de zon in, wordt beschouwd als een teken van duistere dweomer en alle vormen van zwarte magie.

Dweomer – (vertaling van het Dev. *dwunddaevad*) In de strikte betekenis van het woord een wijze van toveren gericht op persoonlijke verlichting door harmonie met het natuurlijke universum op al zijn vlakken en in al zijn vormen. In de algemene betekenis magie, tovenarij.

Etherische gedaante – De wezenlijke vorm van een mens, de elektromagnetische structuur die het lichaam bijeenhoudt en de werkelijke zetel van het bewustzijn is.

Etherische, het – Het bestaansvlak direct boven het fysieke. Met zijn magnetische substantie en stromen houdt het de fysieke materie in een onzichtbare matrix en is het de ware bron van wat we 'leven' noemen.

Gerthddyn – (Dev.) Letterlijk 'muziekman', een rondtrekkende minstreel en entertainer met een veel lagere rang dan een bard.

Gwerbret – (Dev., van het Gallische *vergobretes*) Hoogste rang van de adel onder de koninklijke familie. Gwerbrets (Dev. *gwerbretion*) zijn de hoogste gezagsdragers van hun gebied; zelfs koningen aarzelen om hun besluiten te herroepen vanwege hun eeuwenoude privileges.

Hoofdman – (vertaling van het Dev. *pendaely*) Onderbevelhebber van de krijgsbende van een edelman. Het is interessant dat het woord *taely* (de wortel van *-daely*) afhankelijk van de context zowel 'krijgsbende' als 'familie' kan betekenen.

Lichtgedaante – Kunstmatige gedachteverschijning (q.v.) gevormd door een dweomermeester, opdat hij of zij door de binnenste bestaansvlakken kan reizen.

Lwdd – (Dev.) Zoengeld. Het verschil met weergeld is dat het bedrag niet wettelijk is vastgesteld, maar dat er onder bepaalde omstandigheden over onderhandeld kan worden.

Malover – (Dev.) Voltallig gerechtshof, waarin zowel een priester van Bel als een gwerbret of tieryn zitting heeft.

Rhan – (Dev.) Staatkundige gebiedseenheid. Een *gwerbretrhyn* wordt bestuurd door een gwerbret, een *tierynrhyn* door een tieryn. De grootte van de diverse rhans (Dev. *rhannau*) is zeer verschillend en wordt eerder bepaald door een erfenis of de uitkomst van een oorlog dan door de wet.

Scryen – De kunst om door middel van toverkracht afwezige mensen of andere plaatsen te zien.

Tieryn – (Dev., meervoud: *tierynau*) Tussenrang bij de adel, lager dan gwerbret en hoger dan een heer (Dev. *arcloedd*).

Westvolk – De Deverriaanse benaming van de elfen.

Wyrd – (vertaling van het Dev. *tingedd*) Het lot; de onontkoombare problemen die een bewust levend wezen meeneemt uit zijn vorige incarnatie.

Zegel – Abstract magisch teken, meestal het symbool van een bepaalde geest, energie of kracht. Deze tekens, die eruitzien als een soort geometrische krabbels, zijn volgens bepaalde regels ontleend aan geheime magische diagrammen.

Aanwijzing voor de Deverriaanse Jaartelling

De Deverriaanse jaartelling begint bij de stichting van de Heilige Stad, ongeveer in het jaar 76 n.C. Ik maak de lezer erop attent dat het oude Keltische Nieuwjaar op de dag valt die wij 1 november noemen, zodat de winter het eerste seizoen van het nieuwe jaar is.

AANWIJZINGEN VOOR DE UITSPRAAK VAN DEVERRIAANSE WOORDEN

KLINKERS worden door Deverriaanse schrijvers verdeeld in twee klassen: edel en gewoon. Edele klinkers hebben twee uitspraken, gewone maar één.

A zoals in *elan* als hij lang is; een kortere versie van dezelfde klank, zoals in *hak*, als hij kort is.

O zoals in *boon* bij een lange, zoals in *pot* bij een korte klank.

W soms met een lange, soms met een korte oe-klank.

Y als de i van *machine* bij een lange, als de e in *boter* bij een korte klank.

E zoals in *pen*.

I zoals in *pin*.

U zoals in *dun*.

Klinkers zijn doorgaans lang in beklemtoonde lettergrepen, kort in niet-beklemtoonde. Y is de voornaamste uitzondering op deze regel. Als dat de laatste letter van een woord is, is hij altijd lang, of de lettergreep nu beklemtoond is of niet.

TWEEKLANKEN hebben gewoonlijk een vaste uitspraak.

AE als de ee in *meent*.

445

AI zoals in *beige*.
AU zoals in *nauw*.
EO als een combinatie van eh en o.
EW zoals in het Welsh, een combinatie van eh en oe.
IE zoals in *pier*.
OE als de oy in *boy*.
UI als de oei in *boei*.
OI is nooit een tweeklank, maar bestaat uit twee aparte klanken, zoals in *carnoic* (kár-no-ik).

MEDEKLINKERS ZIJN GROTENDEELS HETZELFDE ALS IN HET ENGELS, MET DE VOLGENDE UITZONDERINGEN:
C IS ALTIJD HARD, ZOALS IN *cake*.
G is altijd hard, zoals in *goal*.
DD is de Engelse th-klank, altijd stemhebbend, zoals de th in *breath*. (Het geluid dat de Grieken de Keltische tau noemen.)
R wordt zwaar gerold.
RH is een stemloze R, ongeveer uitgesproken zoals hr in het oorspronkelijke Deverry werd uitgesproken. In Eldidd verschilt deze klank bijna niet meer van R.
DW, GW en TW zijn meestal afzonderlijke klanken, zoals in *Gwendolyn* of *twijg*.
Y is nooit een medeklinker.
I voor een klinker aan het begin van een woord doet dienst als medeklinker, zoals ook in het meervoudeinde *-ion*, dat wordt uitgesproken als *-jon*.

DUBBELE MEDEKLINKERS worden, anders dan in het Engels, beide duidelijk uitgesproken. Bedenk echter dat DD een enkele letter is, geen dubbele medeklinker.

DE KLEMTOON ligt meestal op de voorlaatste lettergreep, maar samengestelde woorden en plaatsnamen vormen vaak een uitzondering op deze regel.

Incarnatielijst

643	696	718	773	835-843	918	980	1060	1100	1150
Brangwen	Lyssa		Gweniver	Branoic			Jill		Branna
Madoc		Addryc	Glyn	Caradoc			Blaen van Cwm Pecyl	Drwmyc	Voran
Blaen	Gweran		Ricyn	Maddyn	Maer	Meddry	Rhodry	Rhodry	Rori
Garraent	Tanyc	Cinvan	Dannyn	Owaen	Danry		Cullyn		Gerran
Rodda	Cabrylla		Dolyan				Lovyan		
Ysolla	Cadda		Macla	Clwna	Braedda		Seryan		Solla
Galrion	Nevyn	Nevyn	Nevyn	Nevyn	Nevyn	Nevyn	Nevyn		Neb
Rhegor							Caer		
Ylaena				Bellyra	Glaenara			Carramaena	Carramaena
Adoryc				Burcan			Sarcyn	Verrarc	
			Dagwyn	Aethan	Leomyr		Gwin		Warryc
			Saddar	Oggyn			Ogwern		Oth
				Anasyn					
				Lillorigga				Kiel	
				Bevyan				Niffa	Niffa
				Merodda			Mallona	Dera	Galla
			Mael		Pertyc Maelwaedd		Rhodda	Raena	Sidro
								vrouwe Rhodda	
								Jahdo	
							Alaena	Yraen	Clae
							Rhys	Marka	Ridvar
							Sligyn	Erddyr	Cadryc
							Alastyr		Raven Mazrak